한국 문단 작가 연구 총서

作家研究

4

작가연구 편

국학자료원

작가연구 제 7·8 호

1999년 상반기

편집주간　서종택
편집위원　하정일 강진호 이상갑 채호석

기획 대담

192　유신체제와 민족문학
임헌영 · 채호석

새로운 텍스트 읽기, 테마문학

한국 문학평론가 협회가 추천하는 테마별 문학작품선!

(관련작품목록수록)

테마문학1 **몸 몸속에 별이 뜬다** 김영하 외/ 이재복 편

인간과 세계에 대한 보다 본질적이고 근원적인 화두인 몸!
몸에 대한 보다 궁극적인 인식을 가져보자.

테마문학2 **동물 나는 동물원에서 사냥을 한다** 김소진 외/ 염철 편

인간보다 더 오랜 역사를 지닌 동물! 그 동물적 상상력은 한 작가를 깊
이 이해하는 중요한 단서가 될 수 있다.

테마문학3 **자살 죽음, 아주 낮은 환상** 윤영수 외/ 황영미 편

현대 사회를 살아가면서 겪는 고민과 갈등을 표현하는 현대 문학의
주요한 테마, 바로 자살이다!

테마문학4 **여행 설악산은 어디로 가는가** 구효서 외/ 박주택 편

동서고금을 망라하고 모든 문학은 여행에서 시작해서 여행으로 끝난
다. 책과의 여행을 떠나보자.

테마문학5 **섬 내 영혼이 꿈꾸는 섬** 하근찬 외/ 현길언 편

우리는 광대한 우주의 바다에 떠 있는 작은 섬에 살고 있다.
그러면서도 사람들은 섬을 꿈꾼다.

신국판/ 각 7,000원

윤컴 121-130 서울시 마포구 구수동 21-1
도서출판 TEL 711-1712~3, FAX 711-1714

작가연구

제 7·8 호

새 미

21세기 한국문학과 시련의 정신

20세기와의 결별이 바로 코 앞까지 다가왔다. 여기저기서 20세기를 되돌아 보는 작업들이 활발하게 벌어지고 있지만, 지난 백 년에 대한 평가는 제각각이다. 어떤 이는 20세기를 진보의 시대로 이해하는 데 비해 다른 이는 퇴행기라고 혹평한다. 20세기에서 희망을 읽는 이가 있는가 하면 환멸만을 보는 이도 적지 않다. '나'는 20세기에서 미래의 가능성을 찾는 데 반해 '너'는 거기에서 파국의 징후를 발견한다. 20세기에 대한 평가가 이처럼 극에서 극을 달린다는 것은 이 시대가 그만큼 문제적인 시대였음을 말해준다.

한국의 20세기는 어떠한가. 한 편으로 제국주의 외세의 침탈과 냉전적 분단 상태의 지속으로 고통당하면서 다른 한 편으로 서구가 수백 년에 걸쳐 이룬 것을 한 세기 동안에 압축 성취하려 온갖 노력을 해왔음을 생각할 때, 게다가 자본주의적 근대화의 명암이 짙게 드리워져 있는 작금의 현실까지 감안할 때, 우리에게 20세기는 아마도 어느 나라, 어느 민족보다도 문제적인 시대였음에 틀림없다. 당연히 20세기에 대한 평가 역시 더더욱 극에서 극을 달릴 수밖에 없을 것이다.

물론 20세기에 대한 평가는 한층 조심스러워야 한다. 20세기에 대한 객관적 거리감이 확보되지 못한 상태이기 때문이다. 그런 점에서 너도 나도 20세기에 대해 한마디씩 해대는 요즈음의 풍조는 무책임하고 경박하다. 하지만 조심스러움에도 불구하고 20세기에 대한 정리는 어떤 식으로든 필요한 것이 또한 사실이다. 21세기의 바람직한 방향을 잡기 위해서이다. 그렇다면 20세기를 바라보는 올바른 시각은 무엇일까. 공자님 말씀 같지만, 두 극을 함께 보는 균형 감각 아닐까. 다시 말해 진보와 퇴행, 희망과 환멸, 미래의 가능성과 파국의 징후를 동시에 읽어내는, 20세기의 이중성에 대한 통찰력이 요구된다는 말이다.

따지고 보면, 이중적이지 않은 세기는 없었다. 그렇지 않았다면, 인류는 벌써 유토피아를 건설했거나 '최후의 날'을 맞이했을 것이다. 인류 역사가 전진과 후퇴의 왕복운동 속에서 지금까지 '지속'되고 있는 것도 바로 그 이중성 때문이다. 그러나 20세기의 이중성은 어느 시대보다도 각별하다. 홉스봄의 책 제목처럼 20세기는 그야말로 '극단의 시대'였기 때문이다. 말하자면 20세기는 역사의 두 방향이 극단으로 치달으며 때로는 반목하고 때로는 상호의존한 시대인 것이다. 20세기에서 근대의 성취와 근대의 붕괴를 동시에 볼 수 있는 것도 그래서일 것이다.

20세기의 극단적 이중성, 특히 근대의 밝음과 어두움이란 관점에서 한국문학을 되돌아 볼 때, 가장 주목되는 시대 가운데 하나가 1970년대이다. 70년대는 '고도 압축 성장'을 이룬 개발의 연대인 동시에 분단 자본주의의 역기능이 극에 달했던 고통의 연대이다. 그런만큼 근대의 이중성이 첨예하게 표출될 수밖에 없었는데, 역설적이게도 70년대 한국문학의 유례 없는 역동성은 이에 기인한 바 크다. 그런 점에서 20세기의 이중성과 그에 바탕한 역동성을 이해하는 데 70년대 한국문학만큼 좋은 교과서도 없다고 하겠다. 이번 호 특집을 전과 달리 작가가 아닌 1970년대 문학으로 잡은 것도 이 때문이다. 요컨대 70년대 한국문학을 통해 20세기의 의미를 새로이 성찰하고 나아가 21세기 한국문학의 바람직한 방향을 모색하자는 것이 이번 특집의 숨은 의도인 셈이다.

1970년대 한국문학 특집은 크게 총론과 작가론의 두 부분으로 구성되어 있다. 앞의 네 편이 총론에 해당되고, 뒤의 네 편이 작가론이다. 지금까지 70년대 한국문학에 대한 본격적인 연구가 거의 없었다는 점에서 이번 특집은 선구적 의미를 갖고 있다. 총론은 70년대 한국문학의 전체상을 조감하면서 주요 흐름들을 새롭게 정리하고자 하는 의도로 기획되었다. 하정일의 「저항의 서사와 대안적 근대의 모색」은 분단 자본주의의 형성과 그에 맞선 민중의 저항이라는 거시적 틀 속에서 70년대 문학 특유의 '저항의 서사'가 갖는 의미를 분석하면서, 대안적 근대를 향한 유토피아적 충동이 저항의 서사에 미학적 급진성을 불어넣어 주고 있음을 강조한다. 강진호의 「분단현실의 자기화와 주체적 극복의지」는 70년대 분단문학이 민족사에 대한 주체적 자각을 보여주었다는 점을 높이 평가하는 한편 역사주의적 시각과 문제 해결을 위한 능동성이 부족한 점을 한계로 지적한다. 이상갑의 「1970년대 민족문학론의 성과와 한계」는 민족문학론의 형성 과정을 추적하면서 70년대 민족문학론의 성취와 문제점을 엄정하게 짚고 있다. 정희모의 「문학의 자율성과 정신의 자유로움」은 이른바 '문지 그룹'의 문학론을 문학의 자율성 문제를 중심으로 가감 없이 정리한다. 이상갑과 정희모의 글은 70년대를 대표하는 두 문학론에 대한 연구라는 점에서 두 편의 글만으로도 70년대 문학비평의 진수를 이해하는 데 모자람이 없다.

　작가론은 황석영, 이문구, 신경림, 김지하에 대한 글들로 짜여 있다. 황석영의 대표작들에 대한 꼼꼼한 재독서를 시도한 서종택의 「삼포로 가는 길」, 이문구 문학의 미학적 특징으로 '이야기성과 서사성의 조화'에 주목한 현길언의 「이문구 소설론」, 신경림의 시 세계를 중심으로 70년대 민중시의 성과와 한계를 '리얼리즘의 실현과 서정성의 부족'으로 설명하고 있는 윤여탁의 「1970년대 민중시 실험의 의미와 한계」, 김지하 시의 핵심을 대립적 세계관에 기반한 유토피아

적 충동으로 해석한 김경복의 「해방의 근대성을 향한 도약」은 작가
론의 측면에서도 소중한 연구 성과들일 뿐더러 70년대 한국문학의
지형도를 이해하는 데 있어서도 좋은 길잡이가 되어 준다.

　이번 호 대담은 임헌영 선생과의 만남으로 꾸몄다. 선생은 문인
간첩단 사건과 남민전 사건으로 옥고를 치르는 등 그야말로 파란만
장한 삶을 살아오신 분이다. 그러한 고통스러운 체험에도 불구하고
민족문학에 대한 믿음을 굳건히 지키고 있는 선생의 풍모는 그 자체
로 생생한 교훈이라는 생각이 든다. 임헌영 선생과의 대담을 통해 민
족문학론의 형성 과정, 민족문학운동의 의미와 가능성, 1990년대 한
국문학의 성격과 문제점, 21세기 한국문학의 방향 등에 대한 소중한
말씀을 들을 수 있었다. 또한 해방 이후의 민족문학운동을 카프와의
연관성 속에서 하나의 흐름으로 이해하고자 하는 선생의 노력을 카
프를 단지 과거의 일, 혹은 연구대상으로만 여기는 현금의 문학연구
풍토에 일침을 가하는 바 있다. 게다가 선생은 60년대 이후 한국문학
의 이면사를 가장 많이 알고 있는 분 중의 하나여서 이번 대담을 흥
미로운 읽을거리들로 풍성하게 채워 주셨다. 장시간의 대담에도 싫
은 기색 한 번 없이 진지하게 답변해 주신 임헌영 선생께 재삼 감사
드린다.

　일반 논문은 세 편을 실었다. 강용운의 「1940년대 친일문학의 논
리와 아시아주의」는 친일문학론의 이론적 근거가 되었던 근대 초극
론의 허구성을 김남천과 최재서를 중심으로 밝혀내려 한 글이다. 요
사이 친일문학에 대한 연구가 조금씩 되살아나고 있는 것은 여러모
로 반가운 일이다. 그러나 친일문학 연구는 자칫하면 윤리적 단죄의
유혹에 빠질 위험성을 항상 지니고 있다. 앞으로 그러한 유혹을 절제
하면서 학문적 엄정성에 바탕한 이론적 비판이 활성화되길 기대해

본다. 박헌호의 「나도향의 『어머니』 연구」는 그동안 별다른 주목을 받지 못했던 나도향의 장편 『어머니』를 모성과 근대성의 관계를 중심으로 분석하고 있다. 분석의 치밀성이나 문제의식의 예리함에 있어 이 논문은 작품론의 모범이라 할 만하다. 나도향의 문학사적 의미를 재인식하는 계기가 될 것이다. 임금복의 「여자 살해와 부조리한 페미니즘」은 난삽하기 이를 데 없는 박상륭의 『죽음의 한 연구』를 섬세하게 분석하면서 페미니즘적 관점에서의 비판적 해석을 시도한 글이다. 문학 연구에서 가장 경계해야 할 일이 '우상화'이다. 우상화는 작가를 신비화시킴으로써 합리적 이해를 원천봉쇄 한다. 더구나 우상화는 대개 상업주의와 교묘하게 연계되기 마련이다. 그런 점에서 일각에서 나타나고 있는 박상륭 우상화는 우려스럽기 그지없다. 이 논문의 타당성 여부를 떠나 박상륭에 대한 비판적 해석이 의미 있는 것은 그래서이다. 이때의 비판적 해석 역시 합리적 근거에 바탕해야 함은 물론이다.

서평으로는 한영옥의 『한국현대시의 의식탐구』, 민족문학사연구소 희곡분과가 낸 『1950년대 희곡 연구』, 김영석의 『도의 시학』에 대한 김신정, 이상우, 채진홍의 글이 마련되었다. 그냥 하는 인사말이 아니라, 이번 서평들은 치밀한 독서와 날카로운 문제제기로 독자들에게 서평 읽는 즐거움을 한껏 제공해 주리라 자신한다. 좋은 서평을 보내준 세 분에게 감사드린다.

한국문학의 21세기는 어떤 모습일까. 자본의 전면 지배 속에서 사적 세계로 숨어버리거나 상업주의와 타협한 90년대 한국문학의 일그러진 얼굴을 감안하면 그다지 밝은 모습은 아닐 듯하다. 하지만 문학을 둘러싼 환경이 언제 좋은 적이 있었던가. 긴 호흡과 깊은 투시력, 그리고 임화가 말한 '시련의 정신'이 요구되는 오늘이다. (하정일)

원고를 기다립니다

　『작가연구』는 한국의 현대문학에 대한 개방적이고 진취적인 문학 연구를 지향하는 반년간 학술지로서, 학술진흥재단에 정식 등록된 국문학 전문 학술지입니다.

　『작가연구』는 이론적 깊이와 비평적 통찰을 겸비한 문학 연구를 통해 우리 시대의 문학과 주요 작가들을 새롭게 조명함으로써 엄정하면서도 개방적인 문학사를 지향합니다.

　『작가연구』는 인간 정신의 참 의미를 구현해 나갈 인문학이 전반적으로 침체된 시대 상황의 제한 속에서도 한국문학의 정수를 끈질기고 깊이 있게 성찰함으로써, 인문학의 진정한 위엄을 되찾고 한국문학이 새롭게 도약할 수 있도록 노력하고 있습니다.

　『작가연구』는 참신하고 진지한 문제 의식이 담긴 연구자 및 독자 여러분들의 글을 기다리고 있습니다. 『작가연구』의 이러한 편집취지와 뜻을 같이 하는 분의 글이라면 어떤 것이나 환영합니다. 여러분들의 애정 어린 관심과 적극적인 투고를 부탁드립니다.

◆ 원고 마감 : 2000년 1월 31일
◆ 접수된 원고의 게재 여부는 본지 편집위원회에서 결정하며, 채택된 원고에 대해서는 소정의 고료를 지급합니다. 접수된 원고의 반납에 대해서는 책임지지 않습니다.
◆ 원고는 디스켓과 함께 보내거나 통신을 이용해 주시기 바랍니다.
◆ 주소 : (도서출판) 새미 『작가연구』 편집위원회 앞
　　　　서울 성동구 행당동 29-7 정우 빌딩 402호(우:133-070)
◆ 전화 : (02) 2292-7949, 2291-7948,
　　e-mail : kookhak@kookhak.co.kr : seami@lycos.co.kr

특집

한국문학과 1970년대

저항의 서사와 대안적 근대의 모색*
― 산업화 시대의 민족문학

하정일

1. 분단 자본주의와 1970년대의 민족문학

한국전쟁 이후의 한국사는 한마디로 분단 자본주의가 형성·심화되는 과정이었다고 할 수 있다. 이 때 분단 자본주의란 자본주의로의 전반적 경향과 분단이라는 한반도적 조건을 결합한 용어로 한국사회의 보편성과 특수성을 아우르는 개념이다. 분단 자본주의는 한국전쟁 이후의 대세였지만, 그것이 본격화되는 시기는 박정희 정권에 들어와서이다. 이승만 정권 하의 한국사회는 원조 경제에 기반한 상업 자본주의적 성격이 강했던 데 비해 박정희 정권부터 비로소 산업화에 박차를 가하면서 전형적인 의미에서의 '근대적' 자본주의로 나아갔기 때문이다. 10월 유신은 그러한 자본주의적 근대화를 보다 신속하고 효율적으로 이루기 위한 전략이었다.

특히 70년대는 분단 자본주의가 정착된 시기라 할 수 있다. 70년대 한국사회의 분단 자본주의적 성격은 무엇보다도 그것이 유신체제를 정치적 상부구조로 하고 있다는 데에서 극명하게 드러난다. 유신체제는 세 가지의 이데올로기에 의해 지탱되었거니와 그것들은 반공주

---

* 본 논문은 1998학년도 원광대학교 교내 연구비 지원을 받아 쓰여졌음.
원광대 교수, 저서로『한국근대민족문학사』와『민족문학의 이념과 방법』이 있음.

의·권위주의·성장주의였다. 이 세 이데올로기는 결국 냉전적 분단 상태를 구실로 한 폭력적이고 억압적인 권위주의 통치를 통해 자본주의적 근대화를 밀어 부치려는 지배 블록의 의도의 표현이었다.[1] 그런 점에서 70년대 한국사회의 자본주의적 근대화는 분단을 이용한 혹은 분단과 유기적으로 결합된 자본주의적 근대화였거니와 그렇게 보면 분단 자본주의만큼 70년대 한국사회의 보편성과 특수성을 잘 설명해주는 용어도 없다고 하겠다.

분단 자본주의는 한편으로는 '한강의 기적'이라는 말을 들을 정도로 압축 성장을 이루어냈지만, 다른 한편으로는 자본주의적 근대화의 역기능을 더욱 극대화시켰다. 사실 분단 자본주의가 그토록 급속한 성장을 이룰 수 있었던 것은 유신체제라는 폭력적이고 억압적인 권위주의체제 덕분이었다. 따라서 역기능의 극대화는 필연적인 산물이었던 셈인데, 유신체제가 박정희 정권의 절정기인 동시에 몰락기였던 것도 바로 경제가 성장하면 할수록 역기능도 그에 비례해 심화되는, 분단 자본주의의 극단적 이율배반성 때문이었다고 할 수 있다. 70년대 분단 자본주의의 역기능은 부의 양극화와 그에 따른 상대적 박탈감의 심화, 공동체적 전통의 붕괴와 이익 사회화, 계급 모순의 증폭과 사물화의 진전, 무분별한 개발로 인한 환경 오염과 생태계 파괴 등 헤아릴 수 없을 정도이다. 물론 70년대의 급속한 경제 성장으로 절대적 궁핍을 어느 정도 벗어난 것은 부인하기 어렵다. 하지만 경제적 궁핍으로부터의 탈출이 초래한 손실은 너무도 컸을 뿐더러 그 경제 성장이란 것도 민중의 피와 눈물의 대가라는 점까지 감안하면, 손익계산에서 마이너스 쪽이 두드러져 보이는 것 또한 분명한 사실일 터이다.

경제가 성장할수록 역기능이 심화되는, 아니 역기능 없이는 경제

---

1) 이에 대해서는 임현진·송호근, 「박정희체제의 지배이데올로기」(『한국정치의 지배이데올로기와 대항이데올로기』, 역사비평사 1994)와 고성국, 「1970년대 정치변동에 관한 연구」(『한국자본주의와 국가』, 한울 1985)를 참조하시오.

성장 자체가 불가능한 70년대 분단 자본주의의 이율배반성은 필연적으로 광범위한 저항을 불러일으켰다. 특히 본고의 주제와 관련해 농민운동, 도시 빈민운동, 노동운동 등 이른바 민중운동의 성장은 괄목할 만하다. 70년대에 민중운동이 빠르게 발전할 수 있었던 것은 어째서일까. 그것은 말할 것도 없이 분단 자본주의의 최대 희생자가 바로 민중이었기 때문이다. 주지하다시피 70년대의 산업화는 저임금/저곡가 정책을 바탕으로 진행되었다. 저임금/저곡가 정책이란 싼 임금으로 생산비를 절약해 가격 경쟁력을 확보하고 대신 저곡가로 노동자의 최저 생계를 유지시켜 주는, 구조적인 노동 착취의 방법이었다. 한편 저임금/저곡가 정책은 농촌을 몰락시켜 농민들을 대거 도시로 유입시킴으로써 값싼 노동력의 산업 예비군들을 만들어내는 절묘한 수단이기도 했다. 이처럼 저임금/저곡가 정책은 도시와 농촌, 노동자와 농민 모두에 대한 전방위적인 수탈을 통해 자본의 이익을 일방적으로 극대화시켜 주었으니, 그에 대한 민중의 저항은 당연한 결과였다고 하지 않을 수 없다. 70년대가 분단 자본주의의 성장기인 동시에 민중운동의 성장기이기도 한 것은 이 때문이다.2) 따라서 70년대 한국사회를 분단 자본주의의 정착이라는 관점에서만 이해하는 것은 지극히 일면적인 역사 인식이라 할 수 있다. 70년대 한국사회의 총체성은 분단 자본주의와 민중운동을 비롯한 반체제운동의 상호작용으로 구성된다. 70년대의 한국사가 역동적일 수 있었던 것도 분단 자본주의에 대한 반체제운동의 끈질긴 저항 덕분이었다.

70년대의 민족문학은 이 저항, 특히 민중의 저항에 주목했다. 그럼으로써 70년대 민족문학은 분단 자본주의에 맞선 저항의 전위가 되었다. 뒤에서 자세히 살펴보겠지만, 여기서의 '전위'란 단순한 수사적 표현이 아니다. 그것은 70년대 민족문학이 반체제운동의 가장 급진

---

2) 이에 대해서는 『한국에서 자본주의의 발전』(서울사회과학연구소 경제분과, 새길, 1991) 제2부 제2편을 참조하시오.

적인 흐름을 이루고 있음을 뜻한다. 70년대 민족문학의 이러한 급진성은 80년대의 민족문학과 비교하더라고 그렇다. 필자는 90년대에 들어와 민족문학이 침체에 빠진 내적 요인 가운데 결정적인 것이 지나친 급진성이 아니라 오히려 급진성의 상실이라고 생각한다. 80년대 민족문학은 노동해방문학이나 민족해방문학으로 가면서 스탈린주의에 침윤되었고, 스탈린주의는 민족문학에서 유토피아적 충동을 거세시켰다. 스탈린주의 이데올로기는 가장 자기 완결적인, 그래서 자기 갱신을 허용하지 않는 폐쇄적 담론이다. 이데올로기 자체가 본디 그런 속성을 갖고 있거니와3) 스탈린주의는 그 중에서도 타의 추종을 불허하는 폐쇄적 담론이라 할 수 있다. 그처럼 자기 완결적인 폐쇄적 틀 속에서 유토피아적 충동이 발붙일 수 있겠는가. 그리하여 민족문학은 스탈린주의에의 침윤 이후 주어진 정답—NL이든 PD든—을 어떻게 하면 문학적으로 표현할 수 있을까에만 몰두할 뿐이었다. 이러한 문학은 '과격'할 수는 있지만 '급진'적일 수는 없다. 왜냐하면 문학적 급진성이란 이데올로기적이면서도 이데올로기를 넘어서는4), 인간해방을 향한 영원한 유토피아적 충동을 자기 내부에 보존하고 있을 때에만 획득될 수 있기 때문이다.5) 이럴 때 비로소 문학은 이데

---

3) 페터 지마, 『소설과 이데올로기』, 서영상·김창주 역, 32면, 문예출판사, 1996.
4) 이에 대해 피에르 마슈레는 문학은 "이데올로기를 이용하면서 거부한다."고 말한다.
   피에르 마슈레, 『문학생산이론을 위하여』, 157면, 배영달 역, 백의 1994.
5) 이와 관련해 블로흐의 다음과 같은 발언은 시사적이다.
   "맑스는 미래에 나타날 국가나 사회에 관하여 자세하게 언급하지 않음으로써 미래의 국가상 내지는 미래의 사회상을 개방시켰다. 이러한 **개방된** 미래 국가의 상은 몇몇 사회주의 실천가들에 의해 파괴되고 말았다. 맑스가 의도한 사회적 제반 모순을 객관적으로 분석하는 작업이 인간의 꿈에 의해 위협당한 것은 결코 아니었다. 오히려 맑스를 추종하는 사람들은 경박하기 이를 데 없는 경험주의에 맹종하였던 것이다."(『희망의 원리』 4권, 303-304면, 박설호 역, 솔, 1995)
   개방된 미래상이야말로 맑스 사상의 핵심이라는 블로흐의 설명은 유토피아적 충동이 급진성의 바탕임을 암시해 준다. 이와 함께 맑스의 작업에서 유토피아적 충동이 결정적 의미를 지닌다는 것은 유토피아적 충동이 리얼리즘과

올로기의 미완결성을 보여줄 수 있게 되며, 이 미완결성으로부터 미래를 향한 무한한 가능성, 곧 진정한 의미에서의 급진성이 표현되는 것이다. 민족문학이 근본적 도전에 직면한 20세기의 말미에 우리가 70년대 민족문학을 되돌아보아야 하는 본질적 이유가 여기에 있다. 다시 말해 민족문학의 급진성을 되살릴 때 21세기 민족문학의 새로운 도약을 기대할 수 있다는 데 70년대 민족문학을 연구하는 현재적 의의가 있는 것이다.

2. 저항의 서사와 유토피아적 충동

70년대의 급속한 자본주의적 근대화는 표면적인 화려함과는 달리 민중의 희생과 눈물을 바탕으로 이루어진 결과였다. 저임금/저곡가로 상징되는 70년대 분단 자본주의의 구조적 수탈과 그에 따른 뿌리 깊은 소외의식은 민중이 자신의 정체성을 자각하는 계기가 되었다. 말하자면 분단 자본주의의 민중 적대적 성격을 인식하고 스스로의 계급적 처지를 깨닫게 된 것이다. 민중이 자신의 정체성을 자각했다는 것은 곧 그들이 역사의 객체에서 역사의 주체로 전환하기 시작했음을 뜻한다. 자신이 어떤 존재인지 모르는 한 주체로의 도약은 불가능하다. 왜냐하면 주체란 주객 변증법의 과정 속에서만 존립할 수 있는데, 정체성에 대한 무지는 주객 변증법의 작동 자체를 원천적으로 차단하기 때문이다.

민중의 주체로의 도약은 민중운동의 활성화로 나타났다. 농민운동·도시빈민운동·노동운동 등 민중운동의 성장이 그것이니, 70년대 민족문학이 보여주는 '저항의 서사'는 바로 이러한 흐름을 적극적으로 반영하려는 노력의 산물이었다고 할 수 있다.[6] 60년대의 한국

대척적인 관계가 아니라 오히려 리얼리즘의 중요한 미학적 원동력임을 말해준다. 리얼리즘과 유토피아적 충동의 관계에 대해서는 같은 책, 307-308면을 참조하시오.

문학에서도 민중에 대한 관심을 어렵지 않게 찾아볼 수 있었다. 그러나 당시의 문학에서 민중은 항상 객체로 대상화되어 있을 뿐이다. 반면에 70년대의 민족문학에서는 민중이 저항의 주체로 그려진다. 엄밀히 말하면, 저항과 주체성은 별개의 것들이 아니다. 수탈과 억압이 상존하는 체제에서 저항 없는 주체란 마치 실천 없는 이론처럼 공허할 수밖에 없다. 그런 점에서 저항은 주체를 주체답게 해주는 필수 조건이라 할 수 있다. 70년대 민족문학의 '저항의 서사'에 주목해야 하는 까닭이 여기에 있다. 요컨대 저항의 서사는 민중이 역사의 주체로 등장했다는 선언이었던 셈이다.

무엇보다 저항의 서사는 70년대 민족문학을 60년대 한국문학과 구별시켜 주는 결정적인 지표이다. 60년대 한국문학은 '성찰의 서사'로 요약된다. 성찰의 서사는 자신의 정체성에 대한 자각을 지향한다. 정체성의 자각이 주객 변증법의 출발점이라는 점에서 이는 60년대 문학에서부터 주체가 복원되기 시작했음을 뜻한다. 하지만 거기에는 실천이 결여되어 있어 항상 모호하고 불안정한 모습을 보여준다. 다시 말해 언제 무너질지 모르는 위태로움 속에서 60년대 문학의 주체는 내내 흔들리고 있는 것이다.[7] 민중의 발견은 60년대의 모호하고 불안정한 주체와는 다른 새로운 주체성을 창출했다. 그것은 실천을 통해서 자신을 확고히 하는 주체이니, 저항의 서사는 바로 이러한 실천적 주체의 문학적 표현인 것이다.

저항의 서사와 관련해 주목되는 작가로는 이문구, 황석영, 조세희가 있다. 이외에도 윤정규라든가 송기숙을 비롯해 많은 작가들이 저항의 서사를 형상화하고 있지만, 세 작가가 70년대 민족문학의 성취를 대표한다는 점에서 논의를 그들에 국한시키고자 한다. 이문구, 황

---

6) 1970년대 한국문학 전반에 대한 개괄로는 하정일, 「민중의 발견과 민족문학의 새로운 도약」(『민족문학사 강좌』 상권, 창작과비평사, 1995)을 참조하시오.
7) 이에 대한 좀더 자세한 설명으로는 하정일, 「주체성의 복원과 성찰의 서사」(『1960년대 문학연구』, 깊은샘, 1998)을 참조하시오.

석영, 조세희는 여러 측면에서 70년대 민족문학을 대표한다. 이들은 자본주의적 근대화의 최대 희생자인 농민, 도시 빈민, 노동자의 삶을 집중적으로 다룬 작가들이었다. 또한 이들은 민중을 역사의 객체가 아니라 당당한 주체로 그려냈다. 뿐만 아니라 이들은 70년대 리얼리즘과 모더니즘의 가능성을 극한까지 밀고나간 당대의 문학적 전위들이었다. 그런 점에서 세 작가만으로도 70년대 민족문학의 넓이와 깊이를 가늠해보는 데 부족함이 없다고 하겠다.

1) 농촌 근대화의 허구성과 새로운 공동체

70년대 이문구 문학의 공간적 초점은 농촌이다. 『관촌수필』에서부터 『우리 동네』 연작에 이르기까지 그는 농촌사회의 실상을 날카롭게 파헤친다. 이문구가 농촌 문제의 형상화에 심혈을 기울인 까닭은 농촌이 박정희 정권이 추진한 자본주의적 근대화의 최대 피해자였기 때문이다. 저임금/저곡가 체제하에서 농촌은 도농 차별과 농공 차별이라는 이중적 수탈의 대상이 되었다. 농촌에 대한 이러한 이중적 차별과 수탈은 농민의 주체적 각성을 불러일으켜 파행적 근대화에 대한 저항을 촉발시켰으니, 『우리 동네』 연작 전체의 주제가 바로 이것이다.

『관촌수필』이 근대화의 대세 속에서의 전통과 근대의 긴장, 곧 전통사회에서 근대사회로 이행하고 있는 과도기의 농촌을 그렸다면, 『우리 동네』는 근대화된 농촌의 현실을 해부한다. 다시 말해 70년대의 한국 농촌에서 근대화란 무엇인가, 농촌 근대화의 결과는 어떤 것인가, 근대화가 농촌의 생활과 풍속과 정신을 어떻게 변화시켰나 하는 문제들이 『우리 동네』의 관심사를 이룬다. 이문구에게 근대화란 일단 절대적 빈곤으로부터 상대적 빈곤으로의 변화를 뜻한다. 절대적 빈곤으로부터 탈출했다는 것이 하나의 발전인 것은 부인하기 어렵지만, 농민들은 그 대신 상대적 빈곤이라는, 어쩌면 절대적 빈곤보다도 더욱 심각한 문제에 부닥치게 된다. 상대적 빈곤이 심각한 문제인 까닭은 그것이 절대적 빈곤 상태에서는 경험하지 못했던 상대적 박탈감과 소외감을 증폭시켰을 뿐더러 농민의 정신과 욕구까지도 타락시켜 버렸기 때문이다. 보다 더 큰 문제는 근대화의 주체와 객체가 뒤바뀌었다는 점이다. 농촌 근대화란 농민의 삶의 질을 높이기 위한 방법일 터이다. 그러나 작가가 보기에 상황은 정반대이다. 농민들이 근대화를 위해 희생되고 있는 것이다. 말하자면 농촌 근대화의 주체이자 목표여야 할 농민이 수단과 객체로 전락한 것이다. 『우리 동네』는 바로 이처럼 목표와 수단, 주체와 객체가 전도된 근대화의 허구성을 통렬히 비판한다. 흥미로운 것은 이문구가 근대화 자체를 비판하는 것이 아니라는 점이다. 그는 근대화가 역사의 대세임을 부정하지 않으며, 근대화가 절대적 빈곤을 퇴치시켰음도 인정한다. 그가 문제 삼는 것은 근대화의 방식, 즉 주체와 객체가 전도된 '자본주의적' 근대화이다. 따라서 저항의 대상도 근대화 일반이 아니라 '자본주의적' 근대화에 맞춰진다.8) 이러한 주제가 가장 잘 나타나고 있는 작품이 「우리 동네 황씨」이다.

「우리 동네 황씨」에서 가장 관심을 끄는 인물은 황씨이다. 황씨는 그야말로 농촌 부르주아의 전형이다. 그는 "억대를 웃도는 농토"를 갖고 있는 대지주이자 젓갈과 소금을 매점매석해 떼돈을 버는 거상이며 "크든 적든 노상 5부 이자"만 놓는 고리대금업자이다. 그런 점에서 황씨는 단순한 지주도 아니고 순수한 부르주아도 아닌, 일종의 농촌 부르주아라 할 수 있다. 『우리 동네』의 다른 작품들에서는 등장한 바 없는 황씨는 농촌의 자본주의화가 만들어낸 새로운 인간형임에 틀림없다. 농촌 부르주아로서의 황씨의 새로움은 그가 농민과 대립함은 물론 경우에 따라서는 관과 대립하기도 하는 인물이라는 데

---

8) 『우리 동네』 전체에 대한 설명으로는 하정일, 「근대성의 변증법과 주체화의 미학」(『우리 시대의 소설, 우리 시대의 작가』, 계몽사, 1997)을 참조하시오.

서 잘 드러난다. 관과 황씨의 대립은 황씨가 매점매석한 질 낮은 새우젓과 소금을 팔아먹기 위해 관을 충동질한 데서 비롯된다. 이런 점이야말로 황씨의 부르주아적 면모라 하겠는데, 말하자면 상업 자본가로서의 황씨의 본질이 관과의 유착과 대립을 통해 확연히 노정되는 것이다. 그렇다고 해서 관이 농민 편인 것도 아니다. 관이 황씨를 걸고 넘어지는 것은 황씨에게서 더 많은 뇌물을 뜯어내기 위해서일 따름이다. 즉 황씨는 관을 이용해 질 낮은 새우젓과 소금을 비싼 값으로 농민들에게 팔아먹으려 하고, 관은 농민을 이용해 황씨에게서 더 많은 대가를 챙기려는 것이다. 따라서 황씨와 관의 대립의 이면에는 자본과 권력간의 추악한 유착이 가로놓여 있으며, 농민은 양쪽으로부터 이용당하는 희생양에 불과하다. 「우리 동네 황씨」는 이처럼 황씨라는 농촌 부르주아를 통해 농촌의 자본주의화가 낳은 구조적 모순의 핵심을 찌르고 있다.

60년대 한국문학이 성찰에 머문 채 실천으로까지 나아가지 못한 것이 실천의 주체를 찾지 못해서라는 언급을 앞에서 잠깐 했지만, 그와 함께 지적되어야 할 중요한 원인이 자본주의에 대한 '구조적' 인식의 부족이다. 60년대 작가들은 자본주의를 산업화로만 이해했을 뿐 자본주의의 총체적 의미를 이해하지는 못했다. 그 결과 무엇에 저항하고 어떻게 행동할 것인가라는 방법론을 찾아내기 어려웠고, 그것이 주체의 부재와 얽히면서 실천을 주저하게 만들었던 것이다. 그에 비해 「우리 동네 황씨」는 농촌의 자본주의화에 대한 구조적 인식을 바탕으로 '저항의 서사'로 나아간다. 이와 관련해 이 작품의 결말부는 압권이라 하지 않을 수 없다. 황씨와 마을 농민들간의 충돌은 이문구 특유의 입담과 재기가 번득이는 일대 장관을 연출한다. 이 대결을 통해 부정과 거짓에 기대 탐욕스레 부를 쌓아온 황씨의 본질, 요컨대 자본의 본질이 적나라하게 폭로된다. 결말부가 더욱 의미있는 것은 그 자리가 공동체적 연대감을 되살리는 계기가 되고 있는 점이다. 황씨와의 한 판 싸움을 거치면서 마을 농민들은 그들이 동일한 적을 앞에 둔 동지이고, 같은 생각과 아픔을 공유하고 있으며, 뭉치지 않으면 공멸할 공동 운명체임을 절감한다. 사소한 이해관계에 얽혀 서로 티각태각하면서 단자적 개인으로 찢겨 가던, 즉 자본주의적 이익 사회의 일원으로 변모해 가던 마을 사람들이 자본이라는 거대한 적 앞에서 다시금 하나가 되는 과정은 여러모로 의미심장하다. 특히 이들의 새로운 결집이 근대적 의미의 공동체적 연대를 낳았다는 점은 아무리 강조해도 지나치지 않다. 다시 말해 그것이 선험적으로 주어진 것이 아니라 자신들의 처지와 운명에 대한 자각을 바탕으로 한 주체적인 연대라는 데 중요한 의미가 있는 것이다. 왜냐하면 이러한 주체적 연대만이 집단적이고 지속적인 저항의 기반이 될 뿐 아니라 그 주체적 연대 자체가 새로운 세계의 바람직한 상을 제시하기 때문이다. 말하자면 마을 농민들의 주체적 연대에는 대안적 근대를 향한 유토피아적 충동이 내재해 있는 것이다.

「촌늠은 나이가 명함이지만 나두 막말을 안헐 수 읎어 허는디, 당신이 계장님 만나러 예까장 온 속심을 우리가 모르지 않어. 물간 새우젓, 곯은 황새기젓 좀 농민들헌티 멕여볼까 허구 시방 지켜앉어 있는디, 아스슈, 아스라구. 나두 작년 같잖여. 나두 정신 채렸다구. 작년만 해두 동네서 쩍일 늠 소리를 들었고, 또 그래야 쌌어. 하지만 나두 싫어. 왜냐. 나두 당신 말마따나 젊어. 늠 잔치에 설거지해 주다 내 배 곯구, 동네서 소랄 들어가며 살구 싶지는 않더라 이게여. 그러구 이건 내 개인 문제가 아녀. 그럼 뭐냐. 하늘과 땅과, 비바람두 눈보라두 우리를 보호해 줘. 심지어 개 돼지두 우리를 위해 살어. 그러나 사람은 틀리드라 이게여. 그러니 이저는 세상 읎이 거시기헌 늠이 무슨 소리를 해두 못믿겠더라 이게여.」

이장은 말허리를 끊고 좌중을 한 차례 둘러본 다음 나머지를 이었다.

「그러니께 결과적으루 우리 스스로를 보호허지 아니허면 아니 되겠더라이게 결론여. 내 맘만 같으면 당신이구 오도바이구 죄 남

댑문표 빤쓰에 싸서 둠벙 속에 처넣겄어. 또 그래야 옳어. 그러나
워쨌든 간에 당신은 우리게 사람여. 우리는 아직두 이웃을 보살피
구 동네 사람을 애끼구 싶다 이게여. 그리구 당신 빤쓰는 아니더래
두 수재민들이 흩바지는 안입는답디다. 부디 니열 새벽 빤쓰버텀
걷어가슈. 당신 손으루. 동트기 전에.」9)

이장은 물간 새우젓과 곯은 황새기젓을 관과의 유착을 통해 농민
에게 팔아먹으려는 황씨의 자본가적 본질에 대한 비판에 이어 "우리
스스로를 보호허지 아니허면 아니 되겄더라"라고 결론짓는다. 『우리
동네』 전체를 결론짓는 이 말에서 우리는 이장이 바라는 공동체가
전통적인 농촌 공동체가 아니라 자본주의의 본질에 대한 인식과 농
민의 처지에 대한 자각에 바탕한 새로운 공동체임을 확인할 수 있다.
그것은 한마디로 민중이 주체가 되는 공동체이다. 이 공동체가 '근대
적' 공동체인 것은 그것이 서로가 서로를 인격적 주체로 존중하는
의사소통적 합리성-이 점은 김씨가 '저기'라고만 해도 모두가 이심
전심으로 말뜻을 헤아리는 데서 함축적으로 드러난다-에 바탕한 공
동체이기 때문이며, 그 근대가 '대안적' 근대인 것은 자본주의와 구
별되는, 민중이 주체가 된 새로운 근대이기 때문이다. 그런 점에서
이 작품의 결말부는 자본주의를 넘어선 새로운 공동체에 대한 염원
을 표현한 대동굿이라 해도 과언이 아니다. 한 판 대동굿이 벌어졌지
만 실제로 해결된 것은 하나도 없다는 점에서 결말부는 앞으로 도래
해야 할 세상에 대한 유토피아적 바램일 따름이다. 하지만 민중이 주
체가 되는 공동체를 스스로 만들어 가겠다는 의지가 담겨 있다는 점
에서 그 유토피아적 충동은 강한 실천성을 동반하고 있다. 다시 말해
현재가 고정되는 것을 막고 미래로의 무한한 가능성을 열어가려는
실천적 열망이 결말부에는 가득차 있는 것이다. 그 열망의 구체화가
저항의 서사이다.

---

9) 이문구, 「우리 동네 황씨」, 409-410면, 『우리 동네』, 민음사, 1997.

여기서 중요한 것이 미래에 대한 개방성이다. 「우리 동네 황씨」의 저항의 서사는 미리 준비된 이데올로기적 정답으로 환원되지 않는 구조이다. 그렇다고 「우리 동네 황씨」가 탈이데올로기적 소설은 아니다. 「우리 동네 황씨」에는 70년대 내내 진지하게 모색되어 온 진보적 이념들의 영향이 뚜렷이 각인되어 있다. 민중이 주체가 되는 공동체라는 발상부터가 그것 아니겠는가. 하지만 이문구는 그 공동체가 구체적으로 이러저러해야 한다고 주장하지 않으며, 공동체를 이루기 위해서는 이러저러한 방법을 써야 한다고도 말하지 않는다. 단지 기본 방향만 이장의 말을 통해 넌즈시 제시할 뿐인데, 그것은 공동체에 대해 구체적이고 체계적으로 서술하는 순간 작품이 이데올로기에 포박되고 만다는 사실을 작가가 잘 알고 있기 때문이다. 공동체에 대한 바램을 유토피아적 충동의 형식으로 표현하고 있는 것은 그 때문이다. 이 유토피아적 충동의 미학적 기능은 현재를 종결시키지 않음으로써 작품을 미래를 향해 활짝 열어놓는 것이다.[10] 농민들과 황씨의 대립도 해결되지 않았고, 자본과 관의 유착도 끝나지 않았으며, 무슨 뚜렷한 해결책이 제시된 것도 아니다. 중요한 것은 농촌 현실을 현재 상태 그대로 놓아두지 않겠다는 농민들의 의지이다. 이 의지가 바로 「우리 동네 황씨」의 저항의 서사를 미래와 연결시켜 주는 매개 고리인 것이다. 요컨대 농민들의 의지가 미정형의 유토피아적 충동이라는 점에서 결말이 불분명하게 보이기도 하지만, 반면에 그 불분명함이 전체 서사에 무한한 가능성으로서의 미래를 향해 나아가는 역동성을 불어넣는 원동력이 된다는 데 「우리 동네 황씨」 특유의 급진성이 있다고 할 수 있을 것이다.

---

10) 이에 대한 자세한 설명으로는 미하일 바흐찐, 『장편소설과 민중언어』, 46-50면(전승희 외 역, 창작과비평사, 1988)을 참조하시오.

2) 통과의례로서의 파업과 이데올로기적 개방성

황석영의 문학만큼 일관되게 그 시대 진보의 흐름과 긴밀히 결합되어 있는 경우도 드물 것이다. 그만큼 그의 문학은 어느 시기에나 가장 선진적인 이념 지향성을 보여준다. 그렇다고 해서 황석영의 문학이 이데올로기에 종속된 문학은 결코 아니다. 그의 문학은 당대의 선진적 이데올로기와 깊이 결합되어 있으면서도 그 이데올로기를 뛰어넘는 경지를 보여준다. 그런 점에서 황석영의 문학은 이데올로기적이면서도 이데올로기를 넘어서는 문학적 급진성의 전형이라 할 만하다.11) 그의 문학이 그러한 경지에 도달할 수 있었던 것은 무엇보다 인간해방을 향한 유토피아적 충동 자체를 미학적 원동력으로 삼고 있기 때문이다. 「삼포 가는 길」에서 『무기의 그늘』에 이르기까지 황석영은 자본주의를 극복한 대안적 체제의 가능성을 끈질기게 탐색한다. 이 대안적 체제 역시, 「삼포 가는 길」에서 암시되고 있듯이, 의사소통적 합리성이 살아숨쉬고 민중이 주체가 되는 공동체라는 점에서 이문구와 마찬가지로 근대적인 세계이다. 그렇지만 대안적 체제의 탐색은 어떤 정형화된 이데올로기에 귀속되지 않고 항상 유토피아적 충동으로 남아 있다. 이 유토피아적 충동은 현실의 비극성을 최고조로 고양시키는 동시에 저항의 잠재력을 극대화하는 이중적 기능을 하는데, 황석영 문학의 낭만성은 이로부터 연원하는 바 크다. 황석영 문학의 이러한 특성이 집약된 작품으로 우리는 「객지」를 꼽지 않을 수 없다.

「객지」는 서해안의 한 간척지 공사장에서 벌어진 노사 분쟁을 다룬 작품이다. 이 소설은 결말부의 파업을 향해 집중되는 서사 구조를 보여준다. 모든 디테일들은 단지 파업이라는 구심점을 위해서만 존재하며, 이야기의 진행 또한 파업을 향해 숨가쁘게 내닫는다. 말하자

---

11) 문학과 이데올로기의 관계에 대해서는 하정일, 「채만식과 사회주의」(『채만식 문학의 재인식』, 소명, 1999)를 참조하시오.

면 「객지」는 파업이라는 저항의 서사가 소설의 시작이자 끝인 작품인 셈이다. 이와 관련해 「객지」가 쟁의 행위가 실패로 끝난 시점에서부터 시작한다는 점에 유의할 필요가 있다. 동혁이 공사장에 오게 된것도 쟁의 행위로 해고된 인원을 보충하기 위해서이며, 대위가 지겨운 공사판을 떠나지 않은 것도 '다시 한 번' 싸워보기 위해서이다. 그런 점에서 「객지」는 파업에서 시작해 파업으로 끝나는 소설이거니와 저항의 서사가 작품의 시작이자 끝이라고 해석한 것도 그래서이다. 「객지」가 파업 행위에 관심을 집중하는 것은 파업이라는 사건이야말로 자본/노동관계의 본질을 가장 선명하게 보여줄 수 있는 매개고리이기 때문이다. 자본의 야만적인 노동 착취, 자본과 관의 결탁, 감독과 십장을 이용한 노동 관리, 노동자의 다면성 등 평상시에는 은폐되었던 자본/노동관계의 총체성이 파업을 통해 비로소 진면목을 드러낸다. 특히 노동 착취의 실상에 대한 묘사는 생생하기 그지없다. 법정 임금에 미달하는 노임, 전표 할인을 통한 부당 착취, 초과 노동과 열악한 작업 환경, 깡패들을 동원한 노동 탄압 등 이루 헤아릴 수없을 정도의 교묘한 방법으로 노동자를 착취하니, 이에 대한 노동자의 대응 수단은 파업 이외에는 없는 것이 사실이다. 요컨대 파업은 노동자가 자본에 저항하는 유일한 길이었던 셈이다. 이로써 「객지」에서 파업이 갖는 두 가지 의미, 곧 자본주의의 허구성이 낱낱이 밝혀지는 장이자 자본에 대한 최후의 저항 수단이라는 의미가 분명해지는데, 파업을 매개로 이 두 축을 적절히 결합시키는 데 성공한 점만으로도 「객지」는 70년대 한국문학의 최고봉에 오르기에 손색이 없다.

물론 파업은 실패로 끝난다. 표면적으로는 노동자들의 요구 조건이 수용되었다는 점에서 성공처럼 보이지만, 국회의원들이 왔다 돌아가고 나면 주동자와 파업 참가자들은 구속되거나 해고 당하고 노동 조건도 원상태로 되돌아가게 결정되어 있다는 점에서 실패일 뿐

▶ 황석영의 『객지』

이다. 소장이 "모든 일들을 열흘 안으로 해치우고 원상 복구를 해놓을" 수 있다고 자신하는 데서 이 점은 잘 드러나거니와 그 이유는 소장의 생각처럼 "어느 누구도 엄연한 현실을 뛰어넘을 수" 없기 때문이다. '엄연한 현실'이란 무엇인가. 그것은 한마디로 자본의 지배가 관철되도록 짜여져 있는 사회 구조이다. 「객지」가 이룬 리얼리즘적 성취 또한 이러한 현실에 대한 엄정한 통찰에 바탕하고 있다고 해도 과언이 아니다. 그런 점에서 파업의 실패는 작품의 서사적 맥락상 당연한 귀결이다. 전에도 그랬고 그 전에도 그랬으며 앞으로도 그럴 터이다. 아마도 대위나 동혁도 그것을 알고 있었을 것이다. 그래서 대위는 요구 조건을 들어주겠다는 소장의 약속을 "떡밥"에 불과하다고 일축하며, 동혁 또한 "우리가 회사측에 관해서 생각하는 것처럼, 저쪽이 우릴 생각하는 줄 아시오?"라고 단언한다. 그렇다면 파업이 성공할 수 없다는 것을 알면서도 "좌우간 한 판 벌일 수 있다면 나는 개 피를 봐도 좋소"라고 말하는 까닭은 무엇일까. 그것은 그들의 분노와 한이 그만큼 깊기 때문이기도 하지만, 근본적으로 자본주의의 수탈과 억압의 구조 속에서는 저항을 통해서만 자신의 주체성을 확

24   특집

인할 수 있기 때문이다. 다시 말해 저항을 통해 이 세계의 주체로 도약하기 위해서이다. 그런 점에서 결과에 상관없이 파업 행위는 민중이 역사의 객체에서 역사의 주체로 거듭나기 위한 일종의 통과의례라 할 수 있다.

파업이 주체로 거듭나기 위한 통과의례라는 점은 대위에게서 잘 나타난다. 대위는 이미 파업의 실패라는 아픔을 경험한 사람이다. 그럼에도 그가 공사판을 떠나지 않은 것은 단지 제대로 된 싸움을 한번 해보기 위해서이다. 실제로 대위는 동혁이 온 이후부터 줄곧 파업을 치밀하게 계획하고 준비하며, 파업의 성사를 위해 어떤 희생도 마다하지 않는다. 대위가 파업에 이처럼 집착하는 것은 파업 성공이 가져다 줄 열매 때문이 아니다. 달콤한 열매에 비해 고통이 훨씬 크고 쓰다는 것을 누구보다 대위 스스로가 잘 알고 있기 때문이다. 그런 점에서 파업에 대한 대위의 집착은 저항만이 노동자가 자신의 주체성을 지킬 수 있는 유일한 길임을 깨달았기 때문이라고 할 수 있다. 이는 과거의 파업 체험이 단순히 좌절로서만 아니라 주체성을 자각하는 계기로 작용했음을 말해주거니와 이 새로운 자각이야말로 대위로 하여금 온갖 어려움 속에서도 자본과의 싸움을 계속해 나가는 원동력이 되고 있는 것이다. 하지만 파업이 갖는 이러한 의미를 가장 선명하게 드러내 보여주는 인물은 누구보다 동혁이라 할 수 있다. 파업의 실패가 눈에 보이고 동료들은 모두 산에서 내려가고 대위마저 곁에 없는 고립무원의 상태에서도 동혁이 "자기에게 맞서올 어떠한 조건에 대해서도 자유로이 응할 수가 있을 것" 같은 평상심을 유지할 수 있게 된 것은 바로 파업이라는 통과의례를 통해 당당한 주체로 거듭났기 때문이다. 사실 파업 이전의 동혁은 "스스로가 사건을 만들고 추진해 나가는 편"은 아니었다. 하지만 파업을 거치면서 그는 이제 스스로 모든 일을 벌이고 감당할 수 있는 주체적 인간으로 변화한다.

소장은 못마땅하게 건의서 뒷면의 연서장을 들쳐보고 나서 고개를 들었다.

"투쟁이란 건, 파업을 의미하는 건가."

동혁이 잠시 사이를 두었다가,

"파업도 포함됩니다."

"그렇다면 폭동이로군."

"개선하기 위해 우리도 조직을 갖춰야겠다는 말입니다."

"어떤 조직을?"

소장은 동혁을 향해 조소를 가득 떠올리고 말했다.

"자네들은 공장 노동자와 다르네. 어쨌건, 임시 고용인에 지나지 않네."

"우리는 서명을 받으며, 시작할 때부터 각오를 하고 있었습니다. 모두들 한꺼번에 해고되는 것두 아닐뿐더러, 또 다른 인부들이 오겠지만 최소한 인계를 하고 떠날 여유는 있을 겁니다."

"어쩌면 자네들은 혜택을 못받게 될지도 모를 텐데? 돈이 생겨, 술이 생기는가, 도대체 뭘 바라구 이런 짓을 벌이나? 덮어놓고 불평불만을 터뜨려 보자는 식이로군."

"우리가 못받으면, 뒤에 오는 사람 중 누군가 개선된 노동 조건의 혜택을 받게 될 거요."[12]

'임시 고용원'에 불과하므로 파업이 아니라 폭동이라는 소장의 위협에 동혁은 어떤 탄압이 있더라도 투쟁을 계속하겠다고 답한다. "모두들 한꺼번에 해고되는 것두 아닐뿐더러, 또 다른 인부들이 오겠지만 최소한 인계를 하고 떠날 여유는 있을" 것이라는 말이 뜻하는 바가 그것이다. 말하자면 남는 사람들과 새로 올 사람들도 저항을 계속하리라는 것인데, 이러한 동혁의 자신감에서 우리는 당당한 주체로 변모한 동혁의 모습을 확인할 수 있거니와 나아가 착취는 반드시 저항을 부른다는 보편적 진리를 새삼 절감하게 된다. 착취가 저항을 부른다는 명제의 진리성은 무엇보다 파업에 참여한 이 곳 노동자들에

---

12) 황석영, 「객지」, 『객지』, 창작과비평사, 1976, 67면.

게서 발견할 수 있다. 이들은 공사판을 전전하면서 자본주의적 착취의 본질을 몸으로 겪은 장본인들이며, 따라서 계기가 주어지자 마자주저 없이 파업에 참여한 것이다. 그런 점에서 동혁은 자본주의적 착취 구조가 온존하는 한 노동자들의 저항은 사라지지 않을 것이라고 판단하고 있는 셈이다. 대위와 마찬가지로 동혁 역시 저항의 수혜자가 자기들이 아닐 것이라는 점을 잘 알고 있다. 하지만 "뒤에 오는 사람 중 누군가 개선된 노동 조건의 혜택을 받게 될 거요."라는 말이 암시하듯 동혁은 노동자들의 저항이 끊이지 않고 계속된다면 언젠가는 승리할 것이라는 믿음을 갖고 있다. 그래서 "꼭 내일이 아니라도 좋다."는 결말부의 다짐이 공허한 자기 위안이 아니라 미래를 향한 적극적 기획으로 들리는 것이다. 동혁이 보여주는 미래에 대한 적극적 기획이야말로 「객지」의 저항의 서사가 담고 있는 주제라 할 수 있을 것이다.

물론 미래의 모습이 구체적으로 어떤지 작품은 아무런 설명도 해주지 않는다. 대신 미래는 무한한 가능성의 공간으로 남는다. 이처럼 자본주의에 맞선 끊임없는 저항을 통해 미래의 무한한 가능성을 표현한다는 것은 달리 말하면 어떤 획일적인 정답, 곧 자기 완결적 이데올로기에 스스로를 가두지 않는다는 것이다.[13] 그런 점에서 「객지」의 낭만성은 혁명적 낭만주의와 질을 달리한다. 혁명적 낭만주의가 진리의 최종적 승리라는 목적론의 산물인 데 반해 「객지」에서는 최종적 승리에 대한 맹신을 찾아볼 수 없다. "꼭 내일이 아니라도 좋다."는 발언에서 우리는 그 점을 확인할 수 있다. 이 발언의 강조점

---

13) 유토피아적 충동과 이데올로기의 관계에 대해서는 에른스트 블로흐의 『희망의 원리』 1권, 284-301면을 참조하시오. 블로흐에 따르면 이데올로기에도 유토피아적 요소가 있다. 하지만 이데올로기의 유토피아적 요소는 기존 현실을 미화하는 역기능을 한다는 점에서 진정한 의미에서의 유토피아와는 거리가 멀다. 블로흐는 진정한 유토피아적 충동은 "기존의 것과 자신을 일치시키지 않으려는 의지"라고 말한다. 그런 점에서 유토피아적 충동은 이데올로기적이면서도 이데올로기를 넘어선다.

은 소망의 성취 여부가 아니라 소망을 향한 '끊임없는 저항'에 놓여 있다. 소망의 성취 여부로 말하자면, 파업의 실패에서 시작해 파업의 실패로 끝나는 이야기 구조를 고려할 때, 언젠가 소망이 성취될 수도 있고 안될 수도 있다는 두 가지 의미가 중첩되어 있다고 해석하는 것이 적절할 듯싶다. 따라서 이 다짐에서 보다 핵심적인 것은 끊임없는 저항 그 자체이다. 왜냐하면 자본주의에 대한 끊임없는 저항을 통해서만 주체가 주체로 지속될 수 있고, 주체가 주체로 지속될 때에만 자본주의를 넘어선 대안적 근대에 대한 유토피아적 충동을 보존할 수 있기 때문이다. 「객지」의 낭만성이 혁명적 낭만주의와 갈리는 것은 바로 이 지점에서이다. 이처럼 인간해방을 향한 용광로 같은 열정으로 가득차 있으되 '내일'을 특정하지 않는 이데올로기적 개방성을 견지하고 있는 것, 이 점이야말로 「객지」의 급진성의 요체라 할 수 있다.

3) 이분법적 현실인식과 부정의 변증법

조세희는 자본주의적 근대화가 낳은 계급 모순을 집중적으로 조명하고 있다는 점에서 앞의 두 작가와 공통되며, 모더니스트라는 점에서 그들과 구별된다. 리얼리즘과 모더니즘을 막론하고 70년대의 대표적 작가들이 한결같이 계급 문제에 깊은 관심을 기울였다는 것은 결국 자본주의사회의 근본 문제가 계급 문제임을 방증해주는 유력한 증거이다. 하지만 조세희는 이문구나 황석영과는 다른 방식으로 계급 문제를 그려나간다. 제일 먼저 지적할 수 있는 것은 『난장이가 쏘아올린 작은 공』(이하 『난쏘공』) 연작이 두루 지적되었다시피 선악의 선명한 이분법적 대립을 기본 구도로 하고 있다는 점이다. 어느 소설에나 선악의 대립은 일정하게 있기 마련이지만, 『난쏘공』의 선악 대립은 대단히 극단적이라는 특징을 보여준다. 말하자면 악인은 하나부터 열까지 악인이고 선인은 속속들이 선인이다. 그래서 악인이 선인으로 바뀔 가능성은 전무하며, 선인이 악인으로 바뀔 가능성도 마찬가지다. 이는 작가가 계급 관계를 지극히 윤리주의적 시각에서 바라보고 있음을 뜻한다. 즉 자본의 편에 선 사람들은 악인이고 노동의 편에 선 사람은 선인이라는 윤리적 판단이 연작 전체를 지배하고 있는 것이다. 그렇다고 해서 『난쏘공』이 전근대적 서사와 동일한 구조인 것은 아니다. 오히려 이런 식의 극단적인 선악 이분법에는 모더니즘 특유의 미학적 기획이 내재해 있으니, 그것은 현실 대 이상의 이분법에 기초한 부정의 변증법이다.

조세희에게 자본주의적 현실은 절대 악 그 자체이며, 난장이 일가가 꿈꾸는 이상향은 현실에서는 실현 불가능한 유토피아이다. 이 두 세계 사이의 극한 대립이 『난쏘공』의 서사적 긴장의 핵을 이룬다. 이러한 극한 대립의 모습이 생생하게 그려진 작품으로는 「잘못은 신에게도 있다」를 들 수 있는데, 여기서 우리는 난장이 일가가 꿈꾸는 이상향에 대한 구체적 진술을 목격하게 된다.

아버지는 사랑에 기대를 걸었었다. 아버지가 꿈꾼 세상은 모두에게 할 일을 주고, 일한 대가로 먹고 입고, 누구나 다 자식을 공부시키며 이웃을 사랑하는 세계였다. 그 세계의 지배 계층은 호화로운 생활을 하지 않을 것이라고 아버지는 말했었다. 인간이 갖는 고통에 대해 그들도 알 권리가 있기 때문이라는 것이었다. 그곳에서는 아무도 호화로운 생활을 하려고 하지 않을 것이다. 지나친 부의 축적을 사랑의 상실로 공인하고 사랑을 갖지 않은 사람네 집에 내리는 햇빛을 가려 버리고, 바람도 막아 버리고, 전기줄도 잘라 버리고, 수도선도 끊어 버린다. 그런 집 뜰에서는 꽃나무가 자라지 못한다. 날아들어갈 별도 없다. 나비도 없다. 아버지가 꿈꾼 세상에서 강요되는 것은 사랑이다. 사랑으로 일하고, 사랑으로 자식을 키운다. 사랑으로 비를 내리게 하고, 사랑으로 평형을 이루고, 사랑으로 바람을 불러 작은 미나리아재비꽃줄기에까지 머물게 한다. 그러나 아버지가 그린 세상도 이상 사회는 아니었다. 사랑을 갖지 않은 사람을 벌하기 위해 법을 제정해야 한다는 것이 문제였다. 법을 가져야 한다면 이 세계와 다를 것이 없다. 내가 그린 세상에서는 누구나 자유로운 이성에 의해 살아갈 수 있다. 나는 아버지가 꿈꾼 세상에서 법률 제정이라는 공식을 빼 버렸다. 교육의 수단을 이용해 누구나 고귀한 사랑을 갖도록 한다는 것이 나의 생각이었다.[14]

난장이 일가가 꿈꾸는 이상향은 한마디로 사랑이 지배하는 세상이다. 사랑이 지배하는 세상이란 의사소통적 합리성에 바탕한 공동체에 다름 아니다. 이 점에서 이문구, 황석영, 조세희는 상통한다. 70년대의 양심적 작가들 대부분 또한 비슷한 바램을 가지고 있었을 것이다. 그렇게 보면 이 대목은 70년대 문학 전체의 염원을 집약한 구절이라 해도 과언이 아니다. 필자가 70년대 문학이 지향한 새로운 세계가 대안적 근대라고 해석한 것도 이 때문이다. 하지만 이 새로운 세상을 운용하는 방법에서 아버지와 영수의 생각이 갈린다. 아버지는 법으로 다스려야 한다고 생각하는 데 비해 영수는 '자유로운 이성'으로써 이상향을 만들어 나가야 한다고 생각한다. 사랑으로 상징되는 의사소통적 합리성을 원리로 한다는 점에서 이들이 꿈꾸는 이상향은 공히 대안적 근대지만, 법치보다는 이성에 바탕한 자유로운 연합 쪽이 아무래도 좀더 이상주의적인 발상임에 틀림없다. 그래서 영수는 "아버지가 그린 세상도 이상사회는 아니었다"고 평가하는 것이다. 그러나 영수는 노사 협상을 경험하면서 "아버지가 옳았다"고 생각을 수정한다. 왜냐하면 노사 협상 과정에서 드러난 자본의 진면목은 바뀔 가능성이라고는 털끝만큼도 없는 절대 악의 화신이었기 때문이다. 이처럼 『난쏘공』의 선악 이분법은 절대 악으로서의 자본주의와 절대 선으로서의 이상향 사이의 화해 불가능한 대립을 바탕으로 하고 있다. 양자의 대립은 화해 불가능한 대립, 곧 한 쪽이 사라져야만 끝날 수 있는 적대적 대립이다. 그런 점에서 영수의 살인은 적대적 대립이

---

14) 조세희, 「잘못은 신에게도 있다」, 『난장이가 쏘아올린 작은 공』, 문학과지성사, 1987, 163-164면.

낳은 필연적 결과라 할 수 있다. 말하자면 영수의 행위는 상대편을 소멸시키고 싶은 섬뜩한 적개심의 상징적 표현인 셈이다.

하지만 달나라에 가려다 굴뚝에서 떨어져 죽은 아버지와 마찬가지로 영수의 살인 역시 사형으로 종결된다. 엄밀히 말하면 아버지의 죽음이 자살이듯이 영수의 행위 또한 일종의 자살이다. 왜냐하면 두 사람 모두 자신의 소망이 실현 불가능한 유토피아적 꿈임을 알고 있기 때문이다. 하지만 두 사람의 행위에는 결정적 차이가 있으니, 그것은 아버지의 자살이 현실로부터의 도피인 데 비해 영수의 자살은 현실에 대한 적극적 저항이라는 점이다. 영수는 자신의 행위가 자본을 없앨 수도 자본을 바꿀 수도 없다는 걸 알면서도 살인을 감행한다. 그 점에서 그것은 본질적으로 자살과 다를 바 없다. 그러나 동시에 영수의 살인 행위는 자신의 꿈을 결코 포기할 수 없다는 의지의 표현이라는 점에서 이상향을 향한 유토피아적 실천의 일환이기도 하다. 요컨대 영수는 자신의 유토피아적 충동을 발산하기 위한 방법으로 테러, 그 중에서도 살인을 선택한 것이다. 그런 점에서 그것은 분명 절대 악으로서의 자본주의적 현실에 대한 최후의 저항이라 할 수 있다. 『난쏘공』의 선악 이분법적 대립 구도 속에서 가능한 저항이란 사실 살인 이외에는 달리 없을 터이다. 왜냐하면 『난쏘공』의 관점에서 보자면 자본주의적 착취 구조는 합리적 토론이나 합법적 노동운동을 통해서 극복될 수 있는 성질의 것이 결코 아니기 때문이다. 토론도 거부하고 노동운동도 부정하는 자본가에게 일개 노동자가 행할 수 있는 최대한의 저항으로 테러말고 또 무엇이 있겠는가.

물론 살인이라는 극단적 길로 내몰아 간 선악 이분법적 대립 구도에 대해서는 여러 가지 비판이 가능하다. 무엇보다 현실을 단순화시켰다는 것과 윤리주의에 빠져 있다는 점을 지적할 수 있을 것이다. 현실을 단순화시켰다는 것은 다양한 저항의 방법에 대한 고민이 부족하다는 뜻이며, 윤리주의에 빠졌다는 것은 현실을 선과 악 사이의 윤리적 대립으로 바라보고 있다는 말이다. 현실의 단순화와 윤리주의는 서로 긴밀하게 얽혀 있는데, 말하자면 현실을 선과 악의 윤리적 대립으로 이해하다 보니까 저항의 방법 역시 악에 대한 선의 응징이라는 윤리주의적 노선으로 협소해질 수밖에 없었고, 테러는 그로부터 나온 필연적 결과였던 것이다. 하지만 그럼에도 불구하고『난쏘공』은 70년대의 어느 소설보다도 자본주의의 총체적 허구성을 보여주는 데 성공하고 있다. 그 까닭은 영수의 살인 행위에서 절정에 이르는 저항의 서사를 통해 자본주의적 근대와 대안적 근대 사이의 건널 수 없는 깊은 골을 명료하게 표출시켰기 때문이니, 이 점에『난쏘공』의 저항의 서사가 갖는 급진적 비판력이 있다. 즉『난쏘공』의 저항의 서사는 자본과 노동의 화해 불가능한 적대 관계를 예각화하는 미학적 효과를 창출하고 있는 것이다.

자본과 노동 혹은 지배층과 민중의 적대 관계에 담겨 있는 화해 불가능성에 대한『난쏘공』의 급진적 비판은 일차적으로는 선악 이분법적 대립 구도에 기인한 바 크지만, 그와 함께 자본주의적 착취의 '구조적' 성격에 대한 예리한 통찰에 빚진 부분도 적지 않다. 가령 노사 협상 장면이 그 점을 잘 보여준다. 노동자에게는 '착취'인 것이 사용자에게는 '발전'을 의미하며, 노동자는 "이미 오랫동안 기다려" 왔다고 생각하는 데 반해 사용자는 "시간이 지나면 다 해결"될 것이라고 말한다.15) 사용자의 발언에는 두 가지의 의미가 함축되어 있다. 하나는 착취가 자본주의적 발전의 원동력이란 점이다. 사용자가 착취를 계속 발전이라고 강변하는 것은 그 때문이다. 다른 하나는 노동자에 대한 착취가 앞으로도 계속되리라는 점이다. "시간이 지나면"이란 발언은 뒤집으면 시간이 더 필요하다는 뜻이다. 게다가 이 말을 이후에도 여전히 반복할 것이라는 점에서 "시간이 지나면"이란 결국 '영원히'와 동의어가 된다. 여기서 우리는 자본주의적 착취가 체제의

---

15) 같은 책, 172면-179면.

본질로부터 발현된 근원적이면서도 지속적인, 곧 구조적인 현상임을 실감하게 된다. 『난쏘공』은 바로 이 점에 주목함으로써 계급적 적대 관계의 화해 불가능성을 누구보다 날카롭게 묘파해낼 수 있었던 것이다.

『난쏘공』역시 이문구나 황석영과 마찬가지로 저항의 서사를 통해 대안적 근대를 향한 유토피아적 충동을 표현하고 있다. 그러나 조세희의 저항의 서사가 보여주는 시간적 방향은 미래라기보다는 현재 쪽이다. 다시 말해 이상향에의 꿈이 현재에는 실현 불가능하다는 점을 보여주는 데 강조점이 놓여 있다는 것이다. 따라서 유토피아적 충동 역시 미래로의 역동적 운동의 추진력으로보다는 현재의 총체적 부정성을 폭로하는 준거로 기능한다. 조세희의 문학이 이문구나 황석영과 갈리는 지점이 이 부분이다. 그렇다고 해서『난쏘공』의 저항의 서사가 미래와의 관련을 완전히 잃어버린 상태는 아니다. 『난쏘공』의 저항의 서사가 미래와 만나는 방식은 현재를 전면적으로 부정하는 것이다. 현재에 대해 '아니다'라고 말함으로써 미래에 대한 꿈을 역설적으로 보존하는 것, 이것이 『난쏘공』의 저항의 서사가 미래에 대한 유토피아적 충동을 표현하는 방법이다. 그런 점에서 이문구와 황석영의 문학이 미래를 둘러싼 주체와 세계의 투쟁에 초점을 맞추는 주객 변증법을 원리로 한다면, 조세희의 문학을 움직이는 원리는 현재를 거부함으로써 미래를 살려내는 부정의 변증법이라 할 수 있을 것이다.

지금까지의 논의를 정리하자면, 저항의 서사는 민중이 스스로의 정체성을 자각하고 이 세계의 주체로 새롭게 태어나는 과정을 기본 형식으로 한다. 민중이 주체로 일어서는 과정에서 저항이 핵심 원리를 이루는 까닭은 자본주의적 근대의 착취와 소외의 구조 속에서는 저항만이 민중이 스스로의 주체성을 확립할 수 있는 유일한 길이기 때문이다. 이는 자본주의적 근대가 근본적으로 민중 적대적인 체제임을 말하거니와 그런 점에서 저항의 서사는 자본주의적 근대를 넘어서려는 유토피아적 충동을 담고 있다. 민중이 꿈꾸는 새로운 세계는 탈근대적인 세계가 아니라 의사소통적 합리성을 조직 원리로 하고 민중이 주체가 되는 공동체라는 점에서 대안적 근대라 할 수 있다. 그러나 대안적 근대는 완결된 세계로 표상되지 않고 미정형의 미래라는 형식으로 나타나며, 그럼으로써 대안적 근대에 대한 염원이 영원한 유토피아적 충동으로 작품 내에 보존된다. 70년대의 민족문학을 한국근현대문학사상 가장 급진적인 문학으로 평가해야 하는 까닭도 완결된 미래라는 이념에 집착해 이데올로기화하지 않으면서도 인간해방의 세상을 향한 가능성을 어떤 이데올로기보다도 풍부하게 그려내 보여준 데 있다고 해야 할 것이다.

3. 소결 – 대안적 근대를 향하여

70년대가 급속한 경제 성장을 이룬 시기라는 것은 부인할 수 없는 사실이다. 또한 경제 성장의 결과 생활 수준이나 소득 수준이 향상된 것도 분명하다. 그러나 70년대의 경제 성장은 가혹한 민중 수탈을 바탕으로 이루어진 것이기에 양극화 현상은 더욱 심화되었고, 그에 따라 상대적 박탈감과 소외감은 점점 짙어져 갔다. 그런 점에서 70년대는 자본주의적 근대화의 외연적 찬란함과 내포적 어두움이 날카롭게 충돌한 시대였다. 따라서 자본주의적 근대의 양면성에 어떻게 대응할 것인가 하는 문제는 당시 문학의 중심 주제였다고 할 수 있다.

70년대 민족문학은 근대화 자체를 부정하지는 않는다. 70년대 민족문학이 비판했던 것은 '분단 자본주의적' 근대였다. 그래서 당시의 민족문학은 대안적 근대를 향한 다양한 문학적 모색을 벌였다. 70년대 민족문학이 지향한 세계가 대안적 근대였음을 말해주는 유력한 증거로는 두 가지 정도를 지적할 수 있다. 하나는 70년대 민족문학이

'주체적 근대화'를 분단 자본주의에 맞선 새로운 대안으로 내세웠다는 점이다. 주체적 근대화는 범박히 말해 반외세·반봉건·통일이라는 근대적 과제를 우리 민족 스스로의 주체적 힘으로 이룩해 가자는 이념이다. 주체적 근대화론은 당시의 진보적 지성계 공통의 화두였거니와 70년대 민족문학은 이 주체적 근대화의 이념을 가장 적극적으로 문학 속에 수렴하려 한 운동이었다. 주목할 것은 주체적 근대화론이 민중을 민족의 중심으로 설정함으로써 자본주의적 근대화론과 길을 달리하고 있다는 점이다. 민중이 민족의 중심이라는 말은 부르주아 주도의 시민혁명을 부정한다는 뜻이고, 따라서 민중이 주체가 되는 근대가 부르주아 지배의 자본주의와 질적으로 구별됨은 물론이다.16) 주체적 근대화론이 분단 극복의 근대화론이자 비자본주의적 발전을 지향하는 근대화론인 것은 이 때문이다. 다른 하나는 70년대 민족문학이 이성을 바람직한 삶의 규범적 원리로 제시하고 있다는 점이다. 앞에서 조세희가 이성이 지배하는 세계를 이상 사회로 생각했다는 점을 지적한 바 있거니와 당시의 주요 비평가들 역시 비슷한 입장을 보여준다. 논자마다 강조점이 다르긴 하다. 이를테면 백낙청은 실천적 이성을, 김현은 비판적 이성을, 김우창은 심미적 이성을 강조하는 식이다.17) 하지만 강조점의 차이에도 불구하고 기본적으로 이들은 이성의 가능성을 믿는 계몽주의자들인 동시에 자본주의의 도구 합리적 이성에 대한 철저한 비판자들이다. 이들이 지향했던 이성은 가치 합리적이고 "플라톤적 설득의 원칙"이라는 점에서 의사소통적이며 과학·도덕·미를 아우르는 종합적 이성이었다. 이 점에서도 우리는 70년대 문학의 규범적 원리로서의 이성이 자본주의의 도구 합

---

16) 이에 대해서는 백낙청, 「민족문학 개념의 정립을 위해」(『민족문학과 세계문학』, 창작과비평사, 1979)를 참조하시오.
17) 이에 대해서는 백낙청의 「시민문학론」(같은 책), 김현의 「우리는 왜 여기서 문학을 하는가」(『한국문학의 위상』, 문학과지성사, 1989), 김우창의 「주체의 형식으로서의 문학」(『궁핍한 시대의 시인』, 민음사, 1982) 등을 참조하시오.

리적 이성과는 구별됨을 다시 한 번 확인하게 된다. 이로써 70년대 민족문학이 꿈꾸었던 새로운 세계가 분단 자본주의적 근대와 다른, 이성을 조직 원리로 하고 민중이 주체가 되는 대안적 근대라는 점이 분명해진다.

이러한 모색은 80년대까지 계속된다는 점에서 1970-80년대는 하나의 문학사적 단위를 이룬다고 할 수 있다. 그 중에서도 저항의 서사는 대안적 근대를 향한 민족문학의 모색을 가장 전형적으로 보여준다. 다시 말해 저항의 서사는 70년대 민족문학의 한 부분에 불과하지만, 거기에는 당시 민족문학의 모든 고민과 구상이 응축되어 있는 것이다. 저항의 서사를 중심으로 70년대 민족문학의 성취를 살펴본 것은 그 때문이다. 이와 함께 유토피아적 충동이 중요한 역할을 하고 있음도 주목하지 않을 수 없다. 만약 유토피아적 충동이 없었다면 70년대 민족문학의 저항의 서사는 주체적 근대화론을 선전하는 이데올로기적 도구로 전락했을 것이다. 하지만 70년대 민족문학은 유토피아적 충동을 자신의 본질적 계기로 껴안음으로써 단순한 주체적 근대화를 넘어 인간 해방의 공동체로까지 지평을 넓힐 수 있었다. 여기서 우리는 "이데올로기를 이용하면서 거부하는" 문학 특유의 급진성을 발견하게 되거니와 이 점만으로도 70년대 민족문학은 한국근현대문학의 한 모범으로 손색이 없다. 그렇다고 해서 유토피아적 충동이 모든 것을 해결해주는 것은 아니다. 유토피아적 충동이 긍정적 기능을 발휘할 수 있었던 것은 저항의 서사와 결합한 덕분이다. 유토피아적 충동이 그 자체로 자립화할 경우 그것은 현실과 이상의 단절적 골만을 확인하는 데서 그쳐 자칫 허무주의나 비관주의로 떨어지기 십상이다. 우리 근현대문학사에서도 그러한 예가 적지 않으니, 저항의 서사는 유토피아적 충동이 허무주의나 비관주의의 나락으로 떨어지는 것을 막아준 방파제였던 것이다. 저항의 서사는 유토피아적 충동을 현실적 힘으로 전화시켜 주고 유토피아적 충동은 저항의 서사의 이데올로기화를 견제해 주는 행복한 예술적 상호작용이 아닐 수 없다.

저항의 서사는 거의 대부분 리얼리즘문학에서 나타나고 그 점이 70년대 문학을 리얼리즘이 주도한 이유의 하나이기도 하지만, 조세희의 경우에서 확인되듯이, 모더니즘문학에서도 저항의 서사가 적지 않게 발견된다. 리얼리즘과 모더니즘을 막론하고 70년대 한국문학에서 저항의 서사가 광범위하게 나타난다는 것은 그만큼 자본주의적 근대를 넘어선 새로운 세계에 대한 유토피아적 열망이 강렬했음을 말해준다. 저항의 서사는 성찰의 서사가 주류를 이루었던 60년대와 70년대를 가르는 결정적 지표인 동시에 70년대와 80년대를 하나의 문학사적 단위로 묶어주는 연결 고리이다. 하지만 저항의 서사는 80년대 말부터 스탈린주의에 침윤되면서 특유의 급진성을 잃어버리고 목적론적 담론으로 이데올로기화한다.[18] 이렇게 된 것은 80년대 말의 민족문학에서 유토피아적 충동이 거세된 현상과도 관련이 깊다. 말하자면 유토피아적 충동이 반리얼리즘적―그 당시 식으로 말하면 비과학적―이라는 이유로 폐기 처분되면서 이데올로기의 침윤을 거를 여과 장치가 사라졌고, 그 결과 80년대 말의 민족문학은 스탈린주의라는 목적론적 담론으로 급속히 변질되고 만 것이다. 그런 점에서 90년대로 들어와 민족문학이 침체에 빠진 내적 요인의 일단을 여기서 찾아볼 수 있을 것이다. 대안적 근대를 향한 70년대 민족문학의 저항의 서사가 갖는 문학사적 중요성 또한 이로써 더욱 선명해진다. **새미**

---

18) 이에 대한 좀더 자세한 설명으로는 하정일, 「리얼리즘의 가능성」(『민족문학사연구』13호, 소명, 1999)를 참조하시오.

분단 현실의 자기화와 주체적 극복 의지
─ 1970년대 분단소설에 대해서

강진호

1. 분단소설의 형성

분단문학이라는 용어가 구체적인 내포를 갖고 문학사에 정착된 것은 70년대 이후라고 할 수 있다. 그간 전쟁문학, 전후문학, 이산문학, 분단시대의 문학 등 다양한 용어로 6.25 이후의 문학을 지칭해 왔으나 이제는 7,80년대의 문학적 성과를 바탕으로 분단문학이라는 말이 내실을 갖춘 용어로 널리 통용되고 있다.

"남북분단의 역사와 현실이 투영된 문학"[1]이라거나, "6.25 소재의 작품과 그 극복을 위한 민족 의지를 형상화한 문학"[2], "통일을 이룩하는데 필요한 모든 것에 대한 인식이요 성찰이며 통일을 저해하는 온갖 것에 대한 반성과 부정의 문학"[3], "현재 우리가 몸담고 살아가고 있는 남한 사회의 분단고착적 성격을 올바로 드러내고 통일을 위한 실천적인 가능성을 형상화시킨 소설"[4]이라는 규정은 강조점의 차이는 있을 망정 모두 분단 현실에 대한 합리적인 인식과 그 극복에

성신여대 교수, 저서로 『한국근대문학 작가연구』와 『한국문학, 그 현장을 찾아서』가 있음.
1) 김병익, 「분단의식의 문학적 전개」, 『문학과 지성』, 1979, 봄호, 84면.
2) 임헌영, 「분단시대 문학론고」, 『민족의 상황과 문학사상』, 한길사, 1986, 203면.
3) 백낙청, 「분단시대 문학의 사상」, 『씨올의 소리』, 1976, 6, 35면.
4) 황광수, 「분단과정의 소설적 표현」, 『삶과 역사적 진실』, 창비사, 1995, 119면.

의 의지를 담고 있는 말들이다. 한 사학자의 주장대로, 20세기 전반기의 민족사가 식민통치에서 벗어나는 일을 그 최고 차원의 목적으로 삼는 시대라면, 후반기 즉 해방후의 시대는 민족분단의 역사를 청산하고 통일민족국가의 수립을 그 민족사의 일차적 과제로 삼는 시대로 보지 않을 수 없고, 이와 같은 역사의식을 바탕으로 이 시기를 '분단시대' 혹은 '분단극복시대'라고 규정하는 것5)은 어쩌면 당연한 일이기도 하다. 따라서 분단문학이란 분단이 시작된 시점으로부터 분단체제가 해체되는 미래의 어느 시점까지의 문학으로 정의해도 무방할 것이다. 그런데 이 용어가 단순한 분류의 차원에서 벗어나 민족문학의 맥락에서 수용되기 위해서는 분단의 원인에 대한 천착과 그 극복의지가 작품 속에 구체적으로 내포되어 있어야 할 것이다. 그럴 경우 맹신적 반공주의나 분단을 항속화하려는 불순한 의도를 배제하고 진정한 민족문학의 정수를 확보하게 될 것이다.

분단 현실에 대한 문학인들의 관심이 본격화된 것은 전후 60년대 이후라고 할 수 있다. 전후 경제복구기(1953-1958)를 거치면서 사회가 점차 안정되고, 또 민주주의에 대한 열망이 거족적으로 표출된 4.19를 체험하면서부터 분단소설은 점차 본 궤도에 오르는데, 4.19 이후 확보된 민주와 자유의 공간을 활용하여 분단 현실을 본격적으로 천착한 최초의 작품인 『광장』(1960)은 당시로서는 감히 상상할 수도 없었던 남과 북의 이데올로기를 동시에 문제삼고 금기에 대한 과감한 도전을 보여주었다는 점에서 분단소설의 새로운 지평을 연 것으로 평가할 수 있다. 남한을 버리고 월북하는 이야기와 공산당의 세계를 비교적 객관적으로 그려낸 것은 전후소설로는 최초의 일이었다. 하지만, 남과 북을 비판한 뒤에 도달하게 되는 자살이라는 허무한 결론은 당대 소설이 분단 극복의 전망을 마련하기에는 역부족이었음을 보여준다. 이후 박경리의 『시장과 전장』에서도 이데올로기 문제는

---

5) 강만길, 『분단시대의 역사인식』, 창작과비평사, 1978, 15면.

지속적으로 탐구되지만, 그 역시 '사랑'이라는 보편적 주제로 문제를 희석하는 당대의 한계를 크게 벗어나지 못하였다[6]. 한편 대표적인 분단작가의 한 사람인 이호철은 혈혈단신으로 남한 사회에 던져진 주인공(혹은 작가)을 통해서 돌아갈 수 없는 고향에 대한 회한을 실감나게 묘사하고, 동시에 남한사회에 뿌리내리기까지의 힘겨운 과정을 집요하게 추적한다. 『소시민』에서 보이는 처절한 약육강식의 생존논리에 지배되어 하루하루를 힘겹게 살아가는 월남민의 뿌리내리기 과정과 귀향의 꿈이 점차 스러지고 물신화된 현실에 적응하지 않을 수 없게 된 비애감의 표현은, 단편 「판문점」에서 보여준 남북이질화에 대한 고발과 더불어 이 시기 분단문학의 중요한 성과를 대변한다[7]. 이들의 힘겨운 탐색에 의해서 60년대 분단소설은 전쟁의 원인과 분단 고착화에 따른 남북한의 이질감의 심화 등을 날카로운 천착하는 성과를 얻게 되는 것이다.

하지만 이 시기 분단문학은 분단으로 인한 이질화를 극복하고 통일을 준비하는, 이를테면 민족 동질성 회복을 도모하는 수준에는 이르지 못하였다. 이호철 작품에서 단적으로 드러나듯이 민족의 이질화와 분단의 고착화에 대한 안타까움과 회한이 작품의 중심을 이룰 뿐 그것을 넘어설 구체적인 전망을 마련하지는 못했고, 심한 경우 최인훈처럼 전망 부재의 허무주의적 경향마저 노정하기도 하였다. 또, 창작의 주체가 대부분 전쟁 체험세대였던 관계로 개인적 체험을 완전히 객관화하지도 못하였다. 이호철과 최인훈은 월남자로서의 뼈아픈 체험을 지닌 작가들이고, 박경리는 남편을 잃은 전쟁 미망인이었다. 그런 관계로 이들이 비록 자신의 체험을 되돌아보면서 분단현실을 거시적으로 문제삼기는 했지만, 그 체험의 다양한 내적 계기들에

---

6) 60년대 박경리 문학에 대한 자세한 사항은 필자의 「주체확립의 과정과 서사적 거리감각」(『국어국문학』122호, 국어국문학회, 1998) 참조.
7) 이 시기 이호철 소설에 대한 자세한 논의는 필자의 「이호철의 <소시민>론」 (『민족문학사연구』11호, 소명출판사, 1997) 참조.

대한 인식과 극복 방안에 대해서는 상대적으로 소홀할 수밖에 없었다. 이를테면 빨치산의 문제라든가 미국을 비롯한 외세의 문제 등에 대해서는 뚜렷한 자각을 보이지 못했고, 그로 인해 분단의 역사성에 대한 고찰이나 그것의 주체적 극복의지를 천명하지는 못했던 것이다.

2. 분단현실의 자기화와 주체적 인식의 심화

1970년대 분단문학은 60년대 분단문학의 이러한 성과를 이어받으면서 한층 성숙된 면모를 보여준다. 이 시기에는 분단 현실에 대한 관심이 전 문단적으로 고조되면서 전 시기에 비해 훨씬 풍성한 양의 작품이 생산된다. 이호철, 박경리, 최인훈 등의 중견작가들이 왕성한 필력으로 분단 현실을 천착하였고, 김원일, 윤흥길, 박완서, 문순태, 황석영, 이문구, 조정래, 전상국, 이동하, 신상웅, 현기영, 홍성원, 한승원 등 신예작가들까지 대거 가세하여 분단 소재 작품들을 본격적으로 창작하여 분단소설은 일대 장관을 이루게 된다.

당시 이처럼 분단소설이 번성한 데는 다음 몇 가지 요인이 작용한 것으로 보인다. 우선, 이승만 정권이래 경직된 반공주의가 1972년 7.4 남북공동성명의 발표를 계기로 점차 해빙의 분위기를 타고 분단 현실에 대한 관심을 증폭시킨 사실을 들 수 있다. 물론 사회 전반의 분위기는 유신체제의 출범과 더불어 한층 악화되었으나, "오오 통일!"을 외치는 감상적 시와 소설을 비롯하여 실향민으로서의 비애나 이데올로기의 폐해를 지적하는 작품 등이 다양하게 족출했던 것은 분단 현실에 대한 문인들의 관심이 그만큼 고조되었음을 의미한다. 또 당시 본격적으로 발굴·채록된 증언과 수기 등의 영향 역시 무시할 수 없다. 70년대 말의 「민족의 증언」과 이병주가 작품의 근거로 활용한 이태의 수기 등이 소개되면서 분단 현실을 새롭게 조망할 수 있는 길이 열린 것이다8). 그렇지만 무엇보다 중요한 것은 70년대 들어서 소년시절에 전쟁을 체험한 세대들이 작품활동을 본격적으로 시작했다는 데 있다. 김원일의 체험적 고백에서 엿볼 수 있듯이, 유·소년기에 전쟁을 체험한 세대들이 이 시기 들어서 자신의 체험을 회고적으로 성찰할 수 있는 정신적 연령에 이르렀고, 그들의 삶을 근원에서 규정하는 6.25에 대한 천착을 본격화할 수 있는 시간적 거리감각을 확보하게 되었다[9]. 그리하여 작가들은 이제 과거사를 조망하기만 하는 것이 아니라 그것을 현재화하고 치유의 가능성을 찾는 보다 적극적인 모색을 보여주는데, 이 시기 소설의 상당수가 '회상 기법'을 도입한 것도 사실은 6.25와 관련된 과거사를 객관화하고 그와 더불어 성장기에 체험한 그 고통의 상처를 어떤 형태로든 정리하고 치료하려는 의도에서 비롯된 것이라 할 수 있다. 그리고 이들 작가들이 과거사를 서술하면서 어린이의 시점을 차용한다든가, 성인의 시점과 어린이의 시점을 병렬적으로 서술하는 등의 기법을 동원했던 것도 과거와 현재를 계기적으로 이해하고 화해하려는 의도로 볼 수 있다. 성인이 되더라도 유년기의 체험에서 자유로울 수 없듯이, 6.25가 여전히 현실적 삶을 가로막는 원체험으로 파악되고, 작가들은 그 원체험을 탐색함으로써 그것이 한 개인뿐만 아니라 민족 전체의 삶을 질곡하는 요인임을 깨닫는 것이다.

이런 점에서 이 시기 분단소설은 현재의 삶을 여러 요인들의 복합체로 파악하고 수용하는 주체적 시각의 정립 과정으로 정리할 수 있다. 주체적 시각이란 현재의 삶을 대타적으로 이해하려는 태도와 자

---

8) 게다가 당시 활기를 띠기 시작한 현대사와 관련된 사회과학계 연구 성과의 수용 또한 무시할 수 없다. 6.25와 관련된 다양한 연구물들이 쏟아지고, 그 결과 전쟁의 원인과 양상, 결과에 대한 보다 진전된 논의가 널리 확산되었는데, 이 역시 작가들에게 금단의 영역을 파헤칠 수 있는 근거를 제공한 것으로 보인다. 이런 사실은 앞의 백낙청과 김병익의 글 및 김원일의 「분단현실과 분단지양의 문학」(『강좌, 민족문학』, 정민, 1990)에서 부분적으로 언급되고 있다.

9) 이런 사실은 여러 작가들의 회고담에서 확인되는데, 이를테면 김원일의 앞의 글이나, 전상국의 「악령과의 교접」, 윤후명의 「미지수 속에 꿈꾸는 아름다운 글」(모두 『한국문학』, 1985년, 6월호)에서 이런 사실은 단적으로 확인된다.

세로서, 자신의 존재를 가능케 하는 현실적 근거를 주체의 특수한 정황과 결부지어 이해하는 태도라 할 수 있다. 이를테면, 국내·국제적인 정치의 영역이자 공산주의와 자본주의라는 이념과 경제의 영역이기도 한 분단체제[10]를 국내·외적 요소의 복합으로 이해하고 그 해결의 실마리를 모색하는 것으로, 이는 과거사에 대한 성찰과 그것을 극복하려는 실천적 의지를 수반할 때만이 가능한 것이다. 분단 극복의 가능성이 이러한 자각을 통해서 마련될 수 있는 것이라면, 이 시기 소설에서 두루 목격되는 민중에 대한 발견과 민족사에 대한 주체적 자각은 전 시기 소설과 구별되는 70년대의 독특한 성과인 것이다.

이런 맥락에서 이 시기 소설은 대략 세 부류로 나누어 볼 수 있다. 하나는 『노을』(김원일), 『순이삼촌』(현기영), 「유형의 땅」『불놀이』(조정래) 등과 같이 해방정국의 좌우 대립을 배경으로 분단의 원인을 사회·경제적인 측면에서 조망한 작품군이며, 둘은 『아베의 가족』(전상국)이나 『황토』「거부반응」「타이거 메이저」(조정래) 등에서 문제시되는 외세의 작용과 그로 인해 왜곡되는 민족의 삶에 대한 고발을 다룬 작품들이고, 셋은 「한씨연대기」(황석영), 『나목』「카메라와 워커」(박완서), 「앞산도 첩첩하고」「폐촌」(한승원), 『관촌수필』(이문구), 「장마」(윤흥길) 등에서 볼 수 있듯이 일상 속에 내재되어 있는 분단의 상흔과 질곡을 민중의 시각에서 수용하고 넘어서려는 의지를 담고 있는 소설군이다.

1) 분단 원인에 대한 역사적 조망

분단의 원인에 대한 탐구는 사실 분단문학의 전제조건과도 같다. 상처의 원인을 진단하지 않고서는 수술의 칼날을 들이댈 수 없듯이,

---

10) 김병익의 앞의 글, 99면. 이 '분단체제'라는 말을 한층 정교화하고 내포를 확충하여 실천의 차원에서 조망한 글이 백낙청의 『흔들리는 분단체제』(창작과비평사, 1998)이다.

우리의 삶을 근본에서 질곡하는 요인들에 대한 탐구 없이는 문제 해결의 진정한 실마리를 찾을 수 없는 것이다. 70년대 분단소설은 60년대의 성과를 이어받으면서도 그보다는 한층 진전된 인식을 보여준다. 앞 시기 작가들이 6.25 전시 하의 현실을 배경으로 이데올로기의 문제를 천착했던 것과 달리 이 시기의 김원일, 조정래, 현기영, 신상웅 등은 시대 배경을 해방공간으로 소급하여 분단의 원인을 탐색하는 시각의 역사적인 확장을 보여준다. 이들에 의하면 분단의 실질적 원인은 이데올로기의 대립뿐만 아니라 과거 오랜 동안 우리의 삶을 구속해온 경제적, 신분적 차별에 있었음이 드러나게 된다.

대표적인 분단소설가로 평가받는 김원일, 조정래, 현기영 등이 문제삼았던 것은 분단의 자기화(自己化)와 그것을 극복하려는 의지였다. 월북한 부친을 둔 특수한 가족사와 "조국 분단문제야말로 이 시대의 가장 첨예한 이슈"라는 확고한 시대인식을 바탕으로 왕성하게 분단소설을 창작한 김원일이나 여순사건이나 제주 4·3사건과 같은 고향에서의 특수한 체험을 바탕으로 빨치산들의 역사적 진실에 주목한 조정래나 현기영 등에 있어서 분단이란 사실 자신들의 삶을 규정하는 원체험과도 같은 것이었다. 그런 까닭에 이들 작품에는 분단현실에 대한 회한과 그 굴레에서 벗어나고자 하는 의지가 다른 누구보다도 강하게 드러난다. 이들이 하나 같이 과거와 현재를 번갈아 교차시키면서 작품을 전개했던 것은 현재는 과거에 의해서 규정되고, 과거 역시 현재의 시각에서 조망되어야 한다는 생각을 갖고 있었기 때문이다. 김원일의 『노을』11)이나 조정래의 「유형의 땅」12)에서 주목되는 것은 분단 현실과는 전혀 무관한 것으로 보이는 중산층 소시민의 삶마저도 사실은 그 족쇄에서 벗어나지 못하고 있다는 사실에 대한 자각이고, 그런 깨달음을 통해서 작가들은 불행했던 과거사란 외면

---

11) 김원일, 「노을」, 『마음의 감옥』(한국소설문학대계 57), 동아출판사, 1995.
12) 조정래, 「유형의 땅」, 『불놀이』(한국소설문학대계 67), 동아출판사, 1995.

하거나 부정함으로써 치유되는 것이 아니라, 바르게 보고 객관화함으로써 극복될 수 있다는 생각을 하기에 이른다. 이런 분단의 자기화를 통해서 이 시기 작가들은 전 시기보다 한층 진전된 인식을 확보하게 되는데, 그것은 구체적으로 아버지로 표상된 전 세대의 비극을 사실적으로 조망하려는 노력으로 드러난다.

이들에게 있어서 '아버지'는 하나 같이 부정적 이미지로 채색된 '빨갱이'였고, 그것도 엄청난 만행을 자행한 살인마로 기억 속에 각인된 인물이다. 『노을』에서 제시된 아버지는 소 백정으로 성격이 포악하여 걸핏하면 어머니를 학대했던 악한이며, 더구나 사회주의자가 된 뒤에는 누구보다도 광신적인 추종자로 돌변하여 무자비한 학살을 자행하고 그러다가 끝내 경찰의 반격에 쫓겨 자살로써 불우한 생을 마감한 인물이다. 『불놀이』[13])에서 그려진 아버지 역시 이와 하등 다르지 않다. 화자의 아버지인 배점수는 신씨 집성촌에서 대대로 소작을 붙이던 소작인의 자식으로 성질이 괄괄해서 걸핏하면 지주집 아이들과 싸웠고 자신의 미천한 신분에 항상 불만을 품고 있었다. 대장장이로 일하던 중 사회주의에 세례를 받게 되고, 인민위원회 부위원장을 맡으면서부터는 그 권력을 이용하여 그간의 수모를 앙갚음하듯이 무자비한 학살을 자행하여 자그마치 38명이나 되는 신씨 일족을 학살하였다. 이런 아버지를 두었던 까닭에 『노을』의 화자는 30년에 가까운 세월 동안 아버지를 잊으려 했고, 『불놀이』의 배점수는 자신의 출신과 고향을 완전히 바꾼 채 30년 가까운 세월을 다른 인생으로 살아왔던 것이다.

'핏빛'으로 얼룩진 이 아버지들의 과거사를 추적하면서 작가들은 그들이 왜 빨갱이가 되었고 또 빨치산이 되었는지를 이해하게 되는데, 말하자면 빨치산이었던 아버지가 그토록 처절한 만행을 저질렀던 것은 단지 이데올로기 때문만은 아니라는 사실, 거기에는 보다 깊

---

13) 조정래, 앞의 책.

은 이유가 있었다는 것을 알게 된다. 즉, 인민 해방을 내세우는 사회주의의 이념이 하층민들에게 요원의 불길처럼 번졌던 것은 백정이라는 최하층 신분으로서 당해야 했던 천대와 울분이 그것을 수용할 수밖에 없는 내적 계기를 제공했고, 그것이 급기야 잠재된 복수심에 불을 붙인 격이었다.

　　"모른다, 와. 그러나 부자와 가난뱅이 차밸이 없어지는 시상이되고, 양반 상늠의 차밸 않고, 똑같이 일하고 똑같이 나나 묵는다카능기 공산주이라는 것쯤은 안다, 배도수 선상도 장태문 선상도내한테 똑같은 말을 배아 줬다. 이 자슥아. 와, 내 말이 틀리나?"아버지의 빤질머리가 빛났다. 아버지는 창대 수염을 훑어 내렸다.
　　… (중략) …
　　"니한테 한 마디 묻겠다. 니는 여태껏정 백정으로 천대받고 살아온 시월이 원쑤같지도 않나? 우리가 언제 사람 대접 한분 받아 본적이 있나 말이다. 그러나 인자 시상이 바꼈으이 나도 한자리 할끼데이. 우리 같은 사람을 더 떠받들어 준다 카능 기 공산주이잉께울매나 좋노. 니가 자꾸 이래 아가리를 때싸모 증말로 재미 적데이.인자 내가 가만 안둘 끼라. 니는 반동잉께, 내가 반드시 니를 쥑이고 말 끼데이. 니 목숨 하니 쥑이능 거는 문제도 읎다!"14)

　　소를 잡던 도수장 안에다 지서 순경을 매달아 놓고, "갑자기 신명이 받치는지 덩실덩실 춤을" 추며 난도질했던 광기어린 만행에는 이처럼 이데올로기와는 상관없는 오래된 사감(私感)이 개입되어 있었다. 그렇기에 그들의 행위는 잔인할 수밖에 없었고 그것이 피해자에게 또 다른 증오와 복수심을 심어주어 서북청년단과 같은 또 한번의 잔인한 복수극을 불러 온 것이다. 물론 이들의 행동에는 오랜 신분적 구속에서 벗어나 차별 없는 세상에서 살고자 하는 강렬한 열망이 깃들어 있으나, 그것은 외형상의 명분에 불과할 뿐 사실은 누적된 복수

---

14) 김원일, 「노을」, 앞의 책, 264-265면.

심의 극단적 표출 외에 다른 무엇이 아니었다. 『불놀이』나 「하늘 아래 그 자리」(전상국)15), 「순이삼촌」(현기영)16)에서 목격되는 좌익의 만행이나 서북 청년단들의 맹신적 반공주의 역시 이와 전혀 다를 게 없다.

이런 불행한 과거사를 조망하면서 작가는 6.25를 전후해서 자행된 처절한 살육은 이념에 의한 것이라기보다는 과거 불합리한 신분제도와 수탈구조에서 비롯된 민족 내부의 오랜 갈등에 원인이 있음을 설파하는데, 이런 점에서 이 부류 작품은 소위 '빨치산 소설'의 본격적인 출발을 예고하는 전사로서의 의미를 갖는다. 주지하듯이, 문학사에서 좌익, 특히 빨치산에 대한 관심이 본격화되고 그 실상이 총체적으로 형상화된 것은 80년대였다. 『남부군』(이태)17)이나 『태백산맥』(조정래)18)에 이르면 빨치산의 생성과 투쟁, 궤멸의 과정이 소상하게 그려지고, 그것이 어떻게 분단으로 구조화되는가의 문제가 핍진하게 제시된다. 특히 『태백산맥』은 빨치산이 생겨나게 된 직접적이고 본질적인 원인, 가령 일반 민중들의 경제적, 정치적 요구가 해방 이후의 정치 현실 속에서 좌절되면서 공산주의 이데올로기와 결합하고 급기야 빨치산 항쟁으로 이어지는 과정에 대한 총체적인 조망을 통해서 이 부류 소설이 도달할 수 있는 최고 수준을 보여준 바 있다. 여기에 비추자면 70년대 소설에서 보이는 인식은 사실 개별적인 일화를 발굴하고 소개하는 수준을 크게 벗어나지 못한다. 말하자면 체험의 개별성에 폐쇄되어, 개인적 체험과 역사적 사실의 두 영역을 유기체적 전체로 파악하지는 못했던 것이다. 체험의 절실함과 생생함에 근거하면서도 개인적 체험의 폐쇄성에 매몰되지 않기 위해서는

---

15) 전상국 「하늘 아래 그 자리」, 『전상국』(제3세대 한국문학 11권), 삼성출판사, 1983.
16) 현기영, 『순이삼촌』, 창작과 비평사, 1994년 2판.
17) 이태, 『남부군』, 두레, 1986.
18) 조정래, 『태백산맥』(10권), 한길사, 1986.

그것을 역사적 맥락에서 조망하는 역사주의적 시각이 견지되어야 하지만, 이 시기 소설은 빨치산들이 준동한 원인을 대부분 개인의 사감으로 이해하는 소박한 수준을 벗어나지 못했던 것이다.[19]

하지만, 그럼에도 불구하고 70년대 소설이 의미를 갖는 것은 그런 천착을 통해서 그들의 삶을 객관화하고 나아가 공산주의에 대한 새로운 이해의 지평을 개척하여 가치(價値)의 상대화를 꾀한 데 있다. 빨치산의 준동이 단순한 광기나 이념의 맹신적 추종이 아닌, 사회·경제적인 요인에 의해서 유발된 것이라는 인식은 그들의 인간적 진실에 대한 인정일 뿐만 아니라, 사회주의에 대한 새로운 개안의 지평을 열어준 것이기도 하다. 이러한 시각에 기대자면 분단 극복의 진정한 방법은 민족 내부의 갈등 요인을 제거하고, 누구나 인간으로서 기본적인 삶을 누릴 수 있는 평등한 사회를 만드는 데 있음을 새삼 확인하게 된다. 아울러 작품 말미에서, 김원일이 '노을'을 우울한 낙조로 보지 않고 새벽을 여는 '여명'으로 받아들였던 것이나,『불놀이』에서 만행의 당사자인 배점수만을 응징하고 그 죄를 자식에게까지 물려주지는 말아야 한다는 의지를 피력했던 것은 분단 극복이 현재적이고 동시에 미래지향적인 것이어야 한다는 당대인들의 의지를 반영한 것으로 이해할 수 있다. 그런 이유에서 이 부류 소설은 분단소설의 새 지평을 열었을 뿐만 아니라 분단의 역사적 진실을 새로운

---

19) 이청준의 「숨은 손가락」에서 제시되듯이, 6.25 전쟁 중에는 사람들이 어떤 이데올로기나 이념 혹은 전투에 의해서 죽은 것보다 서로 어렵고, 각박하고, 절망적인 삶 속에서 개인과 개인의 증오, 집단과 집단의 증오, 집안과 집안의 증오에 의해서 서로 죽이는 경우가 훨씬 많았다. 이런 사실은 특히 조그마한 군 단위의 점령지구에서 심했다고 한다(앞의 김원일의 글 201면 참조). 그렇기에 조정래나 김원일의 작품은 사실에 바탕을 둔 것으로 볼 수 있지만, 그것이 못 배우고 난폭했던 자들은 모두 좌익의 앞잡이가 되고 재산 있고 덕망 있는 자들은 우익이 될 수밖에 없다는 식의 배치로 전락하지 않기 위해서는 역사에 대한 균형잡힌 시각과 분단극복에 대한 의식이 전제되어야 하는데, 그런 점에서 70년대 소설은 뚜렷한 한계를 지녔던 셈이다. 김원일이 장편『불의 제전』을 쓰게 된 이유는 바로 이런 70년대의 한계를 넘어서기 위한 것이었다(김원일의 「6.25문학의 반성」,『한국문학』, 1985, 6, 157면 참조).

차원에서 규명하고 그 해결의 실마리를 적극 모색한 것으로 정리할
수 있다.

2) 외세와 민족사에 대한 주체적 인식

문학사에서 미국과 외세의 문제가 본격적으로 등장한 것은 60년대
이후라고 볼 수 있다[20]. 미국은 우리를 공산화로부터 지켜주었고, 또
그 은덕으로 전후 복구사업을 하지 않을 수 없었던 상황에서, 더구나
당시 집권자들은 대부분 미국의 비호 아래 정권을 유지했던 까닭에
미국을 비판한다는 것은 국가 정책 자체를 비판하는 것이자 동시에
반국가적인 불경죄를 범하는 것이기도 했다. 특히 박정희 정권이 들
어서면서 본격화된 근대화정책은 경제구조의 대외의존도를 심화시켜
친미적인 성향을 더욱 강화시켰고, 그것이 이승만 정권 이래의 반공
주의와 결합되면서 사회 전반의 분위기를 동토처럼 경색시켜 놓았다.
이런 분위기 속에서 미국과 외세의 문제를 조망한다는 것은 그 자체
가 모험일 수밖에 없었던 것이다. 1965년 남정현의 필화사건은 이런
당대의 야만적 분위기에 희생된 불행한 사례에 해당한다. 그렇지만,
「분지」에서 제시된 작가의 시각, 가령 민족의 정기를 바로 세우고 주
체적 역사의식을 확립하기 위해서는 미국을 비판하고 극복해야 한다
는 생각은 오늘날까지도 문제적일 수밖에 없는 예리한 통찰이었던
게 사실이다.

70년대 소설에서는 「분지」에서 보인 예각적 인식이 한층 구체적이
고 역사적으로 심화되어 드러나는 것을 확인할 수 있다. 일상 속에
내재되어 있는 외세의 작용에 대한 천착이나 그것의 역사성에 대한
조망은 민족 현실에 대한 자각이 한층 구조적으로 성숙해 있음을 보

---

20) 물론 해방직후에도 「양과자갑」(염상섭)이나 「미스터 방」「역로」(채만식) 등의
    작품이 없었던 것은 아니지만, 민족 주체성의 시각에서 그것을 정면으로 문
    제삼은 것은 60년대 이후로 보인다. 자세한 것은 필자의 「외세와 금기에 대
    한 도전(남정현의 「분지」론)」(『현대문학』, 1998년 10월) 참조.

여준다. 「거부반응」과 「타이거 메이저」21)에서 조정래가 일상 현실 속에 내재되어 있는 미국에 대한 왜곡된 심리를 강하게 문제삼았던 것은 그 단적인 예가 된다. 「거부반응」에서 그려진 것처럼, 옷가게 점원마저도 미국 옷을 파는 것을 자랑스럽게 생각하고, 반면 국산품을 찾는 사람들에게는 강한 경멸감을 보여준다. 또 「타이거 메이저」에서는 동등한 복무규정을 갖고 있음에도 불구하고 미군들은 한국군에게 오만한 행동을 서슴지 않으며, 한국군은 그것을 오히려 당연한 것으로 받아들이는 비굴한 모습을 보여준다. 물론 이런 왜곡된 심리가 현실에서 만연된 것은 나름의 이유가 존재하는 것이지만, 조정래가 문제삼았던 것은 미국이 결코 자유의 수호자나 은인만은 아니라는 데 있다. 「거부반응」의 주인공 중태에게서 드러나듯이, 한국전쟁 당시 그에게 주입된 미군의 이미지는 한 마리의 난폭한 야수나 다름 없는 것이었다. 어머니와 고모를 겁탈하려 했던 미군의 모습은 "시커먼 얼굴에서 무섭게 빛나던 그 눈, 뒤집어 까진 그 두껍고 징그럽던 입술과 커다랗던 입, 그 속에서 유난히 희게 빛나던 이빨"로 기억 속에 잠복되어 지금까지 그를 괴롭혀 왔고, 그래서 미국은 일반 사람들이 생각하듯 그렇게 긍정적인 존재만은 아니었던 것이다.

게다가 미군들의 사소한 행위는, 전상국의 경우에서 확인되듯이, 한 가족의 의식을 근본에서 속박하는 불행의 원천이 되기도 한다. 「아베의 가족」22)에서 초점인물로 등장하는 '아베'는 미군에 의해서 짓밟힌 이 민족의 비극을 상징하는 바, 그가 지능지수 20도 안되는 미숙아로 태어난 것은 어머니가 임신 팔 개월이 된 시점에서 미군들에게 집단 윤간을 당하고 사람의 형체를 갖추기도 전에 세상에 내던져졌기 때문이다. 그렇기에 아베는 동물과 다름없는 존재였고, 이 '아베'로 인해서 어머니는 평생 죄의식을 짊어지고 살지 않을 수 없

---

21) 조정래, 『황토』(조정래 문학선), 열림원, 1993년 판.
22) 전상국의 앞의 책.

게 된다. 아베의 가족이 아베를 한국에 버려둔 채 미국이라는 만리타향으로 이민을 떠났던 것은 이 원죄와도 같은 한국 땅을 벗어나기위한 마지막 몸부림이었다. 하지만, 거기서도 과거의 상처를 떨칠 수는 없었고, 급기야 그 치유책을 찾기 위해서 고국으로 발길을 돌리지않을 수 없게 된다. 화자가 미군이 되어 한국 근무를 지원했던 것은어머니의 상처를 조금이나마 덜어주고자 하는 의도에서였고, 그래서주변을 수소문해서 재혼하기 전에 어머니가 머물렀던 시집을 방문하여 한국에 버리고 간 아베의 행방을 찾고자 한 것이다. 하지만 시어머니는 죽었고, 미국으로 건너오기 직전 어머니가 아베를 데리고 잠깐 다녀갔다는 흔적만을 확인하는 것으로 작품은 마무리된다. 물론이 작품에서 전상국의 관심이 모아진 곳은 외세라기보다는 그로 인해 잉태된 상처를 간직하고 살아가는 사람들의 신산스러운 삶이지만,거기에는 외세에 대한 고려 없이는 분단 문제를 풀 수 없으리라는믿음이 내재되어 있음을 간과할 수 없다.

분단의 비극은 이렇듯 단순히 남과 북의 대립에서만 연유한 것이아니라 외세의 개입에 의해서 더욱 심화되었음을 확인하게 되는데,「황토(黃土)」(조정래)에 이르면 그것은 역사적으로 누적된 민족의 오랜 질곡 요인으로 제시된다. 중편 「황토」에서 작가는 외세의 문제를역사적으로 조망하고 그 극복에의 의지를 보여주는데, 작품에서 그런 작가의 의도를 대변하는 인물은 가난한 소작인의 딸 점례이다. 그녀가 걸어온 삶의 궤적은 외세에 짓밟힌 통한의 최근세사를 상징하는 한편의 드라마와도 같다. 식민지 시대, 과수원에서 품팔이를 하던어머니가 일본인 주인에게 겁탈당하는 장면을 목격한 아버지는 지주를 폭행했고, 급기야 주재소에 갇히는 신세가 된다. 이 과정에서 점례는 아버지를 구하기 위해서 주재소장 야마다의 첩이 되지 않을 수없게 되고, 결국 그의 성적 노리개로 전락하여 갖은 수모를 겪게 된다. 이후 점례는 아들까지 두게 되지만, 야마다는 일본의 패망과 더

◀ 조정래

불어 야반도주하고 만다. 이렇게 시작된 그녀의 비극을 끝날 줄을 몰라서, 해방 후에는 이모의 배려로 과거를 숨기고 총각과 정식으로 결혼을 하여 잠시나마 행복한 생활에 젖지만, 그것도 잠시 공산주의자였던 남편이 행방불명으로 사라지면서 이내 물거품이 되고 만다. 게다가 당국에 연행되어 조사를 받는 과정에서 뜻하지 않게 미군의 호의를 받지만, 그 역시 그녀를 또 한번의 비극 속으로 몰아넣는 계기가 된다. 그녀는 또 다시 한 남자의 성적 노리개로 전락했고 아들까지 두었지만 그 역시 야마다처럼 미국으로 훌쩍 떠나버리고 만 것이다. 이 비극으로 점철된 여인의 행적을 추적하면서 작가는 그녀의 불행이 단지 그녀 혼자만의 문제가 아닌 우리 민족 전체의 문제임을 환기시킨다. 식민치하에서 그녀가 당했던 고통은 사실 피지배 민족으로서 우리 민족 전체가 당했던 수모와 동일하고, 좌익 남편을 둔 그녀의 비극 역시 이념에 희생당한 무고한 양민들의 수난사를 대변한다. 말하자면 그녀의 비극은 일제 강점기에서 오늘의 분단시대에 이르기까지 역사의 주체로서 지위를 누려야 했으나 사실은 생존권마저 유린당해 왔던 우리의 비극적인 역사를 단적으로 상징하는 것이다.

그런데, 작가는 이런 참혹한 운명을 지녔음에도 불구하고 그녀가 누구보다도 강인한 생명력을 지녔다는 데 주목한다. 점례는 비극의 씨앗이라 할 수 있는 아비 다른 세 자식을 박씨(정식 결혼한 남편의 성씨) 호적에 올림으로써 그들 모두를 자식으로 수용하는 본능적인 모성을 보여준다. 야마다의 피를 받은 큰아들을 박태순으로, 공산주의자 남편의 피를 받은 딸은 박세연으로, 푸란더스의 피를 받은 막내아들은 박동익으로 가호적을 만들어 편입함으로써 그들 모두를 포용하겠다는 의지를 분명히 하는 것이다. 그래서 그녀는 자식들의 교육과 뒷바라지에 온 정성을 쏟았고, 특히 모멸과 자학으로 일그러진 막내 동익을 보살피는데 세심한 배려를 멈추지 않았던 것이다. 이를테면 한으로 얼룩진 자신의 삶을 넉넉한 모성과 강인한 생명력으로 승화시키고자 한 것이다. 작가가 작품의 제목을 '황토(黃土)'로 붙였던 것도 사실은 이런 의도와 관계되는 것으로 보인다. 생산과 풍요의 상징이기도 한 황토는, 외세의 작용과 그 질곡으로 얼룩진 민족사를 넉넉한 생명력으로 포용하려는 작가의 염원을 표현한 것이고, 특히 작품 말미에서 그녀가 수난으로 점철된 자신의 생애를 기록하여 딸에게 물려주겠다고 한 것은 비극의 역사를 정리하여 다시는 그런 과오를 되풀이하지 않겠다는 단호한 의지를 표명한 것이다. 이런 점에서 이 작품은 한 여인의 비극적 삶을 통해서 민족사를 증언하고, 외세에 대한 주체적 인식을 통해서 그 극복 가능성까지도 암시한 작품으로 정리할 수 있다.

3) 분단 현실의 민중적 수용과 극복 의지

70년대는 민중의식이 본격적으로 성장하고 사회 각 분야에서 민중의 시각으로 문제를 파악하고 이해하려는 노력이 대대적으로 일어났던 시기이다. 이런 시대 분위기와 더불어 분단 현실에 대한 민중들의 관심을 수용하고 그들의 입장에서 분단극복의 의지를 피력한 작품들이 다양하게 쓰여진다. 남다른 사명감으로 의업에 종사해 왔던 한 양심 있는 의사가 월남민이라는 이유만으로 간첩으로 몰려 갖은 수모를 당한 끝에 폐인이 되어 죽어 가는 과정을 그린 「한씨연대기」(황석영)[23]나, 고등학생인 조카의 진로를 결정하는 과정에서, 과거의 이데올로기적 갈등을 떠올리면서 문과(文科) 대신에 이과로 진로를 택하게 한다는 내용의 「카메라와 워커」(박완서)[24] 등은 모두 민중 현실에 작용하는 분단의 상처를 되새기고 그 비극적 일면을 조망한 작품들이다. 그리고 6.25란 비록 "잔인한 한발이 고사시킨 고목"을 연상케 하는 것이기는 하지만, 결국 성인이 되는 과정에서 젊음의 내면혼란을 보다 심화시키는 계기에 불과하다는 생각을 피력한 『나목(裸木)』(박완서)[25] 역시 젊은이들에게 있어서 전쟁의 의미가 무엇인가를 새삼스럽게 환기시켜준다. 그리고, 전쟁으로 파괴된 한 집안과 마을 사람들을 통해서 전쟁이 야기한 사회적 인간적 변모를 추적한 이문구의 『관촌수필』[26]이나, 한 가족 내부에 틈입한 이데올로기로 인해 야기된 갈등과 그 극복의지를 피력한 윤흥길의 「장마」[27] 등은 이념과 분단 현실이 민중에게 어떠한 의미를 지니고 있으며 그것을 극복하기 위한 방안이 무엇인가를 묻는 진지한 성찰의 산물들이다.

이런 일련의 노력을 통해서 분단에 대한 민중적 자각은 더욱 심화되거니와, 특히 돋보이는 것은 이문구와 윤흥길의 역작들이다. 8개의 연작으로 구성되어 있는 『관촌수필』은 근대화의 물결에 의해 사라져버린 고향의 질박한 인정과 풍속에 대한 그리움을 배경으로, 공산주의자였던 아버지에 대한 회상과 인공치하에서 겪었던 일화로 구성되

---

23) 황석영, 『객지』(황석영 소설집), 창작과 비평사, 1993년 개정판.
24) 박완서, 「카메라와 워커」, 『도둑맞은 가난』(오늘의 작가총서), 민음사, 1981.
25) 박완서의 위의 책.
26) 이문구, 『관촌수필』, 문학과 지성사, 1991년 재판.
27) 윤흥길, 『장마』(오늘의 작가총서), 민음사, 1982.

어 있는데, 주목되는 것은 분단 현실을 담담하게 수용하는 민중들의 삶의 자세라고 할 수 있다. 그것은 작품 전반을 관통하고 있는 작가의 민중적 시각과 그런 시각에서 과거사를 포용하려는 넉넉한 작가 정신을 통해서 확인할 수 있다. 가령, 사회주의 활동을 했던 아버지에 대한 화자의 태도는, 어린이의 시점을 빌어서 서술되기는 하지만, 은근한 자부심으로 꽉 채워져 있다. 「일낙서산(日落西山)」에서 드러나듯이, 해방이 되자마자 아버지는 종래의 회고조의 가풍이나 실속 없는 사상을 뒤집어엎는 데 주저하지 않았고, 사농공상의 서열을 망국적 퇴폐풍조로 생각하였다. 더구나 사회주의자였던 까닭에 "무산 계급의 옹호와 서민 대중의 사회적인 위치를 쟁취한다"는 생각을 몸소 실천했고, 그로 인해 숱하게 연행되어 구금되기도 했었다. 그렇지만 언제나 의기 왕성하고 투지만만했던 인물이다. 이런 아버지에 대해서 화자는 전혀 두려움이나 부끄러움을 보이지 않는다. 그것은 아버지가 "잡범이나 파렴치범"이 아닌 뭔가 의미 있는 일을 하고 있으리라는 믿음 때문이었다. 물론 이런 믿음에는 혈연관계에서 비롯된 원초적 신뢰감이 작용하고 있지만, 그 이면에는 민중에 대한 깊은 사랑이 깔려 있음을 간과할 수 없다. 그런 믿음은 아버지 때문에 수시로 일어나는 심야의 가택수색과 관련한 옹점의 일화(「행운유수(行雲流水)」)에서 엿볼 수 있듯이 민중의 질박한 심성과 태도에 대한 작가의 깊은 믿음에서 비롯된 것으로 보인다. 즉, 경찰들은 한 밤중이고 새벽이고를 가리지 않고 느닷없이 담을 넘어 들어와서 함부로 뒤져대기 때문에 온 집안 여자들은 아무리 무더운 복중이라도 겉옷을 벗고 잘 수가 없었고, 수시로 일어나 심문을 당해야 했다. 그런데 그런 수모를 누구보다 심하게 당했던 식모 옹점이의 푸념이란 기껏 "하루라도 좋웅게 속것만 입구 자 봤으면 원이 읎겄유. 오뉴월 삼복에두 입은 채루 틀틀 감구 자장께 첫째루 땀떼기 땜이 못 살것유."라는 것이었다. 또 순경이 그녀를 식모로 가장한 연락원으로 알았는지, 치렁

치렁 땋아 늘인 그녀의 머리채 끝의 댕기를 풀면서 빗을 꺼내 무슨 암호문이나 찾듯이 빗기는 모멸적인 심문을 한 적도 있었다. 그렇지만 그런 수모를 당하고도 그녀는 "자던 사람 대이구 말시키면 하품 나와유."라는 재치로 위기를 모면하는 여유를 보여준다. 이런 넉넉한 품성에서 작가는 그 참혹했던 시절을 견디어 낸 민중의 지혜와 의지를 발견했던 것으로 보인다. 물론 옹점이 역시 시대의 비극에서 예외가 아니어서, 결혼한 남편을 전장에서 잃는 비운의 당사자로 전락하고 말지만, 그런 불행 역시 그녀의 강인한 생명력을 꺾을 수 없음은 능히 짐작할 수 있는 일이다.

민중의 이러한 생명력은 「공산토월(空山吐月)」의 석공(石工) 신씨를 통해서 더욱 구체화되어 나타난다. 석공 신씨가 부역행위로 5년형을 살았던 것은 6·25의 어수선한 상황 속에서 사회주의자였던 화자의 아버지를 존경하고 보살폈던 것 외에 다른 어떤 이유가 없었다. 사상에 대해서는 전혀 관심이 없으면서도 평소 존경하는 어른이 구속되었다는 이유로 마치 자신의 부친이나 구속된 듯이 매일 사식을 날랐고 그런 연유로 인공치하에서 잠시 면서기를 지냈었다. 이런 점에서 보자면 그는 좌익과는 전혀 무관한 인물이고, 그래서 부역행위로 5년간이나 감옥생활을 했다는 것은 사실 지나치게 가혹한 것이었다. 그에게 있어서 이념이나 부역행위란 전혀 가당치도 않았던 것. 그것은 그가 출옥 직후 보여준 행동에서 단적으로 확인되는데, 출옥 첫날밤에 그가 아내에게 내놓은 고백은 "형무소에 들앉아 있는 동안 처자 다음으로 그립고 잡아보고 싶어 못 견딘 것이 낫 호미 쇠스랑이며, 밤마다 귓전에 들려 온 것이 도리깨 소리 탈곡기 소리였다"(187면)는 것이다. 그래서 그는 출감 직후부터 마을의 온갖 궂은 일을 도맡아 하는 억척스럽고 건실한 농군이 된 것이다. 이렇게 보자면 그에게 이념이란 한갓 스쳐지나가는 바람에 지나지 않는 것이고, 사실 그것이 바로 당대 민중들의 일반적인 생각이기도 했던 것이다[28]). 그들에게 중요한 것은 시대의 격랑과는 무관하게 씨를 뿌리고 땅을 파는 일상의 노동인 것이고, 그것을 작가는 이 일화를 통해서 실감나게 제시한 것이다. 이런 데서 우리는 작가의 넉넉한 시선과 민중 지향적인 자세를 새삼 확인하게 된다.

윤홍길은 이 민초들에게 맺힌 한을 해한(解恨)의 차원으로 승화시키려 한 작가이다. 평판작 「장마」나 「무지개는 언제 뜨는가」에서 두드러지는 것은 일상에 틈입한 이데올로기로 인한 갈등과 그것을 치유하려는 의지라고 할 수 있다. 「장마」에서 사돈지간의 두 할머니가 한 집에 살게 된 것은 전쟁이 일어난 뒤였다. 서울에서 피난 내려온 외할머니의 안타까운 사정을 알게 된 할머니는 아들에게 사랑방을 내주라고 일렀으며, 난리가 끝나는 날까지 서로 의지하면서 살자고 위로했던 그야말로 돈독한 사돈지간이었다. 그런데 이데올로기가 틈입하면서 그 돈독했던 관계는 이내 금이 가고 견원지간으로 악화된다. 국군에 입대해서 장교로 근무하던 외삼촌이 죽었다는 통지서가 날아들고, 외할머니는 그 충격으로 빨갱이들에 대한 저주를 퍼붓는데, 그것이 아이러니 하게도 빨치산 아들을 둔 할머니를 자극한 것이다. 이념과는 무관한 인물들이 자식을 사이에 두고 정반대의 입장이 되면서 서로를 적대하는 지경이 된 것이다. 그런데, 빨치산이 된 삼촌마저 국군에게 쫓겨 생사를 알 수 없는 상황이 되면서 할머니 역시 외할머니와 같은 운명으로 전락하게 된다. 하지만 아들의 생존을 굳게 믿는 할머니는 점쟁이를 찾게 되고 급기야 아들이 "아무 날 아무 시"에 귀가하리라는 "신탁"을 받는다. 할머니의 지시로 음식을 장만하는 등 법석을 피우면서 기다리던 그 시간이 다가 왔지만 예언과

---

28) 이는 「폐촌」(『해변의 길손』, 한국소설문학대계 59, 동아출판사, 1995)에서 한승원이 분단의 비극을 "잘못 만난 시국 탓"으로 보는 시각과도 일치한다. "그렇게 우리 일단 이 자리서 과거지사를 쫙 쓸어다가 잊어뿝시다. 그리고, 그런 일이 씨도 없었든 것으로 치고, 다시 옛날 맹이로 오순도순 정답게 삽씨다." (「폐촌」)라는 진술은 이념이란 이들의 실제 삶을 구속하는 본질적인 요인이 될 수 없음을 보여준다.

는 달리 삼촌은 나타나지 않았고 사람들은 하나 둘 실망감을 감추지 못한다. 그런데 그 초조한 기다림의 시간에 전혀 예기치 않게 한 마리의 큰 구렁이가 나타난다. 구렁이의 난데없는 출현으로 할머니는 졸도를 하고, 집안은 삽시간에 혼란에 빠지는데, 뜻밖에도 그 어수선한 상황을 수습한 것은 외할머니였다. 외할머니는 구렁이를 삼촌으로 생각하고 꼭 산사람을 대하듯이 말을 건넸고, 마치 '영혼의 안내자'(psychopomp)가 되어 이승에서의 미련을 떨치지 못하고 방황하는 원귀를 달래듯이 구렁이를 제 갈 길로 인도하는 것이다. 말하자면, 불행한 원귀가 되었을지도 모르는 삼촌의 영혼을 달래는 진혼굿과도 같은 행위를 외할머니가 연출한 것이고, 이 간절한 행위가 결국 구렁이로 하여금 제 길을 찾게 하고, 급기야 이데올로기의 독기를 중화하여 두 노인을 화해하게 만든 것이다.

작가는 이렇듯 민중의 근원적 정서 앞에서는 이념이란 한갓 물거품과도 같다는 사실을 갈파한다. 이 작품이 비록 한 연구자의 지적처럼, 샤먼이라는 반근대적이고 무방향적인 세계관에 바탕을 둔 근대적 소설 형식에 미달된 작품[29]으로 평가받을 수도 있지만, 샤먼이란 오늘날까지도 여전히 민중들의 실생활에 깊게 뿌리내린 근원적 정서를 구성한다는 점에서 볼 때 그것을 그렇듯 폄하할 수만은 없을 것이다. 주변 곳곳에서 목격되듯이 지금도 샤먼은 민중들의 해한의 방법이자 동시에 소박한 위기대응의 방식이다. 그리고 분단극복에 대한 윤홍길의 의지는 70년대 소설의 상당수가 분단 현실을 직시하고 주체적으로 수용하려는 노력을 보여주었음에도 불구하고 민족 동질성의 차원에서 그 극복방안을 제시하는 데는 미흡했음을 고려하자면 단연 주목될 수밖에 없는 것이다. 분단의 장벽을 허물고 민족의 동질성을 회복하는 지난한 과정은 합리적 인식과 더불어 전통과 정서적 동질성이라는 비합리적 요소의 발굴과 수용 등 다양하고 복합적인

---

29) 김윤식, 「6.25와 우리소설의 내적형식」, 『한국문학』, 1985, 6, 281면.

차원에서만 가능한 것이고, 그런 점에서 이 부류 작품이 보여준 민중적 시선과 극복에의 의지는 근대화의 부정성에 대한 저항의지를 본격화한 노동소설과 더불어 이 시기 소설의 중요한 성과로 기록되기에 충분한 것이다.

3. 70년대 분단 소설의 성과와 한계

한 평론가의 말대로, 분단문학이란 통일이 그 종점이 아니라 통일이 된 이후에도 인간 존재의 모든 비극성을 극복하려는 의지까지 담아야 하는 것이라면[30], 현실을 주체적 시각으로 수용하고 해결의 실마리를 모색한 70년대 소설은 분단 극복에 대한 작가들의 의지가 전 시기에 비해서 한층 성숙하고 구체화되었음을 말해준다.

김원일, 현기영, 조정래 등이 해방정국의 좌우 대립을 통해서 분단 문제를 천착한 것은 분단의 원인을 민족 내부의 오랜 갈등에서 찾는 한층 진전된 인식의 표현이고, 전상국, 조정래 등이 외세의 작용과 그로 인해 왜곡되는 민족의 삶을 비판적으로 천착한 것은 민족의 현실을 주체적으로 수용하려는 자세를 보여준 것이다. 또 황석영, 이문구, 박완서, 한승원, 윤흥길 등이 분단의 상처를 민중의 시각에서 수용하고 극복하려 했던 것은 이 모든 문제가 궁극적으로 민중의 입장에서 이해되고 해결의 실마리를 찾아야 한다는 믿음에서였다.

70년대 분단소설의 성과란 바로 이러한 인식을 통해서 분단 현실을 주체적으로 조망하고 실천의 토대를 마련한 데 있을 것이다. 특히 빨치산에 대한 천착을 통해서 반공주의로 인해 경직된 이데올로기에 대한 이해의 지평을 넓힌 것은 가치의 상대화라는 측면과 아울러 이승만 정권이래 지속된 정권의 비도덕성에 대한 비판이라는 측면에서

---

30) 임헌영, 「분단인식과 민족문학」, 『민족의 상황과 문학사상』, 한길사, 1986, 242-3면.

도 매우 의미 있는 것으로 평가할 수 있다. 80년대 소설이 성찰과 조망의 단계를 벗어나 민중 주체의 실천으로 나갈 수 있었던 것은 이런 전사(前史)가 있었기에 가능했던 것이다. 물론 70년대 소설이 80년대와 비교하자면 상대적으로 역사주의적 시각이 결여되어 있고, 또 문제해결의 과정 역시 능동적이지 못했던 게 사실이지만, 이런 지난한 과정을 통해서 80년대의 한층 성숙한 모습으로 나갔다는 것을 고려하자면 그 의의를 결코 부정할 수는 없을 것이다.

분단소설에서 무엇보다 중요한 것은 민족의 동질성을 회복해야 한다는 구호적인 내용의 나열이 아니라, 동질성을 구성하는 현실의 구체적 항목들을 찾아내고 그것을 분단극복의 차원에서 충족시켜 나가는 일이라 할 수 있다. 분단 반(半) 세기를 살면서 사실 남과 북은 같은 한국인이라는 동질성보다는 오히려 다른 민족보다도 더 많은 차이점을 갖고 있는 이질적인 체제와 이념에 익숙해져 왔다. 김병익의 지적대로[31], 서로 다른 체제하에서 기성세대든 분단 이후 세대든 상반된 경제적, 문화적, 특히 교육적, 사상적 훈련 속에 굳혀져 왔기 때문에 각각의 틀 안에서 고착된 그들의 인간관과 세계관을 혈연 기반 위에 어떻게 접합시킬 수 있느냐의 문제는 우리가 당면한 가장 큰 현안일 수밖에 없다. 남과 북이 군사분계선을 두고 마주해 있지만 그것의 거리는 지구상 어느 곳보다 멀리 떨어져 있는 형편이다. 언어의 이질성이 점차 확대되고 있고, 또 역사 해석에서는 이미 현격한 심연이 노정되고 있다. 이런 상황에서 90년대 이후 대거 유입된 포스트 담론들과 몰주체적인 세계화의 이념들은 우리의 현실을 망각케 하고 이질화의 조건들을 더욱 부추기고 있다. 90년대 소설에서 분단을 제재로 한 작품을 거의 찾아볼 수 없는 것은 이런 시대 현실에서 야기될 수밖에 없는 필연적인 현상으로 볼 수도 있다. 이런 상황에서 문학이 할 수 있는 일이란 이 현상의 이면을 관류하는 문화의 동질적

---

31) 김병익, 앞의 글, 99면.

국면들에 대한 보다 섬세한 천착과 분단 현실을 규율하는 세계체제의 변화를 주시하고 능동적으로 대응하는 일이 될 것이다. 아울러, 조정래나 김원일의 소설에서 암시되었듯이 분단 극복이란 사실 민족 내부의 경제적, 신분적 갈등을 해소하고 평등한 삶을 살기 위한 조건을 마련하는 것이라는 점 또한 명심할 필요가 있다. 최근 더욱 확대되고 있는 계층간의 불평등과 위화감은 현실에 대한 허무주의적 사고를 만연시켜 분단 현실 자체를 망각케 할 수도 있다. 70년대 분단소설이 오늘날도 여전히 문제적인 것은 한 세기를 마감하고 새로운 세기를 얼마 앞 둔 현재까지도 당대 작가들이 제기한 문제의식과 해결의 방향이 유효하기 때문이다. 새미

문학은 경험공간 경험지평의 사이에서 고뇌하고 갈등 인간의 삶을 형상화한

한국 현대문학과 현실인식

서익환(새미, 98)
신국판 / 380면 값 18,000원

문학은 경험공간과
경험지평의 거리 사이에서 고뇌하고
갈등하는 인간의 삶을 총체적으로 형상화시키는
하나의 구조물이다.
그러나 이러한 인간의 삶은 작자의 심미적
인식과 상상력을 거치지 않고는 문학적 생명력을 획득할 수 없다.
따라서 문학은 인식의 세계요
상상력의 세계이다.

1970년대 민족문학론의 성과와 한계

이상갑

1. 1970년대 민족문학론의 배경

1970년대 비평 문학은 1960년대 비평의 연장선에 있음은 주지의 사실이다. 문학사의 시기가 10년 단위로 획시기적인 의미를 지니는 것도 아니지만 문학 현상 자체가 그렇게 단속적인 것은 아니다. 다만 70년대 비평 문학은 '유신 체제'로 대변되는 70년대 상황에 대한 문학적 응전 양식임은 분명하다. 60년대부터 논의된 참여문학론 시민 문학론의 연장선에서, 민족문학론은 70년대 문학 비평의 중심에 떠오르게 된다. '개발 독재'라는 말이 암시하듯, 경제 성장을 이유로 민주적인 절차가 무시되었고, 극도의 반공 논리로 인해 분단 모순의 해결 과제는 잠복되었다. 대외 종속적인 경제 성장의 이면에는, 농촌의 분해와 도시 빈민 또는 노동자 문제의 분출, 계층간 빈부 격차의 심화, 소비 문화의 유행과 외래 문화의 급속한 유입 등이 자리잡고 있었다. 70년대 민족문학론은 역사학계의 민족 사학의 정립 노력과 함께, 이같은 대내외적인 모순을 주체적으로 극복하고자 했다.

'민족문학'을 논의할 때, 멀리는 1920년대 카프문학으로 거슬러 올라갈 수 있다. 하지만, 엄밀히 말해 해방 공간의 '민족문학' 논의에

한림대 교양교육부 교수, 저서로『한국근대문학과 전향문학』과『김남천』이 있음.

초점을 모으지 않을 수 없다. 해방 이전 프로문학이 조선의 특수성보다 프롤레타리아 국제주의에 견인되었다는 점에서 분명한 한계를 지니고 있었다. 프로 문인들은 일제에 의해 피상적으로 이식된 자본주의적 근대, 그리고 전쟁과 계급 갈등이라는 '근대'적 모순을 사회주의라는 '현대'적 사상으로 극복할 수 있다고 보았으며 이를 전망으로 삼고 있었다. 카프 해산 후의 전형기 비평에서 당대 조선의 토대에 밀착한 논의가 전개되기는 하지만 그 이론의 궁극적인 지향은 사회주의에 대한 신념 그것이었다. 그러나 정작 우리의 현실은 반(半)봉건성을 용인하는 식민지 근대화의 후유증을 앓고 있었다. 이것은 넓은 테두리에서는 현재적 상황이기도 하지만 범위를 축소해서 이해한다고 해도 70년대 중반까지의 우리의 현실 상황이었다. 민족문학이 서구의 경우 근대 민족국가의 건설과 시민 계급(중산층)의 형성과 불가분의 관계를 맺고 있다고 한다면, 우리의 경우 일제 강점기하 민족문학의 형성은 근원적으로 차단되어 있었다.

앞서 지적했듯이, 70년대 민족문학 논의는 해방 공간의 민족문학 논의에 맞닿아 있다. 해방 공간의 민족문학 논의는, 미완의 과제였던 근대적 민족국가의 건설이라는 관점에서, 일제 잔재의 청산과 반(半)봉건 상태의 극복 그리고 또 다른 외세의 극복이라는 이중적 과제를 동시에 감당해야 했다. 이런 측면에서, '문학가동맹'의 노선은 노동자 계급의 독자성을 강조한 '프로예맹'과, 김동리로 대변되는 추상적인 민족문학 논의와는 분명히 구별된다. 그러나 1948년의 남한 단독 정부 수립, 뒤이은 6·25전쟁과 분단 체제의 고착화는 더 이상 진보적인 논의를 불가능하게 하였고, 순수문학 계열의 추상적인 민족문학관이 문단을 주도하게 된다. 따라서 70년대 민족문학 논의는, 50년대 말 이어령 유종호가 간헐적으로 제기한 '참여론'의 문제 의식으로부터 출발하여 60년대 초반부터 진행된 순수 참여 논쟁을 거치면서 복원되기 시작한다. 그리고 50년대의 정태용 최일수의 비평, 60년대 초

『한양』지를 중심으로 한 장일우의 비평,『상황』을 중심으로 한 구중서·임헌영·임중빈·김병걸의 비평 등이 논의의 심화에 기여한다. 특히 민족문학론과 관련하여, 염무웅이 1968년 말 "민중의 편에 서야" 할 것을 주장한 것, 그리고 백낙청이 「시민문학론」(『창작과비평』, 1969. 6)에서 민중적 전망을 드러내 보인 것은, 70년대 민족문학론의 정초 작업을 위해 중요한 계기가 되고 있다.

2. 전통의 창조적 복원과 현실에의 욕구

민족문학론과 관련하여 해방 이전부터 자주 사용되어 온 말이 국민문학, 민족주의 문학, 민족문학 등이다. 해방 이전 시기에 국한한다면, 국민문학은 1940년대 들어서서 일제에 동조하는 어용 문학의 의미로 사용되었고, 민족주의 문학은 1920년대부터 국민문학과 함께 계급주의 문학에 대응하여 사용되었다. 그러나 가치 개념으로서의 민족문학은 해방 공간에 들어와서 사용되기 시작했으며 앞의 두 가지와는 그 성격이 다르다. 오늘날 입장에서 국민문학과 민족문학이 별개의 것이냐에 대한 의문이 있을 수 있지만, 이는 가치 개념으로서의 민족문학을 전면으로 부정하지 않는 한 용납될 수 없을 것이다. 민족문학은 우리가 궁극적으로 지향해야 할 '통일 국가로서의 국민문학'의 의미로 해석되어야 하기 때문이다.

1969년경 백낙청의 「시민문학론」과 구중서의 논의 중에서 리얼리즘론의 문제가 제기된 이후, 이를 견인해 낼 '민족문학' 논의가 70년대 들어 본격화된다. 우선,『월간문학』의 '민족문학 논의' 특집에서부터 '용어' 문제가 주된 과제로 제기된다. 김동리[1] 백철[2] 이형기[3] 문

---

1) 김동리, 「민족문학에 대하여」,『월간문학』47, 1972.10.
2) 백 철, 「민족문학의 오늘과 내일-민족문학의 어떤 가능성」,『세대』107, 1972.6.
3) 이형기,『민족문학이냐, 좋은 문학이냐」,『월간문학』24, 1970.10.

덕수4) 김상일5) 등이 신화를 통한 "원한민족의 기원"을 언급하며 '국민문학 내지 민족주의 문학'이라는 용어를 사용하는 데 반해, 김주연6) 김현7)은 '한국문학'이라는 용어를, 임헌영이 '민족문학'이라는 용어를 사용하고 있다. 김상일이 말하는 민족의식은 같은 의식주 양식과 풍속, 관습, 자연관, 종교를 가진 동류의식 정도로 파악된다. 그는 역사학계의 연구 성과를 토대로 지석묘 시기에 원한민족이 성립했으며, 이것을 반영하고 있는 신화에서 민족문학의 기원을 찾고 있다. 다만 순수문학의 좌장격인 김동리는, 민족 개념이 형성된 시기가 근대라는 관점에서 "근대문학이 곧 민족문학이다."라는 인식을 보인다. 그러나 그가 말하는 민족문학은 서구적 기준에서 나온 것으로 근대 민족국가의 형성이라는 관점에서 민족문학을 파악하고 있을 따름이다. 결과적으로, 그는 우리 현실의 특수성에 대한 인식은 없이 "근대문학은 완전한 의미에서 곧 세계문학이다"라는 추상으로 비약한다. '가장 민족적인 것이 세계적인 것이다'라는 명제가 그것이다. 이는 탈이념과 순수 지향을 특징으로 하는 김동리 이론의 근간에 해당한다. 70년대 말경, 조연현8)이 해방 이전의 사회주의 문학에 대해 지나치게 반응하면서 목적 의식을 가진 '민족주의 문학' 대신에 '민족문학'이라는 용어를 쓰자고 주장하는 것도 이런 맥락에서이다. 김동리와 조연현이 말하는 민족문학은 가치 개념과는 무관한 것이다. 따라서 조연현은 민중문학을 대중문학, 서민문학과 구별하면서 이념에 대한 결벽증세를 강하게 드러낸다.9) 그리고 곽종원은 '민족문학'이란

---

4) 문덕수, 「고전문학과 민족의식」, 『월간문학』24, 1970.10.
5) 김상일, 「민족문학의 기원-고고학적 문학론」, 『월간문학』24, 1970.10.
6) 김주연, 「역사 비판론과 시민문학론-한국문학은 민족문학론으로 판단되는가
    」, 『지성』2, 1971.12.
7) 김 현, 「민족문학, 그 문자와 언어」, 『월간문학』24, 1970.10.
8) 조연현, 「민족문학과 민중문학-강연 속기」, 『정경문화』174, 1979.8.
9) "민족문학이 1920년대에 있었던 사회주의 문학을 말할 수가 없으니까 사회주
    의 문학이라고 사상적으로 의심할 테니까 이 점을 조금 피해 가지고 민중문학
    이라고 이렇게 가고 있는 것이 아닌가 하는 생각이 든다"

용어가 8.15 뒤에 제창된 것으로 온당하게 파악하면서도, '민족문학'과 '국민문학'을 정확히 구분하지 못하고 있다. 즉 그는 "일제에 항거하는 민족주의적 민족문학이 필요한 것이 아니라 세계를 향한 민족문학"이 필요함을 역설하면서 김동리 조연현과 동일한 시각을 보이는데, 김동리의 「무녀도」를 세계문학과의 연관성에서 영구적이고 보편적 가치를 지닌 민족문학의 전범으로 내세우고 있다.

반면, 김현은 '민족문학'이라는 용어가 프로문학에 대한 반발로 형성되었다고 지적하고 있는 점, 그리고 해방 이전 프로문학의 성과에 대한 독서 체험이 보인다는 점에서는 60년대와 달라 보이지만[10], 그 인식의 피상성은 면키 어려워 보인다. 그는 '국민문학'이란 용어가 프로문학의 대타 개념으로 사용되었다고 보고 '국민문학'을 '민족문학'이라는 용어와 일단 구분하고 있다. 그러면, 그가 말하는 '민족문학'이란 무엇인가. 그것은 1928년경 국민문학파와 프로문학파의 논쟁이 통합론의 형태를 띠면서 양주동 염상섭 등의 중간파가 내세운 절충론을 의미한다. 즉 '조선 민족은 무산 계급이다'라는 절충파의 논리가 현실적으로 인정받지 못했지만, '민족문학'론은 국민문학파의 이론적 근거인 "조선에 태어났으면 어쩔 수 없이 조선문학을 하지 않을 수 없다"는 당위론과, 프롤레타리아 계급 혁명을 지지하는 프로문학파의 당위론이 현실론으로 바뀐 것을 의미한다는 것이다. 그러나 국민문학, 민족주의 문학, 민족문학의 개념을 정확히 구분하지 못하고, '국민문학 또는 민족주의 문학'과 '민족문학'을 동일하게 사용

---

10) 김현이 말하는 바, 프로문학이 국민문학에 기선을 제압당한 이유는, 카프가 모사상(毛思想)의 근간을 이루는 아시아적 혁명 전략을 이해하지 못했다는 점이다. 아시아에는 구라파와 같은 프롤레타리아가 형성되어 있지 않기 때문에 농민(빈농, 자농)을 혁명 기지로 삼아 혁명을 완수한 뒤에 프롤레타리아를 만들지 않으면 안 되는데, 이러한 전략이 식민지하의 프로문학인에게는 정확히 이해되지 못했다는 것이다. 그러나 이러한 인식조차 60년대에서는 마련되지 못하고 있다.(이상갑, 「문화주의와 역사주의의 상승 작용」, 『1960년대 문학 연구』, 깊은샘, 1998, pp.197~222.)

함으로써 개념상 혼란을 보인다.

　민족문학은 그러므로 정치적으로는 우파적 성격을 띠며, 문학적
으로는 복고조를 내용으로 한다. 그것은 **국민문학(민족문학)**이 계
몽주의와 밀접한 관련을 맺고 있는 것과 무관하지 않다. 한국의 계
몽주의가 한국 현실의 모순을 파헤치는 것을 목적으로 삼는 대신
당위성을 항상 그 일관된 주장으로 밀고 와, 계몽주의자들의 시혜
적 특성을 두드러지게 드러낸 것은 한국 계몽주의의 치명적 약점
이다. 물론 한국의 계몽주의가 식민지하에 대한 반발로서 형성된
것이라는 것도 있지만 반식민지하에 너무 집착하여 한국 재래 사
회 구조의 모순을 눈감아버린 것은 계몽주의자들의 정신의 한 성
향을 보여준다. 여하튼 우파적 보수주의, 복고조, 계몽주의라는 세
지주는 **민족주의 문학**의 근간을 이룬다.

위의 예문에서 보듯이, 국민문학, 민족주의 문학, 민족문학이 동일
한 의미로 사용되고 있다. 이 세 문학이 반(反)식민지라는 구도하에
계몽성을 강조한 결과 식민지 조선 사회의 구조적 모순에는 둔감하
게 되었다고 비판한다. 김현이 '통칭'으로 말하는 '민족문학'은 국수
주의적, 복고적, 폐쇄적, 교조적, 권력지향적 특성을 보일 뿐 아니라
"한국 우위주의라는 가면을 쓴 패배주의자의 문학"에 지나지 않는다.
이는 김현 자신이 60년대 이후 줄곧 비판해 왔던 허무주의의 실체에
해당할 것이다. 그가 가치 개념을 내포한 '민족문학'이라는 용어 대
신 '한국문학'이라는 용어를 사용하는 이유가 여기에 있다. 그가 진
정으로 원하는 것은, 열린 시각으로 세계와 자기 사회의 모순을 주시
하고, 그것을 문자로, 그것도 그가 힘주어 말하듯 '한국어'로 표현하
는 것이다. 즉 김현은 한국적 특수성보다 서구의 보편성을 염두에 두
고, '민족문학' 개념에서 '내용(무엇을)'보다 '표현(어떻게)' 쪽을 더
강조하고 있어 보인다. 구중서는 김현의 이같은 태도를, "해방 후 50
년대 후반을 절정으로 하여 외국문학에 경도되었던 체험에서 감염된

세계 시민적 관념의 소산"[11]으로 비판하고 있다.

이런 흐름과 구별되는 논자로, 50년대부터 줄곧 통일 문제에 관심을 가져온 최일수[12]를 비롯하여 김용직[13] 염무웅[14] 임헌영[15] 등이 주목된다. 김용직은 '민족문학'을 '민족을 위한 문학'이라는 전제하에 그것의 지향을 순수문학과 다르게 설정한다. 그리고 염무웅이 말하는 '민족문학'은, 중세 카톨릭의 보편주의가 해체되는 과정에서 발생한 후, 시민 계급에 의한 민족국가의 수립, 그리고 봉건 귀족의 문화 독점과 투쟁하는 가운데 성장한 것으로 서양의 세계 지배에 따라 세계주의적 보편성을 띠고 비서구 지역에 전달된 것이다. 그러나 민족문학은 초기의 건전한 시민 계급의 역할 면에서는 훌륭한 근대문학이지만 이후 제국주의 단계는 그 성격이 달라졌으며, 따라서 우리의 경우 근대적 민족 국가의 형성이라는 미완의 과제를 완수해야 하며, 이를 위해 반제, 반봉건의 과제를 해결해야 한다는 것이다. 그는 이런 관점에서 근대적 의미의 민족 개념이 민주 및 민중 개념과 결합되어야 할 필요성을 온당하게 제기하고 있다. 그러나 '민중'의 개념에 대한 인식은 보이지 않는다.

그런데 임헌영은 문학사적인 시각에서 '민족문학' 개념을 체계적으로 정리한다. 이 점이 김현 백낙청과 다른 점이다. 임헌영은 근대 민족주의가 바탕이 된 '민족문학'과, 1926년 이후 프로문학에 대한 반기의 성격을 지닌 '국민문학 또는 민족주의 문학'을 구분한다. 그는 일단 해방 이전 일본의 어용 문학으로 사용되었던 '국민문학'을

---

11) 구중서, 「70년대 비평 문학의 현황-최근의 평론집들을 중심으로」, 『창작과비평』41, 1976.9.

12) 최일수, 「민족문학과 통일」, 『월간문학』40, 1972.3.
    윤병로, 「민족문학의 재검토」, 『월간문학』47, 1972.10.

13) 김용직, 「민족문학론-그 길을 위한 모색」, 『현대문학』198, 1971.6.

14) 염무웅, 「민족문학, 이 어둠 속의 행진」, 『월간중앙』48, 1972.3.

15) 임헌영, 「민족문학 명칭에 대하여-개념 규정과 용어 정착을 위하여」, 『한국문학』1, 1973.11.

자신의 논의에서 제외한다. 그리고 '민족주의 문학'과 '민족문학'은 다같이 부르주아적 민족주의 문학으로 명확한 구분 없이 쓰였음을 지적하면서, '민족=민중'과 '민족 독립 운동' 개념에 입각하여 기존의 민족문학 개념을 새롭게 규정한다. 그가 '내셔날'을, 남북 분단의 현실적 정치 체제를 고정화하는 듯한 '국민'이 아니라 통일의 당위성을 포함하고 있는 '민족'으로 번역할 것을 주장하는 것도 이 때문이다. 그가 '한국문학'이라는 용어를 사용하자는 김현의 주장에 대해 강한 거부감을 표시한 것도 이런 맥락에서 나온 것이다.

> 누군가는 또 「민족문학」이란 낡은 말이니 「한국문학」이라고 부르자는 제의를 했다. 민족문학보다 새로운 문제점을 주는 말이 또 어디 있을까. 「한국문학」도 낡았으니 「네오 코리아 문학」이라고 부르면 좋겠다는 억설이 나옴직하다. 이런 논리는 지금 우리의 문학이 식민지적 의식에서 벗어났다는 전칭 긍정이 성립된 후에 가능하다. 그렇다면 우리의 문학은 식민지적 상황에서 벗어났다는 증명을 한 뒤, 우리는 이제 민족문학을 필요로 하는 것이 아니라 새로운 문학을 필요로 한다고 주장해야 될 것이다.(사실 우리에게 새로운 문학이란 민족문학밖에 없다.)
> 식민 의식 속에서 자라온 문학 역시 이 영역을 벗어나지는 못했다. 식민지적 예술 의식에서 벗어날 수 있는 가장 좋은 길은 곧 민족문학의 정립이다. 사대주의의 예술관-식민지적 예술관-신식민지적 예술관, 이렇게 이어지는 우리의 문학 의식은 오늘까지 니힐의 의식 속에서 맴돌고 있다.16)

임헌영이 당대의 상황을 식민 의식과 신식민지적 의식으로 파악할 때, 해방 이전 프로문학의 긍정적 측면이 창조적으로 복원되고 있음을 알 수 있다. 왜냐하면 그는 진보적 민족주의 진영이 강조한 주체적 민족의식의 큰 틀에서, 해방 이전 프로문학의 민족의식이 지닌 긍정적 요소를 포용하여 미완의 과제를 추진해야 할 것으로 파악하고

---

16) 임헌영, 「민족문학에의 길」, 『예술계』, 1970년 겨울호.

있기 때문이다. 이 점에서 민족문학은 가장 전통적인 미의식을 중요시하는 것으로 자리매김되고 있다. 그리고 「민족문학 명칭에 대하여」 다음에 발표된 「민족문학의 사적 전망」(『세계의 문학』10, 1978.12)에서는,[17] 민족문학의 사적 맥락 파악에서 오는 문제 의식의 날카로움은 물론, 민족문학의 현실적 필요성이 당위의 차원이 아니라 삶의 조건으로 드러난다.

　　이런 역사적 단절감은 1965년 이후 한국 문단에서 제기된 민족문학파에게도 그대로 적용된다. 1960년대 후반기부터 민족문학을 제창했던 김병걸, 백낙청, 구중서, 염무웅 제씨는 비록 1920년대 이후의 민족문학 논의를 중요시하긴 했으나 문제 제기에서 근대 민족문학의 역사적 맥락을 이어주기보다는 우리 시대의 민족문학이 당면한 상황 파악에 주력했다.

　　그리고 오늘의 민족문학이 당면하고 있는 문제들이란 것도 생경한 것이 아니라 서구에서는 이미 1세기 이전에 이룩한 부르주아적 민족문학 운동의 이데올로기를 현대적으로 적응 발전시키자는 것이고 보면 더욱 우리에겐 민족문학에 대한 절실성을 느끼게 된다. **게다가 이미 우리의 선배 문인들이 꾸준히 추구해 오던 문제를 그대로 남겨둔 것이 바로 민족문학이고 보면, 이에 대한 전면 부정은 바로 우리 문학사의 본류를 거부하는 것이 아닐까 싶다.**

위의 예문에서 보듯, 전대 민족문학 논의의 전통은 여전히 유효한 것이며, 근대 민족국가의 형성이라는 미완의 과제를 완성하기 위해 반드시 요구되는 것이기도 하다.

---

17) 제1기(1870~1919):위정척사 사상, 개화 사상, 동학 운동 제2기(1920~1945.8.15): 1920년 전후의 민족문학(위정척사에 근원을 둔 전통적 내셔널리즘 - '전통적 민족문학', 개화파에 근원을 둔 서구의 귀족적 민족주의 - '서구의 부르조아 민족문학, 마르크시즘의 민족 사상) 제3기(1945~1950) 제4기(1950~1965):전후 문학파에 의하여 다시 제기된 민족문학기 제5기(1966~현재):문단의 새 세대에 의하여 본격적으로 논의된 민족문학 논쟁기

그러나 70년대 상황에 가장 밀착된 논의를 전개한 비평가는 백낙청이라 할 수 있다. 그의 「민족문학 이념의 신전개」(『월간중앙』76, 1974. 7)는, "민족문학 개념을 외면하는 것은 민족의 생존과 존엄에 대한 현실적 도전을 망각하는 행위"라는 부제가 말해주듯, 민족문학을 미래 전망과의 연관 아래 철저히 역사적인 것으로 파악한다. 따라서 민족문학 개념은 그 개념에 내실을 부여하는 역사적 상황이 존재하는 한에서 의미 있는 것이고, 상황이 변하는 경우 그 개념은 부정되거나 보다 차원 높은 개념 속에 흡수될 수 있다. '한국문학'이라는 용어를 강조하는 김현에 대한 비판에서도 그의 역사성이 잘 관철되고 있다.

> 이러한 도전이 심각하면 심각할수록 우리에게 절실히 요청되는 문학은 앞서 말한 의미에서의 「민족문학」이 아닐 수 없을 것이, 동시에 그 도전이 심각하다는 것은 한국에서 현재 씌어지는 「한국문학」이 자동적으로 「민족문학」일 만큼 사태가 만족스럽지 못하다는 뜻도 된다. 그러기에 참다운 우리 시대의 문학, 진정으로 오늘을 사는 문학이라는 뜻에서의 한국의 「근대문학」이 곧 「민족문학」이어야 한다는 주장은 결코 동어 반복이 아니다.

백낙청은 역사적인 맥락에서 60년대 말 「시민문학론」에서 언급한 '시민의식'을 '민중의식'으로 구체화한다.[18] 시민 계급의 형성이 미약한 상황에서 하나의 문학적 이념형으로 '시민의식'이 제출되었듯이, '민중의식' 또한 문학적 이념에 가까운 표현이다. 그러면 '시민의식'과 '민중의식'을 연결짓는 고리는 무엇인가. 그것은 반(反)식민, 반(反)봉건 의식으로 말해질 수 있는 "외세에 항거하는 근대의식"이다. 즉 그는 제국주의의 침략 이전과 이후 민족 자본층과 지도자층의 변

---

18) 백낙청, 「문학과 민중」, 『창작과비평』, 1973년 봄호.
    _____, 「시와 민중 언어─워즈워스의 <서정담시집> 서문을 중심으로」, 『세대』, 1973.12.

질로 시민 혁명의 과제는 전적으로 민중의 과제인 만큼 민족의 생존과 관련하여 민중의식을 이러한 역사적 사명에 부응하는 시민의식으로 발전시키는 과업이 곧 민족문학의 본질을 이룬다고 파악한다. 여기에서 우리는 백낙청이 민중의식을 궁극적으로 시민의식으로 지양되어야 할 것으로 파악하고 있음을 알 수 있다. 그의 논리의 온건성, 또는 「시민문학론」의 현재적 의의를 새삼 확인할 수 있다. 백낙청의 논의를 두고 김치수, 천이두[19] 등이 민족문학의 문제를 민족적 윤리의 문제, 원칙적 당위론으로 일탈시킬 가능성을 경계한 바 있지만, 김우창[20]의 지적처럼 백낙청의 논의가 포용력이 있다는 점은 우선적으로 인정되어야 할 것 같다. 김우창에 의하면, 백낙청은 빈곤과 무지에 시달리고 있는 민중을 미화하지 않기 위해 '민중'보다 '민중의식'을 강조한다는 것이다. 다시 말해, 백낙청에게 중요한 것은, "어떤 대상화된 사물이나 인간보다도 내적 의식의 행동적인 표현"이라는 것이다. 백낙청이 「시민문학론」에서 '이성'을 포괄하는 '사랑'[21]을 강조한 것도 이런 맥락에서 이해할 수 있다. 백낙청이 80년대 노동자계급 당파성에 입각한 문학 이론에 거리감을 두고 있는 것 또한 이런 데서 마련된 시각 때문일 것이다.

그리고 백낙청은 "식민지적 상황에서의 민족주의 역시 그것이 맞서 싸우는 상대의 국제적 성격 때문에라도 국제주의적 성격을 띨 수밖에 없다"는 관점에서, 민족문학은 가장 선진적인 세계문학일 수 있음을 강조한다. 그는 이런 과제에 부응하는 민족문학의 현 단계를, 작게는 4.19에서 4.19의 민주화 노력이 일차적으로 성취될 <민주 회

---

19) 천이두, 「민족문학의 당면 과제」, 『문학과지성』22, 1975.12.
20) 김우창, 「민족문학과 양심의 이념-백낙청 저 『민족문학과 세계문학』」, 『세계의 문학』8, 1978.6.
21) 김우창은 「시민문학론」에서 드러난 '사랑'을 '본마음'이라 하며, 그 추상성을 비판하고 있다. 김치수의 글 「양심 혹은 사랑으로서의 민족문학-백낙청 : 『민족문학과 세계문학』」(서평, 『문학과지성』33, 1978.9.)도 동일한 입장을 보이고 있다.

복>까지의 시기, 크게는 남북 분단이 극복되기까지의 <분단 시대>로
보고 있는데, 우리는 여기에서 민족문학의 현실적 과제뿐만 아니
라[22] 4.19의 긍정적 측면이 백낙청 이론의 큰 배경으로 작용하고 있
음을 확인할 수 있다. 그는 4.19의 자유 민권 정신(半봉건주의 의식
극복)이 국토 양단과 동족 상잔의 비극을 강요한 외세에 대한 효과
적인 대응 태세와 연결될 때 참다운 근대 정신을 획득할 수 있을 것
으로 파악하고 있기 때문이다.

3. 현실적 과제와 미래 전망과의 긴장 관계

앞 절에서 우리는 민족문학론이 정초되어 온 과정을 간략히 검토
해 보았다. 이 절에서는, 민족문학론이 민중문학론 제3세계문학론으
로 심화되는 과정을 살펴보고자 한다. 민족문학론을 중심으로, 그것
의 문학적 실천 방법으로서의 리얼리즘론, 민족문학론을 보는 관점
으로서의 제3세계문학론, 그리고 문학적 실천의 주체 문제로서의 민
중문학론은 동일한 맥락에서 검토될 수 있다. 특히 이 절에서는 문학
적 실천의 주체 문제, 즉 '민중'에 대한 이해를 개별 논자들이 어떤
방식으로 현실적 과제 및 미래의 전망과 결부지어 논하는지에 대해
살펴보고자 한다.

70년대 민족문학론을 포괄적인 의미에서 민중문학론과 결부지은
백낙청과 달리, 임헌영은 프로문학과 국민문학의 이론 대립을 <민족
해방>의 관점보다 <참된 민족>의 풀이에서 해석되어야 한다는 관점
에서 민족의 '주체' 문제를 공식적으로 제기하고 있다. 「전환기의 문
학-노동자문학의 지평」(『창작과비평』50, 1978.12)은 80년대 노동자 문
학의 선편을 쥐고 있는 글이다. 임헌영은 한나 아렌트의 의견을 참조
하여 인간의 모든 행동을 노동(육체에 의존), 작업(손과 숙련된 기교

---

22) 백낙청, 「민족문학을 통해 본 기다림의 참뜻」, 『씨올의 소리』43, 1975.5.

에 의존), 활동(정치, 예술, 학문 등의 사회적 상층 구조에 속하는 영역에서의 창조적 행위)으로 구분한다. 그런데 모든 인간은 이 3가지 영역을 골고루 갖춰야 하는데, 노동 작업 계층을 활동 계층과 완전히 차단함으로써 불평등이 초래된다는 것이다. 따라서 노동자문학은 단순히 노동자 계층의 비참한 생활을 폭로 개선하는 데 그치지 않고 활동의 의식을 일깨워 주는 것이 중요하다. 즉 노동자는 산업 사회의 소외된 계층의 한 전형인데, 여기에서 민족문학은 민중문학을 거쳐 노동자문학(근로자문학)으로 정초 된다. 임헌영이 말하는 노동자문학은 누가 썼든 노동 문제를 다룬 것이거나, 실록이나 보고를 포함하여 노동자가 체험을 바탕으로 자신의 세계를 그린 작품을 말한다. 그런데 그가 말하는 노동자문학은 80년대와 비교해 볼 때 보다 현실적인 맥락을 중시하고 있다. 그는 '노동'의 전반적인 '작업'으로의 전환과 전자 혁명, 그리고 노동자계층의 중산층화가 가속화되는 20세기 상황에서 노동자문학이 시대착오적인 것으로 비판당할 수 있음을 주시하면서 시대 변화의 흐름에 주목할 것을 강조한다. 나아가 노동자문학이 그 정당성을 확보하기 위해서는 단순한 노동 쟁의나 노사 문제만 다루는 데서 그치지 말고 자연과 노동에 대한 향수, 그것을 통한 인간 상호간의 연대감과 소외 의식의 극복, 기계와 조직과 제도 그리고 가난 앞에 선 인간의 고독과 아픔, 그런 속에서도 삶을 긍정하는 자세와 사랑에의 갈구 등을 형상화해야 한다고 주장한다. 이런 온건한 주장과 함께 사실상 그는 80년대 노동자문학을 예견하는 중요한 발언을 한다.

> 근대 산업 민주주의 사회는 노동자 문제를 국가 단체의 개입으로 극단적인 마찰 없이 조정, 해결, 개선해 나가는 방법을 취한다. 따라서 지식인과 중산층 내지 사회적 지배 계층의 의식 각성을 위한 노동자문학은 <쟁취>보다 <개선>에 초점이 주어진다. **그러나 인간성 회복의 건의가 시종 묵살당하는 상황 아래서는 <개선>을 기대할 수 없고, <개선>이 외면당하는 곳에는 아래로부터의 또**

다른 물결이 밀려온다는 것은 주지의 사실이다.[23]

위의 지문에 의하면, 70년대 한국의 노동자문학은 노동자가 주체
가 되기보다 아직은 <개선>을 위한 지식인 상태의 수준에 와 있다고
볼 수 있다. 다만 임헌영 논의의 궁극적 지향점이 노동자가 주체가
되는 문학에 있음을 알 수 있다. 이같은 그의 논의가 80년대 노동자
해방 문학이 등장하는 데 촉매 역할을 하지만 임헌영은 노동자의 중
산층화라는 현실 또한 놓치지는 않고 있다. 다시 말해 노동자문학으
로의 방향은 열어 놓되 교조적인 해석에 매몰되지는 않고 있다. 다만
그의 현실 분석이 보다 치밀하지 못한 결과, 많은 오해의 소지를 안
고 있었다고 하겠다.

민족 또는 민중의 주체 문제를 노동자로 규정해간 임헌영과 달리,
김병익[24])은 이 문제에서만큼은 민족주의 문학론의 순수주의를 강조
한 김동리의 논의와 별다른 차이를 보이지 않는다. 김병익은 민중문
학이란 조선조에서는 양반 내지 엘리트 계층에, 그리고 오늘날에는
부르조아지에 맞서는 개념으로 사용되고 있는데, 이런 계층상 제한
을 가진 개념이 민족 전체를 포괄하는 개념은 될 수 없다고 파악한
다. 다만, 민족 개념의 발전은 다른 민족과의 사이에 부당한 지배 관
계가 형성될 때 이러한 조건의 개선을 위해 투쟁하는 과정에서 획득
된 것일 뿐이며, 같은 민족 내에서 계층이나 다른 조건에 의해 분열
적으로 특징지워진 것은 아니라는 것이다. 즉 그는 민족 또는 민족문
학의 정치적 도그마화를 우려한 결과 민족문학의 대내적 과제(反봉
건, 민주화)와 대외적 과제(분단 극복)를 정확히 인식하지 못하고 있
다. 소위 '문학과지성' 그룹 중에서 가장 온건한 시각을 가진 그 또
한 이데올로기에 대한 강한 불신을 드러내며, 한국적 특수성에 대한
인식은 보이지 않고 있는 것이다. 특히 그가 "서구의 과학 문명과 정

---

23) 임헌영, 「전환기의 문학-노동자 문학의 지평」, 『창작과 비평』50, 1978.12.
24) 김병익, 「민족문학론의 당위와 한계」, 『문학과지성』35, 1979.3.

치 제도 역시 하루 아침에 극단적인 방법에 의해 변혁되기 힘들다" 는 자신의 주장을 두고, 그것이 보수 논리가 아니라 "인간 지혜의 방 법론"임을 강조하고 있는 점, 그리고 '우리'의 의식에 앞서 '개성 의 식의 발아와 확립'이라는 역사적 체험이 중요하다고 주장하는 데서, 우리는 60년대 중반 이후『창작과비평』그룹과 상승 작용을 해 온 『문학과지성』그룹의 또 다른 면을 엿볼 수 있다.

> **만약 이 같은 사고 자체가 서구적 발상이라고 비난된다면, 그 것은 시민 문학으로 고양되어야 할 민족문학이 그 스스로 변방 의 취락주의로 안주하겠다는 모순을 드러내는 것밖에 안 된다.** 서구의 이같은 개성 의식이 한 사람 한 사람에게 체질적으로 확산 될 때 서구 민주주의의 초석도 다듬어질 수 있을는지 모르겠다. 서 구 문학의 반성은 역사적 상황의 비교와 모델 추출에 따른 기법상, 방법상의 그것이어야지, 그렇지 않고 제국주의 문화를 거르는 도구 의 하나라는 인식의 이해로만 나타난다면, 우리 자신 약소 민족이 라는 이름 아래 또 다른 형태의 제국주의 심리를 길러가는 무서운 발톱을 갈고 있는 것은 아닌지 되돌아볼 일이다.[25]

우리는 위 지문에서 특정 이념의 이데올로기화 가능성에 대한 강 한 불신을 확인하게 된다. 다만, 김병익 또한 민족문학이 궁극적으로 시민문학으로 고양되어야 할 것으로 파악하는 데서 백낙청 이론과의 유사성을 확인할 수 있다.

그러면 백낙청이 파악하고 있는 '민중'의 개념은 무엇인가? 조금 길지만 논의의 구체화를 위해 인용하면 다음과 같다.

> 그런데 이들 민중이 구체적으로 어떤 사람들이며 그들의 소외 극복은 어떻게 이루어져야 할 것인가 하는 문제는 아직껏 애매하 게밖에 인식되어 있지 않다. 여기서야말로 우리의 과학적인 탐구가 아쉬움을 뼈저리게 느끼거니와, 다만 <민중>의 말뜻 자체가 너무나

---

25) 김병익, 「민족문학론의 당위와 한계」,『문학과 지성』35, 1979.3.

애매해서 이런 낱말의 사용은 과학적 학문적 자세에 위배된다는 말은 사태를 더욱 혼란시키는 궤변에 불과하다. **민중이란 정치 사회 문화적으로 특수한 위치에 있지 않는 그야말로 <보통 사람들>을 뭉뚱그려서 일컫는 말로서 그 말뜻 자체는 하등 애매할 것이 없다.** 다만 특수인이 아닌 사람들을 통칭하는 말이다 보니, 그 사람들이 누구누구며 무얼 하는지는 그 낱말만으로는 밝혀지지 않는 것뿐이다. 그러므로 우리에게 필요한 것은 민중이 곧 <노동계급>이라는 말이 아니냐 하는 식의 다그침이 아니라, 주어진 시대와 장소에서 민중으로 총괄되는 사람들 가운데 노동자는 얼마나 되고 어떻게 살고 있는가, 노인이나 그 밖의 사람들은 또 얼마나 되며 어떤 성격을 띠었는가, 그들 각각의 역사적 기능은 무엇인가, 이런 문제들을 과학적으로 풀어나가는 일이다. 민중의 개념이 애매해 보이는 것은 이 작업이 제대로 안 되었기 때문이며 민중이라는 말 자체에 결코 흠이 있는 것은 아니다.26)

그는 '민중'의 개념을 '노동자계급'이라는 편협한 시각으로만 해석하지 않는다. 이것이 '민중'을 '노동자 농민'으로 규정한 임헌영과 다른 측면이다. 바로 이 때문에 1980년대 초반 '민중적 민족문학론'을 제기한 채광석·김명인·백진기·현준만 등의 젊은 비평가들로부터 '소시민적'이라고 비판받게 된다. 그러나 우리는, 백낙청이 '시민문학론'에서 '민족문학론'으로, 다시 이의 구체적 형태인 '민중문학론'을 전개하고 있지만 그의 이론이 궁극적으로 지향하는 바는 '진정한 의미에서의 근대적 민족 국가의 완성과 분단 극복'이라는 현실적 과제임을 알 수 있다. 4.19의 좌절에서 드러났듯, 시민 혁명의 완수라는 미완의 과제를 해결하기 위해서는 자각된 개인이 기본적으로 전제되어야 한다. 그러나 민중 개념이 엘리트주의로 전화될 가능성을 염두에 둔 김병익의 우려와는 달리, 오히려 백낙청은 '자각한 민중과 무자각한 대중'이라는 두 개념의 차별성을 인정하면서도 동시에 그 근본적 동일성을 부정하지 않고 있는데, 이것이 <보통 사람들>로 명명

---

26) 백낙청, 「인간 해방과 민족문화 운동」, 『창작과 비평』50, 1978.12.

된 '민중' 개념의 실체이다.

　　민중을 말하는 사람들 가운데에 대중이라는 말을 굳이 피하려는 이들이 있는 것도 그 때문이다. 그러나 '대중'과 전혀 따로 있는 '민중'이란 있을 수 없다. 그리고 우리말로 '대중'의 본디 뜻은 결코 '매스'가 아니며 그냥 '많은 사람들'이라는 말이다. 한 나라를 단위로 '국민 대중'이라고 하면 곧 '민중'과 같은 뜻이 되며, 이를테면 글 읽는 사람들을 뭉뚱그려 '독서 대중'이라고 하는 경우에는 그 나라의 문화 수준에 따라 '민중'과 거리가 먼 낱말이 될 수도 있다.

　　어쨌든 대중이 아닌 '민중'은 무의미한 개념이다. (중략) 어쨌든 실재하는 대중이 지식인이 생각하는 '민중'답지 못하다고 해서 별도로 '민중'의 개념을 만들어 그들에게 강요해 보려는 것은 하나의 이상주의에 지나지 않는 것이다.[27]

　　백낙청이 '역사의식'은 '대중의식'이며, '민중문학'은 '진정한 의미의 대중문학'이라고 파악하는 것도 이런 맥락에서이다.[28] 그에 의하면, 민중, 민서, 서민, 백성, 인민, 국민 대중 등은 본디 비슷비슷한 말들인데, '민중'이라는 말도 색안경을 쓰고 보는 상황에서 '인민'이란 용어를 쓰기는 어려울 뿐만 아니라 또 그럴 필요도 없으며, '서민', '백성'같은 봉건적인 어휘도 적당하지 않다는 것이다. 따라서 '민중'을 "소수의 지도자 또는 지배자가 아닌 다수의 국민" 정도로 해석하면 충분하다는 것이다. 심지어 그는 "'민중'을 다수의 국민이자 지배받는 대중이라는 뜻을 지닌 낱말로 쓰는 것을 나무라는 사람은 마치 환자가 열이 있다고 말해 주는 의사를 미워하거나 신열을 표시하는 체온기를 욕하는 꼴"이라고까지 말하기도 한다. 다만 그 또한 임헌영과 동일하게 노동자의 역할에 대한 방향성은 열어 두고 있다.

　　예컨대 4.19 당시 한국의 대중은 숫적으로 농민이 절대 다수였지

---

27) 백낙청, 「민중의 이름과 얼굴－민중은 누구냐?」, 『뿌리깊은 나무』, 1979.4.
28) 백낙청, 「대중과 역사 의식－오늘의 한국문학과 관련하여－」, 『현존』, 1978.6.

만 4.19 자체는 농민의 적극적 참여나 농촌 문제에 대한 구체적인 정책을 포함한 사건이 못되었다. 그것은 도시 노동자들에 대해서도 마찬가지였으며, 설혹 정책이 있었다 해도 그 이후의 대대적인 공업화로 말미암아 지금은 문제의 성격이 크게 달라져 있는 꼴이다. 이제 산업 노동자들은 계속적인 수출 증대에 모든 것을 걸고 있는 현 체제의 가장 핵심적인 구성 요소가 되어 있으며, 이들이 장차 무엇을 생각하고 어떻게 움직이느냐에 따라 나라의 앞날이 크게 달라지게 된 상황이다.[29)]

그러면 백낙청이 이처럼 '민중'을 포괄적인 개념으로 해석하고 있는 이유는 무엇일까? 그 원인을 해명하는 단서의 하나로 그가 힘주어 강조하는 제3세계문학론을 살펴보자. 70년대 민족문학론은 방법상의 리얼리즘론 외에도 민중문학론, 제3세계문학론으로 심화 발전되는데, 백낙청 이론의 포괄성은 제3세계문학론에서도 잘 드러난다. 제3세계문학론은 민중에 그 토대를 두고 있다는 점에서 민중문학론의 발전적 형태라 할 수 있다. 제3세계문학론은 본질적으로 세계를 하나로 보면서도 후진국 및 피압박 민족의 해방과 민족주의적 자기 주장에 일단 절대적인 가치를 부여한다. 하지만 그와 동시에 각 국가 민족의 독립과 자주성은 어디까지나 전세계의 민중이 하나로 되는 과정의 일부이며 그 자체가 목표는 아니다. 이런 점에서 민족문학이 민중문학으로, 민중문학이 제3세계문학으로 확대 심화되고 있음을 알 수 있다. 특히 여기서 놓쳐서는 안 되는 것이, 민족문학 민중문학 제3세계문학 논의들이 모두 60년대 그가 제기한 시민문학론 내지 시민의식의 고양으로 집결된다는 점이다. 바로 이 점이 그의 이론이 지닌 건실성 내지 포괄성의 근거이다. 사실, 백낙청 자신이 규정하고 있듯이, "'제3세계'는 '민중'만큼이나 포괄적인 개념"이다. 그리고 '민중' 개념을 '노동자'로 한정짓지 않고 포괄적으로 사용하고 있는 것도 그가 분단 체제라는 한국적 특수성을 염두에 두고 있기 때문이

---

29) 백낙청, 「대중과 역사 의식―오늘의 한국문학과 관련하여―」, 『현존』, 1978.6.

다.30)

70년대 문학을 결산하는 한 좌담31)에서, 백낙청은 자신의 민족문학론이 '합리성 이전'이라는 비판에 대해, '합리성 이전'이라는 말은 합리성을 배제한다는 말이 아니라, 그것이 이성과 감성이 분화되기 전의 본바탕(본마음)이며, 진정한 합리성은 거기서 나온다고 말한 바 있다. 이로 볼 때, 70년대 그의 논의는 60년대 말 '이성의 계기를 내포한 사랑'의 의미를 강조하고 있는 「시민문학론」의 문제제기와 크게 다를 바 없다고 하겠다. 다시 말해 미완의 과제인 시민 혁명을 완성해야 한다는 문제 의식이 그것이다. 그리고 이같은 문제 의식의 배경에는 미완의 근대적 과제를 끝임없이 연장시키는 왜곡된 현실 체제가 놓여 있다고 하겠다. 그러나 그런 상황에서도 적어도 70년대 상황에서는 노동자의 역할에 대한 방향성은 여전히 열어 두는 이중성을 보인다.

이런 이중성은 미완의 과제인 근대적 과제를 끊임없이 연장시키는 왜곡된 현실 체제와 이를 넘어서고자 하는 초조함의 긴장 관계가 낳은 산물일 것이다.

그러나 우리 자신으로서 가장 조심해야 할 점은, 시민 혁명도 제대로 완수하지 못한 단계에서 시민 혁명 뒤에 돌아난 온갖 위장된 지배자의 논리를 되뇌이는 우수꽝스러운 모습을 보이지는 말아야겠다는 것이다. (중략)
시민 혁명을 통해 민중이 형식적인 주권자로 공인되기 전부터 어떻게 그들은 실질적인 '역사의 주인'으로서 행위하면서 이 사실

---

30) 백낙청은 89년경에 '분단 체제'라는 한국적 특수성의 인식 하에, 노동자계급의 주도성 문제를 비판한다.
"그러나 우리의 민중문학론은 구체적으로 분단 사회의 민중문학론이오 분단 시대를 끝장 내려는 민족문학론이기도 하므로 분단 체제가 개입되지 않은 사회나 사회 이론을 표준으로 노동계급의 주도성 문제를 가늠하는 것은 관념적 태도라 믿는다."(「통일 운동과 문학」, 『창작과비평』, 1989.3.)
31) 「내가 생각하는 민족문학」(고은, 유종호, 구중서, 이부영, 백낙청), 1978.7.9.

이 인민주권론을 통해 좀더 떳떳이 인정되기를 기다려 왔던가, 그
리고 앞으로 어떻게 더욱더 완전한 주인 노릇을 하게 되어 있는가
의 문제들이 밝혀져야 할 것이다.[32]

　　그러나 위의 지문처럼 '민중'을 포괄적인 관점에서 해석하는 그의
이론의 온건성이 더욱 빛을 발하기 위해서라면 현실에 보다 밀착된
논의가 이루어져야 했을 것이다. 백낙청이 1980년대 들어 노동자의
주도성에 대해 자기비판하지만, 70년대만 하더라도 조세희의 「난장
이가 쏘아올린 작은 공」이 부분적으로 형상화한 중산층의 전망에 대
해서도 구체적인 인식이 보이지 않는다. 사실, 백낙청이 말하는 <보
통 사람들>을 중산층으로 해석할 근거는 보이지 않는다. 다시 말해,
그의 이론이 지닌 구체적인 인식 결여는, 현실과 작품적 실천을 정확
히 파악하지 못한 선도적 지도 비평의 한계임은 분명하다. 새미

자유시, 민요시, 시조시의 형성, 개별 시인의 시 형성 동인, 전통시의 계승까지

한국 현대시의 형성미학

송재일(새미, 99)

신국판 / 310면 값 15,000원

· ·

앞 시대의 시는 뒷 시대의 시로 지속되고,
이 지속과 함께 변화 하면서 전통을 계승한다는 원리에 바탕을 두고
지금까지 필자는 시작품과 시작품, 시대와 시대 등의
사이에 숨어 있는 지속성, 즉 내재적 흐름을 파악하는 데 무게의 중심을 두었다.
현대시 형성 전개에서 가장 중요한 시기였던 1920년대의 시에 관심을 집중시켰다.
즉, 자유시, 민요시, 시조시의 형성 근거뿐 아니라
개별 시인의 시 형성 동인, 전통시의 계승 문제 등을 집중적으로 다루었다.

---

32) 백낙청, 「민중의 이름과 얼굴-민중은 누구냐?」, 『뿌리깊은 나무』, 1979.4.

문학의 자율성과 정신의 자유로움
―1970년대『문학과 지성』의 이론 전개와 그 의미

정희모

1. 들어가는 말

누군가가 70년대 문학을 「객지」에서 시작하여『어둠의 자식들』에서 끝났다고 말했다. 이 말은 70년대 문학이 그만큼 산업화와 민중의식, 분단인식과 민족주의로 점철되었다는 뜻이 된다. 70년대 초두부터 시작된 3선 개헌과 유신 체제는 자유로운 지성과 비판의 힘을 막고 있었고, 고도 성장의 산업화와 빈부 갈등은 자연스럽게 민중의 생존권과 자율권을 수호하도록 만들었다. 1970년대에 이르러 역사는 4.19의 민주, 자유의 정신을 민중과 저항의 이념으로 되살려 놓고 있다.

하지만 이런 의식들은 어디까지나 지성의 정신사적 문제였음을 인식할 필요가 있다. 현실의 역사는 이런 지성사적 노력과 다르게 엄연히 80년대의 어둠으로 치닫고 있었기 때문이다. 이런 문제는 여전히 4.19의 정신이 그 실패와 좌절 속에 있었음을 상기시켜 준다. 자유와 민주의 이념은 그 부재 속에 더 선명히 빛을 발하게 되고, 따라서 그 이념의 확신은 3선개헌과 유신 속에 더 확고한 것으로 다져지게 된

연세대학교 강사, 저서와 논문으로『1950년대 한국문학과 서사성』과 「김기림의 모더니즘과 식민지적 역사성」 등이 있음.

다. 이념의 전망이 없음에도 이념의 확신이 더 짙어진 세계, 다시 말해 이상과 현실의 긴장이 첨예하게 대립되던 시기가 1970년대였고, 그런 면에서 모든 문인은 이념적인 지식인이 되어야만 했던 시기가 또 이 때였다.

70년대 비평은 이런 사회적 긴장 속에 『창작과 비평』, 『문학과 지성』, 두 잡지를 중심으로 전개된다. 『창작과 비평』과 『문학과 지성』 (이하 『창비』, 『문지』)은 유신체제에 대응하는 지성적 산물이었고, 그렇기에 이 두 흐름을 한 뿌리의 상이한 나눔으로 보는 시각은 그렇게 새로운 것은 아니다. 이 두 흐름의 사상가들은 '이성의 왕국'을 지향하는 헤겔적 지성의 후예들이며, 4.19의 시민적 혁명이 낳은 적자들이기 때문이다. 그런 점에서 그들은 비이성과 비논리의 폭력적 세계에 대항하며, 이성과 합리적인 자유와 평등의 세계를 지향한다. 뿐만 아니라 독재의 억압에 저항하며, 조화로운 인간적 세계를 지향한다. 60년대 그들이 『문학』, 『산문시대』, 『68문학』, 『창작과 비평』을 통해 같이 활동해 왔던 사실이 이런 한 뿌리 됨을 증명해 주고 있다. 그렇다면 이들을 나누는 실체란 무엇일까? 그것은 단순하면서도 간단한 문제, '문학의 존재성'과 '문학의 기능성' 속에 있다.

흔히 이들 양자의 입장을 '실천적 이론」(창비)'\'이론적 실천(문지)'으로 나누어 설명하기도 한다. 또한 '민중적 전망\시민적 전망'(성민엽)[1], '현실에의 몸담음\현실에의 반성적 질문(정과리)'[2]으로 구분해 보기도 한다. 물론 이런 구분은 70년대 들어 양자가 종래의 순수, 참여의 개념을 깨뜨리고, 모순된 현실에 대한 문학적 대응을 추구했다는 점을 공히 전제로 깔고 있다. 다시 말해 이들은 문학을 현실의 반영으로 보고, 현실의 모순에 대한 방법적 대응을 추구했다는 점에서 60년대 순수나 참여 논쟁의 의미를 넘어선다. 문학이 현실과 불가분

---

1) 성민엽, 『고통의 언어, 삶의 언어』, 한마당, 1986, p.160
2) 정과리, 『문학, 존재의 변증법』, 문학과 지성사, 1985, p.52

의 관계를 맺는다는 점을 인정한다면 그 다음은 구체적인 방법론의 문제이지 순수, 참여식의 존재론의 문제는 아닌 것이다. 하지만 문학이 현실에 대해 어떤 방법론적인 관계를 갖느냐는 문제에 이르면 양자의 시각은 심각할 정도로 차이가 벌어진다. 『창비』가 문학이 갖는 현실 기능면, 즉 문학을 통한 실천과 변혁 가능성에 초점을 두고 있다면, 『문지』는 문학이 갖는 인식 기능면, 즉 현실의 모순에 대한 구조적 인식과 그것에 대한 반성적 기능에 초점을 둔다. 『창비』가 문학적 주체로서 민중의 개념에 집중한다면, 『문지』는 문학의 주체로서 개인의 존재론적 체험과 경험을 중시한다. 따라서 이런 양자의 시각은 한편으로 부르조아 사회에서 문학의 존재론에 대한 보편적 기능의 차이뿐만 아니라, 70년대의 정치적 억압에 대항하는 방법론적 차이까지도 가져오게 된 것이다.

홍정선은 『창비』와 『문지』에 관한 70년대 비평의 논문에서 이런 차이가 70년대 후반부터 시작되었다고 말했다.3) 하지만 1966년에 창간되어 60년대 말미를 장식한 『창비』에 조응하여, 1970년에 창간된 『문지』는 분명히 창간 초기부터 어떤 대타적 의미를 함유하고 있었다.4) 요컨대 억압적 문학, 김현식으로 말하자면 '구호적 문학'에 대한 반발과 저항이 그 속에 내포되어 있으며, 이런 측면이 70년대를 통틀어 민중적 전망주의와 분석적 구조주의의 대립으로, 상호 견제와 보완의 문학적 행로를 가져온 동인이 되었다. 『창비』와 『문지』는 유신현실에 대응하면서도 방법론에서는 그만큼 많은 차이를 지니고

---

3) 홍정선, 「70년대 비평의 정신과 80년대 비평의 전개 양상」, 『역사와 삶의 비평』, 문학과 지성사, 1986, 참고할 것.

4) 이 점에 대해서는 『문학과 지성』의 창간에 얽힌 배경을 솔직하게 토로한 김병익의 글을 참고해 보아도 좋을 것이다. 이 글에서 김병익은 김현이 68년에 제기된 참여\순수 논쟁에서 순수문학론을 옹호하고 있었고, 또한 김현이 참여론을 주장하는 『창비』에 맞서 문학적 자율성을 견지할 새로운 동인지가 있어야 한다고 언급했음을 밝히면서, 『문지』의 창간 동기가 문학적 자율성의 수호에 있었음을 천명하고 있다. 김병익, 「김현과 '문지'」, 『열림과 일굼』, 문학과 지성사, 1991, pp.339-341.

있었던 셈이다. 이 글은 70년대 비평의 이런 행로 중, 『문지』 비평의 진행과 그 방법을 살펴보기 위한 글이다. 70년대를 이어 온 두 기둥의 한 축으로서 『문지』가 수호하고자 했던 문학성의 의미와 산업화와 유신독재에 저항하는 방법론의 의미를 객관적으로 검토하고자 한다. 따라서 논의의 초점을 어디까지나 『문지』의 이론으로만 한정할 예정이다. 또한 『문지』를 이끌었던 개별 평론가들의 상이한 차이점은 크게 염두에 두지 않을 예정이다.

2. 문학의 자율성, 상상력의 문학

『문지』의 문학관이 지니고 있는 기본적인 틀은 <문학의 자율권 옹호>와 <현실에 대한 분석적 인식>이다. 이런 시각은 창간 초기부터 시작하여 『문학과 사회』로 이어지는 80년대까지 변함없이 지속되었는데, 『창비』와의 인식의 차이도 여기서부터 출발한다고 할 수 있다. 사실 『문지』의 시작도 『창비』와는 다른 이런 문학관의 차이에서 비롯되었다. 이런 점을 알기 위해 우선 『문지』의 창간호에 있는 서문을 살펴보자. 『문지』의 창간호 서문은 『문지』의 창간 목적이 한국 문단에 광범위하게 퍼져 있는 '심리적 패배주의'와 '정신적 샤머니즘'을 극복하기 위한 것이라고 밝히고 있다. 여기에서 심리적 패배주의는 한국 현실의 후진성과 분단 현실의 기이성 때문에 얻어진 허무주의이며, 정신적 샤머니즘은 현실을 객관적으로 파악하여 그것의 분석을 토대로 어떠한 결론을 도출해내는 것을 방해하는 모든 것을 의미한다. 『문지』 창간호는 이에 저항하기 위해 폐쇄적 국수주의를 지양하고, 보편적 인식의 가능성을 추구하겠다고 밝히고 있다.5) 문면으로 언뜻 자세히 알기 힘든 이런 주장은 한마디로 말해 '문학의 자유스러움'을 억압하는 것을 모두 부정하고, 문학의 자율성을 통해 현실

---

5) 김현, 「창간호를 내면서」, 『문학과 지성』, 창간호, 70년 가을, pp.5-7.

사회의 모순을 구조적 차원에서 인식하겠다는 의지를 내포한 것으로 보인다. 김병익은 이에 대해 다음과 같이 말하고 있다.

> 김현이 이 잡지의 성격을 규정하는 이 「창간호를 내면서」는 여러 시각에서 해석되고 다른 각도에서 비판받을 수도 있겠지만, 여기서 분명히 선언하는 것들, 즉 우리 사회의 후진성과 분단의 현실에서 빚어진 패배주의와 샤머니즘의 극복이라는 명제, 투철한 현실 인식을 방해하는 억압과 폐쇄주의의 탈피라는 명제, 객관적이고, 보편적인 인식의 추구하는 명제는 문학적으로 보면 홍정선이 지적하듯이 "문학을 질식시키는 도그마적인 발언에 대한 분노와 새것 콤플렉스라고 명명되는 사대주의적 발상에 대한 혐오", 더 좁게는 문학적 참여론의 억압적 태도와 주체성을 상실한 외래주의의 허무주의적 태도를 동시에 비판하고 있지만, 보다 넓게 그리고 보다 진정하게는, 우리의 공소하고 취약한 정신사적 정황을 극복하면서 현실 정치에서 이미 음울하게 드러나기 시작하고 있는 권력의 폭력에 대한 문화적 저항양식을 탐구해야 한다는 의지와 사명을 함축하고 있다.[6]

『문지』창간사에 대한 이런 김병익의 설명은 한마디로 『문지』가 표방하는 정신이 무엇인가를 명확히 보여준다. 그 첫째는 강요와 억압의 문학적 형태에 대한 저항이며, 또 다른 하나는 보편주의적이고도, 인문주의적인 문화저항 양식에 대한 탐색이다. 앞서 말한대로 그것은 『문지』의 두 정신축 '문학의 자율성 옹호'과 '현실에 대한 분석적 인식'과 다름 아니다.

이런 『문지』의 정신이 그 정신축인 김현으로부터 비롯되었다는 것은 분명한 사실이다. 그는 68년도에 제기된 순수\참여 논쟁에서 순수 문학론의 편에 썼으며, 『문지』 창간 직전인 70년 초에도 구중서와 리얼리즘에 대한 논쟁을 벌인 바 있다. 실상 『문지』의 창간도 바로 이런 논쟁의 결과라 해도 과언이 아니다. 김현은 백낙청이나 구중서,

---

6) 김병익, 앞의 논문, pp.341-342.

염무웅에 맞서 자신의 목소리를 낼 수 있는 매체를 원했고, 그것이 바로 『문지』라는 잡지로 나타났음은 누구나 아는 일이다. 김현은 '구호적 문학'에 저항하여, '문학의 자율성'을 지키고자 했고, 그것이 리얼리즘에 저항하는 자유주의적 문학 형태로서 나타나게 된 것이다.

김현의 이런 의식은 4.19의 정신과 그렇게 멀리 떨어진 것은 아니었다. 4.19의 정신은 자유와 민주주의에 대한 시민주의적 이상, 개인의 자율성에 대한 인문주의적 가치 등을 내포한 것이었고, 그것은 산업화로 인해 소멸되는 가치와 함께 복원되어야 할 그 무엇을 의미하는 것이기도 했다. 『문지』 동인들이 4.19와 함께 만났던 "역사의 의미, 자유의 의미"[7]는 4.19의 좌절과 함께 곧 소멸되고, 산업화와 개발독재를 통해 찾을 수 없는 초월의 의미로만 남게 된다. 이념적 가치가 현실에 부재할 때 그것은 오로지 내면 속에 그 무엇으로 환원한다. 따라서 김현에게 '문학성'이야말로 잃어버린 자유와 함께 그 초월성의 절대적 표현이 되는 것이다. 4.19 이후 그가 달려갔던 곳은 바슐라르의 상상력이었고, 말라르메의 순수성이었다. 그런 점에서 그는 현실의 이상이 오로지 관념 속에 침잠하는 최인훈의 세계와 유사하며, 잃어버린 '자유'의 이미지를 여러 각도에서 천착하는 이청준의 세계와 다를 바 없다.

김현의 억압적 문학, 구호적 문학에 대한 비판은 『문지』 초기부터 서문과 여러 글을 통해 집요하게 나타난다. 김현은 창간호 권두논문 「한국소설의 가능성」에서 리얼리즘 문제를 직접 비판하며, 이후 김붕구의 「사르트르의 인간관」과 아도르노의 「앙가주망」, 또한 여러 편의 『문지』 서문을 통하여 리얼리즘의 억압적 성격을 지적한다. 아마도 이런 성격은 『문지』 창간호의 권두 논문, 「한국 소설의 가능성」에서 가장 뚜렷히 드러날 것이다. 이 논문은 '리얼리즘론 별견(瞥見)'이라는 부제를 달아, 백낙청의 『창비』 권두 논문 「새로운 창작과 비

---

7) 김병익 외, 『현대한국문학의 이론』, 민음사, 1972, 서문.

평의 자세」와 조응하는 방식을 취하고 있다. 백낙청의 논문이 사르트르의 잠재적 독자, 현실적 독자 개념을 빌려 문학의 현실 참여와 리얼리즘을 강조한 것이라면, 김현의 논문은 로보그리예를 빌려 리얼리즘을 비판하는 형식을 취하고 있다. 리얼리즘에 대한 김현의 비판은 "사물을 있는 그대로 모방하고자 하면서, 생에 어떤 의미를 부여하겠다는 이중성"으로 집중된다. 요컨대 리얼리즘은 화해하기 힘든 대립적 개념, 즉 객관성과 당위성, 소박한 모사론과 도덕률을 결합시키겠다는 것으로, 보기에는 그럴 듯하지만 실제로는 불가능하다는 것이다. 이런 생각은 김현이 리얼리즘을 뒤랑티와 샹플뢰리가 주장한 소박한 모사론이나, 아니면 극단적인 레닌의 사회주의 리얼리즘으로 생각한데서 유래하지만(그는 발자크의 리얼리즘에 대해서는 언급을 회피한다), 실상은 그가 문학을 순수한 존재의 표상, 즉 상상력 속에 환원되는 어떤 절대적 가치의 형식으로 생각했기 때문이었다. 그가 보기에 문학적 가치는 내면 속에 존재하는 것으로, 순수하게 언어와 상상력의 기호를 통해서만 드러난다.

> 그러나 소설은 사실이 아니다. 그것은 오히려 거짓이며, 가능태이며, 가설이며, 허위이며, 다시 말해서 불가능태이다. 소설은 <무>에서 시작하여 그 무엇을 창조하는 작업이며, 그것은 상상력을 통해서만 얻을 수 있는 어떤 것이기 때문이다.[8]

> 그렇다면 예술에서의 진실이란 무엇인가? 그것은 로보그리예가 주장하듯이 개인의 상상력의 현실에 대한 반응이다. 그것은 올바르거나 올바르지 않다. 그것은 다만 개인적이다. 그것은 물론 환상을 의미하지는 않는다. 환상은 공상, 가능성 없는 헛된 꿈이지만, 상상력은 물질(다시 말하자면 환경이나 현실과) 깊은 연관을 맺고 있는 몽상에 그 기반을 두고 있다. 상상력은 그러므로 물질적이다. 그것은 유동하고 있지만 개인의 경험을 통해 점차로 형태를 얻기 시작한다. 그 형태는 그것이 개인의 진실을 표현하고 있다는 점에서 해

---

8) 김현, 앞의 글, p.38.

석의 다양성을 갖는다.[9]

말라르메, 로보그리예, 바슐라르의 냄새가 짙게 풍기는 이런 글귀는 그가 근본적으로 리얼리즘을 받아들일 수 없는 근본적 원인을 보여준다. 문학 속에서 어떤 본원적 진리를 찾는 것은 마치 쉴러의 예술관을 보는 듯 하면서, 진리의 개별성과 내면화(상상력)를 주장하는 것은 말라르메, 로보그리예, 아도르노의 그것을 보는 듯하다. 문학은 현실 속에 이룰 수 없는 어떤 가치를 함유하면서, 상상력과 언어를 통해 내면 속에서 우리와 상면한다는 이런 생각은 문학 속에서 잃어버린 가치를 찾고자 하는 이상주의자의 모습과 다름없다. 그 속에는 인간 존재와 사물의 실재는 언제나 은폐된다는 것, 또한 그것을 밝히는 것은 오로지 상상력으로서만 가능해 진다는 의미를 품고 있다. 그런 점에서 김현은 "리얼리티는 현상 속에 숨어 있는 실재"라고 말하고 있다. 그리고 이 현상은 오로지 자유로운 정신, 즉 유동하는 상상력을 통해서만 얻어진다. 문학이 어디에도 구속될 수 없다는 것(문학의 자율성)은 바로 이런 구속 상태가 실재를 찾기 위한 자유로움을 상실케 하기 때문이다. 김현이 소설가를 "물질 세계를 상상력 속에서 재창조하는 리얼리스트"로 규정하는 것도 이와 연관된다. 따라서 이런 경우 문학은 숨겨진 실재를 언어로써 드러내는 진리의 흔적이 되고, 리얼리즘은 이런 흔적을 지우는 강요된 당위거나 순박한 모사론이 된다.

문학을 '정신의 흔적'으로 볼 때, 리얼리즘이 갖는 현실적 당위성은 의미를 잃을 수밖에 없다. 따라서 애초부터· '문학의 순수성', '문학의 자율성'을 내세우는 김현과 리얼리즘적인 문학관을 내세우는 백낙청 사이에는 먼 거리가 있었다. 백낙청이 사르트르를 내세워 문학의 윤리적 책무를 강조한다면, 김현은 상상력 속에 환기되는 문학

---

9) 김현, 앞의 글, p.47.

의 존재적 의미를 강조한다. 백낙청이 리얼리즘을 발자크식으로 이해한다면, 김현은 순박한 모사론이나, 사회주의 리얼리즘으로 이해하고 있다. 따라서 김현과 백낙청 사이에는 로보그리예나 발자크, 말라르메와 사르트르 사이만큼 큰 벽이 가로 놓여 있다. 그것은 창간 초기부터 보인 『창비』와 『문지』 사이의 거리감이기도 했다.

3. 분석적 구조주의, 무용한 문학

'문학적 자율성'은 소외된 시기에 가능한 존재론적 가치를 찾고자 하는 낭만주의적 방식이기도 하다. 4.19의 실패로 인한 자유의 상실과 산업화로 인한 진정한 존재의 상실은 문학이라는 새로운 존재 가치의 상승과 밀접하게 맞물려 있다. 예술을 통해 잃어버린 총체성을 회복하고자 하는 시도는 비극적 시대에 예술가가 취할 수 있는 유일한 길이 되기도 한다. 따라서 김현에게 문학은 경험적인 아름다움(진실)의 문제가 아니다. 오히려 그것은 경험 이전에 주어진 아름다움으로서, 어떤 본원적 형식의 문제이다. 우리가 진정한 아름다움을 체험하게 되는 것은 이런 형식을 통해서이다. 형식은 언어로서 계시되는 잃어버린 가치의 복원인 것이다.

하지만 이런 부분들이 리얼리즘에 대해 온전한 항거의 목소리를 가질 수 있는 것은 아니다. 김현은 리얼리즘에 대해 억압적 양식이라고 비판하지만, 사실 리얼리즘이야말로 70년대 사회 현실을 폭로해줄 근거가 되었기 때문이다. 70년대 중반 『문지』가 문학이 지니는 사회적 역할에 대한 탐색으로 방향을 돌리는 것도 문학의 자기 초월성이 갖는 이런 한계와 맞물려 있다. 앞서 말한대로 그것은 '현실에 대한 분석적 인식'으로, 김현의 표현을 빌린다면 '분석적 해체주의'가 된다. 즉 문학은 우리가 익히 아는 경험적 현실의 구조 뒤에 숨어 있는, 안보이는 현실의 구조를 밝히는 작업이 되고, 그것은 언어적 형식, 다시 말해 문학적 구조와 장치에 의해 가능해 진다.

70년대에 들어『문지』가 지닌 이런 경향과 탐색은 김현이 75년부터 77년까지『문지』에 7회로 나눠 발표한「한국문학의 전개와 좌표」에서 자세히 드러난다. 문학의 존재 의미와 한국 근대 문학사에 대한 김현의 입장을 총정리한 이 글은 70년대 내내『문지』가 나아간 방향과 그대로 일치한다.『창비』가 4.19의 정신에서 시민과 민중, 민족으로 방향을 돌려 문학의 외재적 기능을 강화시켜 나갔다면,『문지』는 '정신의 리버럴리즘'과 '문학적 상상력의 자유로움' 속에 물화된 사회의 구조를 탐색하는 방향으로 나아갔다. 그리고 이런 정신의 자유스러움과 사회와의 관계를 해명해 주는 것이 '무용함으로서의 문학'과 '몽상으로서의 문학'이다.

> 인간에게 유용한 것은 대체로 그것이 유용하다는 것 때문에 인간을 억압한다. 억압된 욕망은 그것이 강력하게 억압되면 억압될수록 더욱 강하게 부정적으로 작용한다. 그러나 문학은 유용한 것이 아니기 때문에 인간을 억압하지 않는다. 억압하지 않는 문학은 억압하는 모든 것이 인간에게 부정적으로 작용하는 것을 보여준다. 인간을 문학을 통하여 억압하는 것과 억압당하는 것의 정체를 파악하고, 그 부정적 힘을 인지한다. 그 부정적 힘의 인식은 인간으로 하여금 세계를 개조하지 않으면 안된다는 당위성을 느끼게 한다.10)

> 인간만이 몽상에 잠겨들 수 있다. 몽상은 억압하지 않는다. 그것은 유용한 것이 아니기 때문이다. 인간의 몽상은 인간이 실제로 살고 있는 삶이 얼마나 억압된 삶인가 하는 것을 극명하게 보여준다. 문학은 그런 몽상의 소산이다. 문학은 인간의 실현될 수 없는 꿈과 현실과의 거리를 자신의 의사에 반하여 드러낸다. 그 거리야말로 사실은 인간이 어떻게 억압되어 있는가 하는 것을 나타내는 하나의 척도이다. 불가능한 꿈이 아름다우면 아름다울수록, 삶은 비천하고 추하다. 그것을 깨닫는 불행한 의식이야말로 18세기 이후의

---

10) 김현,「한국문학의 전개와 좌표 1」,『문학과 지성』, 1975년 겨울호, p,1088.

문학을 특징짓는 큰 요소이다.11)

김현은 이 글에서 문학의 존재적 가치를 무용함과 몽상에서 찾고 있다. 아도르노와 바슐라르의 관점을 절충하고 있는 이런 관점은 다시 말해 '문학의 자율성'이야말로 '문학적 효용성'을 가져다 주는 사회적인 기능이라는 것이다. 김현의 말대로 하자면 문학은 무용하기 때문에, 문학은 상상으로서 인간을 억압하지 않기 때문에 사회적 비판력을 지니게 된다.

문학이 홀로 존재론적 초월의 위치에 있으면서도 사회적 반성력을 지닌다는 발상은 근본적으로 아도르노의 '관리되는 사회', '문학의 자율성'의 개념을 빌려오지 않으면 설명되기 힘들다. 그것은 현대사회가 도구적 이성이 지배하는 총제적 억압 사회로 형성되어 있다는 것, 산업사회의 야만성이 모든 체제를 장악하여, 무의식적인 동일화를 이루고 있다는 점을 선제로 하고 있기 때문이다. 아도르노는 산업화된 근대 사회의 타락을 이성적 지배를 통해 근대 문명사가 진행해 온 필연적 과정으로 보았다. 근대 문명 자체가 도구적 이성을 바탕으로 성립되어 왔고, 도구적 이성은 현재에 와서 사회 전반의 사유와 의식 체계를 억압하는 이데올로기로 작용하고 있다. 따라서 모든 이데올로기가 도구적 지배이데올로기에 지배당하고 있는 이상, 이데올로기적 저항은 그것 자체로 물화적 성격을 띠게 된다. 아도르노가 섣부른 현실 참여나 현실 반영이 오히려 인간을 억압하는 기능으로 전환한다고 보는 것도 이 때문이다. 이렇게 본다면 문학은 사회와의 소통체계를 거부할 때 비로소 문학다운 특질을 내포하게 된다.

따라서 이런 관점을 빌린다면 자본주의적 효용성과 다른 '무용한 문학'은 그것이 존재하는 자체로 자본주의에 대한 저항이 된다. 억압하지 않는 문학은 억압하는 모든 것이 인간에게 부정적으로 작용하는 것을 보여주기 때문이다. 김현은 80년 봄 한 평론에서 "훼손된 사

---

11) 김현, 앞의 글, p.1090.

회에서는 훼손되지 않은 것이 없다라는 말까지도 어느 정도 훼손되어 있다"라는 말을 쓴 적이 있다.[12] 그는 이 말을 통해 자본주의 사회의 전면적인 사물화을 비판하고, 섣부른 이데올로기적 참여의 위험성을 경고하고 있다. 그래서 그는 이 글에서 70년대『문지』비평의 과제가 "어떠한 이데올로기에도 속지 않는 것"이라고 말한다. 물론 이 말은 강요된 문학, 즉 그의 표현대로 억압된 문학에 대한 저항을 지칭한 것이다. 김현에게 문학은 외부적 강요가 아니라, 자기 스스로 사회적 성격을 드러내고, 부정적 현실을 있는 그대로 보여줌으로써 그것을 초월하는 것이다.

사회적 부정성이 무의식적으로 문학적 형식에 삼투된다는 이런 생각은 근원적으로 70년대『문지』비평의 기본 성격을 형성하고 있다. 골드만을 끌어들여 문학사회학의 문제를 제기한 김치수, 사회적 긴장과 문학적 긴장 사이에서 고전주의와 인문주의적 전통을 보여준 김병익의 소설 비평, 초월성을 통해 문학의 순수성을 주장한 김주연 등은 모두 이런 아드르노식의 '문학의 자율성'이나 '대중문화 비판'을 근간에 두고 있다. 이들은 근본적으로 문학의 사회 비판 기능을 문학의 독자성, 혹은 자율성 속에서 찾고 있다. 문학은 숨겨진 사회 구조를 그 형식 속에 현시적으로 드러내며, 그 형식이 바로 사회 비판의 의미를 만들어 낸다는 것이다. 따라서 이들은 문학을 어디까지나 개인적인 양식으로, 그리고 작품 속에 사회에 대한 철학적 의미를 찾아야 하는 지적인 양식으로 규정한다. 이들은 사회구조의 모순을 개인 속에서 환원시키는 서구 자유주의적 인문주의의 전통을 고스란이 이어받고 있다.

이들의 이런 지적인 특성은 아마 소설 비평에서 보다 분명하게 드러날 것 같다.『문지』는 70년대 산업화에 따른 한국사회의 구조적 모

---

12) 김현, 「비평의 방법 —70년대 비평에서 배운 것들」,『문학과 유토피아』, 문학과 지성사, 92, p.345.

순에 천착한 작가(황석영, 윤흥길, 이문구, 김원일, 조세희)를 높이 평가한다는 점에서는 『창비』와 동일하지만, 그것을 평가하는 방법에서는 일정한 차이가 있다. 『문지』 소설의 비평은 골드만의 구조주의를 폭넓게 활용한다는 점과 사상이나 내용보다는 형식이나 구조의 문제에 더 관심을 쏟고 있다는 점에서 특징이 있다. 골드만에 대한 관심은 사회 비판의 문제를 구조적 차원에서 접근하기가 용이하다는 점에서 비롯되었을 것이다. 골드만의 이론은 앞서 말한 서구 시민 사회의 인문적 전통에 바탕을 둘 뿐만 아니라, 실천 비평에서 아드르노적인 관념성과는 달리 나름대로 구체성을 확보할 수 있다는 점에서 이점이 있다. 골드만의 이론은 타락한 세계와 타락한 방법의 상관성(근대문화와 문화산업의 비판), 집단과 세계관의 구조적 상동성을 통해 문학의 자율성을 견지하면서도, 문학적 기법이 어떻게 현실의 타락을 넘어 유토피아적 세계로 진입하는 지를 잘 보여주고 있기 때문이다.

아마 『문지』가 갖는 이런 특성(문학의 초월성, 사회문화적 비평, 형식과 구조에 대한 관심)은 김병익이 행한 조세희의 비평을 보면, 보다 더 잘 드러날 것이다.

> 조세희는 극히 현실적이고 당면적인 사회 문제들을 단절과 대립적 세계관 위에 자명성, 단순성, 환상성의 기법이란 동화적 공간으로 용해시킴으로써 화해 불가능의 세계라는 모습으로 조형하면서 실현될 수 없는 꿈과 상상으로 그 절망감을 승화 또는 심화시키고 있다. 우리는 꿈과 상상의 이룰 수 없는 아름다움 때문에 현실의 어두움과 아픔을 더욱 격렬하게 느낄 수 있다. 조세희의 동화적 발상과 비사실적인 문체는 그래서 사실 세계의 억압된 불행을 보다 사실적으로 드러내 보여주며 사회적 실감을 주관적 공감으로 실체화, 내면화시키면서 초월적 승화로 유도하는 것이다.
> 『난장이가 쏘아올린 작은 공』이 취하고 있는 비사실주의적 수법은 그것이 바로 비사실주의적이라는 이유 때문에 초월에의 사랑, 해방에의 자유로움을 동경하게 만든다. 조세희가 어느 공개된 토론

장에서 한 <기법의 자유로움을 통해 정신의 자유로움을 드러내 주고 싶다>는 말은 루카치의 사실주의가 비판받는 가장 큰 이유를 그 자신도 모르게 밝혀준다. 내용이 형식을 규정한다는 루카치의 주장이 옳을 수 있다 하더라도 그 내용과 형식 사이에 개재하는 규정의 방법이 자유롭지 못하다면 내용 그 자체의 자유로움도 의심될 수밖에 없을 것이다. 사실주의의 한계는 세계관의 표현이 바로 그 표현 방법론에 의해 규정될 수 있다는 사실을 경시한 데서 나타난다. 자유로운 정신을 고착된 방법으로 표현하려 한다면 그것은 이미 매너리즘의 세계관을 반영할 뿐이다. 20세기의 리얼리스트들이 현상 고착에 기여하고, 초현실주의자 혹은 표현주의자들처럼 기법의 자유로움을 추구한 시인들이 현실 개조와 저항의 일선에 뛰어들었다는 것은 결코 우연이 아닐 것이다. 조세희의 소설들이 억압된 현실을 각성시키고, 그 억압으로부터 자유로와지고 싶어하는 욕망을 조장시켜 주었다면, 그것은 사실주의의 보수적이고 현상 유지적인 수법을 버리고 기법과 문체를 자유롭게 해방시켜 놓는 그 형태 자체에서 획득된 성과일 것이다.[13]

다소 길게 인용한 이 구절은 『문지』의 비판 정신이 어디에 놓여 있는지, 또 어떻게 작용하는 지를 명확히 보여준다. 김병익이 조세희 소설을 대립적 세계관에 두고 있다는 것, 그리고 그 대립적 세계관이 현실을 훨씬 더 명확하게 보여 줄 수 있다고 단언하는 데서 이들이 갖는 기법적 형식의 중요성을 감지해 볼 수 있다. 김병익은 조세희의 소설이 현실과 추상, 사실과 꿈으로서 서로 대립된 현실 인식을 갖는다고 말한다. 공장 주변의 폐수 속으로 꽃을 던지는 영희의 행위 속에서, 가건물의 판잣집에서 한순간 상상으로 행복한 꿈을 꾸는 난장이의 모습 속에서 부정적 현실은 한순간에 시적인 상상력으로 전환되는데, 이런 현실과 환상, 타락과 승화의 대립은 현실을 훨씬 더 부정적으로, 그리고 비판적으로 보게 만든다. 김병익은 이를 '타락한 장르로서의 소설과 승화를 지향하는 서정시의 대결'이라고 지칭하고

---

13) 김병익, 「대립적 세계관과 미학 −조세희의 <난장이>」, 『문학과 지성』, 78년 겨울호, pp.1239-40.

있다. 소설은 근본적으로 산문적이기에 시적 상상력이나 서정시의 요소는 이런 소설의 양식을 파괴한다. 그럼에도 조세희의 시적 상상력은 소설에서 특별한 효과를 발휘하게 되는데, 그것은 대결의 처참한 상황을 초월에의 의지로 승화시킴으로써 개인과 세계의 화해를 더 이상 불가능한 것으로 만들고 있기 때문이다. 조세희는 '죽은 땅'에서 '사실주의적인 갈등의 세계'를 본 것이 아니라, '낭만주의적인 꿈과 현실의 대립'을 보고 있었던 것이다. 그런 점에서 이 대립은 세계의 화해가 오로지 이상으로만 존재한다는 점에서 비극적이지만, 김병익은 오히려 이런 비극성이 '사회적 사실'을 '사회적 실감'으로 끌어 올리고 있다는 점에서 문학만이 가지고 있는 '정서적 울림'으로 보고 있다.[14]

김병익은 이런 조세희의 평을 통해 문학에서 반성적 기법이 섣부른 구호(내용)에 의해 만들어지는 것이 아님을 보여주고 싶었을 것이다. 김병익의 생각에 문학은 단절된 세계 속에 순수한 세계의 의미를 환기하는 것이고, 그리고 이 순수한 세계는 세계의 관습화된 방법과는 다른 문학적 상상적 방법 속에 녹아 들어 있다는 것이다. 따라서 '기법의 자유로움'이야말로 물화된 자본주의 현실에 대한 극명한 반성, 즉 정신의 자유로움이 된다.[15] 김병익은 다른 글에서 문학 속의 두 가지 기능, '언어적 완벽성'과 '치열한 삶의 재현'을 나누어 보고,

---

14) 이와 상반되게 백낙청은 조세희의 소설이 그 방법적 기법 때문에 사회적 실감이 살아나지 못한다고 평가하고 있다. 그는 조세희가 쓴 전위적이고, 실험적인 기법이 마치 현대 서양의 큐비즘 같아서 현장이 지닌 그 바닥의 뜨거움을 훈훈하게 전달해 주지 못하는 느낌이 든다고 말하고 있다. 김병익의 평과 상반되는 이런 평가는 『창비』와 『문지』가 지향하는 문학관의 차이를 선명하게 보여준다.
좌담, 「내가 생각하는 민족문학」, 『창작과 비평』, 78년 겨울호, pp.37-38.
15) 이런 특성은 지배 이데올로기의 관리 체제가 전면화된 80년대 이르러 『문지』 평론가들의 관심이 해체적 문학담론으로 나아가는 것과 밀접하게 관련된다. 이에 대해서는 아래 논문 참고.
이광호, 「맥락과 징후」, 『위반의 시학』, 문학과 지성사, 1993, pp.26-33.

치열한 삶의 재현이 언어를 매체로 하는 한 언어적 구성 능력 없이는 불가능하다고 말한 바 있다. 문학적 언어가 단순히 매개적 기능에만 그치지 않고, 중층적인 의미 표상을 위해 다의적 기능을 수행하고 있기 때문이라는 것이다. 그래서 그는 탁월한 문학은 삶의 치열성이 언어적 표현성 속에서 조화 상승된 것, 즉 "치열함을 극복하는 완벽함을, 완벽함을 초월하는 치열함을 동시에 획득한" 작품이라고 말하고 있다.16) 그래서 그는 최인호, 조선작, 윤흥길, 조세희의 작품을 분석하면서 현실에 대한 성급한 치열성보다 언어적인 완벽성이 더 높은 작품에게 많은 점수를 주고 있다.

4. 문학적 보편주의, 초월적 문학

문학적 기법과 방법 속에 안이한 삶에 대한 치열한 반성을 읽어내는 이런 사고는 다른 문학관의 인식에 맞서 70년대 『문학과 지성』이 견지해 온 기본적인 인식이었다. 그것은 내용이 형식을 결정한다는 사고에 맞서, 형식 자체의 독립성을 견지하고, 그 안에서 초월적 인식을 통해 사회적 비판을 읽어 내는 방식이다. 따라서 『문지』에서 바라보는 문학은 비판 양식으로서 언제나 개별적이고, 자기 충족적 성격을 지니게 된다. 많은 평론가들이 지적하듯이 70년대 『문지』가 갖는 문화사적 의미도 여기에 있는 듯하다. 정과리는 『문지』의 문학을 "역동적 생명력을 통해 현실의 구조적 모순을 총체적으로 해부하여 독자로 하여금 비판적 반성에 이르도록 하는 것"17)이라고 규정하고, 홍정선은 "문학의 끊임없는 자유로움으로써 현실을 직시하고자 하는 것"18)이라고 말하는 데서 이런 문학의 자유로움과 자기 충족성

---

16) 김병익, 「삶의 치열성과 언어의 완벽성」, 『문학과 지성』, 74년 여름호, p.373.
17) 정과리, 「소집단 운동의 양상과 의미」, 『문학, 존재의 변증법』, 문학과 지성사, 1985, p.48.
18) 홍정선, 앞의 글, p.28.

이 느껴진다. 물론 여기서 말하는 "역동적 생명력"이나, "자유로움"은 문학이 지닌 초월적인 자율성을 의미하는 것일 것이다. 문학은 어떠한 이데올로기나 방법적 기법에 종속되지 않는 '정신의 자유로움'을 말하는 것이고, 그것은 구체적으로 작품 속에서 자유로운 언어적 방법으로 귀결된다.

『문지』의 이런 정신은 근본적으로 '보편적이고 조화로운 세계와 인간상'을 지향하는 인문주의적 사고에 바탕을 둔 것이다. 숭고한 인간의 모습과 자유로운 세계의 모습은 근대 시민사회의 이상이지만, 그것은 근대적 산업화가 시작되는 순간 상실해 버린 그런 것이기도 하다.『문지』의 초월이 내면적이고, 이상적인 상징으로 읽혀지는 것도 이 때문이다. 그런 점에서『문지』는 현실을 명료하게 알기 위해 부단히 현실을 벗어날 것을 요구하고 있다. 말하자면 그들은 70년대 현실을 산업화된 자본주의 현실로 보고, 그 현실(자본, 이데올로기)에 매몰되지 않기 위해 끊임없이 그 현실을 벗어나야 한다(초월)고 주장한다.

『문지』의 이런 특성은 70년대 유신 독재와 개발적 산업화 속에서 문학의 순수성과 문학적 응전력을 키워온 튼튼한 버팀목이 되었다. 문학이 현실에 참여해야 함은 당위적 명제이지만, 그것 역시 문학이 지닌 본질적 가치 안에 내포되어야만 하는 기능이다. 그런 점에서 70년대『문지』의 방향은『창비』와 또다른 관점에서 문학이 가진 사회적 대응력을 보여준 것이다. 하지만 이런 논의 속에 담겨져 있는 단점 역시 무시하지 못할『문지』의 특성이었음을 지적하는 것도 필요할 것이다.『문지』가 추구하는 초월은 근본적으로 존재하는 것에 대한 근원적 부정을 깔지 않으면 성립되지 않는다. 현실과 이상, 실재와 이상은 세계의 부정성이 더 이상 극복될 수 없음을 보여주는 것이고, 그런 점에서 그것은 한편으로 낭만주의적이면서도, 한편으로는 허무주의적이다.19)『문지』평론가들이 말한 '정신적 자유로움'은 근원적으로 부재하는 그 무엇에 대한 바램이기 때문이다.

『문지』가 지닌 현실 인식도 많은 문제점을 내포한다. 70년대 한국을 바라보는 『문지』의 시각은 대체로 서구의 산업화된 자본주의 현실이다. 아드르노의 이론을 받아들여 현실의 모든 이데올로기가 억압적 이데올로기로 작용한다고 본 것도 그렇고, 빈민과 노동자의 문제를 단순히 자본주의적 '소외' 현상으로 본 것도 그렇다. 『문지』의 일반적인 시각은 70년대 한국사회의 뿌리뽑힘을 자본주의의 물화 현상으로 파악하는 것이다. 따라서 이런 시각은 때로 구체적인 현실을 사상(捨象)하고, 넓고 보편적인 세계로 나아간다.

이런 점은 70년대 그들이 행한 구체적 평론을 살펴보면 분명히 드러날 것이다. 김현은 한국사회의 상황을 선진 소비국가의 유형으로 읽어 내고 있으며[20], 김치수는 "산업사회의 간접화된 욕망의 정체는 오늘날 한국 소설 어디서나 찾아볼 수 있"[21]다고 말하고 있다. 김치수는 이런 소외와 물화 상태에 대한 구체적 예로 황석영의 소설을 분석하면서, 사회 속에 뿌리 뽑힌 자들이 가지고 있는 세계관적 단절과 한계를 설명하고 있다. 그는 「객지」에서 노동자 쟁의의 실패가 이미 노동자 계층이 가지고 있는 의식의 사물화, 상품의 물신숭배 사상에서 비롯되었다고 보고, 그것은 그들의 책임이 아니라 그들이 살고 있는 세계(자본주의)의 책임이라고 언급한다. 또한 그는 「한씨 연대기」의 한영덕이 남과 북, 두 이데올로기를 수용하고 있는 두 사회가 진정한 가치를 추구하고 있지 않음에도 불구하고 혼자서 진정한 가치를 추구했기 때문에 비극적 종말을 맞게 된다고 분석한다. 물론 그의 분석은 섬세한 독해를 통해 여러가지 가치있는 문제점을 제공하

---

19) 『문지』 평론가들의 허무주의적 성격에 대해서는 아래의 논문을 참고할 것.
   하정일, 「자유주의 문학론의 이념과 방법」, 『실천문학』, 91년 여름호, p.19.
20) 김현, 앞의 글, p.1091.
21) 김치수, 「산업사회에 있어 소설의 변화」, 『문학과 지성』, 1979년 가을호, p.876.

는 것도 사실이지만, 한국의 노동 산업 구조가 지닌 왜곡성, 한국적 분단 상황의 문제점을 비껴간 것이기에 너무 서구적 보편론에 치우친 평가라는 느낌을 지울 수가 없다.

구체적 현실에서 보편적 문명사를 읽어내는 이런 『문지』의 관점은 <민중문학론>이나 <민족문학론>에서도 예외는 아니다. 김병익은 왜곡된 우리 역사의 과정이 오히려 역으로 '민중'의 개념을 고착화시키고, 표현의 자유를 제한하게 만들었다고 말한다. 그래서 문학에서 민중의 상이 일률적인 스테레오 타입으로 되고, 민중의 성격이 변화불가능한 것이 되었다고 비판하고 있다.22) 김병익의 이런 관점은 역시 '민중'이라는 의미를 매우 제한적인 의미로 받아들이는데 기인한다. 그는 민중의 의미를 봉건시대의 기층 민중 정도로 인식하고 있다. 그래서 그는 현대에 와서 '민중'의 의미는 '시민'의 의미로 바뀌져야 한다고 말하고 있다. '민족'이라는 용어에 있어서도 이 점은 예외가 아니다. 김주연은 <민족문학론>이 갖는 내포적 의미가 <민중문학론>과 별반 다를 바 없다고 보고 있다. 따라서 그는 이렇게 계층상의 제한을 스스로 품고 있는 문학이 <민족> 전체를 포괄할 수 있느냐에 대해 의문을 제기한다.23)

> 민족문학 역시 마찬가지다. 우리가 추구하는 것은 인간으로서 인간다운 삶이지, 그 삶이 반드시 <한국인으로서 한국인다운 삶>에만 얽매이거나 만족할 수는 없는 것이다. …(중략)… <우리>의 의식이 있기 위해서는 그 전 단계로 <나>의 의식이 전제되어 있어야 하는데, 바로 이 자아의식, 개성 의식이 없었던 까닭에 <우리 의식>은 실천력이나 현실적 상응력이 없는 추상 관념으로 떨어져 버리고, <나>의 의식도 <우리>의 의식도 모두 결핍되었던 것으로 보여진다. <나>를 통하지 않은 <우리>는 지속적인 생명력을 갖기 힘들다. 그

---

22) 김병익, 「민중소설에 대한 몇 가지 재검」, 『지성과 문학』, 문학과 지성사, 1982.
23) 김주연, 「민족문학론의 당위와 한계」, 『문학과 지성』 1979년 봄호, p.74.

리고 이런 진정한 개성 의식은 서구 문학에서 우리가 겸허하게 받아들여도 좋을 만한 장점으로서, 그것을 인정하는 데 인색해서는 안된다. (중략) 우리 자신 약소 민족이라는 이름 아래 또 다른 형태의 제국주의 심리를 길러가는 무서운 발톱을 갈고 있는 것은 아닌지 되돌아 볼 일이다. 언제나 자기 자신에게로 정직하게 되돌아 오는 것, 거기서 참된 주체성은 싹튼다.[24]

인용문에서 보듯 근대 문학을 주체의 양식으로 보고, 그것을 개인 의식에서 찾는 이런 생각은 근본적으로 서구적인 것이다. 물론 근대 문학이 개인을 매개로 하여 개인적 삶을 그린다는 점에서 이 말은 사실상 부정할 것은 못된다. 그러나 주체성으로서 구체적 '나'의 모습이 칸트가 말하듯 '보편인'으로서 나의 모습은 아닐 것이다. 구체적 현실에서 발붙이지 못한다면, '나'는 구체적인 '나'도 아니고, '우리'도 아니게 된다. 근본적으로『문지』가 지니고 있는 <민중문학론>과 <민족문학론>에 대한 비판은 바로 이런 서구 보편사적 문학관에 의한 것이다. 이런 시각은 최원식이 비판하듯 <상황과 상상력>의 진정한 통합과도 거리가 있다.[25]

1970년대『문지』가 안고 있는 서구적 보편주의 의식은『문지』가 가진 장점만큼이나 많은 단점을 만들어 내는 것 같다. 홍정선이 언급했듯이 70년대 그들의 정신적 편력(실존적 정신분석, 구조주의, 기호학, 문학사회학)이 과연 김현이 그렇게 비판했던 '새것 콤플렉스'와 무엇이 다른가 하는 점은 물론이고, 많은 서구 이론을 소개하면서도 한국 문학 속에 확실한 자신들의 방법론을 지니지 못했던 점에서도 그렇다.[26]『창비』와의 오랜 대립도 이런 보편적 이론과 구체적 이론의 차이에서 비롯된 것이다.

그러나, 그렇다고 하더라도 앞선 이런 모든 지적들이 70년대 비평

---

24) 김주연, 앞의 글, pp.82-83.
25) 최원식, 「70년대 비평의 향방」,『창작과 비평』, 1979년 겨울호, p.198.
26) 홍정선, 앞의 글, p.13, 26.

의 한 축으로서『문지』의 업적을 상쇄하는 것은 아니다. 70년대 이들의 비평은 다양한 문학적 방법론을 소개함으로써 우리 문학을 훨씬 풍요롭게 했을 뿐만 아니라, 한 비평가의 말처럼 "작품에 대한 미시적 분석과 정밀한 해석, 그리고 문학만이 가지고 있는 소중한 능력에 대한 적확한 의미 부여"27) 등을 통해 실제 작품의 분석에서도 큰 역할을 했기 때문이다. 70년대 실천비평에 대한 이들의 공로는 그만큼 지대하다. 뿐만 아니라『문지』의 서문을 통해 끊임없이 강조해 왔던 '문학의 구호화, 신비화에 대한 비판'도 일정한 의미를 가지고 있다. 지난 시기 우리는 문학이 강요된 획일성 속에서 그 자유스러움과 상상력이 억압당하는 것을 직접 경험했기 때문이다. 또한 문학의 인식적 기능에 대한 효용성은 지금도 여전히 살아 있다. 사실 '문학의 무용함'이 70년대와는 비교할 수 없을 정도로 확장되어 있는 지금, 이런 '무용함'을 넘어 자본주의적 소외 양상과 물신주의에 대한 비판은 이전보다 지금이 더 큰 효과를 발휘할 수 있다. 그런 점에서 70년대『문지』의 이론은 지금도 여전히 살아있는 효용성을 우리에게 전해주고 있는 것이다. 70년대『문지』가 견지해 왔던 '문학의 본질적 가치에 대한 탐구'와 '정신의 자유로움'은 지금에 와서 더 소중한 가치가 되고 있다.

김병익은 70년대 비평을 회고하면서『창비』와『문지』의 양 진영이 날카로웠던 사회적 긴장만큼 서로 막힌 상태에서 대결해 왔다고 말한다.28) 양 진영은 실천적 이론과 이론적 실천의 면에서 팽팽한 긴장 관계를 유지하여 왔다. 그러나 이런 대립이 오히려 70년대 비평을 살찌우고, 건강하게 했다면 지나친 억측일까. 문학의 건강함은 한편으로 문학의 근원적 뿌리인 문학성을 지키는 속에서, 또 다른 한편으로 구체적 현실과 끊임없이 만나는 속에서 살아나올 수가 있기 때문

---

27) 좌담, 「현단계 비평 문학의 좌표」,『비평의 시대』 2집, 문학과 지성사, p.52.
28) 김병익, 「두 열림을 향하여」,『실천문학』, 창간호, 1980. 5, p.232.

이다. 따라서 이 둘의 관점은 둘이 아니라 하나로 결집된다. 『문학과 지성』의 이론과 『창작과 비평』의 이론은 이런 두 가지 관점을 가지고 서로를 견제하면서 70년대 유신독재에 저항하고, 70년대 비평을 살찌우게 했다. 세미

삼포로 가는 길

─ 황석영론

서종택

> 여럿의 윤리적인 무관심으로 해서 정의가 짓밟
> 히는 일이 있어서는 안될 거야. 걸인 한 사람이 이
> 겨울에 죽어도 그것은 우리의 탓이어야 한다.
> ── 황석영, 「아우를 위하여」

70년대 한국소설의 리얼리즘적 가치와 이념을 새롭게 구축한 황석영(黃晳暎)은 산업사회에서의 민중들의 삶과 꿈에 대한 믿음을 잘 드러낸 작가이다. 그것은 개개인의 삶의 진실과 공동체적 삶의 실천을 위한 그의 산문적 탐구에서 비롯된다. 황석영 소설의 특징과 형태에서 가장 주목되는 것은 인간의지와 현실과 역사의식에 바탕을 둔 건강한 리얼리즘의 세계이다.

황석영은 1943년 만주 장춘(長春)에서 출생하여 고교시절인 1962년 사상계 신인문학상을 통하여 문단에 등단하고, 1970년 조선일보 신춘문예에 단편 「탑」과 희곡 「幻影의 돛」이 각각 당선되어 문단활동을 본격화했다. 1966-67년에는 베트남 전쟁에 참전하였고, 1974년 창작집 『객지』(창작과비평사)를 간행하는 한편 대하소설 『장길산』연재를 시작, 84년 전10권으로 출간했다. 1976-83년 해남, 광주로 이주하여 민주화운동을 전개하면서 소설집 『가객』(1978), 희곡집 『장산곶

고려대 인문대 교수, 저서로 『한국 근대소설의 구조』와 『한국 현대소설사론』 등이 있음.

매』(1980), 광주 민중항쟁기록 『죽음을 넘어 시대의 어둠을 넘어』
(1985) 등을 간행했다. 1988년에는 장편 『무기의 그늘』로 제4회 만해
문학상을 수상하였다. 1989년에 동경 북경을 경유하여 평양을 방문
하여 파문을 일으켰고, 이후 실정법 위반으로 구속되어 수년간의 옥
고를 치르기도 했다. 이러한 행보 속에 그의 작가적 성향이 잘 드러
난다. 그는 70-80년대로 넘어오는 시대의 격랑 한 가운데에 서 있었
다. 그의 남성적이고 건강한 리얼리즘의 세계는 전쟁의 참전과 간척
지의 인부, 일용 노동자 체험, 그리고 민주화 운동의 실천적 행위 등
에 이미 예고되어 있었던 셈이다.

황석영 소설은 산업화와 사회적 억압에 대응하는 인물들의 삶에
대한 신뢰에 기초를 두고 있다. 산업화의 근간이 되는 합리주의나 생
산주의적 발상은 멀리 조선 후기까지 거슬러 올라갈 수 있지만 그것
이 조직적 집단적으로 추진되기 시작한 70년대부터 기층민들의 생활
이 사회적 쟁점으로 부각되었다. '고도성장'이나 '수출증대'를 부르
짖던 이 시기의 소설들이 여기에 따른 문제들을 수용하게 된 것은
그러므로 아주 자연스럽다. 그리고 이 시기의 소설적 성과의 상당부
분이 산업화와 깊게 연계되어 있으며 그에 따른 문제의 일부도 여기
에서 비롯되고 있다는 데서 또한 검토의 여지가 있다.

산업화시대 소설의 가장 큰 쟁점이란 급격한 경제성장의 열기나
산업화의 과정에서 드러난 인간적 삶의 훼손이나 비인간화, 소외 등
의 문제로 집약된다. '민중문학' 따위의 용어가 이때부터 낯설지 않
게 따라다니면서 그에 대한 이론적 근거도 마련되고 주의주장이 만
발하기에 이르렀다. 이는 문학에서의 '민중'논의의 중요성이나 당위
성을 말해주는 것이기도 하지만 한편으로는 아직도 그에 따른 문제
들에 대한 합의가 이루어지지 않고 있었음을 보인 것이다.

근대화 또는 시민사회란 어차피 개인의 이기적 욕망을 우선으로
하는 가치관이 지배하는 사회이지만 도시화 산업화를 수행하는 과정

에서 필연적으로 만나게 되는 것이 소득의 편재와 비인간화와 불평등, 자유의 유보를 강요당하는 일이다. 합리화—산업화—도시화의 과정에서 나타나는 근대화의 문제점——그 사건의 현장이 가장 흔하게는 노동자, 농민, 도시빈민, 호스테스, 의식 있는 빈자들의 생활공간이었다. 이 시기의 「객지」, 「난장이가 쏘아 올린 작은 공」, 「아홉 켤레의 구두로 남은 사내」, 「부초」, 「영자의 전성시대」, 「별들의 고향」, 「겨울여자」 등의 작품은 많이 팔리고 읽혀졌다. 이들 작품들에 보이는 성향의 일부를 빌미로 하여 그것을 '민중' 혹은 '대중' 소설로 구분하여 부르기도 하였다. 영자나 별들이나 겨울여자 이야기를 한 마디로 상업주의로 치부해 버리는 것도 문제지만, 그러나 이들이 그러한 지탄을 일부 받게 된 데는 그럴만한 이유가 있다. 한 나약한 여자의 도덕적 인륜적 파탄을 산업사회의 부산물로 결부시켜 보는 것은 가능하지만 그러한 과정을 그려 보이는 작가의 시각은 의심스러운 것이며 여대생의 왜곡된 성 윤리는 간혹 도시화의 잔재일 수 있지만 그것이 과장된 정서와 욕망으로 묘사될 때 그것은 '통속'일 수밖에 없는 것이다. 「별들의 고향」보다는 「타인의 방」에서, 「겨울여자」보다는 「아메리카」에서 보다 성숙한 인간통찰의 깊이를 보게 되는 이유야말로 소재 처리의 상투성과 조형성의 차이이다.

초기작 「객지」(1971)는 '운지 간척공사현장'에서 일어난 노동쟁의의 문제를 그곳의 날품팔이 노동자들의 삶을 통해서 구체적이면서도 생기 있는 묘사로 현장감 있게 그려낸 중편이다. 또한 열악한 노동조건과 서기·감독·조합 등의 중간계층의 착취 및 노동현장에서 만연되고 있는 부조리들을 사실적으로 보여주고 있다.

「객지」의 인물들은 대부분이 불균형적인 경제성장 정책으로 인해 가정과 고향을 떠난, 삶의 터전을 잃어버린 사람들이다. 이같은 상황은 경제 정책의 모순 구조와 함께 대부분의 국내 산업체의 저임금 정책에 의한 노동착취 때문에 생긴 것으로, 노동자들의 궁핍한 생활

형편과 열악한 노동조건은 황석영의 소설의 중심 모티프가 되고 있다.

그의 소설에서의 농민은 농업 생산자라는 다양한 사회구성으로 이루어진 농민층이다. 근대 자본주의 사회에서 이들은 과도기적 존재일 수밖에 없으며, 그것은 농민층이 한 사회 구성체 안에서 기본 구성이 되지 못한 채 지배적 경제 제도인 자본주의 경제법칙의 지배하에 자본주의적 편성에로의 자기 지향을 가지고 있으며 그렇게 될 수밖에 없도록 운명지워져"[1] 있기 때문이다. 그 결과 자본주의적 편성에 따라 자본과 임노동 관계 형성의 기초가 마련되어가며 농민층의 양극적 분해가 시작되는 것이다.

60년대를 거쳐 70년대로 넘어 오면서 우리사회는 산업화에 따른 격심한 변화를 보여 주었고, 그 변화에 따른 여러 가지 부작용은 우리 나라의 특이한 상황과 결부되어 매우 심각한 양상을 띠게 되었던 것이다. 결국 산업화가 우리에게 가져다 준 것은 부의 증대와 물질적인 여유였지만, 동시에 심각한 부작용과 함께 최소한의 인간적인 삶을 보장받지 못하게 된 것이다.

이와 같은 파행적인 산업화가 몰고 온 당시 사회의 가장 핵심적인 문제 가운데 하나는 바로 노동 현실에 관련된 문제였다. 노사간의 갈등이 70년대에 이르러 핵심적인 사회문제로 제기된 것은 근대화의 기치 아래 추진된 고도 산업화 정책에서부터였다. 이로 인해 노동자 집단이 폭발적으로 증가하였지만 그들의 생활 조건은 물질적으로나 정신적으로 인간다운 삶이 보장될 수 없는 열악한 수준에 머물렀고 개선을 위한 노력에도 불구하고 별다른 향상을 보이지 못했다. 여기서 노동자 계급은 자본과 임노동 관계에서 자기 재생산의 기반을 갖는 자본주의 사회의 기본 계급 구성이지만, 자본주의의 자기 논리에 따라 사회적 생산의 결과에서 소외된 계급으로 전락한다. 그리고 이

---

1) 박현채, 「문학과 정치」, 성빈엽편 『민중문학론』(문학과지성사, 1984) p.16.

들은 근대 자본주의 사회의 모순에 대응하는 가장 진보적인 계층이 되는 것이다.

「객지」에 등장하는 날품팔이 노동자들의 생활은 그들이 물질적으로나 정신적으로 얼마나 인간다운 삶이 보장되지 못하고 있는지를 단적으로 보여준다. 그들은 법정 노임으로 도청에서 책정된 현금 150원을 하루 일이 끝나면 현금이 아닌 '130원짜리 맘보 한 장'으로 지급 받는다. 이것은 현금이 아니니까 함바에서는 사실상 120원짜리로 써먹게 되고, 현금을 가진 전표 장수는 이것을 110원에 사들인다. 이런 상황에서 그들은 하루 숙박비로 40원, 매끼 식대로 20원을 지출하고 나면 겨우 10원이 남는다. 이처럼 정상적인 노동의 대가로 지급받는 노임만으로도 살아가기 힘든 그들에게 서기·감독·조합 같은 중간 계층의 착취는 그들의 삶을 더욱 힘들게 만든다. 그들의 현실적 삶은 아세아 건설 회장 앞으로 보내는 건의문에 단적으로 드러나 있다.

"노임을 법정 임금에 미달된 액수로 받으면서 게다가 간조오가 보름 간격인지라 현금 없는 대부분의 우리 부랑 인부들은 전표를 헐값에 팔아 일용품을 사든지 전표를 본 가격보다 싸게 함바의 숙식대로 치르고 있습니다. 서기들은 전표로 부당한 이윤을 취하고 함바는 거기대로 노임을 착취합니다. 대부분의 객지 인부들은 함바와 서기, 그리고 그들이 경영하는 매점에 이삼천 원 정도의 빚을 지고 있는 실정입니다. 때문에 우리가 다른 일터를 찾아 뜨고 싶어도 마음대로 갈 수가 없어서 묶여 버린 것입니다. 또한 일은 건축 작업에 비할 바 없이 고되고, 비교적 손쉽고 허술한 일터는 현지 인부들의 차지가 되어 있습니다. 썰물과 밀물 때, 어림짐작으로 치는 작업 종에 따라 작업을 시작하고 그치기 때문에 뚜렷한 휴식 시간이나 고정된 일정량의 노동 시간이 없이 해만 보인다면 일에 시달려야 합니다. 또한 노사를 이간시키는 원인으로서 감독 이하 십장 등, 노무자 간부급들이 감독조라는 이름으로 외지의 깡패들을 앞잡이로 내세워 그나마 박한 노임을 착취하고 노동의 자유 분위기를 억압하고 있습니다. 함바의 조건은 마치 가축의 우리 같은 데다가 십여 명 이상씩 때려 넣고, 각 집에서 형편없는 식사를 제공해 주고 있습니다. 물론 함바는 회사의 운영에 속해야 함에도 불구하고 이러한 대규모의 공사를 벌이는 작업장에 개인의 권리금 내지는 소유권에 의하여 함바가 운영하고 있다는 것은 언어도단이올시다."[2]

따라서 그들이 처한 현실을 자각하고 '운지 간척공사 현장 일용인부 일동' 명의로 회사측에 요구한 사항들은 그들의 노동쟁의가 복잡한 이해관계로 얽혀있다기보다는 단지 사람답게 살기 위한, 최소한의 생존을 위한 요구조건이었다. 장씨, 대위, 동혁 등의 인물들은 가진 자들에 대해서 상대적인 박탈감과 무력함을 느끼고 있는 인물들이다. 묘사된 '장씨'는 젊은 노동자들이 문제를 해결하려는 적극적인 태도를 보일 때마다 크게 반대의 입장을 보이지는 않지만 방관자적인 태도를 보인다. 그의 이러한 태도는 오랜 기간 동안 사회의 밑바닥에 눌려 살면서 자기의 개성과 자유 의지를 완전히 제거 당하게 된 노동자들의 일반적 경향을 대변하는 것이기도 하다. 한편 '대위'는 어떤 상황 아래에서라도 단결해야 한다는 점을 강조하는 뚜렷한 신념을 가지고 있다. 특히 그의 태도나 의지가 단순히 추상적인 관념에서 나온 것이 아니라 노동자들이 들끓는 공사장의 노동 현장에서 직접 느끼고 터득한 것이기 때문에 현실성 있는 의미로 다가온다. 그러나 그는 성급하고, 감정적이기 때문에 사태를 냉정하게 파악하지 못하지만, 이러한 분노 속에서 다른 노동자들과는 달리 서서히 자기가 처한 불합리한 현실에 저항하는 행동을 해 나간다. 곧 세상에 대한 모든 기대가 좌절된 절망적인 상태의 또 다른 노동자군의 한 단면을 보이면서도 노동자들의 의식이 점차로 성숙되어 가는 양상을 보여주고 있는 것이다.

---

2) 소설집 『객지』(창작과비평사, 1993), pp.77-78. 이하 인용은 쪽수만 밝힘.

주동인물 '동혁'은 간척 공사장의 '신마이'로서, 그는 이 곳에서의 열악한 노동조건과 노동자들이 겪는 비참한 삶의 현장을 알게 되고, 노동자들을 착취하는 회사측의 횡포를 목격하고 이의 개선을 위해 대위와 함께 노동쟁의를 모의한다. 그는 합리적이고 이성적인 태도를 견지하면서, 국회의원들이 방문하는 날을 겨냥하여 그 전날 파업을 단행, 농성을 주도한다.

> "모두 밟히고 있다는 걸, 당하는 사람이 직접 보여주는 겁니다."
> "좌우간 한판 벌일 수 있다면 나는 개피를 봐도 좋소.'
> ⋯⋯(중략)⋯⋯
> "폭동으로 변해선 안 됩니다."
> 동혁이 말했다.
> "개선을 위해 쟁의를 해야지. 원수 갚는 심정으로 벌이다간 끝이 없어요."(p.37)

동혁은 개선하기 위해 '조직'을 갖춰야 하고 "우리가 못 받으면, 뒤에 오는 사람 중 누군가가 노동조건의 혜택을 받게 될"(p.79)것이라는 신념으로 쟁의를 준비한다. 그리하여 회사측의 일시적 미봉책에 속아 파업 현장으로부터 이탈해서 하산하는 노동자들의 모습 앞에서 실망하는 대신

> 그는 자기의 결의가 헛되지 않으리라는 것을 믿었으며, 거의 텅 비어버린 듯한 마음에 대하여 스스로 놀랐다. 알 수 없는 강렬한 희망이 어디선가 솟아올라 그를 가득 채우는 것 같았다. 동혁은 상대편 사람들과 동료 노동자들 모두에게 알려주고 싶었다.
> "꼭 내일이 아니라도 좋다."
> 그는 혼자서 다짐했다.(p.103)

라고 스스로를 추스리는 것이다. 이는 같은 시기의 소위 '노동소설'과는 크게 변별된다. 단순한 임금투쟁과 파업선동의 극열성으로 일

관한 저항적 인물들의 유형성을 벗어난 것이다. "알 수 없는 강렬한 희망"으로 서 있는 그의 인물들은 이 작품뿐만 아니라 황석영 소설 일반을 지배하는 인물들의 낙관적 미래에 대한 신뢰를 보인 것이다. 이는 또한 현실 개혁의 능동적 의지를 위한 적극적 세력으로서의 민중의 에너지이다.

「객지」는 노동자들의 쟁의를 통해 산업화 시대에서의 개인적 삶의 사회적인 관계에 대한 첨예한 실례를 보여준다. 용기를 잃고 희망 없이 거의 체념적으로 살아가는 대부분의 일반적인 노동자군의 한 유형인 장씨는 생존을 위한 투쟁보다는 최소한 그것이 유지될 수 있다면 그것으로 만족하는 체념적인 모습으로 나타났다. 대위는 세상에 대한 모든 기대가 좌절된 절망적인 상태의 또 다른 노동자군의 한 단면을 보이면서도, 그 의식이 성숙되어 가는 모습을 보여주고 있다. 자신이 처한 삶의 조건들에 대해 조금씩 눈뜨기 시작하면서 과거의 자기중심적 행동양식에서 벗어나 공적이고 사회적인 의식의 소유자로 전환하는 인물인 것이다.

작가는 노동 조건이 쉽사리 개선되지는 않으리라는 사실을 '문과 담벽은 어느 곳에서나 요지부동'이었다는 대위의 말을 통해서 드러내고 있다. 그러면서도 쉽게 개선되지 않을 현실이지만 절망하거나 포기하지 않고 적극적으로 극복하려는 신념을 동혁을 통해서 끝까지 유지하려는 자세를 보여준다. 쟁의는 실패하는 것으로 끝나지만, 작품은 거기서 오는 일시적인 절망을 넘어선 더 큰 희망을 암시한다. 그리하여 당장 내일이 아니더라도 그 언젠가는 그들도 사람답게 살 수 있을 날이 올 것이라는 미래에의 신념을 잃지 않는다.

「한씨연대기」(1972)는 속악한 현실에 영합하지 않은 북한의 의사 한영덕이라는 인물의 인생역정을 그린 것이다. 산부인과 교수 한영덕이 한국전쟁 당시 당원의 치료보다는 보병동의 어린이 환자치료를 도맡았다 해서 반동으로 몰려 총살에 회부되나 살아나고, 월남하였으나 남한에서도 영악한 적응력 없이 우직한 인간애만 고집하다 모함으로 인해 간첩으로 몰리게 되고 실형이 언도된다. 분단상황이라는 잘못된 역사의 희생물로서의 한영덕의 일대기는 그 자체로 한국 현대사의 한 비극적 국면을 보여주고 있지만, 다른 한편으로는 자기 신념에 충실한 자아가 일반적으로 만나게 되는 세계의 광포한 폭력성을 상징해 준다 하겠다.

　　유품 삼을 만한 물건은 그래도 고급으로 보이는 낡은 가죽 가방
　　뿐이었다. 노인의 가방에서 나온 것은 검은 비닐 뚜껑의 수첩 한 권
　　과 상아꼭지가 달린 독일제 청진기였다.(p.112)

　이후 소식을 듣고 찾아온 옛 친구, 여동생, 딸 등의 인물들의 대화와 회상을 통해 한씨의 죽음을 둘러싼 그의 행적에 대한 주위 사람들의 의혹이 하나 둘 해소되면서 그의 전력이 서술된다. 한국전쟁 발발-의과대학 교수들의 동원령-인민병원에서 어린이 환자 치료-평양형무소 -총살형-월남-적성 용의자로 피검-누이와의 상봉-남한 여인과의 재혼-휴전-동업자의 의료사고 -간첩혐의로 정보대에 무고 -재판회부-실형언도에 이르기까지의 과정은 마침내 한씨의 생애가 한국 현대사의 소용돌이에 다름 아니었음을 보여주는 서사구조로 되어 있다. 분단모순 혹은 인간의 신념에 대한 왜곡된 역사의 광포한 폭력성이 한 양심적인 의사의 일대기 속에 촘촘히 배어 있다.
　한편 아버지 한영덕의 쓸쓸하고 적막한 말년을 바라보는 딸 한혜자의 관점은 매우 상징적이다. 아버지에 관해 별로 아는 것이 없는 그녀는 아버지를 "단순 월남한 주정뱅이 고용의사"로 알고 있고, 자신은 "그 의사와 납북된 경찰관의 아내였던 전쟁미망인 사이에서 태어"난 "개똥참외"에 비유하고 있으며, 그것은 "인분에 섞여 싹이 트고 폐허의 잡초 사이에서 자라나 강인하게 성장하는 작고 단단한 열매"(p.181)로 받아들인다. 양가 친척을 왕래하지도 않았던 그녀는 어

느 쪽에서도 혈육의 대접을 받지 못했고, 그녀의 이복 오라비 역시
아버지를 "아저씨" "선생님"으로 불렀다.

> 새벽의 냉기 때문에 눈을 뜬 혜자는 서학준 박사가 고모가 잠이
> 든 걸 확인한 뒤에 살그머니 일어났다. 그 애는 발꿈치를 들고 영좌
> (靈座) 앞으로 걸어가 향그릇 옆에 놓인 유품들 중에서 수첩을 집어
> 들었다. … (중략) …고별식은 끝났고, 이제 아버지는 망령마저 떠돌
> 수 없도록 땅 속 깊이 묻힐 것이다. 혜자는 매장에 관한 따분한 기
> 억을 갖고 싶지 않았다.
> 집을 나서니까 상가를 알리느라고 달아매놓은 붉은 종이호롱이
> 바람에 흔들리고 있었다. 잔등(殘燈)의 불빛이 어둠 속으로 멀리까지
> 쫓아왔다. 혜자는 다시 돌아갔다. 동편 하늘에 새벽빛이 부옇게 번
> 졌고, 이층집 지붕이 어둠과 경계를 지으며 하늘 속에 윤곽을 드러
> 내고 있었다.(p.182)

딸 한혜자의 이러한 고별의 의식은 아버지 한영덕과의 세대간의
의식의 격차를 잘 드러내 준다. "매장에 관한 따분한 기억을 갖고싶
지 않은" 그녀는 아버지의 영전을 홀연히 떠난다. 이는 그들이 화해
불가능한 세계에 공존한다기보다는 한 세대의 의미와 가치가 다음
세대에 얼마나 유의미한 것일 수 있는지, 아버지 한영덕 혹은 그가
살았던 역사에 대한 온당한 이해가 딸의 삶의 방식에 얼마나 영향을
미칠 수 있는지에 대한 회의를 암시해 준다. 「한씨 연대기」는 진정한
가치에 대한 시간의 파괴적인 힘까지도 함께 아우르는 메시지를 주
고 있다.

「삼포 가는 길」(1973)은 변화하는 사회변동의 물결에 의해 부랑하
는 인물들이 겨울 들판에서 만나 조건 없이 베푸는 인간애를 그린
단편이다. 공사판 일거리를 찾아 나선 '영달'과 말 수 적은 '정씨' 그
리고 술집접대부로 있다가 도망 나온 '백화'. 이들 세 사람은 바람
부는 겨울의 벌판에서 만난다.

영달은 어디로 갈 것인가 궁리해 보면서 잠깐 서 있었다. 새벽의 겨울바람이 매섭게 불어왔다. 밝아오는 아침 햇볕 아래 헐벗은 들판이 드러났고, 곳곳에 얼어붙은 시냇물이나 웅덩이가 반사되어 빛을 냈다. 바람소리가 먼데서부터 몰아쳐서 그가 섰는 창공을 베면서 지나갔다. 가지만 남은 나무들이 수십여 그루씩 들판가에서 바람에 흔들렸다.(p.291)

겨울의 시골 들판 풍경을 제시해주고 있는 서두 부분의 묘사는 작품의 배경이 될 망연하고 을씨년스러운 분위기를 주인공 '영달'의 아득하고 딱한 신세에 잘 조응시키고 있다. 영달은 "어디"로 갈지 모른 채 "겨울 바람" 속에 서 있다. "헐벗은 들판"과 "얼어붙은 시냇물"의 황량한 풍경은 그러나 "밝아오는 아침 햇볕"아래 반사되고 있다. 이 서두는 소설의 전반적인 분위기와 연결되어 있으면서 동시에 인물이 처한 현실의 쓸쓸함과 고통을 지속적으로 환기하는 효과를 거두고 있다.

삼포 가는 '길'은 결코 순탄하지만은 않은 인생의 여정으로 상징되고, 여기에 사회적 질서에 편입하여 뿌리 내리지 못한 세 사람의 "뜨내기" 이야기가 길 위의 눈처럼 쌓인다. 정씨는 십 년만에 고향 삼포를 향해 가는 중이고, 갈 곳이 없는 영달은 그를 부러워하지만 정씨가 향하고 있는 삼포는 그러나 몇백 리의 먼길이다. 여기에 동행하게 되는 "백화"는 열 여덟에 가출한 술집 작부인데, 그녀 역시 남쪽의 "집"으로 가기 위해 술집을 도망 나온 중이다.

정씨와 영달은 "만원"의 현상까지 붙은 백화를 술집에 잡아가는 대신 행선지를 물으며 "눈 덮인 벌판"을 그녀와 함께 걷는다. 백화는 처음에 이들을 "치사한 건달인줄 알았"다가 "괜찮은 사내"라고 추켜세워 주기도 하고, "계집년이란 해만 뜨면 말짱 헛것"이라는 사내들의 말에 자신은 "한번 붙으면 순정이 무서운"(p.307) 여자라고 대꾸해 주기도 한다. 눈길이 미끄러워 영달이가 달려들어 "싫다고 뿌리치는 백화를 업"(p.308)고 걷기도 한다. 흰 눈발의 자연환경을 배경으로 벌어지는 정처 없는 떠돌이 부랑 노동자와 작부의 인간적 교감은 황폐한 세계 속의 인물들을 순정의 사내와 여자로 되돌려 놓는다.

이들이 떠나는 길은 유랑의 길로 나그네가 걷는 길이지만, 멀리 떠나야 할 운명을 지닌 남성적 이미지를 부각시킨다. 그들이 가고자 하는 "집"은 "바닷가까지만도 몇 백리"나 되는 길이요 "거기서 또 배를 타야(p.294)"하고, 지금은 "어디에나 눈이 덮혀 있어서 잘 분간할 수도 없"고, "산골"을 지나고 "개천"을 건너고 벌판을 걸어야 할 길로 되어 있다. 길은 고난과 시련 또는 인내와 기다림의 시간을 요구하는 공간이지만, 이들 뜨내기들에게 마침내 "백화"가 아닌 "점례"와 조우하게 되는 순례자의 길이 된다. 그리하여 눈발 속에서 영달이와 백화가 등에 업고 업히는 육체적인 확인은 흩날리는 눈발의 동적인 이미지와 함께 가슴속에 감격으로 겹쳐진다. 그들은 세례의식처럼 물(눈)에 잠겨 정화되었으며 눈 덮힌 벌판은 이들의 결합, 곧 재생의 공간이 된다. 아울러 영달이와 백화의 밀착은 남녀의 그것이 아니라 인간애의 신비로운 친화력으로 승화된다. 이들이 걷는 눈길은 "물고기가 더 높이 뛰고 숲 그늘이 짙은 삼포"로 향하는 길이며, N. 프라이가 묵시적 이미지에서 말한 낙원과 생명의 나무가 있는 동산으로서의 이미지를 띤다.

"아무도……안 가나요."

"우린 삼포루 갑니다. 거긴 내 고향이오."

영달이 대신 정씨가 말했다. 사람들이 개찰구로 나가고 있었다. 백화가 보퉁이를 들고 일어섰다.

"정말, 잊어버리지……않을께요."

백화는 개찰구로 가다가 다시 돌아왔다. 돌아온 백화는 눈이 젖은 채로 웃고 있었다.

"내 이름 백화가 아니예요. 본명은요…이 점례예요."(p.310)

▲ 황석영

"눈이 젖은 채로 웃고 있는" 백화의 묘사는 감상적이기 보다는 감동적이며, 본명을 밝히는 백화의 행위는 수줍고 아름답다. 백화는 헤어지면서야 마침내 자신이 그들과 점례로 만났음을 고백한 것이다.

그러나 지금의 '삼포'는 바다에 방뚝을 쌓고 호텔공사를 하느라 트럭이 수십 대 돌을 실어 나르는, 동네도 나룻배도 모두 없어진데다 바다 위로 신작로가 났다는 소문에 다시 마음의 정처를 잃어버린다. 결국 정씨나 백화가 돌아갈 수 있는 곳은 아무 데도 없었으며, 이들에게 안식을 줄 수 있는 곳은 부재의 공간으로 남을 수밖에 없다. 고향 "삼포"는 이들로 하여금 자연 풍경과도, 혈연관계 속의 결속과도, 이웃과의 공동체적 삶과도, 가족과 이웃과의 관계에 뿌리내리는 생활공간도 모두 허락해 줄 수 없는 "몇 백리" 먼 곳의 추상화된 공간일 뿐이었다.

인간을 근본적으로 실향민이자 귀향자로 규정한 것은 인간을 어느한 곳에 정주할 수 없다는 뜨내기로서, 혹은 현존이란 존재로부터 일탈된 존재로서의 고향상실성의 일반적 의미를 가리키는 것이다. 이러한 인간의 실향적 실존은 현실이요 귀향적 본질은 당위이다. 그러나 황석영에 나타난 인물들의 실향민, 혹은 귀향인의 모습은 당대적 현실과 동기적 관련을 맺고 있다. 그리하여 합리화·산업화·도시화의 과정 속의 이들 인물들이야말로 자본사회의 기본 모순에 대응하는 강인한 잠재적 세력임을 보여 준다. 왜냐하면 이들 노동자들의 삶 속에 감추어 둔 공동체적 삶을 향한 민중적 각성과 인간적 신뢰를 다시 확인하게 해 준 때문이었다.

「장사의 꿈」(1974)은 도시적 삶의 갖가지 타락상을 경험한 끝에 피폐한 육신으로 귀향하는 '장사'의 이야기를 담고 있다. 주인공 일봉은 "힘에 있어서는 역사와 전통이 뚜렷한 가문"(p.351)에서 태어난 장사이다. 뱃사람이었던 할아버지는 맷돼지를 맨손으로 잡고, 역시 뱃사람이었던 아버지는 동구 앞 돌담을 맨손으로 무너뜨린 장사였다. 아버지가 죽고 어머니와 함께 술도 파는 밥집으로 생계를 유지하는데, 이 때부터 몸집이 커지고 힘이 붙기 시작했고, 고향에서 추석을 전후로 벌어지는 씨름판에 나가 장사로 뽑히곤 한다. 어느 날 갑자기 어머니마저 죽게되자, 죽더라도 뭍에서 죽어야 한다는 어머니의 유언에 따라 대처에 가 성공하려는 꿈을 꾼다. 상경한 그는 레슬링 선수가 되려는 희망이 좌절되자, 낙원탕의 '시다바리'로 있다가 한 손님에게 발탁되어 포르노 배우로 전락하고, 그 시절 만난 포르노 영화의 상대역 애자를 사랑하게 된다. 그러다가 그들은 함께 살면서 이전의 생활을 정리하고 약품 행상 단체에서 새로운 삶을 시작한다. 그러나 세상은 그들을 자유롭게 놓아주질 않았고, 결국 애자와는 돈 벌어 다시 만날 약속을 하고 헤어진다. 일봉은 "한땡 잡고야 말겠다"고 다짐하면서 버스 외판원 등을 전전하다가 남창으로 전락해 버린다. 애자와 약속한 날 그녀는 나오지 않았고, 일봉은 눈물을 흘리면서 이 도시를 떠나간다.

서두에 보인 다음과 같은 묘사는 일봉이 도시로 유입된 자신의 처지를 인식하고 마침내 속물적인 도시의 삶 속으로 편입되어 가는 자의식의 과정을 잘 드러낸다.

> ……백열등과 조명판의 새하얀 빛이 우리 두 사람의 몸 위에 쏟아지고 있을 때 우리는 서로의 몸을 만지고 있는 게 아니라 불빛

을 만지고 있는 듯 했지. 인적 없는 숲 속에서 가서 야외촬영도 했었는데, 목욕하는 장면, 또는 햇빛에다 물방울 돋은 몸을 드러냈을 때에 애자는 해녀로 돌아간 듯 했지. 나는 어느 결에 다른 사람의 눈초리 돌아가는 소리를 듣고 있다는 착각에 빠졌어. 그 소리는 자르르 돌아가는 팔미리 영사기의 자동 셔터 소리처럼 언제나 내 등 뒤이거나 옆구리 또는 밑에서 들려왔어. 주점에서 혼자 술을 마실 때 머리 위에서, 시장의 혼잡 가운데를 걸을 때 앞의 골목 모퉁이에서, 버스를 탔을 때 내 목덜미 바로 뒤에서, 그 눈초리 소리가 들렸지. 상가 꼭대기의 자취방에서 비어 있는 고가도로 위를 걸어가는 청소부의 소리만이 들려오는 새벽에 깨어났을 때에도, 그 다른 사람의 눈초리 돌아가는 소리가 들려왔던 것이었어.(pp.358-9)

영화배우로서의 삶에 대한 환상이 깨지고, 타인의 시선에 대한 자의식과 자신의 행위에 대한 죄의식은 "스르르 돌아가는 팔미리 영사기의 자동셔터소리"로, 혹은 머리위 목덜미 위에서 "눈초리 돌아가는 소리"로 엄습해 온다. 이는 자신이 마침내 이 도시의 속악한 세계 속으로 진입하였음을 보인 것이다.

일봉은 그러나 "자랑스러운 밤을 지키기 위해" "잃어버렸던 서로의 삶을 남의 눈초리로부터 빼앗아 올 수 있으리라"(p.360) 믿고, 애자와 함께 지내기로 하면서 '배우 일'을 버리고 새 살림을 시도한다. 그러나 교통사고로 아이를 유산하고 난 애자가 현실의 고통을 이기지 못하고, 일 년 후 돈을 벌어 다시 만날 것을 약속하고 이들은 헤어진다.

일봉은 다시 버스 행상으로 도시의 부랑아로 떠돌다가 구인광고를 통해 익명의 도시 여성들의 성적 노예로 전락한다. 남창노릇으로 수입은 늘어 화려한 양복도 맞추고, 조용한 주택가에 하숙도 들고, 적금도 들어 이제 꼭 일 년만 이런 생활을 한 뒤에 애자를 만나기를 기다리지만, 그의 몸에 "이상한 변화"(p.365)가 일어나기 시작한 것이다. 몸은 쇠약해지고 남성의 기능은 상실되어 있었다. 일봉의 황폐해진 마음의 상태와 무기력해진 육신의 피로는 다음과 같은 고향에서의 생명력 넘치는 장면과 대조를 이루면서 그 참담함이 강조된다.

그 고함의 신명나고 소름끼치게 즐거운 울림이 귀에 쟁쟁하구만. 가을하늘은 차갑도록 푸르고, 곡식은 누렇게 익었는데, 확성기에서는 우리가 늘 사모해 왔던 열아홉 애숭이 여선생님께서 치는 풍금 소리가 들려오지, 넝넝 너구리의 불알은 바람도 안부는데 흔들흔들 아버지 그것이 무엇인가요. 그것은 느이 아버지 밑천이란다. 그뿐인가……지키는 사람없는 논에서는 참새들도 잔치 덕을 입어서 날아가지도 못할 정도로 이삭을 배가 터지도록 포식하는 거야. 그런 날에 나는 영광의 장사로 뽑히곤 했다. 장사의 곁에는 콧김 세고 뿔도 늠름한 황소가 들러리를 서거든. 나를 사모하는 처자들의 눈길이며 패배한 녀석들의 술 취한 고함소리, 나를 에워싸고 들판에까지 쫓아오는 동네 꼬마들의 기나긴 행렬. 나는 실로 장가드는 기분이었다니까.(p.352)

마침내 일봉은 도시생활에서 자신의 모든 것을 잃어버리게 되지만 자신의 건강했던 힘의 부활을 갈망함으로써 강렬한 인간 회복 의지를 보인다.

"나는 거세(去勢)되어 버렸다는 걸 알았고, 내가 노예였다는 사실을 깨달았어. 나는 몇 근의 살덩이에 지나지 않았어.
내 살이여 되살아나라. 그래서 적을 모조리 쓰러뜨리고 늠름한 황소의 뿔마저도 잡아 꺾고, 가을 날의 잔치 속에 자랑스럽게 서 보고 싶다. 햇말의 돌담과 묘심사의 새기둥을 쓸어 만져보고 싶다.
무엇보다도 성나서 뒤집혀진 바다 가운데 서 있고 싶었지. 그때에 기적이 일어났지. 내 자지가 호랑이의 앞발처럼 억세게 일어났어. 그것은 뿌듯하게 바지춤을 비집고 곤두섰어.
나는 다리를 건너서 철뚝을 가로지르고 걸어갔지. 동네의 집집마다 불이 하나 둘씩 켜지데. 걷기가 불편해진 나는 조금씩 절뚝이면서 눈물을 철철 흘리면서 이 도시를 떠나가기 시작했지."(p.366)

도시에서의 삶이란 인간이 파괴되는 노예상태라는 것을 깨닫는 순간 일봉에게는 자신의 남성이 호랑이의 앞발처럼 억세게 일어서는 기적이 일어난다. 이것은 잔치의 함성과 자랑스러운 승리와 늠름한 황소를 끌면서 "햇말의 돌담과 묘심사의 새기둥을 쓸어 만져보고 싶"어하는 원초적이고 순수한 자기정체성으로의 부활을 암시한다. 익명으로만이 생존이 가능한 공간, 이질성과 소외, 그리고 억압의 공간인 도시에서의 잃어버린 삶에 저항하는 인간 회복 의지인 것이다. 「장사의 꿈」은 산업화가 야기하고 있는 소비사회의 부정적인 측면을, 그리고 윤리·가치관이 파괴되고 있는 현실을 비판하고 아울러 일봉의 건강한 힘의 부활을 통하여 좌절된 민중의 욕망이 현실극복 의지로, 인간회복 의지로 승화되는 과정을 보인 것이다.

「돼지꿈」(1973)은 열악한 생활 환경 속에서 소외된 사람들의 절망적 삶과 그들의 생활상을 드러내고 있는 작품이다. 황폐한 배경과 평범한 소재를 다양하고 세밀하게 조합하여 물신이 인간가치를 지배하는 판자촌 사회의 무거운 그림자를 사실적으로 묘사하고 있다. 소설의 도입부분을 도시 빈민가의 전경으로 시작하고는, 이어서 리어카 행상 부부, 열심히 예수를 믿어 기도원 운영을 맡은 처남, 넝마주의 이씨, 포장마차 주인, 보세공장 노동자, 아이밴 처녀, 공장의 여공 등 비교적 어둡고 절망적인 삶을 이어가는 도시 빈민들을 등장시키고 있다.

가난으로 찌든 고물 엿장수 강씨는 가축병원 앞을 지나다가, 차에 치인 개 한 마리를 묻어 달라는 어느 부잣집 안주인의 부탁을 받고, 이를 매장하지 않은 채 몰래 가져와 동네 사람들과 개천둑에서 개고기 파티를 벌인다.

> 강씨는 못이기는 체 하고 개를 리어카에 싣는데, 아주머니가 수고비라며 삼백원 돈이나 주었다. 호박이 덩굴 뿌리째 굴러 떨어진 것이다. 따님은 울었고, 아주머니는 안도의 한숨을 쉬었으며, 강씨

는 하도 신이 나서 콧날개가 벌름대는 것을 참느라고 어금니를 꽉
물고 있어야 했다. 그들이 안 보이는 곳에 이르자, 강씨는 개의 크
기를 다시 한번 확인하느라고 리어카 속을 들여다보았다.

"요새 기름길 못 먹어서 버짐꽃이 핀단 말일세. 아침마다 살가루
가 싸라기모양 쏟아진다구. 그렇잖아두 가출한 똥개라두 한 마리
때려잡아 보신하려는 참인데……"(p.258)

이날의 개고기 횡재는 강씨의 '돼지꿈' 덕분임이 분명한데, 거기다
가 바로 이날 건너편 판자촌이 헐렸는데 이 동네만 안 헐린 데다가
혹시 헐리게 되더라도 오만원씩 보상금이 나온다는 소문이었다. 이
또한 '돼지꿈'이다.

"저쪽 동네는 오늘 낮에 모두 뜯겼는데 우린 참, 운이 좋았지요.
구청 직원 말이 우리 동네는 생겨난 지가 십 년이 넘으니까, 권리
금이 나올 거라 그겁니다. 내년까지는 아무 탈이 없을 거요."
"이 동네가 어떻게 생겨난 동네라구, 공장 질 때, 거기 나가 기
초공사를 했던 사람이 전부란 말여."
"뜯겨난대두 가구당 오만 원씩은 나온다 그겁니다."
"젠장, 뜯겨두 좋겠구먼 뭘."(p.267)

강씨는 한편으로는 군대에 간 사내의 아이를 가진 딸 미순이를 돈
때문에 서른 다섯 살이나 되는 넝마주의 이씨에게 시집보내려고 한
다. 그리고 포장마차를 하고 있는 덕배는 떡을 먹고 도망치는 여공들
을 쫓다가 받을 돈 대신 그녀와 관계를 맺는다. 엿장수의 아들 근호
는 공장에서 합판을 자르다 손가락 세 개를 잃고 그것에 대한 대가
로 돈 3만원을 받고 실직이 되어 집으로 돌아오는데 강씨댁은 그 돈
으로 미순이를 넝마주이 이씨에게 시집보내려고 한다. 이에 화가 난
근호는 그의 아버지가 모닥불을 피워 놓고 개를 잡아먹고 막걸리 술
잔치를 벌이는 개천둑 너머 빈터로 가서 홧김에 술을 마시고 만취가
되어 땅바닥에 널부러져 잔다.

"아이구 고마워라. 이런 때 돈 삼만원! 그러게 도무지 근심이 안 되더라니까. 어쩐지 모두 잘 풀려나갈 것 같더라니. 잘됐다, 잘됐어."

"니기미랄, 손가락 세 개 값이란 말예요."

"저런 동기간에 의리라군 눈꼽만큼두 없는 자식. 까짓 다쳤으면 치료해서 나으면 되잖아. 살림이 이렇게 험악하니깐 다 때에 맞춰서 이러구러 넘기면서 살아야지. 야야, 니가 멕여 살리면 마부벼슬 얻은 종놈처럼 눈꼴이 시겠다야."(p.286)

개고기 파티—철거 보류—보상금—덕배가 안은 여공—미순이의 혼사로 이어지는 이날의 일진은 이 판자촌을 "묘한 활기"(p.290)로 가득 채운다. 그 묘한 활기는 경성역을 오가며 톡톡히 재미를 보았던 인력거꾼 김첨지의 "운수좋은" 어느 날의 극적인 반전을 예고해 준다. 작가는 그러나 이러한 도시 빈민들의 곤그론한 삶을 비극적 전망으로 치닫게 하지는 않는다. 잠깐 스쳐 지나가듯 등장한 행상인의 모습과 그가 주고 받은 대화에서 이들의 자잘한 인정과 삶의 지혜, 사리 분별력과 도덕적 염결성, 그리고 무엇보다도 삶에 대한 근원적인 애착과 신뢰를 잃지 않는다.

"치료비를 받았군."

"비싼 건지, 싼 건지는 모르지만 아무튼 손가락 세 개가 쫙 나갔습니다."

"손가락 세 개?"

"그래요. 엄지 검지 가운데…일릴루 사그리 나갔다구요. 술을 내가 살 만하잖아요."

"난 그런 술 못 먹네." 우리 집에나 가자구."

…… (중략) ……

"돈 벌자는게 뭐가 나쁩니까?"

"살다보면…알게 되네. 자넨 목돈 만지니 기분이 좋은가?"

근호는 그제서야 붕대감은 손을 물끄러미 내려다 보았다.(p.282)

근호는 아직 땅바닥 위에 벌렁 드러누운 채였다. 그의 발치쯤에서 재 속에 남아 있는 불 찌끼가 벌겋게 빛을 내고 있었다. 속치마바람의 미순이가 개천을 건너서 빈터 쪽으로 걸어왔다. 배가 불렀지만 날렵하게 징검돌을 건너뛰는 모습이 작은 계집아이 같았다. 미순이는 나약하게 신음하며 앓고 있는 근호의 등을 살그머니 흔들었다.(p.290)

붕대감은 손을 물끄러미 바라보는 근호나 배는 불렀으나 날렵하게 오빠 쪽을 향해 건너뛰는 미순이의 모습에서 이들 인물에 대한 작가의 따뜻한 시선을 읽을 수 있다. 인간적 연민과 속악한 삶 속에 남아 있는 인정의 불씨를 놓치지 않는 것은 황석영 소설의 에너지이자 그의 소설 일반에 촘촘히 배어 있는 민중적 삶에 대한 신뢰이다.

"문학이 인간의 삶을 개선해 나가는 데 무력하다는 의견은 몹시 비관적이며 반문학적인 견해라고 생각된다. 그렇다면 인류가 남겨 놓은 수많은 문학적 유산은 휴지화 하여야 될 것이고, 역사 속에서 뜨거운 정신이 쉴새없이 인간의 사고를 개선 발양해 온 사실은 모두 거짓이 될 것이다. 소설은 보여주는 데서 한걸음 더 나아가 감동을 수반한 비판적 기능을 가지고 내일을 이야기하는 데까지 가야 한다. 그런 뒤에야 오늘의 문학이 후세의 문학에 넘겨 줄 어떤 가치를 지닐 수 있게 될 것이다.……문학은 비생명적이며 반인간적인 여러 요인에 언제 어느 때나 맞서서, 동시대의 사람들과 더불어 바람직한 인간 조건을 세우는 데 한치라도 가까이 가야 할 것이다."

위의 인용은 황석영의 현실 참여적이며 한편으로는 낭만적인 세계관의 일단을 보여주는 것으로, 문학이 바람직한 인간적 삶에 기여 할 것이라는 작가의 신념을 보인 것이다. 산업화의 문제점들이나 소비문화의 폐해를 경계하고 문학의 당대 사회에 대한 책무와 비판적 기능을 촉구한 점이야말로 황석영 소설의 현실인식의 본질이다. 「장길산」과 「무기의 그늘」을 포함한 그의 모든 작중의 인물들은 멀고도 험난한, 신념의 땅 삼포로 함께 떠나는 길 위에 서 있다.세미

이야기성과 서사성의 만남
— 이문구론

현길언

1. 문제와 방법

인간은 자기가 확인한 세계의 진실에 대해서 이야기하려는 욕망을 갖고 있다. 그것이 억압되면 병이 되어 죽음에 이르게 되기도 하고, 그 진실을 이야기함으로 죽음에서 해방될 수 있음은 '경문대왕 설화'의 이발사를 통해서 시사 받을 수 있다. '아라비아나이트'에서 샤라자드라는 대신의 딸인데도 자청해서, 제 아내의 부저에 대한 복수로 여자의 정절을 지키게 하기 위해 광기에 걸려 있는 왕과 결혼하고 첫날밤을 지내면서, 여자에 대한 왕의 진노를 풀도록 하기 위해 평소 읽고 들은 동서고금의 많은 이야기를 천일 동안 이야기한다. 이 두 경우는, 동서의 다른 문화권에서 이루어진 사건이지만, 소설의 본질이 이야기성에 있음을 잘 설명해주고 있다. 진실을 이야기하지 않으면 못 견디는 이발사나, 그렇게 많은 이야기를 간직하고 왕에게 이야기할 수 있는 능력을 가진 샤라자드는 뛰어난 소설가임에 틀림없다. 진실에 대한 치열성과 이야기할 수 있는 능력의 뛰어남은 소설가의 자질이다. 이 둘이 자연스럽게 결합될 때에 좋은 소설을 쓸 수 있을 것이다.

소설 장르는 봉건사회가 무너지던 시기에 시작하여 계몽주의의 시

한양대 교수, 소설가, 주요 작품으로 『보이지 않는 얼굴』과 『껍질과 속살』 등이 있음.

대에 성장하고 본격적인 산업사회가 도래한 19세기에 찬란한 황금기를 맞다가 20세기에 들어와 쇠퇴기에 들어섰다고 한다. 소설은 이야기하는 것이기보다는 정치한 구도에 의해 제작하는 것이라는 미학적인 측면을 강조하는 입장이나, 역사와 사회에 대한 치열한 의식이 소설 중심에 자리잡고 있어야 한다는데 더 관심을 갖게 되면서, 소설 장르의 이야기 성이 많이 쇠퇴한 듯한 느낌이 없지 않다.

더구나 한국의 현대소설은, 식민지 체제가 억압하던 시대를 거쳐 해방 공간의 혼란과 1970년대에 이르기까지 분단과 닫힌 정치. 사회 상황과 급격한 사회 변동 때문에 사회와 역사에 대해 보다 많은 관심을 갖게 되었다. 뿐만 아니라, 서구 문화와 교류가 활발하게 이루어지면서 문학의 자율성으로서의 미학의 문제가 활발하게 논의되었고, 그러한 기류가 창작 방법에 자연스럽게 자리잡게 되자 미학적인 면이 보다 강화되기도 했다. 해방 이후에 상당한 변모를 거쳐온 한국 소설은 미학적 자율성과 역사 사회에 대한 관심이 그 중심에 자리잡게 되면서 큰 성과를 얻었음은 틀림없다.

그러나 소설이 1990년대 들어오면서 지난날의 서사성이 약화되고 열린 시대인데도 그 위축이 눈에 띄게 나타나고 있다고 한다. 이것은 이미 서구 문학에서 '소설의 죽음'을 심심찮게 논의했던 현상과 다르지 않다. 그렇다면 새로운 소설의 탈출구는 어디서 찾아야 할 것인가. 이문구 소설을 읽으면서 소설의 이야기성과 서사성의 자연스럽게 결합된다면 새로운 소설 세계가 가능하지 않을까 하는 가설적 해답을 얻을 수 있었다.

이 문구 소설을 논의할 할 경우, 대부분 그의 장편 「장한몽」 연작 소설 「관촌수필」과 「우리 동네-」를 중심으로 한다. 이 논의에서는 위의 작품은 제쳐두고, 1970년 초기 「그가 말했듯이」 「그 때는 옛날」과 1980년대 초 「鳴川遺事」「江東漫筆」 1.2, 「卞 사또의 略傳」 6편을 대상으로 하여, 소설의 이야기성과 서사성의 문제를 다시 생각해 보려고 한다. 그러므로 이 글은 이문구 소설 세계의 단편을 생각하는 수준에 머물 것이다.

작가는 1970년대 이후 변하는 한국 사회에 대해서 예민하게 대응했던 작가 중의 한 사람이다. 그의 연보에 의하면, 자유실천문입협의 회가 1974년 11월에 그가 일하는 '한국문학사' 편집실에서 발족되어 그가 실무 간사를 맡았고, 이후로부터 그는 늘 정보원의 감시를 받아야 했고, 이따금 감옥소를 드나들게 되었고, 1980년대 초에는 정치 쇄신을 위한 특별조치법에 묶여 있기도 했다.[1]

이러한 작가의 이력 외에도 그의 작품은 1970년대 산업화사회에서 소외된 전통적인 농어촌이나 사회로부터 소외되어 도시의 변두리 사람들을 중심으로, 한국사회 근대화의 문제를 집중적으로 다루었다.[2] 이러한 이력과 작품 세계를 통해서 그의 문학이 사회와 역사의 중심에서 뿌리박고 있음을 확인할 수 있다. 그런데도 한편으로 그의 소설을 읽으면, 우리는 마치 조선조 시대 소설을 읽는 듯한 맛을 되살릴 수 있다. 유연한 어투와 지문과 대화가 묘하게 어우러지는 지방어와 계층어의 구사에서 우러나는 구수한 입담이 때문이다. 그 점은 타고난 이야기꾼으로서의 면모를 확인하게 해 준다.

여기에서 그의 삶의 한 부분으로서 사회와 역사에 대한 치열성과 소설의 이야기성이 조화롭게 만나는 한 예를 그에게서 찾을 수 있다. 이 이야기성과 역사. 사회성이 완벽한 소설 구조로 자리잡게 되면서 아름다운 작품을 만들어내게 되었다는 가설적 해답도 얻을 수 있다. 이 논의는 이 문제를 중심으로 그의 작품을 근거로 확인해 나갈 것이다.

---

1) 동아출판사, 『우리시대의 작가』(이문구편), 연보에 의함. 앞으로 이 글에서 인용하는 작품은 이 책에 의하여 본문에 작품 이름과 페이지만 밝힐 것임.
2) 윗책, 김치수의 해설, p.391.

2. 이문구 소설의 이야기성

이 논의에서 '이야기성'이라함은 이야기하는 방식에 따르는 모든 사항을 포괄하는 서술 기법의 문제를 총칭하는 개념이다. 화자의 선택과 화자와 관련되는 여러 대상과의 거리, 어조와 어투를 포함한 문체론적인 범위까지 포함한다. 이러한 이야기성은 소설을 이루는 미학적 기조의 출발이면서 동시에 결과이기도 하다. 소설의 결과는 작가의 이야기성에 근거하는데, 이것은 독자에게 소설 읽은 즐거움을 만들어주는 중요한 요건이 된다.

2-1. 이야기꾼으로서의 작가

독자들은 이문구 소설을 읽으면서 철저한 이야기꾼으로서 작가를 새삼 확인하게 된다. 이야기꾼은 이야기하는데 있어서만은 철저한 프로이고. 그러한 프로 정신은 자신이 프로라는 인식에서 출발한다. 이 점을 이 문구 작가는 스스로 인정하고 있다는 점이 특별하다.

> (1) 내가 천성이 수다장이란 건 피차 익히 아는 터이매 이왕 하던 말이니 마저 털어놔야 할 성부른데 어쩔지 모르겠다. (「다가오는 소리」, p.252)

> (2) 그러므로 무릇 우연이었다고 밖엔 다시 할 말이 없으련만, 내 자신만큼은 길래 그리 여길 수 없으리란 느낌의 실마리를 터득하진 못한 것이다. 이젠 스스럼없이 모든 걸 털어놓고 이야기할 참이지만, 허나 답답한 노릇이긴, 역시 마찬가지일 터이다. (「그가 말했듯이」 p.203)

작가는 자신은 천성이 수다쟁이로 못박아놓고 있다. 또한 수다쟁이라는 것을 남들이 인정해야 한다. 인정을 받으려면 그가 하는 이야기가 재미있어야 하는데, 그렇게 되려면 많은 이야기를 간직하고 있어야 한다. 그렇다고 그러한 것이 세상 일에 대해 어떤 확신에 찬 이 야기가 아니기에, 항상 듣는 사람들이 재미있게 들어줄까 조심스럽 고 긴장한다. 이 점이 바로 소설가의 천성이다. 작가는 현실적으로 고정된 가치를 전하기 위해 이야기를 하지 않기 때문에 '어쩔지 모 르겠다'고 신중을 기할 수밖에 없고, 그것은 곧 소설가의 겸손이면서 동시에 세상에 대한 진지한 태도로서 작가에게는 매우 소중한 자질 이다. 이 점은 그가 작품에서 추구하는 문제가 당대의 중심 가치와는 거리가 먼 예외적인 사건이나 인물들을 중심으로 엮어나갔기 때문에, 이러한 신중성은 도리어 독자에게 그 이야기에 대한 진실성을 더하 게 만들어 줄 것이다.

작가는 세상사의 의미성에 대해서 어떤 확고한 생각을 갖고 있지 는 않지만, 문제는 그것을 스스럼없이 다 털어놓고 이야기함으로써, 그렇다고 어떤 문제가 해결되지는 않지만(그래서 답답하지만), 그렇 게 해서라도 이야기꾼으로서 소임을 다할 수밖에 없다고 생각한다. 이러한 작가로서의 솔직한 면모가 작품에서 자기 목소리를 통해서 털어놓고 있다.

이렇게 '수다쟁이'로서 '스스럼없이 모든 것을 다 털어놓고', 그러 나 그렇게 털어놓은 것에 대해 '조심스럽게 생각'하고, 그렇다고 답 답함이 해소되지도 않은 이러한 이야기꾼의 삶은 소설의 본질적 속 성을 그대로 설명하는 것이다.

이 논의 대상으로 삼은 6편의 소설 가운데서 5편은 자신의 목소리 로 독자에게 이야기하는 양식을 취하고 있다. 그것은 작가가 세상을 향해 털어놓고 싶은 이야기가 너무나 많기 때문이다. 이러한 이야기 들을 굳이 1인칭 양식으로 말해야 하는 것은 그의 소설가로서의 자 질과 그것을 통해서 형상화해야 하는 소설의 특이한 맛과 특질을 되 도록 그대로 전하고 싶었기 때문이다. 그런데 이 문구는 형식적으로 는 철저하게 자신의 이야기이면서 자신의 이야기로서 끝나지 않게 소설을 만들어내는 특별한 작가이다. 여기에 이야기꾼의 독특한 솜씨가 돋보인다.

2-2. 1인칭 화자의 기능과 역할

이 논의에서 대상으로 삼은 작품 6편 가운데 5편은 1인칭화자로 이야기되고 있다. 이것은 우연한 일인데도, 이 문구 소설의 특질을 설명하는 한 단서가 된다. 그런데 이들 작품에서의 1인칭 화자의 소설적 기능은 다른 소설의 1인칭과는 다르다. 그 차이는 어디서 연유하는가? 개별적인 작품에서 화자의 기능을 검토 종합하여 이 작가의 1인칭 화자로 쓴 소설의 특질을 생각해 보겠다.

앞의 (2)의 예문은 「그가 말했듯이」(1972년)의 서두이다. 여기에서 작가는 지금 하려는 이야기를 독자가 마음을 열고 받아들일 수 있도록 배려하면서 이야기를 시작하고 있다. 그것은 독자에게 이야기를 들을 수 있는 자세를 갖도록 거리를 조절하는 일이다. 화자는 이 이야기를 하지 않으면 안 될 처지를 솔직하게 털어놓으므로 불특정 다수의 독자들을 특정한 독자로 확보해서 작가와 이야기와 독자와의 거리를 매우 가깝게 만들어 놓게 된다. 즉 화법과 거리감의 조절을 통해서 나름의 작품성을 정립했다.

그것은 마치 조선조 말기에 유행했던 강담사(講談師))와 같은 기능이다. 설화나 소설을 이야기로 엮어 홍미 있게 들려주는 이야기꾼이 어느 특정한 공간에 모인 사람들을 상대로 이야기하는 정황을 떠올리게 한다. 그 강담사의 이야기를 들으려고 지정된 장소에 모였다는 것은 이미 강담사(작가로서의 화자)와 청중(독자)의 거리가 정해져, 강담사의 이야기를 매개로 해서 서로가 깊은 공감의 정황에 이르게 되었음을 의미한다.

화자와 이야기의 거리를 가깝게 만들기 위해서 화자와 독자의 거리를 가깝게 만들어 놓고 있다. 서두에서 화자의 내적 정황을 독자에게 아주 장황하고 자세하게 제시한 것은 이 때문이다.

(3) 그녀와의 여행에서 돌아오고부터 우선 잔 듯이 자 본 밤이 없었기 저무는 날 두려워해 버릇된 지도 여러 날로 미룸된다. 불실 애정 정리를 위한 탈선 여행이었으되 서로가 과거는 찾지 말기로 뜻이 모아져 그나마도 보람된 행각이었음에 여지껏 못다 푼 무슨 터회가 있어 그럴 리도 없으련만 내리 그렇던 거였다. (「그가 말했 듯이」, p.203)

화자는 자신의 모습을 숨김없이 독자에게 드러내 놓았다. 이루지 못한 사랑을 마감하기 위해서 탈선 여행을 하고 돌아온 뒤에 그 여행담을 독자에게 들려주는 형식을 취하고 있는데, 이러한 화자 형식 은 단순한 형식을 넘어서 이야기의 속성을 결정해 주는데 기여하고 있다. 그것은 처음부터 화자만이 간직한 흥미 있는 이야기를 독자에 게 들려주는 구조로 되어 있어서 독자와 화자의 거리를 단축시켜 놓 았다. 여기에서 이야기의 성격이 확실하게 결정된다.

이야기의 흐름은 여행 노정에 따라 전개된다. 여행을 가게 된 과 정을 잠깐 제시해 놓고서, '9월 그믐께, 오전 8시 대구행 고속버스를 탔다'로 시작한다. 플롯은 여행의 이야기로 전개된다. 그런데, 이 작 품은 애초부터 이야기인데, 그 이야기 속에 다시 이야기가 포함되어 있다. 옛날 애인끼리 고속버스에 탔으니 할 일이란 고작 이야기밖에 없을 것이다. 잠시 창 밖 풍광에 대해 이야기를 나누다가 결국 옛날 이야기로 넘어간다.

이렇게 소설은 철저하게 이야기하는 방식으로 전개되고 있다. 그 래서 대화와 지문을 특별한 경우를 제외하고는 달리 행 처리를 하지 않았다. 이것은 대화와 지문이라는 소설 문장의 형식적 이원성을 무 시하고 그냥 이야기하는 흐름 그대로를 나타내 보인 것이다. 다음에 서 그러한 예를 확인할 수 있다.

(4) "근대화란 게 무슨 말인지 알우?" 나는 이영이 고속버스를 근대화라고 말한 게 그럴싸해 새삼스럽게 말했다. "현대화 단계를 건너 뛰는 과정이란 뜻이겠죠." 그녀는 대답하고 나서, "도로변에 초가집이 잘 안보이고 시멘트 공구리만 눈에 띄니까 농촌 하늘도 오염되고 공해속에 잠긴 것 같은 기분인데, "화제를 엉뚱한 것으로 바꿀 눈치를 보이고 있었다. (윗 작품, p.207).

이렇게 대화와 지문은 물론 여러 개의 대화까지도 행을 구분하지 않고 한 단락으로 처리한 것은, 대화와 지문의 관계를 무너뜨리고, 모든 것을 하나의 이야기로 포함시켰기 때문이다. 이러한 단락 처리는 정경을 그려내는 경우에도 그대로 지켜졌다.

(5) "이젠 집들도 모두 뻘겋게 타는데요." 차창 밖으로 옹색하게 터잡은 취락풍경을 눈여겨보던 이영이 말했다. 그녀의 표현도 지나친 말이랄 수 없는 형편이었다. 차 안에서 내다뵈는 사삿집 지붕들은 눈이 피곤해 바라볼 수 없을 지경으로……, 이영은 "그나마 뺑끼칠을 안한 건 꼭 가발공장 같은 걸……"하고 느낀 말을 했다. (윗 작품, p,203).

자연 풍광이나 어떤 상황을 사실적으로 독자에게 내보이려고 할 때에도 그 방식은 철저하게 이야기로 처리했다. 그러므로 대화와 지문이 따로 구분할 필요가 없다. 이것은 고전 소설의 문체 양식과 일치한다. 다음은 <홍길동전>의 한 대목이다. (현행 맞춤법에 의해 표기함)

(6) ─말을 마치며 뜰에 나려 검술공부를 하더니 마침 공이 또한 월색을 구경하다가 길동이 배회함을 보고 즉시 불러 물어 가로되 네 무슨 흥이 있어 야심토록 잠을 자지 아니하느냐? 길동이 공손히 대답하여 가로되 소인이 마츰 월색을 좋아하거니와 대개 하늘이 만물을 내시매 오직 사람이 귀하오나 소인에게 이르러서는 귀함이 없으니 어찌 사람이라 하오리까.

고전 소설에서는 대화나 지문이나 상황 설명이나 묘사 처리까지 항상 이야기꾼이 청중에게 말하는 양식으로 처리하고 있다. 그러므로 독자는 화자가 말하는 것만 이해할 수 있게 되어서 독자와 작품과의 통로가 한정된다.

이러한 이야기 방식은 다층적인 시간성을 보유하게 된다. 즉 (ㄱ) 여행담으로서의 과거, (ㄴ) 여행에서 했던 이야기들은 모두 그 여행 시점으로는 과거의 여행담이라는 점에서 대과거, (ㄷ) 지금 하고 있는 이야기라는 점에서 현재성이 지니고 있다. 이렇게 작품이 다층적인 시간성 위해서 이야기되고 있는데, 이것은 모든 시간이 이야기에 용해될 수밖에 없음을 의미하는 것이다.

2-3. 1인칭 화자와 자아와 세계 인식

화자의 선택은 작가가 세계를 인식하는 틀과 관계를 갖는다. 1인칭 화자의 소설인 경우에 단지 그 화자 양식이 그대로 기능적 한계에서 머무를 때와 그것과 달리 화자 자신을 이야기하는 경우(흔히 1인칭 객관과 주관으로 나누는)로 나눈다. 그런데 이 문구의 작품에서는 그 관계가 애매하다. 그것은 소설의 세계가 궁극적으로 자아와 세계의 관계에 대한 쉽지 않는 성찰이라는 점에서, 자기를 이야기하면서 동시에는 타인을 이야기하는 구조로 되어 있기 때문이다. 이것은 단순히 이야기 양식의 문제에 머물지 않고, 소설적 진실이 자아와 세계의 관계에서 비로소 구체화되었음을 의미하는 것이다.

「江東漫筆.1」은 일인칭 화자 <나>가 겪은 문 승관 씨에 대한 이야기이다. 서두에서 '우리 동네의 문 승관 씨는 언제 보아도 결곡한 용모와 헌걸한 의표가 여전하였다.'는 식으로 3인칭 대상에 대한 정보를 제공하면서 시작한다. 그리고 문씨와 인연을 맺기 시작한 경위를 독자에게 알린다. 이렇듯이 소설은 <나>와 대상인물인 문 승관의 관계를 중심으로 전개된다. 그래서 <나>도 소설의 부 인물일 뿐만 아니라, 플롯 전개에 필요한 인물이 된다. 나의 음시벽이나 친구가 개업한 캬바레에 간 일과 세계의 현상에 대한 그와의 논쟁 등등을 통해서 이 점은 확인할 수 있다.

그런데 이러한 3인칭 <그>와 1인칭 <나>의 확연한 구분에도 불구하고, 이 작품이 전통적인 이야기 양식을 그대로 취하고 있는 것은 화자의 입심 때문이다.

> (7) 그런데 박을 보러 갈 때마다 으레껀 객석에 노박이로 앉아 있는 장년 하나가 있었다. 듬직한 허위대며, 서(署)자 붙은 데에 있다가 나온 듯한 눈초리며, 앉아서 먼지를 톡톡 터는 하얀 손가락이 며가 한갓 진 다방에 가면 성냥개비께나 좋이 축낼 듯한 인상이었다. (「江東漫筆」1, p.102)

문 승관 씨에 대한 인상을 독자에게 전하는 대목을 한 문장으로 처리했는데, 이것은 '쓰는 소설'이 아니라 '말하는 소설'의 특징을 보여주는 한 예이다. 작가는 소설은 쓴 것이 아니라, 철저하게 말하는 소설을 고집하고 있다.

이러한 점은 「江東漫筆.2」(1985년)의 이야기 방식에도 변함이 없다. 이 작품은 1인칭 <나>가 이 만업이라는 3인칭 인물에 대해서 독자에게 이야기하는 투로 전개된다. 여기에서 한 인물의 진실을 들어내기 위해 제목처럼 '漫筆' 양식으로 이야기하고 있다. 이 경우에 이야기하는 사람의 모습과 그 이야기하는 내용이 보다 분명해 진다. 그래서 말하는 사람의 모습이 대상과 함께 소설의 전면에 나타나 있다. 그 이야기꾼은 제목 그대로 붓 가는 대로 입이 닿는 대로 거침없이 쓰고 말한다. 그 유려한 입심과 문체, 그 문체의 특징으로서 사투리 구사는 말하는 양식으로서의 소설의 특성이다.

이러한 점은 한 작품에서 플롯 단위에 따라, 혹은 내용 변화에 의

거해서 단락을 구분하지 않았다는 점에서도 나타난다. 말하는 소설에서는 소설의 구조는 그렇게 탄탄하지 않아도 괜찮다. 말하다가 지치면 혹 쉴 수도 있다. 쓰는 소설처럼 정치한 짜임에 의해 단락을 꼭 구분할 필요는 없다. 그러기에 이 작품은 전혀 단락 처리를 하지 않았다.

다음으로 공간성이나 시간성에 대해 구체적으로 리얼하게 처리되지 않았다는 점도 특이하다. 인간의 삶은 궁극적으로 시간과 공간 속에서 이루어진다. 그래서 소설에서는 이 두 조건이 필요하다. 현대 소설로 내려올수록 그 점은 더욱 중시하게 되었다. 그런데도 그의 소설에서 공간성과 시간성의 리얼리티가 간소하게 처리되었다. 이것은 서사성보다는 이야기성에 치우쳐 있기 때문이다. 그러한 예는 조선조 소설에서의 시간과 공간이 막연하게 처리된 것과 같다.

모든 문장은 그것이 대화이든 지문이든, 상황이나 정황에 대한 설명이든 모두 구어체적 서술로 일관되어 있다. 문어체적 서술이 아니기 때문에, 시간과 공간에 대한 구체적 상황성이 약화될 수밖에 없다. 즉 작가는 쓰는 소설이 아니라, 말하는(이야기하는) 소설을 고집하고 있다. 그러므로 사건 전개나 작중 인물이 사람됨은 이야기에 의지할 수밖에 없다. 그래서 시간성과 상황성은 극히 제한했다. 이것이 곧 **漫筆的** 서사 양식의 특징이면서, 조선조 소설의 **講談師的** 기능을 계승하고 있는 것이다.

이러한 강담사와 청중의 관계를 그대로 나타낸 작품이 「그가 말했듯이」이다. <나>와 그녀의 우연한 밀월 여행에서 <나>는 의미 없는 이야기를 그녀에게 들려준다. 그 삽화들은 서로 관련이 긴밀하지도 않다. 여행담이 그렇듯이 심심풀이로 하는 이야기들이다. 혹 농촌 풍경과 그 감상(pp.207-211)도 있고, 아무 의미도 없는 듯한 이야기도 나누면서 여행을 즐긴다. 여기에서 소설의 본질적 속성인 비 엄격성, 즉 반 이데올로기성도 엿볼 수 있다. 예를 들면 그들이 나눈 이야기라는 것 중에는 이런 것들도 있다.

> (8) "저 옛날, 메뚜기가 풍물치고 올챙이 그네 뛸 적 이야긴데…."
> "왕거미가 누에고치 틀고 – 부른 시절, 벙어리 영화나마 읍내에
> 달포 걸려 —시절—
> …되풀이하곤 했던 거였다(p.211).

그리고는 다른 이야기, 예를 들면 곡마단 이야기 같은 것이다. 그런데 그렇게 이야기하는 가운데 듣고 있던 여자 이영이가 끼어들었다. 이영이는 등장인물로 밀월 여행을 함께 가는 여자이면서 동시에 <나>의 야이기를 들어주는 청중이요 독자였다. 그래서 이야기 중에 이영이가 종종 끼어들어 (p.215) 이야기에 흥을 돋우어준다. 어떤 경우에 그녀는 허리가 잡혀 까무라칠 듯이 웃어대기도 한다. 여기에서 작가는 소설의 이야기성에 대해서, 그리고 그것이 소설의 본질임을 소설을 통해서 설명하고 있다.

「鳴川遺事」(1984년)의 화자에서도 이야기하는 소설로서의 특징이 잘 나타나 있다. 이 작품은 1인칭 화자가 '鳴川'이라는 호를 짓게 된 사연을 말하는 과정에서, 집에 살았던 충직한 종의 이야기를 독자에게 말하는 형식으로 되어 있는데, 처음부터 이야기로서 속성을 그대로 유지하고 있다. 서두에서 이 이야기가 오직 화자 <나>의 호에 대한 이야기로 일관할 것 같은데, 플롯이 전개되는 과정에서 방향이 바꾸어진 것은, 작품이 정연한 플롯에 의해 전개되었다기보다는 이야기에 더 중심을 두었기 때문이다. 틍를 짓게 된 사연을 말하다 보니까, 그 호에 얽힌 이야기를 하게 되었고, 다시 그 이야기에 얽힌 사람을 이야기하지 않을 수 없게 되는 식으로 플롯이 전개된다. 그래서 결국은 이야기에 얽힌 사람에게 더 이야기 비중을 두게 되었다.

현대소설은 이야기하는 것이 아니라 쓰는 것이고, 그러므로 철저한 구성과 언어의 선택과 서사성에 치중해야 한다. 그런데 이 문구의

작품에서는 서사성보다는 이야기성이 오히려 앞서고 있다. 이야기성에 치중하게 되면 작품은 전적으로 이야기하는 사람의 기분과 그 마음에 달려 전개되기 마련이고, 소설의 기본 틀은 그렇게 문제삼지 않아도 된다. 그러나 작가는 이야기성과 서사성을 조화롭게 만나게 함으로 소설의 재미와 그 소설로서의 양식적 특징을 흩으러지지 않게 구축해 놓고 있다. 그 문제는 플롯의 짜임과 소설의 다른 요소들과의 관계에서 확인할 수 있다.

「卞 사또의 略傳」(1982년 작)의 화자도 이야기성의 특징을 충분히 살리고 있다. 1인칭 화자가 변 사또라는 별명을 가진 노가다판에서 만난 인물의 이야기를 독자에게 전하는 양식으로 작품이 전개된다. 그런데 이 경우에, <나>도 소설의 한 인물로서, 주인공 변 사또와는 막역한 처지이다. 이렇게 해서 소설은 나와 변 사또 사이에서 일어난 사건을 중심을 전개되면서 동시에 변 사또의 인물됨을 전하고 있다. 즉 나와 변 사또의 관계가 진전됨에 따라 변 사또의 진실의 구체화되는 양식이다.

2-4. 화자와 거리감

1인칭 화자로 전개시키지 않는다 하더라고, 화자와 사건, 화자와 독자와의 거리감을 적절하게 조절함으로 이야기꾼의 기질이 그대로 드러내어 독자로 하여금 작품에 관심을 갖게 만들고 작품의 맛도 더 해주는 경우가 있다. 그 예를 「그 때는 옛날」(1971년)에서 찾을 수 있다. 이 작품 외에서도 거리감의 적절한 조절과 처리를 통해서 소설의 문학성을 드러내고 있는 예를 여러 작품에서 확인할 수 있다.

(9) 군대간 외아들 용식이가 제대하고 웃방애(며느리)도 속좀 차리면---그러고 나면 오늘 낼 사이 내려올 삼례(三禮) 하나가 남는데, 고것만 마저 임자 찾아 내놓고 나면 고대 죽어도 눈이 감길 것처럼, 더도 바램 없이 간맛는 희망을 (그녀는) 갖고 있던 것이다. (「그 때

는 옛날」, p.228).

이 예문을 읽노라면 마치 1인칭 소설처럼 느껴질 것이다. 이것은 화자와 사건과의 거리를 밀접하게 설정했기 때문이다. 이 대목뿐만 아니라, 이 작품을 통독하면서 독자는 3인칭 주인물인 '됨말댁'이가 바로 화자 자신으로 생각되고. 그 화자(됨말댁)를 따라가면서 그 삶을 추적해 나가게 된다. 마지막 결말 부문에서, 됨말댁이 세상으로부터 완전히 소외를 당하면서 자신에 대해서도 믿을 수 없는 절망적인 정황을 드러내는 상황에 오면 3인칭 화자소설임을 잊게 된다.

(10) 우선 손에 든 쌀봉지가 봉변당하는 것 같아 참을 수 없었다.
짜디짜게 쩔어 든 젓갈치못도 측은하기 그지 없었다. 그래 어철바를 몰라 한동안 부쩌지 못하던 (그녀는) 한 순간 얼핏 무넘이 동네 쪽으로 몸을 돌림과 함께 허둥지둥 걸어가기 시작했다. 느닷없이 어찌된 셈일까. 들고 있던 쌀봉지와 젓갈치마저 자기가 도둑질해온 듯한 착강이 든 것은.(「그 때는 옛날」, p.251)

이 예문을 읽으면서 중간에 (그녀는)이란 3인칭 지칭이 없었다면 1인칭으로 착각할 만큼 화자와 주인공과의 거리가 가깝다. 이러한 거리감의 단축은 독자와 주인공 즉 독자와 작품과의 거리감을 긴밀하게 만들어서, 독자는 작품에 나타난 세계의 현상을 더 쉽게 自我化할 수 있다. 즉 이러한 거리감으로 1인칭화자와 같은 효과를 얻게 된다.
이러한 거리감을 단축시켜 주는 요인으로 소설 언어가 크게 작용하고 있다. 이 문구 소설에서 토속어의 구사는 그의 문체의 독자성을 확보해 주는데, 여기에서 토속어의 사용은 이야기꾼으로서의 기능을 확대시켜 주면서, 독자와 화자의 관계를 긴밀하게 만든다. 즉 사투리와 특정 지방어의 사용은 물론 그 언어에 익숙하지 않은 사람에게는 낯설겠지만, 강담사의 이야기에 귀를 기울이는 청중들에게는 오히려 익숙한 언어가 된다. 그래서 숨어있는 화자(작가)로서의 모습보다는 철저한 이야기꾼으로서의 모습을 더해 준다는데 의미가 있다. 더구나 지문에서 적절한 토속어나 숨어 있는 말을 찾아 구사하는 경우에 그러한 의미를 돋보인다.

▲ 이문구

이제 이 문구 소설의 이야기성에 대해서 종합해 보면, 첫째 <나> 일인칭 화자로 대상을 이야기하는 방식에 치중하고 있는데, 화자의 어투와 등장인물의 어투가 일치되면서 이야기 효과를 나타내고 있다. 이러한 이야기방식은 소설이 철저하게 이야기 양식이라는 점을 확인시켜 주는 한 예가 된다. 둘째, 독자가 이야기하는 사람 앞에 앉아서 이야기를 듣는 것과 같은 이야기하는 방식을 설정하고 있는데, 이것은 조선조 강담사(講談師)와 같은 역할을 화자가 감당하고 있기 때문이다. 여기에서 이야기의 친근성을 고조된다. 이 경우에 화자와 이야기와는 아주 가까운 거리에 있을 뿐만 아니라, 이야기 주인공과 화자도 가까워지고 있다.

이 문구 소설에서는 1인칭 소설이라 할지라도 화자 <나>와 이야기 대상이 되는 인물과의 사건이 거의 평형을 이루고 있다. 인물 중심으로 소설의 구조를 생각할 경우에라도, 이들 5편의 소설에서는 주인공과 부 주인공의 구별이 명확하지 않다. 시점에 대한 전통적인 구분에서처럼 1인칭 객관과 주관도 분명하지 않다. 이것은 화자의 선택이 기법의 문제에 끝나는 것이 아니라, 주관과 객관이 교묘한 어울림으

로, 소설이 自我의 世界化이고, 반면에 世界의 自我化임을 확인시켜
주는 한 예가 된다.

그의 이야기 방식은 '나'를 이야기하면서 대상을 이야기하고, 대상
을 이야기하노라면 자연히 '나'를 이야기하게 되는, 자아와 대상을
동시에 추구하게 된다. 즉 이야기에 치우쳐 있으면서도 서사성을 소
홀하지 않았다는, 서로 다른 소설의 요소들을 조화시켜 새로운 소설
양식을 만들어내었다.

3. 이문구 소설의 서사성

이문구 소설은 그 이야기성에 치우치지 않고 서사성도 동시에 확
보하고 있다. 그가 소설을 철저하게 이야기로 만든 것은 단순한 재미
만을 위한 것이 아니라, 궁극적으로 인간과 사회의 진실을 탐구하려
는데 있다. 이 서사성은 주변적 인물을 통해서 인간과 사회의 숨겨진
진실을 드러내려는데 있다.

3-1. 주변인의 진실

그의 대표작이라는 「海壁」이나 「관촌수필」 「우리 동네-」 연작에
서 추구하는 대상도 사회의 중심부에서 벗어난 주변인들이었다. 이
번에 읽은 6편의 소설에서도, 화자 <나>가 관심의 대상은 인물 역시
그러한 인물이다. 이들 중에는 처음부터 아예 소외된 인물들이 있고,
그 상황이 변함에 따라 소외된 인물들도 있다. 그런데 후자의 경우
에, 그 소외된 인물들의 삶 자체가 문제 있는 것은 아니라, 사회가
변하였다는데 문제 있는데, 인물이 그 문제성 있는 현실을 수용하지
못함으로 소외는 심화된다.

이 경우에 인물은 우선 가족으로부터 소외된다. 「그 때는 옛날」의
주인공 됨말댁은 남편 잃고 홀로 사는 가난한 시골 과부이다. 그는

뼈빠지게 일하면서도 오직 식구 걱정이다. '지겨움에 그렇던 이 여름에도 뒴말댁은 그늘 한번 못 찾게 고된 신세였다'(p.227). 남편 잃고 위로 딸을 시집보내고 군대 간 아들 생각, 정신을 못 차리고 걸핏하면 친정으로 가버리는 며느리 걱정, 서울로 돈을 벌러 간 딸에 대한 걱정과 기대, 이렇듯이 그의 생활은 오로지 식구들 문제에 치우쳐 있다. 그렇게 어려운 처지이지만, 그는 늘 '실망 위엔 희망이 있는 법이라고 우기면서'(p.228) 지금까지 살아왔다. 그런데 차츰 그의 희망인 식구들이 그를 외면하기 시작한다. 그는 결국 집안 식구들과 사회로부터 외면당하게 된다. 이러한 상황에서 그는 자신에 대해 극심한 혼란에 빠진다. 이러한 그의 소외는 존재의 문제로 확대되고 결국에는 미아가 되는 상황에서 작품은 끝난다.

처음에 그의 혼자됨은 외아들과 친정에 가 있는 며느리를 통해서 구체화된다. 며느리의 식성이나 행동거지가 시어머니에게는 전혀 맞지 않았다. 시집의 예의 범절에 관심이 없는 새 색시의 태도도 문제였다. 시집을 오면 시집의 가풍에 따라야 하는데도 며느리는 그렇지 않았다. 며느리에게는 시어머니 존재가 하찮게 생각되었다.

그래도 이 어머니에게도 기쁨이 있다. 돈을 벌려 서울에 가 있는 딸 삼례가 꼬박꼬박 돈을 붙여왔다. 그런데 사위와 군에 가 있는 아들이 그 돈을 써 버린다(p.230). 이미 군에 가서도 돈을 쓰는 아들이나 무슨 구실을 붙여서도 돈을 긁어가려는 사위의 처사는 뒴말댁을 외롭게 만들었다. 그래도 그녀는 딸에게 기대를 갖고 살아간다.

그녀는 아들과 며느리나 사위와는 가까이 할 수 없었으나 딸 (삼례)에 대한 희망은 부풀어 있다. 그런데 그 딸이 집에 돌아왔는데, 그 형편을 보니 생각과는 달랐다. 옷차림이나 식성이나 행동 거지가 예전 딸이 아니었다. 그녀는 딸에게 맛있는 식사를 마련해 주기 위해 아껴두었던 돈으로 쌀 말이나 팔아오려고 장에 갔다. 싸전에서 쌀을 사고 그만 바쁜 김에 쌀 값을 안 주고 돌아왔다. 나중에 그 사실을 알고는 다시 싸전으로 되돌아가서 돈을 치르는데, 그 사이에 쌀을 도둑맞고 말았다.

> (11) 됨말댁은 온 종일 장바닥을 헤맸다. 혹시나 하는 막연한 심정으로 그 짓을 계속했다. 그러나 잃어버린 쌀 자루를 찾아내겠다는 심사보다도, 자기야말로 이제부터는 무엇이든지 줍든가 훔쳐야 될 입장이라 여겨진 까닭이었다. (---)세상이 공평하지 않다는 걸 그녀는 새삼스럽게 깨달았다. (---)부지런하고 절약하면 할수록 못 살고, 도둑질이나 거짓말장이라야 살게 된 세상인 것 같았다.
> '두고 봐라, 나도 인제버텀은 (----)암, 양심? 쳇! 그때가 옛날이다. 이젠 한심두 모를리라. (「그 때는 옛날」, pp.249-50).

어렵게 모은 돈으로 모처럼 딸을 위해 샀던 쌀을 도둑맞게 되었을 때 됨말댁은 비로소 이 세상이 자기 생각과는 전혀 다른 세상임을 알게 된다. 원통한 심사를 보상받기 위해 무엇으로든 벌충을 해야 분이 풀릴 것 같았다. 그녀는 독한 마음을 먹고 장터를 돌아다니면서 남의 것을 도둑질하려고 한다. 그런데 도둑질 할 것은 없고, 나중에는 그가 갖고 있는 절인 갈치와 싸전 주인에게 받은 두 되 쌀까지 남들이 도둑질 한 것처럼 생각하는 것 같았다(P.251). 이 지경에 이르자 그녀는 사회로부터 철저하게 소외된다.

됨말댁은 변하지 않았는데 세상은 변했고 가까이 있는 집안 사람들도 변했다. 그 변화는 세상을 사는 방법이, 입맛이, 옷차림이 변하는데서 확인된다. 순박한 사람들이 모여들어 물건을 사고 파는 장터도 변했다. 오직 자신만이 변하지 않았기 때문에 그녀는 소외될 수밖에 없었다. 그런데 그 소외 현상이 심화되면서 자신을 바라보는 인식 자체도 착각할 정도로 혼란스러워졌다. 여기에 됨말댁의 절망적인 정황은 심화된다. 그는 변하는 세상 따라 변하지 못하여 주변인으로서 소외될 수밖에 없는 이 사회의 한 전형적 인물이었다.

3-2. 예외적 인물의 진실

작가가 관심을 갖는 인물은 이 사회에서 소외되면서 문제성을 지닌 예외적 인물들이다. 그 문제성은 우리의 의식의 깊은 곳에 살아있는 인간의 진실과 통하기 때문이다. 그들은 현실에서는 소외되었지만, 영원히 살아 있는 인간의 진실이다. 이러한 유형의 인물로 「명천유사」의 최서방과 「변사또의 약전」의 도십장 변 판술을 들 수 있다.

「명천유사」는 화자 <나>가 호를 갖게 된 내력을 이야기하는 과정에서 집 종이었던 최 서방의 일생을 말하고 있다. 최 서방은 아버지가 없는 집안 농사일을 도맡았던 충직한 일꾼으로서 나와는 특별한 사이었다. 어머니가 안 보내겠다는 소풍을 그가 서둘러 결국 가게 되었고, 일꾼이 없는 집안 바쁜 농사일을 다 홀앗이로 삶아내었다. 그는 새참만 있으면 어려운 일이라도 만사에 탈없이 잘 해내었다. 그렇다고 무던한 사람만은 아니었다(p.91). 그는 한 평생을 오로지 자기를 죽이고 우리 집과 <나>만을 위해서 살아온 사람이다. 그는 양로원이 들어간 후에 대필로 보낸 편지에 <나>에 대한 절절한 마음이 나타나 있다. '— 앞으로 흔들리는 갈대와 같은 청춘의 마음 심중히하여 훌륭한 사람이 되기를 늙은 몸이나마 같이 협력하여 어려운 시대를 무사히 돌파하기 바라네. —' 이것이 최 서방의 진실이다.

최 서방에 대한 나의 관심는 어떠한가? 이 작품에서 실명으로 나타난 화자 <나>는 최 서방의 마음에 크게 미치지 못했음이 나타나 있다. 편지를 받고서야 그의 이름이 최 호복(鎬福)임을 알았고(p.101), 그의 진실을 비로소 깨닫게 되었다. 주인 집안의 아들과 그 집안에 대한 일념만으로 살아온 것이 그의 인생이 전부였다. 이러한 최 호복은 이 세대를 마감하는 마당에 인간의 진실의 한 면을 우리에게 보여주는 마지막 인물이었다. 그는 신분이나 이해 관계를 떠난 진실된 인간 관계의 한 모습을 제시하고 있다. 사회에서 소외된 인물이었지만 아름다운 진실을 지니고 있는 예외적인 인물이었다.

「변사또의 약전」(1982년)의 변 판술도 특이한 예외적 인물이다. 그는 작품의 작중 화자 <나>와 공사판에서 같이 지낸 도십장이었다. 그는 <나>를 특별히 배려해서 질통으로 자갈과 모래를 나르는 분임조에서 비계공의 뒵들이 노릇을 하도록 일자리를 옮겨 주었고, 그 후로부터 <나>와는 돈독한 관계를 유지되었다.

또한 그는 노동에 대한 특별한 관심을 가진 사람이었다. 그의 일생은 나이 스무 남은에 일본 건너가 타마구 끓이는 것부터 시작해서 이날 이때까지 공사판에서 살아오면서 노동도 기술로 생각하는 특별한 사람이었다.

> (12) "봐라. 자네는 그래도 배운 사람이라 생각도 있고 눈도 있으니 하는 말이다. 할 수 없어 이런 데를 나왔더라도 기왕 발 디뎠으면 삽질 하나, 호빠(괭이)질 하나라도 말 듣지 않게 해라. 남의 밑에서 휘뚜루 휘둘리지 않으려면 뭐든지 허투루 보지 말고, 선불리 나서지 말고, 맥 적게 주눅들지 말아야 한다. -----시에서 나온 기사 감독관들이 이 늙은 것 괄시하는 꼴 봐라. 책으로 배우고 그림(설계) 좀 들여다볼 줄 안다고 이 오십 년 경험자 앞에서 눈을 함부로 뜨지 않더냐?" (p.141)

그는 자신이 하는 일이 삶의 한 부분임을 확신하고 살아간다. 그러기에 그는 처한 상황에서 하고 있는 일에 최선을 다했다. 그런데 그의 토목기술은 날이 갈수록 바래어지는 것 같았다(p.141). 책으로 배운 사람들에게 괄시를 당했고, 새로운 기술 앞에 온 몸으로 터득한 기술이 쓸모 없게 되었다. 이제껏 공사판 막일로 전국을 돌아다니면서 노동판에서 살았으나, 이제는 빈털털이 신세가 되었다. 그는 결국 소외자가 될 수밖에 없었다. 돈도 여자도, 친구도 그에게서 떠났다(pp.142-3). 세상은 변하는데 그 자신은 변할 수 없었기 때문에 소외될 수밖에 없었다. 변하기 위해서는 현실적인 욕망을 갖고 요령 있게 살아야 한다. 돈과 여자와 친구도 그것을 중심으로 관계를 맺어야 한다. 그러나 그는 그렇지 않았다. 그는 변하는 것보다는 변하지 않은 것에 더 마음을 두고 살았다. 그러한 점은 <나>와의 우정에서 잘 나타난다.

변 판술 도십장은 나를 무척 생각하고 배려했다. 그는 내 짝을 찾아주려고 무진 애를 썼다. 내가 그의 뜻을 받아주지 않자, 그는 인간으로서 서운한 것을 맛보았다고(p.152) 말한다. 특수한 막노동판에서도 한 인간에게 지속적으로 관심을 갖고 것은 보통 일이 아니다. 더구나 그것이 어떤 필요에 의해서가 아니라, 순수한 인간 관계에서 시작되었다는 점에서 변 판술은 보통 사람이 아닌 예외적인 인물이다. 그는 진실을 지키려고 애를 쓰는 사람이다. 그러한 그의 진실은 공사장 노가다판이라는 배경을 통해서 더욱 특징적으로 나타난다. 공사판은 현재만 있는 곳이다. 더구나 막 일꾼들은 시간만 넘기고 일당을 받는다. 그 점은 노동판에서 일하는 사람들의 모습과 합숙소의 정황에서 잘 나타나 있다. 모두들 시간을 보내는 것으로 족하였다. 이러한 상황에서 도십장과 <나>는 유다른 인물이었다. 그러기에 두 사람 사이에는 특별한 관계가 맺어질 수 있었다.

주어진 일을 열심히 하는 <나>나, 고집과 자기 몫을 톡톡히 지니고 있으면서 한 인간에 대한 짙은 애정을 유지하고 있는 변 사또 모두 특이한 인물이다. 그런데 <나>는 그의 진실을 받아들이지 않았다는 점에서 현실적이고, 그러기에 변 판술의 소외는 심화될 수밖에 없었다. <나>는 그가 권유하는 대로 선보는 일을 받아들이지 않았기 때문이다. 이러한 상황에서, 인간사에 서운한 것이 무엇인지 말로만 들었더니 …갈 날이 얼마 안 남아 가지고, 생전 처음 오늘 느꼈다.'고 그는 <나>에게 고백한다. 그것은 <나>의 배신을 두고 세상과 자신을 알게 되었다는 데서 비롯된 것이다. 여기에서 그의 소외감이 더욱 심화된다. 작가는 이렇게 변하는 세상에 적응하지 못하는 인물들을 통해서 소외의 근원의 문제를 생각하게 했다. 그것은 변하는 것과 변하지 못하는 것 사이에서 빚어지는 관계의 파탄이다. 화자는 이러한 인물을 통해서 예외적인 인간의 진실을 파악하고 있다.

설사 그의 소외가 두드러지게 드러나지 않았다 하더라고 예전에 비해 변하지 않았다는 의미에서 「그가 말했듯이」(1972년)의 자왈 선생도 특이한 인물이다. 애인과의 밀월 여행 길에서 심심풀이 삼아 길게 늘어놓는 이야기 가운데서 자왈(子曰) 선생을 통해서 나의 과거와 현재가 서로 만나게 된다. 이렇게 만나게 해 준 것은 변하지 않는 子曰 선생 때문이다. 그 모습은 내게 충격을 주었고, 그래서 모처럼 옛 애인과의 미월 여행의 그 은밀한 정사도 다 미루고 그와 더불어 진창 마셔야 했다. 이 더불어서 술을 같이 마심은 이미 변한 <나>가 변하지 않은 子曰을 통해서 잃어버린 자아를 되돌아보는 일이었다.

子曰 선생은 과거와 현재를 넘나들며 사건의 주역이 된 <나>를 통해서 일상사에 나타나는 예외적인 사태, 전혀 예측할 수 없는 사태들의 의미를 생각하게 한다. 이 소설 인물인 <나>와 이영이, 子曰 선생과 삽화적 인물인 여러 학생들까지, 그들 앞에 나타난 사건은 모두 의외적이다. 그것은 이영이와의 예상하지 못한 밀월여행으로부터 시작해서 심심풀이로 하는 이야기가 모두 그렇다. 그런데 그러한 무책임한 심심풀이 이야기가 변하지 않는 子曰 선생을 통해서 의미성을 지니게 되었다. 이 점에서 子曰은 예외적 인물이다.

3-3. 중심 가치의 허위성과 문제 인물

「강동만필 1」과 「강동만필 2」의 작중 인물은 사회의 중심 가치를 무기로 세상을 살아가는데, 그 중심 가치 자체가 허위임을 드러내면서, 그 가치를 무기 삼아 살아가는 인물과 사회를 동시에 탐구하고 있다. 이들도 따져보면 허위의 가치를 붙들고 산다는 점에서 문제 인물이다.

잡지사 기자인 <나>가 만난 문 승관 씨나 고향 후배인 이 만엽이 그러한 인물이다. 문 승관씨는 처음부터 회화적인 인물로 처리되었다. 정치가로서의 일가견을 가진 듯한 언동에 가식적인 모습, 어울리지 않는 풍모, 지사연하는 그의 행동 등은 이미 <나>의 눈에도 그 허상은 분명하게 드러나 있다. 그런데도 그의 그러한 허풍이 이 사회를 살아가는 한 무기가 되고 있다. 그의 허상은 여러 정황에서 나타난다. 술보다는 안주를 많이 치우는 술자리에서(p.106), '조금만 더 고생합시다'하는 입에 달고 다니는 말투나, 늙음에 대비해서 운동을 하는 것은 천기를 거스르는 일이라는 (p.115) 지론이나, 때를 기다리는 정치인의 흉내를 내면서도, 현실에서 취할 것은 모두 취하며 살아가는 그 모습이 그렇다. 이렇게 애매모호한 그의 정체는 결국 캬바레에서 능숙한 춤 솜씨로 여자들과 어울려 즐기는 모습에서 그의 모습이 밝혀진다. 이 상황에서 그는 완전히 희화화된다.

「강동만필 2」의 인물 이 만업도 그와 비슷한 인물이다. 정치와는 무관한 사람인데도 문단 정치판에 끼어들어야 하는 <나>는, 이 사회를 지배하는 정치 논리를 무시할 수 없는 처지에 있다. 더구나 <나>와는 달리 이 만업은 그러한 현실을 적절하게 이용하면서 살아간다. 철저하게 정치가 지배하는 사회의 부산물을 먹고 살아가는 사람이다. 문인협회 회원이나 펜 클럽 회원이 되려는 것도 그렇고, 문단 선거에 자기 입장을 확실하게 드러내지 않는 것도 그러한 정치 상황을 적절하게 이용하기 위해서였다. 그에게 정치는 정치가 아니라 생활의 한 방편이었다. 그가 고향 사투리를 쓰는 것은 (p.127) 고향 사람들의 표를 의식해서 였고, 학생 조직의 부 책임자 직함도 여자를 유인하는 방법으로 이용했다. 그는 정치가 판을 치는 현실에서 이러한 것들을 적절하게 이용하면서 살아간다. 그러한 그의 진면목은 일당 선거운동이 된 결말에서 특징적으로 나타난다. 그러나 그러한 그의 모습은 「강동만필 1」에서처럼 독자를 약간 당혹스럽게 만든다.

이 만업이나 문 승필의 모습에서 허위적인 정치 문화가 지배하는 한국 사회의 한 단면과 그것을 미끼로 살아가는 인간의 모습을 정직하게 보여주고 있다. 모든 것이 정치 구도 안에 함몰되어 있는 한국 사회와 그렇기 때문에 그것이 어쩌면 삶의 편리한 방편일 수 있는 상황을 생각하게 한다. 문 승필이나 이 만업을 통해서 정치 문화가 왜곡되고 있는 한국 현실에서 정치를 삶의 수단으로 타락시킨 정치가들의 모습도 보여준다. 정치는 실종되고 힘과 삶을 유지하는 수단으로서 허위적인 정치만이 판을 치는 사회와 그 속에 그것을 무기로 살아가는 인간의 모습을 추구하고 있다.

이 문구 소설은 소외된 인간의 절망적 상황과 예외적인 인물의 숨겨진 진실과 허위의 가치에 함몰되어 가는 한국의 현실을 예리하게 통찰하고 있다. 이것은 이 문구 소설이 보유하고 있는 서사성의 중심이다. 그러면 이야기성에 치우쳐 있는 그의 작품이 이처럼 치열한 서사성을 함께 보유할 수 있는 비결은 무엇일까? 이 점이 이 문구 소설의 미학이다.

4. 정리 : 이야기성과 서사성

작가가 추구하는 이야기성은 소설의 재미로만 끝나지 않고, 이 사회와 인간을 탐구하는 방법적인 의미를 지니고 있다. 그러한 재미있는 이야기는 인간 소외의 문제와 예외적인 인물들의 진실을 탐색하는데 유효 적절하게 쓰여지고 있음은 물론이요, 정치문화가 왜곡되게 행사되는 한국 사회의 현상을 추구하는 서사성을 확보하고 있다. 그렇다면 이러한 이야기성과 서사성이 조화를 이루게 하는 소설의 장치는 무엇인가?

그 중에 하나는 소설 플롯 구조의 탄탄함이다. 플롯은 허구적 사건을 진실로 만드는 힘이다. 이 문구 소설의 재미가 재미로 끝나지 않고 사회와 인간의 진실의 한 부분을 탐색하는 서사적 의미를 더해

주는데 플롯이 크게 기여하고 있다. 이 문구 소설에서 플롯은 피상적으로는 매우 허술한 것처럼 보이는데, 분석해서 읽어보면, 그 무질서한 듯이 유장하게 흘러가는 이야기가 플롯의 질서 안에 탄탄하게 자리잡고 있음을 확인하게 된다.

생활의 어려움 가운데도 오직 가족에 대한 희망으로 살아가는 됨말댁은 그 기대가 차츰 무너지면서 결국에는 철저하게 소외되는데, 이 과정도 질서 정연한 플롯으로 이루어졌기 때문에, 독자는 그 불행한 여자의 이야기에서 인간과 사회의 한 전형을 보게 된다. 이 작품에서 중심 플롯은 한 여인의 기대와 그에 상응하는 좌절의 과정이다. 이 과정은 아들과 며느리 사위에서부터 시작해서, 믿었던 딸로 이어지고, 그래도 그 딸에 대한 기대 때문에 그 입맛을 맞추기 위해 쌀을 사러 갔다가 당하는 사회적 배신에서 절정에 이르게 된다. 그리고 그러한 박탈감을 보상받기 위해 남의 것을 도둑질하려던 의도가 실패하면서, 자신의 진실이 도둑맞았다는 사실에서 크라이막스에 이르고, 자신으로부터도 소외되는 결말에서 그녀의 절망적 상황이 극대화된다. 이러한 탄탄한 플롯을 통해서 변하는 사회와 그 속에서 철저하게 소외된 한 여인의 초상을 독자는 진실로 받아들이게 된다(「그 때는 옛말」).

「그가 말했듯이」에서는, 겉으로는 무질서한 이야기 같으면서도 결말에 이르면 그 많은 삽화들이 하나의 견고한 플롯을 이루는 단위 모티브로 기능하고 있음을 확인하게 된다. 이 작품은 예측할 수 없는 삽화(여행 도중에 심심풀이 이야기)의 연속으로 이루어졌다. 그 삽화들은 심심풀이로 지껄이는 서사성이 약한 하찮은 이야기들이다. 그래서 그 삽화의 이어짐도 모두 돌발적이다. 그런데 그러한 이야기들은 따져 보면 이 사회의 한 정황이고 인간의 삶을 규제하는 이야기들이다. 그 점은 퇴임한 子曰 미술 선생에 얽힌 이야기에 이르러 종합된다. 지난 날 중학생 때 추억담과 오늘 <나>가 당한 사건이 교묘하게 얽혀지면서 심심풀이로 했던 삽화로서의 여행담이 견고한 구조 속에 의미를 갖게 된다.

이러한 삽화들은 결국 독자를 배반하면서 소설의 구조를 탄탄하게 만들어주고 있다. 독자들은 이 젊은 남녀의 밀월 행각에만 관심을 갖고 심심풀이로 하는 이야기에는 관심이 없었다. 그런데 결말에서 독자의 그러한 기대가 무너진다. 독자가 관심을 가졌던 <나>와 이영의 사이에서 벌어질 야릇한 사건이 어긋나게 되었고, 子曰 선생의 출현으로 뜻밖의 사건이 나타난다. 결국 <나>와 이영이와의 하루 밤 사랑 놀음은 이루어지지 않았고, 그러면서 처음과 끝이 호응되어 탄탄한 플롯을 만들어놓았다.

이러한 역전의 결말은 「강동만필」 두 작품에서도 나타난다. 이 두 작품은 <나>가 말하려는 문 승관 씨와 이 만업의 실체를 조금씩 독자 앞에 드러내는 플롯으로 짜여져 있다. 그런데 결말에 가서 그들의 실체가 완전하게 드러나는데, 그 결말이 독자를 배반한다. 캬바레에서 만난 문 승관씨나 일당 운동원이 된 이 만업씨의 그 의외성은 그동안 독자 앞에 나타났던 그들의 모습을 총 결산한 것이지만, 그래도 독자들에게는 예외적이다. 이러한 배반을 독자들은 진실로 받아들일 수 있는 것은 탄탄한 플롯 때문이다. 그래서 사회에 대한 치열한 작가의식을 엄숙하지 않고 부담 없이 받아들이게 한다. 오히려 엄숙하지 않기 때문에 그 치열한 사회성이 오래도록 독자에게 남아 있게 된다.

「명천유사」에서 최 서방의 진실도 그 결말에서 특징적으로 나타난다. 남에게 대필해서 보낸 그 편지 내용에서 한 인간의 변하지 않은 진실이 부각되었다. 「변사또의 약전」에서 노가다판에서 일생을 살아온 변 판술의 진실도 그의 일생담 가운데 깊이 있게 용해되어 있는데, 그것은 <나>와 변 사또와의 관계가 진전되는 과정에서 드러나게 된다. 그런데 그 진실은 <나>가 그의 청을 배반함으로 더욱 분명해

진다. 이것은 일종의 역설이다. 이 두 작품 모두 그 플롯의 탄탄함으로 결말의 의외성이 특징적으로 부각되고 인물들의 진실성이 부각된다.

이 문구 소설의 특징적인 이야기성이 서사성과 자연스럽게 만날 수 있는 것은 그의 플롯의 견고함에 있다. 피상적으로 단순한 이야기처럼 생각되는 그의 소설에서 1970년대 한국 사회의 문제와 그러한 사회에서 살아가는 다양한 인물들의 모습을 탐색했다. 더구나 그의 소설이 <…傳> 양식을 취했다는 것은 그것이 이야기성에서 논의한 대로 일종의 고전적 양식의 한 계승이면서 동시에 1970년대 이후 한국 사회와 그 속에 살고 있는 사람들의 진실을 탐색하는 중요한 소설적 도구로서 의미를 갖는다고 생각한다. 여기에 그의 소설 미학의 특징이 있다. 세미

한국인과 일본인이 상대방의 문학을 읽는 것은 자국문학과 자기 자신의 깊이 점검

한·일문학의 관계론적 연구

심원섭(국학자료원, 99)
신국판 / 420면 값 20,000원

양국 문학은 각자가 갖고 있는 개성을
바탕으로 세계적 보편성으로 나아갈 수도 있겠지만,
한편으로 서로를 진지하게 읽을 수 있는 관계
역시도 갖고 있다고 생각한다.
한국인과 일본인이 상대방의 문학을 읽는다는 것은,
자국 문학은 물론 자기 자신의 영혼 속을
더 깊이 점검해 보는 길과도 통한다고 생각된다.

해방의 근대성을 향한 도약
— 김지하론

김경복

1. 연속과 단절의 문제

김지하 시를 연구하기 위해서는 우선 해결해야할 사항이 하나 있어 보인다. 그것은 그가 투옥, 출옥, 재감금을 반복하면서 6,70년대 보여주었던 저항 위주의 작품과 80년 행집행정지로 풀려나 사면복권되면서 보여주었던 생명 위주의 작품과의 관련성 문제다. 이 문제는 김지하의 시를 통시적이고 통합적인 차원에서 보려 할 땐 반드시 거쳐야 할 사항이고, 그런 경우가 아니라도 그의 시를 보다 심도 있게 살펴보기 위해서는 이러한 문맥의 변화에 대한 제 나름의 입장을 가지지 않을 수 없다. 때문에 기존의 견해에 대한 한 번 훑어봄이 필요한데, 지금까지의 논지들을 살펴보면 크게 두 가지로 나누어짐을 볼수 있다. 하나는 이 두 시기의 작품 사이에는 뚜렷한 단절, 특히 인식론적 단절이 있다는 견해다.[1] 다른 하나는 사상의 자연스러운 전화로서 연속성을 지닌다는 것이다.[2] 전자의 견해는 민중문학론적 입

부산대 강사, 저서로『풍경의 시학』과『한국 아나키즘시와 생태학적 유토피아』 등이 있고, 논문으로「한국 아나키즘시의 유토피아 의식」등이 있음.

1) 대표적인 것으로 최원식,「김지하론 - 대립과 공생」(김용직 외,『한국현대시 연구』, 민음사, 1989)과 임헌영,「선두 주자의 고독 - 김지하론」(『우리시대의 시읽기』, 공동체, 1993)을 들 수 있다.

152 특집

장에서 애정의 끈을 놓고 있지 않으나 내심 김지하의 활동의 변화에 당혹감을 감추지 못하는 경향이 있으며3), 후자의 견해는 김지하의 문학적 활동에서 생명사상이라는 종교적 생태학적 흐름을 발견하고 이를 강조해 이전보다 더 큰 방법적 전략으로 나아간 것이라고 보는 입장이다.

그러나 엄밀하게 말해서 이러한 분류는 옳지 않다. 왜냐하면 논지 중 비록 단절을 이야기한 경우라도 그 내적 연속성을 반드시 부기한 경우가 많으며, 연속을 이야기한 경우라도 현실 대응의 방법적 차이점을 분명히 인정한 경우가 많기 때문이다. 때문에 연속과 단절에 대한 규명이 김지하 시의 핵심을 파헤치는 전모가 될 수 없다. 대부분이 두 양상이 통합되는 경향을 띠면서 김지하의 시적 도정을 이야기하는 경우가 많기 때문이다. 따라서 단절이나 연속의 문제와 관련 없이 그의 일관된 문학 세계를 규명할 수 있는 잣대의 개발이 필요할 것이다. 그렇지만 그의 시를 부득이하게 시기별로 살펴보려 할 때 사상의 전화는 단계와 그 단계에 따른 비약으로 대응해 있는 만큼 이러한 연속과 단절의 인식은 작가의 각 시대적 작품을 이해하는 데에는 큰 도움이 된다. 특히 김지하가 사상적으로 6, 70년대 품었던 내용과 70년대 후반 수형 세월 6년을 보내고 난 뒤 80년대 들어 생명사상으로 변화된 모습을 보여주는 것은 그의 산문에도 나오느니 만큼 이러한 단절 혹은 연속의 인식 아래 그의 작품을 살펴보는 것은 매우 유용하다.

따라서 필자는 80년대 이후 보여지는 김지하의 생태적이고 종교적

---

2) 대표적인 것으로 성민엽, 「김지하의 문학과 사상」(『작가세계』, 통권 2호, 1989년 가을호)과 정지련, 「김지하의 생명사상에 대한 종교적 조명」(푸미오 타부치, 『김지하론 -신과 혁명의 통일』, 다산글방, 1991)을 들 수 있다.

3) 특히 80년대 민중운동권자들이 비판했던 내용을 상기하면 좋을 것이다. 김지하의 사상적 變化에 대한 못마땅한 반응의 글로 박인성, 「생명의 세계관 -김지하 사상의 문제점과 과제에 대하여」(임헌영·윤구병 외, 『김지하 -그의 문학과 사상』, 세계, 1984)를 들 수 있다.

인 생명사상과 대비하여 6,70년대 불의한 정치현실에 저항하던 민중 문학적 시작품을 이 자리에 살펴보는 것을 목적으로 한다. 거기서 나는 70년대 그가 발표한 작품이 80년대 이후 작품과는 방법이나 태도에서 원천적으로 차이남을 밝혀낼 생각이다. 이는 그가 말하고 있는 연속 속의 단절, 단절 속의 연속을 드러내는 한 방편이 되기도 할 것이다.4)

연구 대상으로서 그의 70년대 작품은 바로 60년대 말 작품의 성향과 바로 잇닿아 있다는 점을 먼저 주목하고 싶다. 특히 그가 본격적으로 작품을 시작한 시기는 1969년『시인(詩人)』지에 김현의 소개로「서울길」외 4편의 시를 발표하면서 문단에 나섰고 1970년 12월에 첫 시집『황토』를 발표한 사실, 그리고 무엇보다 60년대 후반부터 70년대 후반까지는 박정희 정권에 가열찬 투쟁을 보여주었던 동질적 시간대인 만큼 60년대 말 작품을 70년대에 포함시켜 연구하는 것이 온당하지 않나 싶다. 사실 연구의 대상을 70년대라는 시간 단위로 나눌 것이 아니라 그가 세계에 응전하는 방법과 세계관의 변별성 여부로 나눈다면 60년대 말 작품과 그가 6년간의 긴 투옥에 들어가기 전 70년대 초반까지 발표한 작품은 같은 계열이다. 따라서 시집『황토』에 실린 작품과 70년대에 발표된『五賊』을 비롯한 담시, 그리고 70년대 씌어진 것을 82년에 비로소 묶어낸『타는 목마름으로』의 시를 연구대상으로 한다.

2. 대립적 세계의 설정과 저항주체

김지하가 살았던 6,70년대는 한반도에 가장 근대화의 추진이 왕성했고 그 결과 그것의 모순이 또한 가장 격렬하게 돌출되던 시기이기

---

4) 김지하가 "수순(手順)에도 단(斷)은 필요한 것"이라고 말할 때 이것을 가리킨다. 김성동,「광대 또는 보살 ―지하 선지식과의 만남」(『실천문학』3호, 1982), p.43

도 했다. 근대화는 혼란과 궁핍의 50년대를 거친 당시 사람들에게 절대적 과제였다. 따라서 박정희는 4·19에서 나타난 민중의 역사적 힘을 5·16 군사 쿠데타를 통해 근대화라는 절대적 지상명제를 추구한다는 명분 아래 가두어 버린다. 이것은 일부 군부 세력의 정치적 욕망을 은폐하기 위해 근대화라는 명제로 민중을 강박한 꼴이다.

이러한 정치적 억압이 없더라도 근대화는 전통사회의 해체를 기본으로 함에 따라 여러 구조변화와 아울러 사회적 문제를 발생시킨다. 그 중에서 전통적 질서를 무너뜨리고 새로운 도덕적 질서가 포괄된 이데올로기의 결과로서 존재하여야 한다고 믿고 있는 지배자로부터의 소외감은 가장 큰 문제다.[5] 여기서 근대화의 과정에 따르는 소외된 계층의 저항은 필연적이다. 이러한 저항의 주제는 주로 근대화에 부수된 전문화되고 분화된 틀과 여기에 포함된 복잡한 분업의 조건 하에서 인간적, 문화적 창조력, 인간의 존엄성과 진실하고 순수한 인간적 상호관계를 완전히 표현하는 상태에 도달할 수 있는 가능성에 관한 것이 중심이 된다.[6] 김지하가 개발독재를 자행하던 박정권에 대해 저항하는 것도 사실은 바로 이러한 근대화의 역작용에 기반해 있다. 그가 현실 정치의 물리적 폭압에 저항해 보이는 것이 우선인 듯 하지만 무엇보다 근대화가 가져오는 비인간화의 참상을 고발하고 깨우치는 데에 그 본질적 목적이 있음은 분명하다.

> 간다
> 울지 마라 간다
> 흰 고개 검은 고개 목마른 고개 넘어
> 팍팍한 서울길
> 몸 팔러 간다
>
> ─「서울길」 부분

---

5) S.N.Eisenstadt(여정동·김진균 공역), 『근대화 ─저항과 변동』(탐구당, 1981), p.26

6) 같은 책, p.36

이 시는 첫 시집 『황토』에 실려있는 것으로서 바로 박정희 군사 정권이 들어서면서 근대화되는 현실의 비참을 형상화하기 위한 것이다. 그러나 그것보다 이 시는 자본주의의 발달에 대응된 물신화된 삶의 슬픔을 더 형상화하고 있다. '서울'로 대변되는 물신화의 현장[7], 거기에 '몸 팔러' 가는 물화된 존재, 이러한 인식은 근대화라는 역사적 조건에 대응한 시적 화자의 역사적 의식을 보여주는 것이다. 그것은 흔히 산업화, 도시화로 인하여 발생하는 사회적 문제를 들추어내는 것을 말한다. 특히 당시 산업 중시로 말미암아 농업의 홀대와 이에 따른 이농현실을 가리켜 60년대 후반에서 70년대에 걸친 경제개발계획의 일방성, 즉 독재적 성격을 폭로하고자 한다. 근대화로 농민들은 자신의 터전을 잃고 도시 하층민 내지 소외 계층으로 전락하는 현실의 부당함을 말하고자 하는 것이다. 이러한 정서적 상관물은 같이 70년대 초에 나온 신경림의 「농무」에서도 잘 나타나고 있다. 결국 김지하의 이 시는 자본주의가 전면화 되어 가는 현실에서 소중한 것을 잃고 뿌리뽑힌 존재로 살 수밖에 없는 현실의 상황과 거기에 저항하는 의식적 자아를 그리고 있다. 즉 물신화에 의해 상품화되는 인간 존재의 비애와 모순 인식이 들어있다는 말이다.

---

7) '서울'이 가지는 이러한 물신적 폭력과 반인간적 성격에 대해 김지하는 자주 읊고 있는데 다음과 같은 시가 대표적일 것이다.

칼이 서는 곳
칼자루 보이지 않는 안개 서린 곳
밤새워 흘린 핏자욱
마저 보이지 않는
대낮에도 시퍼렇게 칼이 서는 곳
휘저어도 휘저어도
잡히지 않는 곳
발붙일 수 없는 알 수 없는 떠날 수조차 없는
한번 묻혀 다시는 헤칠 길마저 없는
늪이여 저주의 도시
— 「서울」 부분

이러한 근대화는 곧 막스 베버식으로 말해 수단과 절차의 계산 가능성을 중시하는 형식적 합리성이 우세하게 되어 이제 인간의 가치를 추구하는 실질적 합리성이 퇴조하게 되는 현상을 가리킨다. 근대 사회에서 형식적 합리성과 평등, 박애와 같은 실질적 합리성 간의 반목이야말로 모든 사회문제의 근원이었다.[8] 6,70년대라는 당시 한국 상황에서 박정희 정권은 근대가 가지는 이러한 한계점을 외면하고 그것을 오히려 강화한다. 수단과 절차를 중시하여 인간의 자유와 평등의 실질적 가치를 억압한다. 결국 인간의 자유와 해방의 기획이던 근대성이 자본주의적 근대화의 성마른 추진으로 제한된다.

김지하는 바로 이 변질된 근대성에 대해 반발하는 것이다. 그의 시는 처음부터 왜곡된 근대성에 대립하는 지향을 보인다.[9] 이는 타락한 자본의 현실과 거기에 기생하고 있는 정치 현실을 비판하는 것으로 나타난다. 그리고 그러한 현실에 구속되어 있는 민중 자신의 비참한 현실을 그리는 데서도 확인된다.

> 노동 속에서 기어나오는
> 뱀을 보아라
> …<중략>…
> 기계에 감겨
> 숨져가는 나의 육신이 육신의 저 밑바닥까지
> 기계에 감겨
> 회전하며 울부짖으며 기계가 되어가는 지옥의
> 저 밑바닥에서
> 보아라
> 나의 눈에 보이는 피투성이의
> 내 죽음과 죽음 위에 피어난 흰 나리꽃
> ― 「지옥·3」 부분

8) 선우현, 「근대성에 대한 반성적 통찰」(장춘익 외, 『하버마스의 사상』, 나남, 1996), pp.382-383
9) 구모룡, 「근대성을 넘어서―김지하의 시세계」(『신생의 문학』, 전망, 1994), p.129

金烏也란 놈이 노래한다
『投資 投資 投資 投資
日本은 어머니, 韓國은 아들
어머니가 젖주듯이 投資 좀 하소
합자도 오케이, 단독도 땡큐
出血輸出 赤字收支 饑餓貿易 下請自營 좋다 좋다 모두 좋다
技術料도 勞賃도 우리가 몽땅 내고
原料와 決定權은 당신네가 왕창 갖고
마름도 좋고 머슴도 좋다
會社門만 제발 닫히지만 않는다면
나 혼자만 日本 덕에 부스럭돈 벌게 되면
오오 센세이! 위대한 국민이여!
投資 投資 投資 投資!』

　　　　　　　　　　　　　　　— 「똥바다」 부분

　이 두 편의 시는 민중적 입장에서 근대를 바라보는 것과 지배자의
입장에서 근대를 바라보는 편차를 잘 드러내 주고 있다. 「지옥·3」은
열악한 노동 현장에서 죽어가는 인간 존재의 영혼을 담고 있다. 이것
은 자본주의적 삶의 방식이 물화됨으로써 생명력을 상실함을 말한다.
그것은 곧 생명이나 인간으로서 지녀야 할 천부적 권리에 대한 고려
없이 물질과 자본의 확대 재생산에만 치중하는 편협한 경제개발 정
책의 실상과 모순을 고발하고 있는 것이다. 즉 일부 지배계층이 자신
의 욕망을 위해 대다수 민중들을 노동의 현장으로 부당하게 내모는
것을 말한다. 이것을 「똥바다」가 확연히 보여준다. "나 혼자만 日本
덕에 부스럭돈 벌게" 된다면 기득권 세력은 어떠한 반이성적인 일도
자행할 셈이다. 근대의 타락이다. 그것은 모순과 비리의 현실이 아닐
수 없다. 특히 일본의 독점자본주의에 예속되면서 한국 민중들의 희
생을 전제로 한 이러한 자본의 확대 재생산은 확실히 전면적 '악'이
다.

　이러한 근대화는 지배자가 자신의 이익이나 욕망을 보존하기 위한

도구적 합리성 위에서 전개되는 만큼 전면적이고도 악랄한 것이다. 즉 착취와 수탈이 합리화라는 정당성을 띠고 자행되는 만큼 더욱 그 억압의 정도는 자심하다. 이렇게 수단과 절차로 타락한 근대성을 우리는 기술적 근대성 또는 부정적 근대성이라 부른다. 역사의 진보를 믿는, 그리고 이것을 실천해 가는 새로운 역사의 주체에게 이러한 부정적 근대성은 극복돼야 할 과제로 주어진다. 따라서 이매뉴얼 월러스틴의 말을 빌어 자본주의의 '기술적 근대성'에 맞선 '해방의 근대성'이 다시금 요청된다. 원래 근대는 봉건주의적 예속을 벗어나기 위해 자유와 평등을 이념으로 하고 경제적 측면에서 자본주의를 도입했다. 따라서 자본주의는 그 밑바탕에 자유민주주의를 전제하고 있는 것이다. 그런데 자본주의의 심화와 더불어 마르크스가 예견하듯 내적 모순으로 말미암아 대다수 민중10)은 억압된다. 따라서 '해방의 근대성'이 도구적 이성으로 발현돼 자본주의의 모순인 '나' 중심적인 담론을 생산한 '기술적 근대성'에 저항해 모든 억압과 차별을 극복한 진정한 자유, 평등, 우애의 민주주의를 실현하려는 지향을 의미한다11) 할 때 이러한 해방의 근대성을 역사의 주체들은 소환하지 않을 수 없는 것이다.

이 점에서 김지하의 70년대 시를 결정하는 요소는 바로 이러한 부정적 근대성과 긍정적 근대성, 즉 기술적 근대성과 해방의 근대성의 대립과 거기에 근대적 물신화에 저항하는 역사적 주체의 등장이다.

무엇이 조금씩 조금씩
무너져가고 있느냐

…<중략>…

---

10) 여기서는 프롤레타리아라는 개념과 일치해도 좋겠다. 그러나 김지하의 시 전편을 두고 볼 때 김지하의 민중 개념은 프롤레타리아가 아니다. 그것은 억압받는 사람 일체를 가리킨다. 그 점에서 피지배자의 개념에 가깝다.
11) 이매뉴얼 월러스틴(강문구 역), 『자유주의 이후』(당대, 1996), 제7장 참조.

그것은
늙은 산맥이 찢어지는 소리
그것은 허물어진 옛 성터에
미친 듯이 타오르는 붉은 산딸기와
꽃들의 웨침 소리
그것은 그리고
시드는 힘과 새로 피어오르는 모든 힘의
기인 싸움을 알리는 쇠나팔 소리

— 「들녘」 부분

황톳길에 선연한
핏자욱 핏자욱 따라
나는 간다 애비야
네가 죽었고
지금은 검고 해만 타는 곳
두 손엔 철삿줄
뜨거운 해가
땀과 눈물과 모밀밭을 태우는
총부리 칼날 아래 더위 속으로
나는 간다 애비야
네가 죽은 곳
부줏머리 갯가에 숭어가 뛸 때
가마니 속에 네가 죽은 곳

— 「황톳길」 부분

 이 두 시는 대립되는 세계의 정체와 그 정체 속에서 무엇에 대해
저항해야 하는 지를 환기하고 있다. 그리고 그러한 모순적 현실을 누
가 헤쳐나가야 할지를 제시하고 있다. 먼저 그의 시적 전망을 암시하
는 「들녘」은 바로 부정적 근대성과 해방의 근대성의 싸움을 알리는
서곡이다. "시드는 힘과 새로 피어오르는 모든 힘의/기인 싸움을 알
리는 쇠나팔 소리"는 몰락하는, 아니 부정되어야할 대상과 새로운 질
적 가치로 받아들여할 미래지향적 내용의 대립적 상징이다. 이는 바

▲ 김지하

로 저항의식과 투쟁정신이 마침내 대립의 세계관 또는 변혁의 세계관으로 나타남을 가리킨다.[12] 즉 혁명정신의 구체적 표현이다. 이러한 대립적 세계관은 80년대 이후 대상과 유기성, 전체성을 강조하는 생명적 태도와 근본적으로 다르다는 점에서 그의 6,70년대 문학으로서 본질적 특성이 있다.

그러나 현실적 적은 너무 거대하고 완강한 것, 민중의 실체는 무수히 패배하기 마련이다. 그의 시에서 보이는 한과 분노는 이러한 현상에 서 있다. 그것이 두 번째의 시 「황토」를 통해 표현되고 있다. 이 시를 통해 우리는 세 가지를 생각해 볼 수 있다. 첫째, 고난의 역사는 언제나 반복된다는 인식이다. 바로 이 점에서 김지하의 시적 힘, 즉 혁명의 동력으로서 한(恨)을 생각해볼 수 있다. 그의 시가 혁명적 저항정신을 가지게 되는 것은 바로 이러한 고난, 즉 한(恨)의 축적에 따른 내적 폭발의 계기에 따른 것이다. 위 시에서 아버지가 죽고 나 역시 '철삿줄'에 묶여 가는 참혹한 현실 상황의 제시는 민중으로서 가지는 한의 지속과 누적을 보여준다. 그가 다른 시에서 계속 "아아 누군가 그 밤에 호롱불을 밝히고/참혹한 옛 싸움에 몸바친 아버지/빛 바랜 사진 앞에 숨죽여 울다/박차고 일어섰다/입을 다물고/마지막 우럴은 비녀산 밤봉우

---

12) 김재홍, 「반역의 정신과 인간해방의 사상」(『작가세계』 통권 2호, 1989년 가을호), p.108

리/부르는 노래는 통곡이었네 떠나갔네"(「비녀산」)라고 노래하거나 "눈 쌓인 산을 보면/피가 끓는다/푸른 저 대숲을 보면/노여움이 불붙 는다/저 대 밑에/저 산 밑에/지금도 흐를 붉은 피"(「지리산」)라고 노래할 때, 그것은 바로 억압과 비참으로서 한의 역사적 맥락을 조건지 워준다. 그에게 한은 민족적 역사의 전개에서 외침, 수탈, 착취, 전쟁, 분단 등 해소되지 않는 절대적 억압에 따라 내적 분노로 점차 응결 되는 것을 가리킨다. 그것은 일정 기간 응집되면 질적 전화를 통해 모순된 현실 위로 터져나올 것이다. 김지하는 이러한 한의 내적 폭발 에 대해 믿음을 갖고 있다. 그리고 김지하가 역사적으로 조상의 한의 지속을 강조하는 것은 증오와 희생정신이 해방된 손자들의 이상에 의해서가 아니라 짓밟히고 억눌린 선조들의 이미지에 의해 자라고 북돋아지는 것[13]을 알기 때문이다.

> 恨은 쌓이고
> 恨은 엉키네
> 恨은 굳게 뭉치고
> 恨은 이글이글 타오르는 노여움이 되어
> 부릅뜬 눈동자가 되어, 핏발선 눈동자가 되어
> 모아 쥔 주먹이 되어, 부글부글 끓어오르는 웨침이 되어
> 폭풍이 되어, 파도가 되어, 산맥의 산맥의 통곡이 되어
> 드디어 恨은 뒤집혀
> 치열한 숯불이 되어
> 활활활 타오르는 불길이 되어
> 恨이 恨과 모여 나무와 나무가 부딪쳐 불길이 되어
> 나무 천지 여기 저기 연기와 화염에 휩싸이니
> ― 「五行」 부분

　이 시는 불의한 폭군의 압제에 대항하여 일어서는 민중의 한의 폭 발을 형상화한 것이다. 김지하는 이 시에서 민중의 자발적 혁명의 분

---

13) 발터 벤야민(반성완 역), 발터 벤야민의 문예이론(민음사, 1983), p.352

출을 신뢰하고 있다. 그 점에서 그의 시는 혁명의 계기를 조직해내는 한의 내적 축적을 문학적 임무로 삼는다.14) 현실에서 패배하는 민중의 모습을 담아냄으로써 한의 역사적 폭발력을 고양시키는 것이다. 특히 "남은 것은 지는 것/남은 마지막 단 한 번은 칼날 위에/아아 칼날 위에/꽃처럼 붉게 붉게 떨어지는 것/이기기 위해/죽어 너를 끝끝내 이기기 위해/죽어/피로써 네 칼날을 녹슬도록 하기 위해."(「서울」)라고 말할 때 이는 문학의 실천적 의미를 강조한 것이다. 이 점에서 그의 시는 민중예술이 된다. 즉 그의 말대로 이것은 물신의 폭력에 저항하는 하나의 정당방어로서 폭력, 시적 폭력이 되는 것이다.

> 비애야말로 패배한 시인을 자살에로 떨어뜨리듯이 그렇게 또한 시적 폭력에로 그를 떠밀어 올리는 강력한 背力이며, 공고한 저력이다. 비애에 의거하여, 한의 탄탄한 도약대의 그 미는 힘에 의거하여 드디어 시인은 시적 폭력을 물신의 폭력에 항거한다. 가장 치열한 비애가 가장 치열한 폭력을 유도하는 것이다.15)

민중문학이 한의 축적에 따라 물신의 폭력에 시적 폭력을 행사하는 것은 너무나 당연한 일이다. 풍자로 지배층의 허위의식과 부패를 공격하는 것은 민중의 분노와 한을 터뜨리는 것이다. 이는 지배계층에 대한 저항의식의 가장 격렬한 방법이다. 그런 점에서 그에게 문학은 무기가 되는 것이다. 따라서 김지하는 지배계층을 효과적으로 비판하고, 이 비판의 내용을 당대의 민중들에게 또 효과적으로 전달할 수 있는 방법을 찾는다. 거기서 그는 판소리를 비롯한 전통 민속극의

---

14) 이는 일정 부분 김지하의 시가 공식화의 길을 걷지 않으면 안 되었다는 사실을 말해준다. 특히 지배층의 부패와 비리를 까발기는 부분에서 문학은 하나의 관념을 전달하는 도구, 즉 '무기'로 떨어지는 경향이 있다. 김재홍이 「반역의 정신과 인간해방 사상」에서 「五行」과 「똥바다」를 '전략전술 또는 무기의 시'라 부른 경우가 이런 해석이다.
15) 김지하, 「풍자냐 자살이냐」(성민엽 편, 『민중문학론』, 문학과지성사, 1984), pp.18-19

풍자적 문체를 빌어와 당대의 지배층을 공격하는 민중적 형식을 발견한다.[16] 그러므로 그는 풍자문학으로서 전통 판소리 형식의 계승을 통해 바로 이 시대의 민중적 이념과 양식에 합당한 민중문학의 형식을 창출하는 것이다.[17]

둘째, 고난의 현실로 제시되는 폭압적 상황으로 '뜨거운 해'가 등장한다는 점이다. 일제 식민지 상황이나 5,60년대 시인들이 폭압적 상황으로 제시하는 '밤'에서 '타는 낮'으로의 인식의 변화는 바로 역사의 발전에 상응한 현실인식을 전제로 한다. 즉 '뜨거운 해로 빚어지는 타는 낮'의 억압적 현실은 부정적 근대가 주는 폭력을 상징하는 것이다. 근대는 이성과 합리로 그 긍정적 기획을 추구했으나 자본주의의 심화에 따른 변질로 이성과 합리성이 도구적 성격과 형식적 관계로 타락하기에 이른다. 이 시에 보이는 타는 세상은 합리와 전진이라는 명목으로 인간의 자유와 평등, 즉 생명을 억압하는 왜곡된 근대성의 형상을 보여준다.

이러한 낮과 해의 이미지는 곧잘 '흰빛'으로 나타난다. 그의 시에서 흰색은 억압적이다.[18]

> 굽 높은 발자욱 소리 밤새워
> 천정 위를 거니는 곳

---

16) 김지하의 시와 판소리 간의 상관관계에 대해서는 고현철, 『현대시의 패러디와 장르이론』(태학사, 1997)의 「판소리시의 담론 양상」을 참조할 것. 그에 따르면 김지하의 패러디 판소리시는 원래 판소리가 갖고 있는 반동일화 담론을 계승하면서 그 형식도 직접적 계승하여 '변용관계'에 놓인다고 본다. 반동일화 담론은 폐쇄의 이론으로서 주체가 대타자의 담론에 반대하는 것을 말한다.

17) 김지하, 「민중문학의 형식문제」(김병걸·채광석 편, 『민족, 민중 그리고 문학』, 지양사, 1985) 참조

18) 이승훈, 「흰 빛과 붉은 빛의 이미지」(『작가세계』 통권 2호, 1989년 가을호), p.154. 그러나 이승훈은 이 글에서 흰빛이 가지는 본질적 속성에 대해서는 말하지 않고 있다. 즉 도구적 이성으로서 근대가 인간에게 가하는 폭력이라는 의미를 발견하지 못하고 있다.

보이지 않는 얼굴들 손들 몸짓들
소리쳐 웃어대는 저 방
저 하얀 방 저 밑모를 어지러움
　　　　　　　　　　　　— 「不歸」 부분

'하얀 방'이 주는 공포는 기존 시들이 부여하는 공포와 다르다. 그
것은 기득권을 유지하고자 하는 압제자들의 압제 방식의 교활함에
대한 반응을 뜻한다. 즉 근대는 이성의 장막으로 합리화된 폭력을 행
사한다. '대명천지'에 법, 제도, 질서 등의 합리화된 체계를 가지고
인간을 탄압한다. 형식적 합리성의 우세화로 실질적 가치가 주눅드
는 것을 말한다. 그것은 자신의 이데올로기를 지키기 위한 도구적 이
성의 활약을 말해주며 이러한 이성에 의한 생명의 탄압을 '하얀 방'
이라 부를 수 있다. 이는 1986년에 발간된 시집 『검은 산 하얀 방』의
「백방」 시 연작에서도 잘 나타나고 있다. 거기서 그는 생명의 참혹한
실상을 '하얀 방'이라는 이미지로 표현하고 있다.

따라서 공포와 폭력의 대상으로 표현되는 현상에 낮과 흰빛의 설
정은 기존 공포의 대상과 차별되면서 근대가 갖는 합리화된 폭력의
잔혹함을 특징적으로 살려내는 이미지가 되고 있다. 이것은 역사적
조건을 김지하가 그 나름의 이미지로 담아낸 것으로 평가할 수 있다.

셋째, 이 시 속의 시적 주체는 바로 이러한 부정적 근대성에 대해
대립적 성격으로 마주하고 있다는 점이다. 부정적 근대성으로 상징
되는 '총부리 칼날'에 대해 적극적 저항의지를 갖고 맞서고 있다. 이
시 전체가 비록 그 맞섬에서 '두 손엔 철삿줄'로 나타나듯이 패배하
고 있지만 '적'의 실체와 그 적에 대한 격렬한 적의로 불타는 투쟁의
지를 형상화하고 있다. 이는 불의와 모순을 해결하기 위한 해방의 근
대적 주체 인식이다. 즉 새로운 역사를 전개해 나간다 할 때 역사적
인식의 주체는 투쟁하는 피지배계급 자신임을 보여준다.[19] 그 점에

---

19) 발터 벤야민, 앞의 책, p.351

서 김지하의 70년대 시는 부정적 근대성을 극복하고 긍정적 근대성, 즉 해방의 근대성을 달성하기 위한 역사적 주체의 전진의 도정이라 말할 수 있다.[20] 이 또한 세계와의 화해와 순환을 강조하는 80년대 생태적 주체와 다른 저항적 주체로서 특징적이라 할 것이다.

> 저 봐라 봐라
> 막고 막고 또 막고 막아 철통
> 함구령이드니
> 열리는 천지사방의 주둥이들 봐라
> 콸콸콸 쏟아져 나오는 미어터져 솟구쳐 나오는
> 염병 십년 만의
> 저 아우성 소릴 들어봐라
>
> 온갖 벽에 온갖 쇠사슬 위에
> 온갖 비겁한 자의 망설임을 넘어
> 외친다 막으면 막으면 막을수록
> 커지는 소리 칼 내두르면
> 더 나는 소리 아우성 소리
> 싯돌에 싯돌에 싯돌에
> 식칼 가는 소리 이 가는 소리
> ─「1971년 4월 한국」 부분

이 시가 보여주는 내용은 억압이 심하면 심할수록 그것을 뚫고 나오는 민중의 결의가 높다는 것을 말한다. 부정하고 불의한 세력에 대해 힘의 봉기를 통한 해방의 세계 건설을 이 시는 지향하고 있다. 그

---

20) 이는 특히 김지하가 LOTUS상 수상 연설문에서 "아시아, 아프리카, 라틴 아메리카 전체 민중은 유럽인들의 강요한 수세기에 걸친 비참과 죽음의 암흑 한 복판에서 비참과 죽음의 암흑 그 자체를 그대로 뒤집어 유럽인까지도 포함한 전인류와 전생명계에 찬란한 부활을 가져다 줄 <u>세계사적인 대전환을 향해 전진하고 있습니다</u>"(밑줄—필자)에서 보듯 역사를 직선적 시간 속의 전진으로 보는 것이 그러하다. 직선적 시간의 인식은 근대적 시간관이며, 이 직선적 시간 위의 전진 끝에 유토피아가 달성되리라 보는 것도 근대적 인식이다.

점에서 김지하의 이러한 새로운 역사주체의 등장을 통한 해방의 세계 건설은 일정 부분 유토피아 의식을 반영하고 있다. 유토피아를 진보를 향해 직선적인 방향으로 나아가는 미래지향적인 움직임이며, 합리적인 수단을 통해 인간에 의해서 이 세상에서 구축될 수 있는 인간의 작품이라는 것21)으로 정의한다면 김지하의 피지배계급으로서 역사주체 인식과 그들이 건설하고자 하는 해방 세계의 이미지는 인간이 꿈꾸는 이상사회로서 유토피아 상(像)인 것이다. 그것도 근대 기획의 완성으로서 유토피아 세계인 것이다.

3. 유토피아 상(像)의 선취와 생명적 가치로의 접근

유토피아는 보통 인류의 가장 깊은 갈망과 가장 고귀한 꿈, 그리고 가장 높은 포부가 성취되는 상상의 사회로서, 인간이 필요하고 바람직하다고 깨달은 모든 것을 달성하기 위해 모든 물리적·사회적·정신적 힘들이 함께 조화를 이루어 나가는 사회를 말한다.22) 유토피아는 부정적인 뜻으로는 '그 어디에도 없는 곳'을 가리켜 비현실적이고 실현 불가능하다는 의미를 함축하고 있지만, 긍정적인 뜻으로는 인간의 가장 고귀한 꿈이 실현되는, 그리고 인간의 행복을 방해하는 모든 것이 제거되어 욕망과 그 성취 사이에 그 어떤 긴장과 대립도 존재하지 않는 '이상적인 곳'을 가리킨다. 그 점에서 유토피아의 긍정적인 면을 역사 현실에 대입시켜 논할 때는 생산적인 의미를 갖는다. 그것은 이상사회를 표상하는 까닭에 당위의 세계이며 현실에 대한 제도적 비판과 개혁을 위한 제안의 성격을 띤다는 점에서 규범적 세계로 이해되기 때문이다.23)

칼 만하임에게 유토피아는 행동의 단계로 이행하면서부터 기존의

21) 임철규, 『왜 유토피아인가』(민음사, 1994), p.19
22) 로자벳 캔터(김윤 역), 『공동체란 무엇인가』(심설당, 1983), p.10
23) 임철규, 앞의 책, pp.11-30

질서를 부분적으로나 혹은 전적으로 파괴해 버리는 '현실초월적' 방향설정을 뜻한다.[24] 즉 유토피아에는 어떤 종류의 변혁작용이 있는 셈이 된다. 그가 말하고자 하는 유토피아는 결국 역사적 진보를 추구하는 사상 일체를 가리키는 것으로서 말이다. 그가 "유토피아적 의식의 경우에는 자기가 생각하는 방향으로 역작용을 가함으로써 기존의 역사적 존재로서의 현실성에 변화를 가져올 만한 능력을 실제로 갖고 있다."[25]라고 말할 때, 이는 미래지향적 사상의 가치와 역할을 규정해놓고 있는 것과 같은 것이다.

유토피아 사상가의 한 사람인 마르틴 부버도 유토피아를 인류 정신사에서 인류공동체를 통해서만 실현되는 올바름에의 갈망이라고 전제한 뒤 자각적 인간의 의지 외의 어떤 다른 요인들도 존재하지 않는 것으로 생각되는 사회상[26]이라고 정의하고 있다. 에른스트 블로흐도 유토피아 사회상은 한편으로는 어떤 가능한 인간의 행복을 묘사하고 있을 뿐 아니라, 다른 한편으로는 자연법 사상으로 설계된 어떤 가능한 인간의 품위를 반영하고 있다[27]라고 말하고 있다. 이로 볼 때 유토피아는 우리 인간의 의지에 의해 실현될 수 있는 이상적 사회상에 대한 제안이라고 볼 수 있다. 그 점에서 유토피아 사상은 비현실적인 것이 아니라는 점이다. 왜냐하면 그것은 유토피아적 의식이 당 시대의 사회상과 최소한 부정적으로 관련을 맺고 있기 때문이다. 즉 유토피아는 만약 인간이 비참하고 비인간적인 상황에 처해 있을 때 '실제 주어져 있는 것'을 반박하고 수정한다.[28] 유토피아 사상가는 현실에 대한 분석과 비판을 통해 특정한 사회와 국가에 대한 구체적 상(像)을 제시해 준다.[29] 그 점에서 유토피아는 현실주의적

---

24) 칼 만하임(임석진 역), 『이데올로기와 유토피아』(청아출판사, 1991), p.263
25) 같은 책, p.267
26) 마르틴 부버(남정길 역), 『유토피아 사회주의』(현대사상사, 1993), pp.38-40
27) 에른스트 블로흐(박설호 역), 『희망의 원리』(솔, 1993), p.318
28) 같은 책, pp.322-323
29) 김영한, 『르네상스의 유토피아 思想』(탐구당, 1988), p.15

성격을 띠고 있다.[30]

김지하가 해방의 근대성을 추구하고자 하는 것은 바로 이러한 이상적인 사회를 간절히 원하고 있었음을 말해준다. 즉 민주주의 달성에 대한 간절한 열망에서 시작되는 것이다. 그 점에서 민주주의를 갈망하는 「타는 목마름으로」는 70년대 당시 우리 민족이 꿈꾸는 유토피아적 의식의 전형적 내용을 담고 있다는 점에서 문제작이다.

> 신새벽 뒷골목에
> 네 이름을 쓴다 민주주의여
> 내 머리는 너를 잊은 지 오래
> 내 발길은 너를 잊은 지 너무도 너무도 오래
> 오직 한 가닥 있어
> 타는 가슴 속 목마름의 기억이
> 네 이름을 남몰래 쓴다 민주주의여
>   ─「타는 목마름으로」 부분

민주주의에 대한 목마른 갈증은 바로 이 현실의 모순과 비참을 반증적으로 형상화해 보여주고 있으면서 민주주의라는 유토피아에 대한 환기를 끝없이 하고 있다. 이 시에서 민주주의는 당시의 독재 상황을 환기시키며 인간의 지향점을 알게 한다. 그 점에서 유토피아 의식은 바로 현실의 결핍에서 발생하면서 미래로 전화돼 가는 진보적 의식임을 알 수 있다.

그런데 김지하에게 이러한 민주주의라는 유토피아 의식을 환기시키는 것은 '목마름의 기억'이다. 기억은 그에게 간절한 세계를 불러일으키는 동력이자 그 자체가 되고 있다. 그 점에서 기억은 유토피아적 충동을 일으키는 매개물이다. 제임슨은 이것을 다음과 같이 말하고 있다.

---

30) 마르틴 부버, 앞의 책, p.40

유토피아적 사유의 근원으로서 안과 밖, 심리적인 것과 정치적인 것 사이에서 근본적인 매개자 역할을 하는 것은 바로 기억인 것이다. 비록 개인의 마음에 남아있는 그 선사시대의 낙원에 대한 흐릿하고 무의식적인 종류의 기억이라 할지라도, 아무튼 기억이 심원한 정신요법적, 인식론적 내지 정치적 역할까지도 수행해 낼 수 있는 것은, 바로 우리가 생의 출발에서 충만한 심적 충족을 경험한 바 있기 때문이며, 어떤 억압도 아직 생겨나지 않았던 때, 즉 쉴러의 자연에서처럼 그후의 보다 세련된 의식의 정교한 분화가 일어나지 않았던 때라든가 아직 주관이 객관에서 분리되지도 않았던 때도 경험한 바 있기 때문이다.[31]

여기서 말하는 기억은 현실의 결핍을 구체화시켜주고 인간에게 보다 근본적인 상태가 어떠해야함을 환기시켜주는 것이라 하겠다. 그 점에서 기억은 과거의 어떤 '충만한 심적 충족의 경험'과 관련된다. 그것은 현재의 결핍이나 모순에 대해 그것의 극복 가능성으로서 과거의 충만성이 작용한다는 의미다.

그 점에서 김지하에게 근대화의 모순된 현실로서 도시와 결별하고 대지의 삶을 추구하는 것은 의미심장하다. 그에게 이는 물신화된 폭력을 이겨내는 방편일 뿐 아니라 부정적 근대가 가고 난 뒤 세워질 해방의 근대성의 표상으로 기능하기 때문이다.

> 잘 있거라 잘 있거라
> 은빛 반짝이는 낮은 구릉을 따라
> 움직이는 숲그늘 춤추는 꽃들을 따라
> 멀어져가는 도시여
> 피투성이 내 청춘을 묻고 온 도시
> 잘 있거라
>   …<중략>…
> 잊음도 죽음도 끌 수 없는 이 설움의 새파란 불길

---

31) 프레드릭 제임슨(여홍상·김영희 역), 『변증법적 문학이론의 전개』(창작과비평사, 1992), p.122

하루도 술 없이는 잠들 수 없었고
하루도 싸움 없이는 살 수 없었다
삶은 수치였다 모멸이었다 죽을 수도 없었다
　　　…<중략>…
청춘의 자랑마저 갈래갈래 찢기고
아편을 찔리운 채
무거운 낙인 아래 이윽고 잠들었다
눈빛마저 애잔한 양떼로 변하였다
고개를 숙여
내 초라한 그림자에 이별을 고하고
눈을 들어 이제는 차라리 낯선 곳
마을과 숲과 시뻘건 대지를 눈물로 입맞춘다
온몸을 내던져 싸워야 할 대지의 내일의
저 벌거벗은 고통들을 끌어안는다
미친 반역의 가슴 가득가득히 안겨오는 고향이여
　　　　　　　　　　— 「결별」 부분

　이 시가 보여주는 의미는 분명하다. 서울이라는 근대화의 악, 부정
적 근대성으로부터 탈출이다. 아니 그것의 부정이다. 그리고 "마을과
숲과 시뻘건 대지를 눈물로 입맞춘다"에서 보듯 생명적 질서로서 회
귀이다. 이 회귀는 퇴각이나 퇴행이 아니다. 그곳, 즉 '고향'은 "대지
의 내일"이 있는 곳으로 부정적 근대화의 현실을 "미친 반역의 가슴"
으로 헤쳐나갈 수 있는 힘의 원천이다. 그 점에서 그것은 해방의 근
대성이 갖는 일정한 형상을 갖고 있다. 즉 도시가 "청춘의 자랑마저
갈래갈래 찢기고/아편을 찔리운 채/무거운 낙인 아래 이윽고 잠드"는
곳이라면 대지의 고향은 "온몸 내던져 싸워" 건설하는 자유와 생명
의 터전이다. 즉 고향이 과거의 시간대로서의 삶이라면 그것은 현재
에 의해 충전되어진 과거다. 그 점에서 혁명은 과거를 향해 내딛는
호랑이의 도약과 같다.[32] 그것은 과거의 충만했던 상으로 현재의 모

32) 발터 벤야민, 앞의 책, p.14

순을 뚫고 나가 미래의 유토피아 상을 선취해 보여주는 것이다.

여기서 사실 김지하는 그의 생명사상의 모태가 되는 생태적 유토
피아의 한 구체적 상을 예견했다고 말할 수 있을 것이다. 유토피아는
본질적으로 과거 황금시대나 에덴의 흔적을 지니지 않을 수 없다. 그
의 시에 자주 등장하는 푸른 색과 꽃들의 심상은 이러한 낙원 이미
지로서 유토피아 상의 구체적 모습들이다. 그리고 원시공동체에 접
근하는 운명공동체로서 고향의 이미지는 소외와 착취가 없는 이상적
사회상으로 추억된다. 특히 생명적 가치를 소중히 여기는 농본주의
적 삶의 태도는 산업사회가 갖는 물화와 비인간화의 모순을 극복할
수 있는 대안적 성격을 띰에 따라 그의 이후 사상적 전이는 쉬이 이
루어져 갔으리라. 대립에서 상생(相生)으로, 투쟁에서 화해로 그의 인
식이 바뀜에 따라 유토피아는 해방의 근대성의 모습에서 점차 생명
의 가치를 중시하는 생태학적 유토피아, 즉 에코토피아의 형상으로
바뀌어 간다. 그의 80년대 이후 생명 사상을 노래하는 시편들은 녹색
의 이미지를 중심으로 순환하는 유기적 생명체의 연결 고리를 강조
한다.

4. 근대를 넘어

결국 김지하가 도달한 지점은 근대를 넘어서는 것이다. 그것은
6,70년대에서 보여주었던 세계 대응방식을 한 단계 더 높은 방식으로
정립시키는 것이다. 그것은 '포월'이다. 함께 모순의 현실을 벗어나는
것이다. 적대자를 무력화시켜서 자신의 자유를 얻는 것이 아니라 자
신의 모순적 현실의 해방은 물론이고 적대자의 욕망이나 권력도 해
방함으로써 진정한 자유와 평등의 세계를 달성하고자 하는 것이다.
그것은 이미 6,70년대 문학 안에 유토피아 의식의 싹으로 잠재해 있
는 것이라 할 수 있다.

따라서 김지하의 문학은 전형적인 변증법적 발전을 보여준다. 투쟁과 지양, 그리고 조화로 지향해가는 그의 문학 궤적에서 6,70년대의 문학적 특성은 보다 높은 차원으로 승화될 요소로서 대립적 세계관, 그로 인해 발생하는 저항적 주체로서 역사적 인식의 주체, 민중적 해방의 세계 건설의 꿈, 형식적 합리성의 폭력으로서 대낮과 흰색의 이미지, 한의 응축으로서 혁명의 가연성(可燃性) 등을 그 내용으로 가짐을 볼 수 있다. 이러한 것은 민중혁명의 전망으로서 해방의 근대성을 달성하기 위한 도약이었다. 그러나 그러한 도약은 언제나 과거의 유토피아적 이미지와 교섭되면서 결국 대립과 투쟁의 반생명적 극복방식보다 근본적 완성으로서 생명적 가치의 실현으로 전화돼 간다. 거기에 그의 사상의 연속성이 놓여 있는 셈이다.

그러나 무엇보다 인간의 생명성과 자유를 고취하는 데에는 일정한 규범이 주어져 있는 것은 아니다. 그런 점에서 김지하의 70년대 시는 그 당대의 역사적 현실에 가장 치열하게 인간 생명의 존엄성과 자유와 평등의 인식을 '저항성'이라는 인간의 한 본질적 특성으로 부단히 환기시켜 주었다는 점에서 역사적 조건에 대응한, 그리고 그의 말대로 "일인칭에서 일인칭을 포함한 삼인칭의 바다로, 개인사 중심으로부터 개인사를 포함한 민중사의 바다"[33]로 나아간 보편적이고도 지고한 가치를 지닌다 하겠다. 새미

---

33) 김성동, 앞의 글, p.37에서 재인용

1970년대 민중시 실험의 의미와 한계
— 신경림론

윤여탁

1.

신경림의 강연을 두어 번 들을 수 있었다. 그 때마다 선생은 경험이라는 말과 민요라는 말을 빼놓지 않고 한 것으로 기억된다. 가장 최근에는 많은 학생들이 있는 자리에서 "나는 평론가들의 말에 신경을 쓰지 않는다."라는 말을 했다. 이 말은 문학 연구자들의 관점에서는 "문학 연구자들은 작가들의 후일담이나 작품이 창작된 배경에 대한 설명에 매여서는 안 된다."라는 말로 되돌려줄 수 있다.

물론 이 말은 미국의 신비평가들이 소위 '의도의 오류'를 범하지 않고, 작품 자체에 충실할 것을 주장하기 위해서 한 말이다. 즉 한 작가의 작품에 대한 올바른 이해는 작품에 실현되고 있는 실체를 중심으로 평가하여야 하는 것이지, 작가가 이런저런 의도를 가지고 어떻게 형상을 표현했다는 설명에 맞추어 읽지 말아야 한다는 말이다. 그리고 이런 관점에서 신비평가들은 작품의 내적인 특성, 즉 시를 예로 들면 제시된 시 자체에서 운율, 이미지, 비유, 상징 등을 설명할 수 있어야 한다고 보았다.

그러나 막상 지금 이 순간에 나 자신이 신경림론을 쓰려고 하니,

서울대 사범대 국어교육과 교수, 저서로 『나의 시, 나의 시학』 외 다수가 있음.

이처럼 문학 작품의 내적인 자율성에만 충실한 분석을 하기에는 많은 장애가 가로놓여져 있음을 발견하게 된다. 앞에서 밝힌 바와 같이 시인의 강연을 직접 듣기도 했고, 일찍이 시인들의 창작 노트를 편집하면서 시인의 창작에 관한 고백을 여러 편 읽었고, 1970년대 시인들의 시론을 정리하는 자리에서는 시인이 아닌 시론가로서 신경림이 시를 보는 관점도 분석의 대상으로 삼은 바 있다.[1) 아울러 이 글을 쓰면서도 이미 시인이 쓴 여러 편의 산문을 읽게 되었다. 또 북한산을 내려와 구기동 언저리에서 만난 얼굴, 등록상표인 소년같은 미소를 간직한 얼굴도 잊을 수 없다.

이렇게 나 자신이 분석 대상으로 하는 시인에게서 자유스럽지 않으니, 작품에 대한 분석도 이런 나에게서 자유스럽지 않을 것 같다. 그러나 마음을 다잡아 제목부터 부정적인 함의(含意)로 출발하면서, 일정한 거리를 두고 논의를 전개하고자 한다. 정말 시인에 대한 일반적인 평가처럼 신경림은 1970년대를 대표하는 시인인가? 어떤 점이 그런가? 만일 그렇지 않다면, 왜 그런가를 간단히 살피고자 한다.

이를 위하여 이 글은 신경림이 1980년대 이전에 발표한 시, 특히 시집 『농무』와 『새재』에 수록된 작품을 중심으로 살피고, 이런 시적 성취를 뒷받침하는 일부 시론도 같이 분석할 것이다. 이는 이번 호 특집이 1970년대 문학에 초점이 맞추어져 있으며, 이 두 시집의 간행으로 1970년대 신경림의 위상이 확보되었기 때문이다. 아울러 이 두 시집에서는 신경림 시인의 실험 정신, 즉 민중 의식의 시적 형상화와 장편 서사시의 새로운 시도라는 의미가 가장 잘 드러나기 때문이다.

---

1) 윤여탁 엮음, 『나의 시, 나의 시학』, 공동체, 1992.
   윤여탁, 「창작 방법으로서의 민중시론」, 한계전 외, 『한국 현대시론사 연구』, 문학과 지성사, 1998.

2.

신경림의 시에 대해서는 시집 『농무』가 간행된 초창기부터 획기적인 것으로 받아들여졌다. 그래서 일찍이 백낙청은 "보아라 이런 詩集도 있지 않은가, 라고 마음놓고 말할 수 있게 되었다."2)라고 그 의미를 규정하고 있다. 물론 이런 평가는 1960년대 현대시의 난해성이나 비민중적 속성과 밀접한 관련이 있을 것이다. 이런 점을 전제로 한다고 하더라도 이 시집에 수록된 시들은 "가난한 사람들의 생활현장과 현장의 정감을 형상화"3)하는 방법을 통하여, 시가 우리와 나의 이야기를 그릴 수 있다는 가능성을 새롭게 보여주고 있다고 보는 평가가 일반적이다.

이런 평가에 작용하는 긍정적인 근거들은 주로 그가 영문학을 전공하였지만, 이런 외국 문학에 영향을 받기보다는 쉬운 우리말을 효과적으로 구사하고 있다는 점이다. 즉 그는 우리의 농촌 현실을 적실하게 보여주고 있다는 점과 한글전용4)을 하면서 알기 쉬운 시어를 구사하고 있다는 것이다. 그러나 그의 한글전용이라는 시어에 대한 평가는 재고(再考)를 요한다. 즉 신경림은 대부분의 시어를 한글로 구사하고 있지만, 시에서 상당한 비중을 차지하는 제목에는 한자를 많이 쓴다는 점이다. 이런 특징은 『농무』와 『새재』(창작과 비평사, 1979)의 제목을 보면 쉽게 확인된다. 특히 문학의 다른 갈래에 비하여 시에서 제목은 텍스트 자체로 보아야 한다는 점에서, 간단하게 한글전용이라고 규정될 수 없다.

이 점은 신경림의 시세계가 우리 전통의 한시 자체가 아니라 한시

---

2) 백낙청, 「발문」, 『농무』 증보판, 창작과 비평사, 1975, 110면.
3) 유종호, 「서사 충동의 서정적 탐구」, 구중서 외 엮음, 『신경림 문학의 세계』, 창작과 비평사, 1995, 49면.
4) 윤호병, 「치열한 민중의식과 준열한 서사의 힘 — 신경림 시의 구조적 특질」, 『시와 시학』, 1993. 봄, 134면.

가 추구한 시세계와 밀접한 관련이 있음을 간접적으로 확인할 수 있는 근거가 될 수 있다. 또한 그가 일찍이부터 우리말의 아름다움을 개척하고자 했던 송강(松江)을 비롯한 옛시인들의 영향과 근대 시인으로 향토적인 방언을 많이 구사한 백석(白石) 등이 추구한 시세계를 동경하고 사숙했다는 점과도 관련이 있다. 즉 그는 근대 학문을 했지만, 그에게는 그 근대 학문의 영향보다는 자신이 몸소 체험한 삶의 이야기가 더 중요했으며, 영문학이라는 대학에서의 학습보다는 다양한 독서체험 중에서 접한 숱한 한국 문학의 유산이 의미를 지니고 있었다.

이런 점은 그의 시가 우리가 일상에서 접할 수 있는 자연 세계나 이야기를 노래하고 있지만 우리 인간들의 삶과 관계 속에서 읊어지고 있으며, 다른 사람의 이야기를 객관화하여 전해주고 있지만 남의 이야기만이 아닌 우리와 나의 이야기로 들린다는 사실과 무관치 않다. 그리고 이런 시적 기법은 전통적인 시조나 한시의 기법인 선경후정(先景後情)이라고 할 수는 없지만, 적어도 자연 대상에 의탁하여 자신을 표현하는 감정이입(感情移入)이라고 할 수 있다. 이런 차원에서 신경림의 시는 앞의 관점에서는 리얼리즘을 확보하는 장치를 마련하고 있으며, 후자의 관점에서는 서정시의 미학을 잃지 않으려는 노력을 보여주고 있다고 할 수 있다.[5]

> 밤 늦도록 우리는 지난 얘기만 한다
> 산골 여인숙은 돌광산이 가까운데
> 마당에는 대낮처럼 달빛이 환해
> 달빛에도 부끄러워 얼굴들을 돌리고
> 밤 늦도록 우리는 옛날 얘기만 한다
> 누가 속고 누가 속였는가 따지지 않는다

---

5) 이런 관점은 서정시라는 큰 갈래 속에 리얼리즘이나 순수 서정시, 모더니즘 시 등이 포함된다는 주장의 논거가 될 수 있다.

산비탈엔 달 빛 아래 산국화가 하얗고
비겁하게 사느라고 야윈 어깨로
밤 새도록 우리는 빈 얘기만 한다
　　　― 「달빛」의 전문

　광산 가까운 산골 연인숙에서 만난 우리들의 모습. 지난 얘기, 옛
날 얘기, 빈 얘기를 하면서 밤을 지샐 수 있는 우리네의 모습이 가을
달빛과 산국화와 어우러져 이 시에는 그려져 있다. 한 폭의 수묵화와
같은 고즈넉한 분위기를 전달하면서, 무엇인가 사연이 있는 사람들
의 부끄럽고, 가난한 삶의 모습이 나타나 있다. 이런 모습은 달빛이
비치는 밤이라는 시간, 산골 마당이라는 공간, 달빛에 비치는 하얀
산국화라는 객관적 상관물을 통하여 전달되고 있으며, 우리의 전통
시가에서 쉽게 확인할 수 있는 정서이자 서정시의 세계이기도 하다.
　그리고 이런 시적 기교는 「갈대」와 같은 초기시에서부터 드러나
며6), 최근에 발표된 작품들(『어머니와 할머니의 실루엣』, 창작과 비
평사, 1998)에서 다시 나타나고 있다. 시인의 시세계를 이루는 체험
이 사실적인 표현으로만 그려지는 것이 아니라 상상력이 작동되어
새로운 시적인 형상으로 재창조되고 있는 것이다. 즉 신경림의 시세
계 중에서 사실적인 이야기의 전달은 독자들에게 쉽게 전달되기는
하지만, 서정시의 은근함을 통한 정서적 감동의 전달에는 그리 성공
적이지 못하다. 오히려 「달빛」이나 「갈대」와 같은 시세계가 정서 전
달의 측면에서는 보다 서정적이라고 할 수 있다.
　이 점은 신경림의 1970년대 시에서 당대 농민들의 현실을 보여주
고 있는 시들이 현실 반영이라는 리얼리즘의 성취에는 어느 정도 성
공적이지만, 독자의 정서적 감동에는 같은 정도의 성취를 이룩하고
있다고 단정할 수 없다는 말이다. 더구나 문학이 1970년대 현실을 떠

---

6) 윤여탁, 「서정 단시의 갈래적 속성과 전통」, 『시 교육론2』, 서울대 출판부,
　　1998, 187~188면.

나 좀더 보편적인 인간의 모습을 그리는 것이라는 관점에서는 이런 시세계를 감동적으로 받아들일 수 있는 현대의 독자는 많지 않다.

이 점은 1970년대 민중시 일반에 대한 평가에도 적용되는 사항으로, 이런 시가 민족·민중의 당대 현실을 잘 반영하고 형상화하고는 있으나, 현대 독자들에게는 그리 쉽게 이해되지 않는다는 점과 1970년대 민중시가 이야기를 전달하는 데에는 성공했으나 이에 상응하는 형상의 창조에는 실패했다는 사실과 관련된다. 그리고 신경림의 시 역시 이런 1970년대 민중시에 대한 현대적·현재적 평가에서 자유스러울 수 없다.

3.

1970년대 신경림의 시 작품에 대한 또다른 평가는 서사시적 이야기 문학을 서정시에 도입하고 있다는 점이다. 물론 이런 점은 신경림 한 사람에게만 해당되는 사항은 아니다. 일제 강점기나 해방 정국에서 서술시를 실험했던 임화, 박세영, 백석, 이용악, 김상훈, 최석두 등과 같은 전대 문학 전통에 빚지고 있으며, 가깝게는 박봉우, 신동엽 등이나 동시대적으로는 김지하, 고은, 이시영와 같은 선후배들과 짐을 나누어 맡고 있었다.

이런 중에 그의 시 작품이 돋보이는 점은 앞 부분에서 말한 서정적인 시세계를 간직하고 있다는 점이다. 그리고 이 점에 주목하여 그의 시적 성취가 긍정적으로 평가되기도 한다.[7] 아울러 이런 평가의 관점은 이야기를 내포한 서술시인 『농무』의 단계에서 서사시 「새재」로, 다시 「남한강」(1981)이나 「쇠무지벌」(1985) 등으로 이어지고 있다. 그러나 이런 그의 시적 편력이 결코 성공적이라고만 평가할 수 없다. 서사시 「새재」에 보였던 전형적 인물 창조가 이후 작품에서는

---

7) 유종호, 「서사 충동의 서정적 탐구」, 구중서 외 엮음, 앞의 책.

민중 일반으로 확대되면서 구성상 유기성을 상실하고 주제가 산만하거나 분산되는 한계를 보이고 있다.[8]

서사시가 지향하는 서사 갈래의 요건과 서정 갈래의 요건 사이에서 방황하는 모습을 보이고 있으며, 이런 방황은 이미 『농무』에서 이야기를 전달하는 시를 쓰는 단계에서부터 드러나고 있다. 따라서 이야기를 통해 농민으로 대표되는 민중의 삶과 그들의 고난은 알 수 있으되, 이를 어쩔 수 없는 것으로 받아들여서 말만 있고 행동이 뒤따르지 못하는 사람들을 그려내는 데 머물고 있다. 그의 초기 대표적인 작품인 다음 시는 이런 측면에서 새롭게 읽을 수 있다.

> 징이 울린다 막이 내렸다
> 오동나무에 전등이 매어달린 가설 무대
> 구경꾼이 돌아가고 난 텅빈 운동장
> 우리는 분이 얼룩진 얼굴로
> 학교 앞 소줏집에 몰려 술을 마신다
> 답답하고 고달프게 사는 것이 원통하다
> 꽹과리를 앞장세워 장거리로 나서면
> 따라붙어 악을 쓰는 건 쪼무래기들뿐
> 처녀애들은 기름집 담벽에 붙어 서서
> 철없이 킬킬대는구나
> 보름달은 밝아 어떤 녀석은
> 꺽정이처럼 울부짖고 또 어떤 녀석은
> 서림이처럼 해해대지만 이까짓
> 산구석에 처박혀 발버둥친들 무엇하랴
> 비료값도 안나오는 농사 따위야
> 아예 여편네에게나 맡겨 두고
> 쇠전을 거쳐 도수장 앞에 와 돌 때

8) 이렇게 볼 때 윤영천이 여러 측면에서 신경림의 시적 성취를 긍정적으로 인정하면서, 「새재」 이후의 장시 시도가 성공적이지만은 않았음을 지적한 점은 타당하다.
   윤영천, 「농민공동체 실현의 꿈과 좌절」, 구중서 외 엮음, 앞의 책.

우리는 신명이 난다
한 다리를 들고 날나리를 불꺼나
고갯짓을 하고 어깨를 흔들꺼나
— 「農舞」의 전문

홍겨워야 할 '농무'는 이제 아이들이나 처녀애들의 구경거리일 뿐, 농민들 스스로의 신명풀이가 되지 못하고 있는 현실이다. 그래서 자신들의 삶이 답답하고 고달프게 느껴지고 원통하게도 생각된다. 힘 겨웠던 농사일들을 잊어버리고자 했던 예전의 농악놀이가 아니라 자신들의 생활 기반인 농사를 포기하고서 실없는 사람처럼 위장하여 행동할 때만이 '신명'이 난다. 따라서 이 즈음에 나는 신명은 뿌리뽑힌 자의 신명이며, '우리'라고 표현했지만 우리 모두의 신명이 아니다. 그 행사에 참여한 몇 사람만의 신명이다.

그리고 이처럼 비교적 긴 이야기에도 불구하고 「농무」는 시적으로 형상화된 이야기와 사건이 전달하는 정서는 있으되, 그 정서가 우리 모두에게 익숙한 것은 아니다. 더구나 후기 산업사회를 살고 있는 대부분의 독자들에게는 어른들이 이야기하는 어려웠던 시절의 이야기일 뿐이다. 나의 이야기나 우리의 이야기가 아니라 당신들의 이야기로 들리는 것이며, 나와는 상관없는 이야기일 뿐이다.

이 점은 우리 교과서에 수록된 근대시가 일제 강점기인 1930년대라는 상황을 이해할 때에나 설명이 가능한 것과 마찬가지다. 이런 맥락에서 훨씬 후대의 역사적 현실을 반영한 『가난한 사랑노래』(실천문학사, 1988)가 독자들에게 보다 감명 깊게 다가온다. 물론 이렇다고 해서 신경림의 1970년대 시가 그 의미가 없는 것은 아니다. 그 나름대로는 1970년대 민중의 정서를 표현한 것이고 그것도 살아 있는 서정을 그리고 있다.9)

---

9) 조태일, 「열린 공간, 움직이는 서정, 친화력」, 구중서 외 엮음, 앞의 책.

그러나 그 서정이나 정서는 이야기에만 의존함으로써 그 한계를 스스로 노정하고 만다. 그렇기 때문에 「갈대」가 보여주었던 인간 존재에 대한 탐구의 깊이도, 후대 서정시가 보여주었던 그리운 추억의 그림자도 보여주지 못하고 만다. 달리 말하면 시의 리얼리즘적인 성취는 보여주지만 서정시의 정신적 높이와 인간적 감동의 깊이는 보여주지 못하고 있다. 적어도 이제는 병풍으로 표구화되어 박제화(剝製化)되어 버린 풍속화 한 폭을 보는 느낌을 받을 뿐이다.

이런 측면에서 신경림의 1970년대 이야기를 전하는 농민시, 민중시는 서사를 추구하였지만, 서정성의 구현에는 한계를 보여주고 있다고 할 수 있다. 이런 점은 일찍이 단편 서사시를 추구하면서 서정성을 구현하지 못함으로써 실패하고 만 일제 강점기 프로시나 해방 정국의 정치시의 전철을 밟은 것이라고 할 수 있다. 어느 평론가의 말처럼 쉽고 친근한 시를 통하여 전대 모더니즘시의 난해성을 추문화하고, 가난한 생활의 탐구를 통하여 현실 모순을 전경화(前景化)하는 데에는 성공했다[10]고 할 수 있다. 그러나 한국 현대시의 시적 현실주의를 실현하기는 했지만, 서정성의 확보라는 측면에서는 미흡했던 점도 인정되어야 한다.

4.

신경림 시의 또다른 특징은 민요를 추구하고 있다는 점이다. 이 점은 그의 여러 시론에서 반복적으로 힘주어 주장되고 있다.[11] 그는 1970년대 이후 '민요연구회'를 조직하여 민요 발굴과 보급에 힘썼고, 민요 기행을 하면서 『민요 기행』(1985, 1989)이라는 산문집을 2권이나 출간했으며, 이 과정에서 민요를 실험하는 시를 『달 넘세』(창작과

---

10) 유종호, 앞의 글, 49면.
11) 윤여탁, 「창작 방법으로서의 민중시론」, 참조.

비평사, 1985)라는 시집으로 집약하기도 한다. 그러나 이런 그의 민요 탐구는 1970년대 민중시에서부터 시작되어 이후의 서사시에 많은 민요가 삽입되는 과정을 거치게 된 결과이다.

그리고 이런 민요 탐구는 등단 직후부터 10년 가까운 공백 이후에 나타나는 현상으로, 1956년 등단 이후 낙향하여 생활을 하면서 겪은 농촌 체험과 떠돌이 체험이나 이렇게 접한 농민, 민중들의 삶을 시적으로 형상화하면서 찾았던 방법이었던 것 같다. 민중의 삶을 추구하다가 보니 민중들의 노래 형식인 민요를 찾을 수밖에 없었으며, 이런 시적 형식 추구는 1970년대 시 일반에 두루 나타난다. 여기서는 이런 점에 대해서 평론가들과 시인 자신의 평가가 엇갈리고 있는 다음의 시를 통하여 살펴보자.

> 하늘은 날더러 구름이 되라 하고
> 땅은 날더러 바람이 되라 하네
> 청룡 흑룡 흩어져 비 개인 나루
> 잡초나 일깨우는 잔바람이 되라네
> 뱃길이라 서울 사흘 목계 나루에
> 아흐레 나흘 찾아 박가분 파는
> 가을볕도 서러운 방물장수 되라네
> 산은 날더러 들꽃이 되라 하고
> 강은 날더러 잔돌이 되라 하네
> 산서리 맵차거든 풀속에 얼굴 묻고
> 물여울 모질거든 바위 뒤에 붙으라네
> 민물 새우 끓어넘는 토방 툇마루
> 석삼년에 한 이레쯤 천치로 변해
> 짐부리고 앉아 쉬는 떠돌이가 되라네
> 하늘은 날더러 바람이 되라 하고
> 산은 날더러 잔돌이 되라 하네
> ―「목계장터」의 전문

이 시는 방랑과 정착의 이미지를 나름의 자연 대상, 즉 강, 구름, 바람과 산, 들꽃, 잔돌이라는 표상물을 통하여 이 시대 민중들과 시인 자신의 운명을 잘 그려내고 있다. 그리고 이런 시적 형상을 위하여 민요의 운율이라고 할 수 있는 4음보격을 주로 구사하고 있으며, '하고', '하네', '라네' 등의 어미를 반복적으로 구사하여 어감을 생동감 있게 살려내고 있다. 또한 나름대로는 이런 시어의 반복과 의미상 대구적인 표현을 통하여 민요적 형식12)을 확보하려고 노력하고 있다.

그리고 이런 시적 시도는 「어허 달구」같은 짧은 시와 장편의 서사시에서 꾸준히 시도되고 있다. 특히 서사시에서는 삽입가요의 형태로 여러 민요가 구사되고 있다. 그러나 서정적인 시에서의 이런 실험은 그리 성공적인 것 같지는 않다. 즉 민요의 사실에 바탕을 둔 리얼리즘적 효과에는 어느 정도 도달하고 있지만, 민요의 정서적 시세계나 운율 의식에는 미달이며, 민중에게 다가가는 민요의 단순함과는 거리가 멀기만 하다. 민중이 향유하는 민요와는 전혀 다른 전문 시인의 창작시라고 할 수 있다.13)

이 점은 민중이 쉽게 이해할 수 있는 언어를 구사하거나 이를 반복한다고 해서 민요에 도달할 수 없다는 사실을 증명하는 것이며, 특히 노래로 불려지는 민요의 특성과 눈으로 읽히는 시의 특성 사이의 거리를 메꾸기에는 활자로 된 시로서는 거의 불가능하다는 점도 환기시킨다. 더구나 민요는 민중들이 창작하고 향유하는 것이며, 시는 신경림이 쓴 것으로 농민이나 민중들이 아니라 농민과 민중을 사랑

---

12) 김대행은 민요 형식을 병렬로 설명하고 있다. 이런 점은 다른 관점에서는 반복과 대구로 설명될 수도 있을 것이다
   김대행, 『한국시의 전통 연구』, 개문사, 1980, 40~92면.
13) 이 점에 대해서는 이미 신경림도 「목계장터」가 민요시가 절대 아니라고 밝히고 있다.
   신경림 외, 「신경림 시인과의 대화: 삶의 길, 문학의 길」, 구중서 외 엮음, 앞의 책, 38면

▲ 신경림의 『새재』

하는 사람들이 돈을 주고 사서 읽은 문학 작품이다. 이처럼 신경림의 민요시 창작은 그 향유 체계가 다름에도 불구하고 그 다른 기반과 어울리지 않는 시도를 하고 있었다고 할 수 있다.

더구나 시인 세대에 체득(體得)되어 있는 민요의 운율을 복원할 수 있다고 하더라도, 현대의 독자 대중에게 그것은 낯선 것으로 받아들여질 수밖에 없다. 어릴 적부터 서양 음악의 리듬에 익숙한, 그리고 자유시의 외형적인 리듬 없음에 익숙한 대중들에게는 전통적인 리듬이 오히려 낯선 것이었다. 이런 측면에서 1970년대 신경림의 민요를 추구했던 시도들에 대한 긍정적인 평가 역시 일부 전문가들이나 이런 리듬이 체득되었던 구세대의 향수(鄕愁)이자 복고 취미였을 수도 있다.

따라서 그의 이런 민요 탐구가 지닌 한계는 일찍이 1920년대 민요조 서정시 운동에서 일본을 모델로 하여 신학문을 배운 지식인들이 민요라는 민중들의 전통적인 시가를 복권하려는 과정에서 보여준 한계와도 유사하다.14) 즉 그의 민요 부활 노력은 이미 민요 세대가 아닌 우리 현대시 독자에게 낯선 것으로 받아들여졌으며, 현대 사회에서 사망 선고가 내려진 한시나 시조 부흥 운동을 하는 것과 같은 외

---

14) 그렇다고 해서 민요 부흥 운동이 항상 부정적인 것만은 아니었다. 이 과정을 통해서 김소월이 나왔고, 이후 박목월, 신경림 등이 보여준 시어로서의 우리말 탐구라는 긍적적인 성과도 인정된다. 이 자리에서는 이런 긍정적인 면보다는 부정적인 면만을 주목하고자 한다.

로운 복고주의 운동이라고 할 수 있다.

그래서 이제 신경림의 창작적 경향은 이런 모색을 극복하고 새로운 우리의 운율, 이미 자유시라는 내적인 운율에 익숙한 독자의 요구에 부응하는 방향으로 나아갈 수밖에 없다. 그리고 그의 1990년대 시 창작은 이런 방향 전환의 모색을 보여주고 있다고 할 수 있다. 이런 점은 1990년대 이전에 민중시를 썼던 시인들이 최근에 보여준 창작적 전환 특히 서정 단시의 창작이라는 작업과 서정성 회복 노력과도 연결된다.

5.

신경림은 다른 시인들에 비하여 비교적 많은 시론을 쓴 시 이론가의 면모를 보여주고 있으며, 그런 만큼 그의 시에 대한 생각은 여러 자리에서 다양한 형태로 주장되고 있다. 여기서는 다른 사람의 시에 대한 시평보다는 자신의 시 창작 경험을 설명한 글을 중심으로, 그의 1970년대 민중시와 민요시 창작의 이론적 기반을 살펴보자. 이를 위하여 그의 1980년대 초반까지의 시론들을 모은 첫 평론집 『삶의 진실과 시적 진실』(전예원, 1983)의 1부에 수록한 「나는 왜 시를 쓰는가」와 「시와 민요」, 「시와 이데올로기」, 「시정신과 역사정신」에 초점을 맞추고자 한다.

먼저 신경림 시론의 핵심은 민중시에 대한 옹호라고 할 수 있다. 그에 의하면 민중시는 민중들이 처한 현실이나 삶이 시로 이어지고 형상화되어야만 살아 있는 시라고 말하고 있다. 따라서 그는 "우리의 시는 민중의 삶 속에 깊이 뿌리박은 것이 아니어서는 안된다고 생각합니다. (중략) 이 민중의 끈질기고도 꿋꿋한 생명력밖에는 없습니다."(45면)[15]라는 생각을 거듭거듭 피력하고 있다. 그리고 이런 시에

---

15) 여기서는 『삶의 진실과 시적 진실』의 해당 면만을 표기한다.

대한 자신의 생각은 등단 이후 아직까지도 민중들의 삶이 살아 있는 현장을 직접 경험하면서 체득한 체험의 시학임을 밝히고 있는 것이다. 한 마디로 민중 속에 들어가 보면 이런 진실은 쉽게 알 수 있으며, 이를 바르게 시적 형상으로 표현하는 것이 우리 시가 나아갈 바라는 생각이다.

이런 맥락에서 그동안 우리의 시인이 자신들의 이웃과 연결 없이 고립된, 소외된 상태에서 시작하여, 오로지 자기 고백에 만족하거나 자포자기적인 궤변을 낳았다고 우리 근·현대 시사를 진단하고 있다. 그리고 이런 경향은 전대의 모더니즘이 보여주었던 난해시라고 할 수 있는 것으로, 이 난해시는 민중적 기반을 잃은 것이며, 본질적으로 민중 경멸적인 동기를 가지고 있다는 것이다. 그는 원래 우리의 시가 이처럼 어려운 시가 아니었다고 전제하고, 민중이 이해할 수 있는 시가 되어야 하며, 이런 시는 민중의 사랑을 받는 시가 될 수 있다고 보았다. 또한 그는 민중의 사랑을 받는 즉 민중과 삶을, 기쁨과 설움을 함께 할 수 있는 구체적인 방법으로 한글을 전용하여 시를 쓸 것과 우리 고유의 민요적 가락을 되살리는 시를 쓸 것을 주장하고 있다.

아울러 불건전한 대중 가요에 맞설 수 있는 건전한 가요의 제작과 보급에도 관심을 가질 것을 권고하고 있다. 신경림은 이런 점들을 주장하면서 민중의 시는 올바른 역사 인식을 가져야 함을 아울러 피력하고 있다. 즉 그는 "참으로 훌륭한 시라면 나아가서 일반 민중의 사상과 의지를 결합시키고 그것을 승화시킬 수 있는 것이 되지 않아서는 안될 것이다. 이것은 오로지 시인이 올바른 역사인식, 올바른 사회의식을 가질 때에만 가능할 것입니다. (중략) 시는 역사의 주체요 민족의 중심세력인 민중 속에서 그들과 함께 역사를 만들어 가는 것이 아니어서는 안될 것입니다."(54~55면)라는 말로, 민중을 시의 주체로 간주하는 민중시론을 주장하고 있다.

그러나 이런 관점에서 민중시론을 주장하고 불건전한 가요에 맞설수 있는 시를 창작하고자 했던 1970년대 그의 노력들이 현실 반영의 관점을 제외하고는 그리 성공적이지 않았음을, 우리는 그의 시 작품을 통하여 살폈다. 그리고 이런 점은 서정시에서 형상화되는 대상의 정서도 중요하지만, 이를 향유하는 독자들의 정서도 같이 고려되어야 한다는 사실을 별로 주목하지 않은 결과이기도 하다.

다음으로 신경림 시론의 또다른 핵심적인 내용은 민요에 대한 관심이다. 그는 일찍이부터 민요에 대한 관심을 가졌으며, 이를 시 창작에 활용할 것을 주장하고 있다. 이런 활동은 앞에서 거론한 시론뿐만 아니라 「왜 민요운동이 필요한가」라는 글에서도 거듭 강조되고 있다. 이같은 생각에서 앞에서 밝힌 바처럼 그는 1984년 '민요연구회'를 조직하여 초대 회장직을 역임했으며, 민요 기행을 통해 민요 채집에도 힘썼다. 그 성과가 두 권의 『민요 기행』(한길사, 1985, 1989)과 시집 『달 넘세』(1985)라는 창작적 실천으로 나타나기도 했다.16)

신경림은 이를 설명하기 위하여, 먼저 우리 대중들이 전통 문화에 관심을 가지는 경우 대개 겉멋이나 위선, 감상에 의한 것임을 지적하고, 비슷한 맥락에서 전통적인 문화와 관련을 맺고 있는 우리의 시를 어떻게 하면 바르게 되살릴 수 있을까를 설명하고 있다. 그는 이를 위하여 독자가 시에서 무엇을 찾고 있나17)를 분석하여 이에 적합한 시를 창작할 것을 제안하고 있다. 즉 본디 시가 민중의 것이었음에도 불구하고 시인이 민중과의 일체감을 잃고 스스로 지식인을 자처하고 있는 현실을 극복하고, "집단적 민중의 참여와 공명 및 민중적 보편성"(66면)을 회복할 것을 권하고 있다.

---

16) 김윤태, 「민중성, 민요정신, 현실주의 — 신경림의 평론에 대하여」, 구중서 외 엮음, 앞의 책, 314면.
17) 신경림은 "첫째 독자는 시인의 목소리 속에서 자기의 가락을 찾고자 한다. (중략) 둘째 독자는 시속에서 사람이 사는 모습을 보고자 한다. (중략) 셋째 독자는 시속에서 참 삶의 길이 어떠한 것인가 암시를 받기를 원한다."(65면)고 밝히고 있다.

그리고 이런 현대시의 위기를 극복할 수 있는 길은 민요적 바탕을 되찾는 것이라는 처방을 내놓고 있다. '보는 시'가 아닌 '읊는 시'로 완전히 회복될 수는 없더라도, 시인이 민중과의 일체감을 확보하는 길은 민요의 바탕, 민요적 가락을 되찾아야 한다는 것이다. 또한 그는 무가의 계승에 대해서도 언급하는데, 무가의 원시성이나 비합리성보다는 주술적인 성격과 예술적 성격을 계승할 것을 주장하고 있다. 즉 "무가의 절실하고 간절함은 정신적으로 오늘의 시속에 이어져야 할 것이며, 무가의 예술성 또한 그 주술적인 측면이 배제된 채 현대시 속에 되살려지면 현대시 소생을 위해 크게 도움이 될 것"(67면)이라고 말하고 있다.

아울러 민요 가락을 계승하고 있는 민요조의 시는 민요에 대한 보다 철저한 인식이나 검토를 통하여 이루어져야 한다는 점을 강조하고 있다. 예로 전통적으로 민요조를 실험한 시인들이(김소월, 김안서를 제외하고) 글자 수를 맞추는 일이나 조선조 양반들의 음풍농월의 흉내나 번역에 그친 점을 반성하면서, 숙명주의, 체념주의, 패배주의적인 사대주의를 극복할 수 있는 올바른 민요 계승으로 나가야 한다는 것이다.

이처럼 신경림은 기본적으로 민중의 삶에서 귀납적으로 추출한 체험의 시학, 민중의 시학을 주창하고 있으며, 이런 시학의 실천 방법으로 민요적 바탕의 회복이라는 전통의 계승, 발전을 위한 시학을 제시하고 있다. 뿐만 아니라 그는 이런 시론을 스스로 실천하고 발전시키는 중심의 자리에 위치한 시인이었다. 적어도 우리 근·현대시사에서 이런 모색을 철저하게 한 몇 안되는 뛰어난 시인이라고 할 수 있다.

그러나 이런 그의 이런 주장과 창작적 실천이 그가 원래 의도한 것처럼 실현되었다고는 볼 수 없다. 적어도 1970년대의 시적 성취로 많은 전제를 인정해야 한다. 그 단적인 예로 독자에 주목했지만, 그의 창작적 실천은 독자의 성격을 제대로 파악하지 못한 관계로, 어느 정도는 실패를 예견하고 있었던 것이다.

6.

어떤 문학 작품이나 그 평가는 이를 읽는 사람들이 살고 있는 사회와 개인의 요구에 따라 달라 질 수 있다. 그러나 실제로 대부분의 문학 작품은 그 작가가 살았던 사회와 현실의 요구에 부응하여 창작되게 된다. 아울러 인간 본연의 요구, 즉 보편성의 실현이라는 요구에도 부응해야 한다. 이런 측면에서 많은 대중적인 문학 작품들은 당대 사회와 독자들의 요구에만 부응하다보니, 그 생명력이 짧을 수밖에 없다. 그렇다고 해서 그 요구에 부응하지 못하면, 독자 대중에게 외면을 당하게 된다.

이런 딜레마는 문학이나 예술 창작을 하는 사람들이면 누구나 겪는 고민이다. 이런 측면에서 1970년대 신경림의 민요시, 민중시 실험은 당대 현실을 적극적으로 반영하여, 이를 요구하는 독자들에게 긍정적인 평가를 받은 바 있다. 그러나 오늘 이 순간의 독자 대중의 요구에 제대로 부응하고 있느냐는 점에는 긍정적이지만은 않다. 더구나 다양성을 추구하는 후기 산업 사회의 요구와는 상당한 거리가 있다.

이 글은 이런 점을 고려하여 지금 이 순간의 관점에서 1970년대 신경림 문학이 차지하는 위상을 재고하여 보았다. 이 과정에서 당대로서는 결코 만만치 않은 정도의 평가를 받았던 신경림의 시적 모색이 지니는 의미와 한계를 같이 살필 수 있었으며, 이 시대 우리의 시 문학이 무엇을 지향해야 하는가를 암시받고자 했다. 인간, 보편성, 독자 등등을 고려해야 하는 문학의 지향에 대하여…… 세미

유신체제와 민족문학

대담 ; 임헌영(문학평론가, 중앙대 국문과 겸임 교수)
　　　채호석(본지 편집위원, 서울대 강사)
장소 ; 『작가연구』 편집실
일시 ; 1999년 8월 25일, 수요일

채호석 ; 이렇게 선생님을 뵙게 돼서 영광입니다.『작가연구』에서는 창간호부터 지속적으로 대담 자리를 마련해 오고 있습니다. 이 자리에서는 1970년대 문학을 선생님을 중심으로 살펴보고자 합니다. 선생님께서는 60년대 등단하신 이래 왕성한 평론활동을 해 오셨고, 특히 70년대에는 시국사건에 연루되어 고초를 겪기도 하셨습니다. 돌이키자면 민족의 불행이고 또 우리 문학인 모두의 불행이라고 생각합니다. 이제 새로운 세기를 얼마 앞 둔 시점에서 지난 시대를 돌아봄으로써 새로운 문학을 모색해야 할 때라고 봅니다. 더구나 이 즈음에는 민족문학에 대한 관심이 거의 사라지다시피 하고, 또 민족문학이라는 개념을 파기하고자 하는 움직임도 있는 듯합니다. 이를 물론 부정적으로만 볼 수는 없는 일입니다. 민족문학 개념의 재조정은 과거의 한계를 넘어서기 위한 것이기 때문입니다. 바로 이러한 점에서 과거에 대한 조망은 더욱 절실한 것으로 보입니다.

이야기를 선생님의 등단 무렵부터 시작하도록 하겠습니다. 선생님께서 등단할 당시의 문단 상황이 어땠는지요. 당시 등단은 문단 내부의 상황과 밀접하게 관련될 수밖에 없었을 텐데요.

임헌영 ; 제가 영광입니다. 저는 1966년『현대문학』의 조연현 선생을 통해 등단했어요. 당시 등단은 두 가지 방법, 신춘문예 아니면 문예지뿐이었는데, 평론의 경우는 오히려 활동 기반이 있는 문예지 등단을 선호했습니다. 제가 나올 무렵엔『현대문학』이 절대적인 위력을 발휘할 때였습니다.

저는 중앙대 국문과엘 다녔는데, 은사 백철 선생은 당시 문예지를 갖고 있지 않아 저의 원고를 조연현 선생에게 직접 보내 줬습니다. 조선생은 바로 1회 추천을 해 줬고, 저는 책이 나오자 당장 찾아 인사를 드린 후 서먹서먹했던 두 분을 한 자리에 모시고 점심 대접을 했죠. 이 장면을 이해하려면 당시 문단 구조를 이해해야 합니다. 8.15 직후 우익 문단 조직인 전조선문필가협회가 탄생할 때 청년이었던 조연현, 김동리, 서정주, 박목월 제씨가 별도로 청년문필가협회를 만들어서 이후 한국문단의 주류가 되죠. 이들이 나중에 예술원 창립 때 회원을 독식하자 여기서 소외된 문인들, 백철 같은 분들이 만든 게 자유문학가협회였고 두 단체는 무척 소원했습니다. 그러니까 예술원을 독식한 데서 소외감을 느낀 세력들이 만든 게 자유문학가협회입니다. 문단사적으로 보면, 별로 지적을 안 하는데, 사실 내용이 그렇게 된 겁니다. 이념적으로는 똑같이 보수주의적인, 강한 냉전체제 이념을 그대로 가지고 있는… 그래도 구별을 한다면 '자유문협' 쪽 사람들은 북한에서 내려온 사람들이거나, 혹은 일제 때 만주에 있었던 사람들, 즉 백철을 비롯해서 안수길이라든가 이런 분들이 많았습니다. 그렇기 때문에 조금은 차이가 있었던 거죠. '자유문협'

쪽은 해외문학파가 많았고 '문협'쪽은 토착적인 분들이 많았다는 차이 정도지요. 그랬는데 나중에 판정이 어떻게 되었느냐 하면은 이승만 정권과 그래도 밀착해 있었던 모윤숙, 김광섭, 이헌구, 이하윤 등은 거의 다 정권 하에서 관료, 실질적인 관직을 어느 정도 거치거나 직접적으로 연계되어 있었지요. 그리고 이 계열이 하던 잡지는 거의가 실패를 했지요. 그러니까 그 세력권 내에서 『문예』, 『문학예술』, 『자유문학』 그런 잡지가 꾸준히 나왔지만 다 실패했지요. 그런데, 실질적으로 문단의 주도권을 잡아버린 '청년문협'이 주도하던 『현대문학』은 창간 이후부터 지금까지 한번의 결호도 없이 그대로 완전히 성공해 버립니다.

이런 상황에서 대학에 입학해보니, 지도교수는 백철 선생인데, 문예지에 발판이 없어요. 말하자면 자기 제자 하나를 심을 데가 없었던 거지요. 물론 그 전에 몇몇 잡지들이 있다 없다 했는데, 제가 들어갔을 때는 이미 60년대 중반이 되면서 『현대문학』에 대항할 수 있는 잡지가 나올 수 없는 상황이었죠. 『현대문학』이라는 건 '문인협회'와 '서라벌예대'와 '동국대학' 즉, 잡지를 보급하는 학생층과 문인을 양성하는 서라벌예대와 동국대라는 막강한 기관과 현실적인 권력과 완전히 삼위일체로 뭉쳐진 잡지란 말이야, 작가의 생산과 발표와 수용의 체계를 갖춘 것이죠. 다른 잡지들은 상대가 안 되지요. 그래서 저도 당시 '신춘문예'나 아니면 『현대문학』밖에 없으니까 둘 중에 하나를 택할 수밖에 없었지요.

채 ; 조연현 선생님이 많이 도와주셨던 것으로 알고 있는데요?

60년대 문단과 『상황』지

임 ; 조연현 선생이 끔찍이 봐줬어요. 저는 그래서 조연현 선생을 잊을 수 없습니다. 굉장히 인정이 있다고 그럴까… 조연현 선생은 그런 게 있어요. 지금 젊은 세대들은 조연현 선생의 문학사 같은 저서만 보고 일언지하에 인용도 안 해버리는데, 저는 이런 문학풍토는 문제가 있다고 봐요. 왜냐하면 어떤 사람이든 다 연구 과정에서 기존의 업적을 반드시 다 검토해야 하는데, 완전히 배제시켜 버리는 겁니다. 조연현 선생 나름대로 관점이 있거든요. 적어도 인상비평에서는 평가받아야 합니다. 인상비평에서는 아직도 그만한 업적이 없다고 봐요. 그것도 그렇고, 그 다음에는 이분의 신조는 뭐냐면 문학관이 달라도 인정이 있으면 서로 봐준다, 정이 들면 서로 봐준다는 거죠. 홍구범이 조연현 선생 친굽니다. 홍구범 이야기를 자주 했어요. 그래서 홍구범에 대해서 쓴 글도 있죠. 그러나 분명히 홍구범은 이념적으로는 선생과 다르지요. 그러나 친했기 때문에 계속 연민을 가지고 있었죠.

정태용 선생도 마찬가지 경우죠. 이 분은 보기에 따라서는 별거 아니라고 생각할지도 몰라요.

▶임헌영

1941년 생 경북 의성 출생, 중앙대학교 국문과 졸업, 문학평론가.
주요 저서로 『문학의 시대는 갔는가』, 『창조와 변혁』외 다수.

하지만 이건 젊은 연구자들이 우리 문학사를 얼마나 허술하게, 제도권 내에서 편견을 가지고 연구하느냐를 보여주는데…. 정태용의 『한국현대시연구』(어문각)를 무시해서는 안 됩니다. 60년대까지는 우리나라 문학을 가장 체계적인 가치관을 가지고 본 분이라고 저는 봐요. 그 연배에서, 오히려 다른 연배의 평론가에 비해서 훨씬 심도 있게 연구한 분이 정태용 선생입니다. 그런데 완전히 무시당하고 맙니다. 왜 그러냐? 사실은 상당히 진보적인 문학을 했어요. 그러다가 위기를 겪으면서 사회 활동을 못하게 되었을 때 그냥 동국대 도서관 직원으로 평

생을 보냈어요. 정태용 선생이 그 당시에 쓴 시인론은 지금 보더라도 상당히 정확해요. 누구를 함부로 칭찬도 안하고, 전통을 인정하면서 참여문학의 이념을 도입했죠. 그렇다고 절대 진보적인 모습을 안 나타냈습니다. 그걸 보면 이분이 얼마나 속으로 울분을 삼키면서 그 당시 평론을 했는가를 알 수 있습니다.

이런 상황에서 문단에 첫발을 내디딘 것이죠. 그래 나와보니까 정말 이 평단에서 물론 아득한 스승으로는 백철, 조연현, 정태용 이런 분들이 있고, 우리 바로 위에는 기라성 같은 평론가들이 많았잖아요? 이런 비평가들의 글을

유신체제와 민족문학 195

◀ 채호석

1962년 서울 출생, 서울대학교 국문
과 졸업, 문학평론가. 저서로 『한국근
대문학과 계몽의 서사』 외 다수의 논
문.

우리가 직접 읽어서 공부해야 되
는 건 사실이지만, 정말 어떤 마
음을 붙일 사상적인 선배가 없었
어요. 작가 남정현, 이호철, 최인
훈, 박용숙 이런 분들과 가까이
하며 문학이론 공부를 하다가 우
리 나름대로 하나의 흐름을 찾아
낼 수밖에 없다, 이런 결론을 내
렸어요.

채 ; 등단 평론은 무엇이었나
요?

임 ; '장용학론'이지요. 제목이
「아나키스트 환가(幻歌)」, 부제는
'장용학의 정치학'이었어요. 장용
학을 이렇게 봤어요. 그때 우리

세대들은 그 궁상맞은 손창섭,
추식, 이범선 등으로부터 벗어나
좀더 인간 존재의 문제로 들어가
는 단계였습니다. 손창섭 중에서
도 아주 사회성을 배제한 인간
존재의 일로 들어갈 땐 데, 장용
학이 매우 중요한 작가로 보였
죠. 장용학론의 요지는 정치학적
으로는 무정부주의라는 거예요.
남북한의 정치 논리를 인정 안
하잖아요. 그 뒤에 뵙기도 하고
여러 가지 이야기를 했는데, 남
북한을 인정 안하고 권력 자체를
인정 않는 겁니다. 6·25라는, 민
족 분단비극 자체를 이데올로기
적으로도 접근 안하고, 민족사적
으로도 접근 안하고, 외세를 통

해서도 접근 안하고, 이건 그냥 인간존재를 말살하는 비인간적인 행위로 받아들이는 정도로 접근한 것이죠. 좀 특이한 해석이었어요. 그래서 저는 정치사상사적으로만 접근했어요. 왜 무정부주의자냐 그런 걸로 먼저 접근한 거지요. 백선생님이 제 원고를 넘겨줘 추천을 받은 뒤 조연현 선생을 직접 찾아갔어요. 그리고 나서 2회 추천을 금방 받았어요.

채 ; 아무래도 당시 선생님의 활동의 중심은 『상황』이 아니었던가 합니다. 『상황』지를 만들게 된 동기는 무엇이었나요?

임 ; 그때 66년을 전후한 시기는 말하자면 1920년대에서 개화기를 보는 거랑 비슷한 시기였죠. 문학의 고고학적인, 문학이론의 고고학 시대죠. 당시 문단은 '문인협회'의 막강한 중심력과 '자유문협' 두 단체가 있었지만, 어느 쪽을 보더라도 당시에는 보수적인 쪽이 지배적이었지요. 그러나 참여문학을 한다고 사갈시

를 한다거나 전혀 그러지는 않았어요. 지금 생각하면 전부 나뉘어 적대시하지 않았나 싶겠지만, 사실은 전혀 안 그랬어요. 저 역시 그랬죠. 김우종, 윤병로, 김병걸, 최일수 선생, 이런 분들이 『현대문학』과 밀접한 관계를 가졌던 분들인데, 거의 다 참여문학입니다. 전혀 격의가 없었어요. 아마 『현대문학』 출신 대부분의 평론가는 참여문학론자들이었고 전통 인정주의자들입니다. 그래서 별 지장 없이 무난하게 문단 중앙에 편입되는 그런 과정에 있었단 말이죠.

그런데 『창작과 비평』이 1966년에 나왔어요, 조그맣고 얇은 잡지로. 그걸 보고 저는 이제 서구 유학하고 온 사람들의 가장 강력한 순수문학이 또 하나 나왔구나 하고 생각했어요. 물론 사르트르의 『현대』지 창간사 번역이 있었지요. 하지만 그것과 백낙청 선생의 이론이 괴리되고, 그 다음으로는 당시 한국 문단에서 활동하고 있는 작가들의 작품을 수록했는데 주로 심미주의적

인 작가들을 실었죠. 왜냐하면 대개 학벌중심으로 진행됐어요, 서울대 중심으로… 이청준, 김승옥, 박태순. 박태순의 경우도 사실 70년대 들어와서 참여문학으로 바뀌어진 거고, 그 당시 서울대 출신들의 문학이란 민족문학도 아니고 리얼리즘도 아니고, 농촌문학도 아니고 완전히 감각파적인 순수문학이었습니다. 지금 읽어보면 사회문제라든가 민족문제를 전혀 제기하지 않는 소설들, 말하자면 사회 비판에 가담하지 않는 소설들이 발표되었지요. 그래서 '이거 참 문제가 있다'고 생각했어요. 당시 '문인협회'에도 문제가 상당히 많았는데, 그러나 '문인협회' 안에는 그런 게 받아들여졌단 말입니다. 전통문학을 기본으로 한, 『홍길동전』이나 『춘향전』의 정당성, 그걸 찾아 가지고 그대로 참여 문학에 편입하면 되는 거예요. 그런데 그게 아니고, 예를 들어서 '감각', '4·19세대'니 이러면서 '신감각파문학' 이런 게 나오면서, '뭔가 문제가 있다', '이런 속에

서 뭔가를 찾아야 되지 않느냐', 그런 모색을 할 수밖에 없었던 거죠.

그런 모색 속에서 신상웅, 구중서, 김병걸, 백승철, 주성윤 선생과 만나 의기 투합해서 '새로운 문학은 이런 게 아니다', '우리가 뭔가 새로운 걸 해야 되지 않느냐' 이런 생각에서 시작한 게 바로 『상황』을 하게 된 동기였어요. 참 어려움이 많았어요. 왜냐하면 지금처럼 출판사가 여러 군데 있어서 스폰서가 되어주지도 못했고 오직 자력으로 해야 되는데, 아시다시피 『창작과 비평』은 '일조각'이라는 상당한 스폰서도 있었단 말입니다. 어쨌든 우리는 빈약했어요. 그래서 뭔가 개인적으로 잘 알고 지내던 몇 사람 동인들이 모여서 제일 앞서가는 '참여문학 이론', 이것을 『상황』에서 해 나가자, 이렇게 해서 만들 게 된 거죠. 잘 알고 지내던 '범우사' 윤병두 사장에게 부탁을 했지요. 제목을 지을 때도 '민족문학'이다 뭐다 고민을 하면서… 그것도 여관에서,

文芸批評

狀 況
前 '69

◀『상황』창간호

돈도 없는데 여관에서 말이죠, 무교동의 형편없는 여관에 저녁 먹고 가서 밤을 새우면서 논의하다가 누군가가 "이렇게 궁핍한 상황에서 문학을 한다는 게…"라고 했어요. 그 순간 "아, 그러면 '상황'으로 하자." 이렇게 정해진 거예요. 그런데, 그게 아시다시피 사르트르의 『상황』도 있고, 또 '상황'이라는 제목 자체가 그 당시로서는 굉장히 강렬했습니다. 사르트르가 주는 이미지 때문에 망설였습니다만, 그대로 '상황'으로 하자, 이래서 제목을 '상황'으로 정한 겁니다. 참고로 등단 직후 가장 감명 깊었던 평론은 조동일 선생의 「시민의식론」이었습니다. 저도 이런 평론가가 되자고 다짐했습니다.

채 ; 이렇게 정리할 수 있을까요? 서라벌예대와 동국대 중심의 『현대문학』이 있었고, 그에 대한 어떤 대항점으로 백낙청 선생의 『창작과 비평』이 있었다. 그런데 『창비』는 서구적 심미주의를 표방하고 있었고, 또 서울대 인맥으로 채워졌다. 이런 양분된 구도 내에서 뭔가 새로운 민족 문학을 해 보겠다는 의지로 『상황』을 만드셨다는 건가요?

임 ; 학파의 대립구도로만 보는 건 곤란합니다. 우리가 창간호에서 신경을 쓴 몇 가지 특이한 점이 있는데, 뭐냐하면 그 당시 『창비』에서는 김수영 일기를 연재했습니다. 김수영이 작고한 뒤에 연재를 했는데, 우리 생각으로 김수영은 우리 시사에 일정하게 기여를 한 건 사실이지만 너무 그것을 우리 시의 한 지향점이나 민족문학의 지향점으로 보는 것은 문제가 있지 않느냐, 저는 지금도 그렇게 생각합니다, 그래서 오히려 신동엽이 낫다. 신동엽 선생이 69년에 작고했잖아요? 바로 신동엽의 장례를 치른 글이 『상황』 창간호에 실려 있거든요. 그때 우리는 김수영보다는 신동엽을 우리 시, 분단 역사의 우리 시의 한 좌표로 삼아야 한다, 이런 입장에 있었거든요. 차이가 났죠. 그런데 나중에 70년대에 들어와서는 『창비』에서도 신동엽을 다시 부활시키고, 전집도 내고 그렇게 되긴 됐지요.

성장과정과 문학적 체험들

채 ; 그 당시 '민족문학'이라는 말은 그렇게 빈번하게 사용되었던 말은 아닌 거 같은데요. 『상황』이 보여준 민족 문학 인식과 문단 활동이 당시 문단에 역동성을 불러 일으킬 수 있었을 것 같습니다. 그런데 선생님 개인으로서는 어떤 과정을 거쳐서 『상황』의 민족문학 인식에까지 도달하였는지요. 개인적으로 고유한 체험도 있었을 것이고, 또 문학적인 체험도 있었을 터인데요. 가령 어떤 학습과정이나 성장체험이 있었는지를 좀 말씀해 주시지요.

임 ; 문학이라는 게, 지금 평론하는 분들이나 소설도 마찬가진데, 문학이란 건 사실 사춘기 때 반드시 문학병을 앓아야 돼요. 비올 때 그냥 맞고 시내를 방황하기도 하고, 실연까지는 몰라도 술도 마시고, 그 시기가 언제가 됐든, 대학생 때든 고등학교 말기든 대학원 때든 반드시 문학병을 한번 앓고 나야 문학적인 감수성이 서고 올바른 문학관이 서는 것이죠. 이건 연구로 되는 게 아닙니다. 난 근본적으로 정말 미학적으로 말하면 문학이 학문이냐 하는 그것도 의심하는 사람이에요. 제가 평론으로 연구를 하면서도 과연 이걸 학문으로 불러야 되냐고까지 생각할 정도로⋯. 그건 문학을 비하해서가 아니라 근본적으로 문학은 감성적인 예술이기 때문입니다.

그런 문학병을 앓을 때 저는 어땠느냐 하면, 이건 집안 얘깁니다만, 6·25때 우리집안의 남자가 다 없어졌어요. 8촌 이내의 남자들이 거의 다 사라져 버렸습니다. 제가 제일 큰애거든요. 그 당시 초등학교 4학년이었는데 집안 전체에서 제가 제일 큰 남자고 나보다 큰 남자는 다 없어져요. 전부 여자, 다 과부들만 남은 거죠. 이게 참 억울한 대목이기도 하고 제가 오늘 이렇게 불행하게 된, 일생을 좌우하게 된 대목이기도 한데, 우리 팔촌 내에

는, 그 당시로서는 시골에서 상당히 인테리에 속하는 초등학교 교사도 있었고, 어쨌든 인테리에 속하는 사람들이 많았죠. 우리 삼촌은 대구 사범, 박정희보다 몇 년 후배 되는 수재였는데, 제가 볼 때 분명한 좌익 활동을 했다면 오히려 이해를 하겠어요. 우리 윗대가 좌익 활동을 하다가 완전히 희생됐다, 그때 분단 체제니까 좌익이 옳고 그름을 떠나서 그럴 수 있겠다 하고 이해를 할 수 있는데 말입니다. 자라난 뒤에 많이 연구를 해 봤어요. 아버지를 비롯해서 삼촌과 형⋯. 연구를 해보니까 명백한 좌익 활동을 한 게 없어요. 지금 뭐 여러 가지 자료들이 나오잖아요. 명백한 좌익이라기보다는 지금 식으로 말하면 자유주의적 민족주의랄까? 그런 정도의 양식만을 가졌던 걸로밖에 판단할 수가 없어요. 그랬는데 공교롭게 6·25 직전에 보도연맹 관련으로 학살당했어요. 서울 쪽 38선 가까운 쪽은 그대로 방치했기 때문에 살아 있었는데, 남쪽 지역은 다 죽

잖아요. '보도연맹'이라는 그 사건이 사실 복권 1호가 되어야 한다고 봅니다, 어떻게 보면은….

그런데 제가 '문인간첩단사건'에 연루되어 구속되었을 때 사실 우리 아버지의 신원을 처음 알았어요. 수사 기관에서 "너희 집안에 애국자가 한 명도 없지 않느냐?" 그래서 "왜 없느냐. 우리 아버지는 얼마나 억울하게 죽었는데 무슨 소리냐?" 그랬더니 그 수사기관원 말이 "그런 소리하지 말아라. 보도연맹에 가입했다." 그러는 거예요. 사실, 우리 아버지가 보도연맹에 가입한 적이 없거든요. 결국 뭐냐하면 그런 세력들을 6·25가 나니까 다 잡아들여서 보도연맹 가입자라는 누명을 씌워 죽여버린 게 아닌가 싶어요.

사실 저는 초등학교 4학년까지는 굉장히 행복한 소년이었어요. 부모 다 있고, 중농 정도의 집안에서 아주 행복한 소년이었는데, 6·25를 전후해서 8촌 이내 남자가 싹 없어지니까 울음바다가 됐지요. 매일 온 집안이 이러니까, 집도 싫고… 염세주의적이 되는 거예요. 우리 집안이, 그리고 왜 나는 이리 됐느냐? 그게 바로 제 실존 문제가 된 거지요. 어릴 때부터 그런 걸 쭉 추구하면서 중학교 때부터 문학에 민감해진 겁니다. 학교 공부는 생각도 없고, 공부를 해서 뭐가 될 생각도 않고, 우리 5촌 할아버지 유언이 뭐냐하면 "절대 공부 많이 시키지 말아라. 공부 많이 하지 말아라."는 거예요. 공부 많이 하면 다 죽으니까….

채 ; "공부 많이 하면 죽는다." 우리 역사의 한 비극적인 장면입니다. 소설에서도 몇 번 본 구절이네요.

임 ; 그러니까 저보고도 중학교도 가지 말아라 이거야, 한문이나 배우고 집에서 농사나 지어라, 그러니까 아예 관공서 관리 될 생각하지 말아라 이런 거죠. 그래도 우리 어머니가 혼자서 어떻게 해서 학교를 계속 보냈어요. 중학교도 보내고 고등학교까지 보내고, 그러는 과정에서 공부할 이유가 뭐 있어요, 출세할 생각이 없는데. 그러니까 자연히 문학을 하게 된 거예요. 소설도 보고, 굉장히 책을 많이 봤어요.

채 ; 그때까지 사셨던 데가 어디지요?

임 ; 경북 의성이에요. 의성 중학교를 나와 고등학교를 가야 하는데, 안동사범학교라는 데가 있어요. 사범학교는 졸업하면 선생님을 하는 데지요. 그래서 교과과정 자체가 간단해요. 초등학교 교사 만드는 게 목적이니까. 근데 그 학교에 붙어다니던 말이 있어요. 수재가 들어가서 바보가 되어 나온다. 왜냐하면 공부 잘해도 선생, 못해도 선생이거든… (웃음)

그 시절이 참 행복했어요. 집을 처음 떠나 있었던 겁니다. 고향을 처음 떠나서 안동이니까 뭐 한 백 여 리 떨어진 데서 자취하면서 혼자서 책보고 밤새도록 소설책을 봐도 잔소리도 안하고 집안 일도 전혀 안하고. 그러니까 56년 7,8년 그 무렵이 고등학교 시절인데, 그래서 아마 그때 나온 우리 나라 책은 거의 다 봤다고 자부해요. 그러면서 문학병을 앓게 되었지요. 그런데 문학병을 앓으면서도 항상 제 속에는 어떤 친한 친구에게도 말 못하는 분노가 생겼고, 때문에 그 당시 한국 문학에 대한 불만 같은 게 쌓였어요. 당시 반공문학 같은 걸 굉장히 열심히 봤습니다. 왜 이 사람들이 이렇게 반공을 했는가? 그렇게 고교 시절을 보내고 초등학교 교편 생활을 만 2년 했지요.

채 ; 초등학교에서 교편을 잡은 것은 안동에서였습니까?

임 ; 고향 의성에서지요. 빽을 써 가지고 고향의 모교에서 … (웃음) 왜냐하면 제가 우리 집안을 살려야 했습니다. 우리 집뿐이 아니고 집안 전체가 저만 쳐다보고 있었고, 사실 제가 제일 큰 남자, 유일한 남자였으니까요.

그런데 제일 비참한 게 뭐냐하면, 할아버지 제사가 되면 제가 제주예요. 초등학교 4학년, 열 살짜리가 제주 자리에 서면 저절로 눈물이 나요… 옆에서 어른들이 시키는 대로 절하고 술 따르고, 그런 속에서 … 어떤 그 분노 같은 게 커가고 아마 그게 제 문학의 기본 핵입니다. 그래서 저는 그 뒤에 80년대 운동권에게도 그랬어요, '공부해 가지고 뭐 이게 진리다'라고 하면 '그러면 공부 실컷 더 해라.' 왜냐하면 공부를 해서 그게 진리라는 것을 알았다는 사람들은 다른 진리가 있으면 옮겨가요. 그 진리가 진리인 줄 알았다가 진리가 아니라고 그러면 또 옮겨갑니다. 그러나, 그렇게 해서 민주주의나 통일이 되는 것이 아니라, 이것은 생태적이라는 것이죠. 저 같은 사람은 진리가 아니어도 다른 진리로 옮겨갈 수 없는 그런 어떤 멍에를 타고 난 거죠. 그런데, 그 멍에를 타고 난 사람들이 다 바로 살았느냐 하면, 그건 아니에요. 우리나라 일부 작가들 중에 자기가 타고난

그 멍에를 도리어 저주해 버리는 경우도 있거든요. 저는 미련하게 그렇지를 못했어요. 가족의 비극을 그대로 받아들이고, 좋다 이 입장에서 다시 해명해 들어가겠다, 이런 식으로 고등학교 때부터 사회과학 서적을 굉장히 많이 봤어요. 집안에 있던 책들, 그때 집안 어른들이 봤던 온갖 책들이 굉장히 많았는데, 그걸 고등학교 때 거의 다 봤어요.

채 ; 그게 다 아버님이 보시던 책인가요?

임 ; 우리 집안 어른들, 뭐 형도 있고 삼촌들도 있고, 그런 사람들이 보던 책들을 궤짝으로 촘촘하게 모아둔 걸 고등학교에 들어가서 방학 때 그것을 뒤져 가지고 심심하니까 이것저것 죄 봤어요. 일본 서적부터 8·15 직후에 나왔던 문학 및 사회과학 서적들이죠. 학교 가면 임대 책, 도서 임대점이 그땐 유행했거든요, 거길 가서 빌려보았지요.

그러다가 날 가르치던 선생님

이 그대로 계시던 교단에 들어가 어렵게 2년 동안 있었어요. 거기 있을 때 항상 경찰이 왔습니다. 제가 선생을 하는 데도 경찰이 와서 노골적으로 "내가 이리 조사하는 걸 어렵게 생각하지 마라." 등의 말을 남기곤 했지요. 지금은 상상도 못하겠지만 당시 시골에서 얼마나 탄압이 심했느냐 하면은 『동아일보』를 보고 싶은 데도 그것을 볼 수가 없었어요. 당시 『동아일보』가 굉장히 비판적이었죠. 그러니까 『동아일보』를 보는 것조차도 간섭을 했어요. 지금 경찰 기록에 남아있을지 모르겠는데, "왜 동아일보를 보느냐" "동아일보가 얼마나 야당지고 비판적인지 아느냐?" 그러면, "뭘 봐야 되느냐?" 『서울신문』을 보라는 거예요. 『서울신문』 너무하지 않으냐… (웃음) 그래서 택한 게 『한국일보』였지요. 또 당시 웃지 못할 얘기는, 제 책장에 까뮈의 『반항적 인간』이 꼽혀 있으면 "역시 당신은 이상한 사람이다. 왜 이런 책을 보느냐?" 그랬다구요.

그러던 중 1960년 4·19가 났지 않습니까? 참 가슴이 설레요. 제가 시골에 있어서는 안 될 것 같은 느낌이 들더라구요. 그래서 1961년에 대학에 왔어요. 60년에 4·19 나고, 60년 12월 31일부로 사표를 내고, 1월 달에 서울에 와서 돈벌이로 아르바이트 자리를 찾았어요. 그런데 당시 우리 마을이 있었던 한 분이, 할아버지뻘 되는 분인데, 중앙대 국문과를 다녔어요. 굉장히 글을 잘 쓰고 재주가 있었어요. 이분이 우리 종씨 총장이 있는 중대로 오면 임명신 총장 덕을 좀 볼 거라고 해서, 저도 뭐 서울 와서 뭔가 덕을 봐야될 입장이었거든요, 그래서 중대에 들어갔지요.

채 ; 선생님 말씀을 들으면 그때까지는 문학을 하겠다거나 하는 결심은 없으셨던 것처럼 보이는데요?

임 ; 교직에 있을 때, 경제학개론이니 하는 책을 많이 봤습니다. 그래서 만약 대학에 가게되

면 상과－당시는 그렇게 불렀죠
－를 갈까 했어요. 그런데 원서
를 쓸 때가 되니까, 참 이상하게
국문과로 가야겠다는 생각이 들
더라구요. 제가 국문과를 간다고
그러니까 고등학교 담임이었던
분이 국문과 가지 말고 다른 과
를 가는 게 어떠냐고 자꾸 그러
더라구요. 근데 제가 국문과 가
겠다고 우겨서 국문과 원서를 내
게 된 거죠.

채 ; 말하자면 운명적으로 끌
린 거군요?

임 ; 예, 이상한 거예요. 원서
쓸 때, 쓰는 순간에 바꾼 셈인데,
대학에 와서도 1학년 때는 거의
아르바이트로 보냈는데, 5·16
때문에 어떤 면에서는 제가 공부
를 하게 된 거죠. 5·16 전에는
잠시 미군 부대에 드나들며 장사
를 했지요. 뭐냐 하면 막사에 들
어가서 미군들한테 자기 사진이
나 가족 혹은 애인 사진을 받아
가지고 초상화 주문을 받는 일이
죠. 박완서의 『나목(裸木)』에 나

오지요. 그림 그리는 우리 아저
씨뻘 되는 고향 분이 영등포에서
화상을 하셨어요. 거기 갔다주면
스카프나 뭐 그런 데다가 그림을
그려 가지고 돌려주는 것이죠.
그림 값은 얼마 준다, 그러면 그
이상 받은 것은 전부 수입이 되
는 거예요. 당시 상당한 돈을 벌
었지요. 그때는 미군들이 지금처
럼 한국에 대해서 잘 아는 게 아
니고 상당히 순진했어요. 그러니
까 그때 우리가 신기한 걸 보여
주면, '최후의 만찬' 같은 걸 보
여주면 막 놀랍니다. 촌 애들은
그런 걸 자기네들이 감히 가집니
까? 그러면 뭐 부르는 게 값이
야. 굉장히 수입이 좋은 거죠. 그
러면 그 돈을 받아 가지고 영등
포 시장에 암달라 상에게 가서
우리 돈으로 바꿔 가지고 그림
값주고…. 그런 일을 하는데, 그
런데 출입증을 살 수가 없으니
까, 최소한도 몇 백 만원 내지
천 만원 드니까 그냥 무단 출입
하다 혼도 났어요.

그해 5·16이 나니까 모든 미
군 부대에 출입 금지야. 패스 있

는 사람도 출입금지야. 저 같은 사람은 뭐 완전히 못 들어가는 거지요. 장사를 못하니까 학교 나갈 수밖에 없죠. 그래서 다시 공부를 한 거죠. (웃음) 가정교사를 하고 대학 신문사에 들어가서 기자 생활을 하고 그랬는데, 대학에 들어가서 공부를 해보니까 어떤 면에서는 제가 왜 대학에 왔는가 할 정도로 배우는 것도 없고 소비적이고, 뭘 배웠냐 하면 술 마시는 것밖에 안 배웠다 할 정도로…. (웃음) 그러다가 도서관을 갔어요. 학교 도서관에 카드를 보니까, 보고 싶은 책들이 굉장히 많았어요. 그게 뭐냐면 사회과학 서적, 사회주의 관계 서적들이 영어책으로 있었어요. 중대 도서관에 거의 다 있었죠.

채 ; 그 때면 사회주의 관련 서적들은 보기가 쉽지 않았을 텐데요. 금지되거나 그러지는 않았는지요?

임 ; 신청을 하니까 안 빌려줘

요. 그런데 마침 제가 2학년 때 신문사 기자로 있으면서 도서관 직원들과 알고, 책도 많이 빌려 봤거든요. 사서과에 국문과 선배 선생님이 창구를 담당하고 있었는데, 그분이랑 굉장히 친했어요. 그러니까 이분이 편의를 봐줘 많은 책을 읽었지요. 알고 보니 이게 거의 미8군 도서관에서 기증한 거였어요. 그 속에는 스탈린 전집, 레닌 전집, 마르크스 엥겔스 선집 이런 게 다 있었어요. 어쨌거나 8군에서 버린 책 덕분에 많이 봤어요. 그리고는 대학원을 들어갔어요. 대학원에서 더 가까이 만난 분이 백철 선생이지요. 당시 백철 선생은 우리 나라 근대문학, 그때로서는 아마 산 증인의 일인자 아닌가, 그래서 백선생 댁에 드나들면서 얘기를 듣고, 대학원 가서는 상당히 본격적으로 문학 공부를 할 기회를 갖게 되었지요. 자료는 백선생한테 물어보면 모르는 게 없으니까요.

백철, 조연현 선생의 인간됨

채 ; 이야기가 나왔으니 말인데요, 백철 선생에 대해서 좀더 말씀해 주시죠. 제가 보기에는 백철 선생님 초기 글을 보면 한국문학사에 대한 이해 수준이 그렇게 높다는 느낌은 들지 않는데요. 그래도 한국문학사를 처음부터 끝까지 정리한 분이셨지요. 거의 최초가 아닌가 싶습니다. 선생님께서는 백철 선생님께 배우셨기 때문에 한국문학사에 대한 전통이랄까 수준에 대해서 전반적인 조망을 가지고 비평 활동을 시작하시지 않았나 하는데…. 문학 공부를 어떤 식으로 했는지요?

임 ; 저는 백철 선생을 만난 게 제 생애에서는 행운이었다고 생각해요. 왜냐하면, 백선생은 아시다시피 굴절의 명숩니다. 우리나라 문단에서 제일 굴절을 많이 했고, 실제로 제가 가만히 봐도 어떤 때는 젊은 저의 피를 끓게 할 때가 한 두 번이 아니었어요.

가장 대표적인 예를 들면 1974년에 『한양』지 사건, 세칭 '문인간첩단사건'을 겪었을 때, 그때 똑같이 증인으로 조연현 선생도 나오고 백철 선생도 나왔습니다. 두분 다 『한양』지의 원고료도 받고 식사 대접도 받고 했는데, 조연현 선생은 끝까지 우리를 옹호하면서 "말도 안 되는 소리 좀 하지 마라.", "내가 훨씬 이 사람들보다 친한데, 뭐가 이상하냐. 문제가 되어선 안 된다."고 했어요. 저는 그 재판을 받고 조연현 선생을 재평가했어요. 그후 저는 문인협회에서 굴곡이 있을 때도 조연현 선생의 인간성을 한번도 의심해 본 적이 없습니다.

그런데 그때 백철 선생은 법정에 나와 가지고 말이죠, 벌벌 떨어요. 서류 같은 거 확인하라고 하면, 우리가 피고석에 앉아 있었는데, 제가 보기에도 민망할 정도로 얼굴이 상기되어 가지고, 뿐만 아니라 검사가 추궁해 들어가니까, "그럴 수도 있겠네요…." 하면서 상당히 우리한테는 불리한 진술을 한 거죠. 너무 실망을 했어요. 뭐, 그분을 옹호하는 입장에서 생각하자면 백 선생은 일제 때부터 여러 일을 겪었잖아요? 6·25도 겪어봤고, 고생을 한 분이기 때문에 거기에 대한 어떤 공포증 때문에 훨씬 더 민감하게 자기 조심을 했다, 이렇게 볼 수 있는 거고, 조연현 선생 같은 경우는 자기 하나 정도는 자신 있게 처신할 만했었다고도 볼 수 있죠. 그러나 아무리 좋게 보더라도 그때 저는 그런 생각을 좀 했어요. 자기 자신을 위해서는 비굴해 질 수 있지만, 후배나 제자를 위해서는 저렇게 안 해야 되겠다 하는…. 그럼에도 불구하고 개인적으로 질문을 하면 백선생은 다 잘 응해 줬어요. 뭐 우리가 질문을 안하고 문제제기를 안해서 그렇지, 하면은 아는 얘기는 거의 다 말해줘요. 자료 같은 것은 집에 가면, 옛날 잡지들은 다 보게 했고, 그게 사실 우리들에게는 근대 문학사를 공부하는데 굉장히 중요한, 그때까지는 책에 없던 문학사를 공부하고 관심을 갖고, 간접 체험을 하는

데 참 많은 도움을 주었지요.

채 ; 백철 선생님은 그런 점에서는 산 증인이라고 할 수 있겠는데요, 당시 백선생님이 들려주신 이야기 가운데 기억나는 것으로는 어떤 것이 있는지요. 예를 들면 당시 에피소드라든가.

임 ; 예를 들면 임화는 영어가 신통찮았는데 사석에서 그렇게 외래어를 즐겨 썼다던가 하는 삽화를 많이 들었어요. 백선생 문학사만 봐도 거의 나오지 않아요? 그 당시로서는 자기 머리 속에 있는 거는 어떤 형태로든지 이름이라도 동그라미쳐서 알도록 해줬단 말이예요. 제가 제일 처음 구체적으로 이걸 조사해야겠다고 생각한 것이 이 동그라미부터 시작했단 말이에요. 동그라미를 바로 채우자, 이름이라도 알자, 이렇게 시작을 해서 지금도 그 자료를 다 갖고 있어요. 그때 그런 일은 김근수 선생이나 혼자 하실 땐데, 저 혼자 노트에다가 한 사람 한 사람을 다 기록

해 카드를 전부 다 만들었어요. 백선생님한테 이름을 묻고, 이럴 땐데…, 마침 70년대 초에 <한국학연구소>가 백선생이 주동이 되어서 중앙대에 만들어지고 김선생이 책을 다 가지고 들어왔잖아요. 굉장히 그 덕을 많이 봤어요.

채 ; 선생님이 60년대에 쓰신 글을 보면 선생님은 어느 정도 우리 문학사 전반에 대해서, 그리고 카프 문학의 전통에 대해서 정확히 알고 평론활동을 하신 것이 아닌가 하는 느낌을 받습니다. 사실 김현씨 같은 분에게서는 우리 문학, 특히 프로문학에 대한 정확한 인식은 잘 안보이거든요.

임 ; 저도 정확히는 몰랐어요, 66년까지는. 그러나 굉장히 관심을 가지고 그 분야의 책을 모으고, 보고, 이름을 다 만들어 보고, 이럴 때였습니다. 정지용도 이름이 동그라미 쳐져(정○용) 있었잖아요? 그런 걸 다 이름을

복원해 가면서 정리할 때였어요. 그러니까 웬만한 작품은 봤지요. 납월북 이런 작가들의 작품 목록을 만드는 등 문학사의 공백을 채워 봤지만, 그 뒤에 70년대 중반에 제가 본격적으로 할 때만큼은 몰랐어요. 등단 초기에는 말이죠. 그러나 굉장히 관심과 애정은 있었죠. 백선생 문학사는 당시 유일한 텍스트였어요. 그야말로 보고 또 보고 거의 외우다시피 했어요.

나중에 이야기가 나오겠지만, 결국 우리 문학사에서 중요한 것은 카프(KAPF)의 해석과 재해석이에요. 근대 문학사의 주류를 어디에 놓느냐 했을 때, 저는 평론은 임화에 두어야 되고, 소설은 벽초나 이기영이나 이런 데 둬야 된다고 봐요. 그 주류에 채만식이나 염상섭이나 현진건 등 몇 몇 작가가 들어가면 된다고 보거든요. 그럼, 시는 뭐냐? 시도 마찬가지로 김소월, 이용악, 이육사를 비롯한 리얼리스트에 정지용 등 모더니스트를 추가시킨 데다 주류를 둬야 한다고 봐요. 그

랬을 때 지금 우리가 평가하는, 예를 들면 '이상 문학상' '동인 문학상' 해 가지고, 이상이나 동인이 마치 우리 나라 근대 문학의 주류처럼…. 다른 이야기지만, 저는 문학상 이름이 잘못됐다고 봐요. 이것이 현대문학을 하는 데도 상당한 착시 현상을 주지 않느냐, 그런 뜻에서는 백선생의 문학사가, 지금도 저는 그보다 더 좋은 문학사가 없다고 봐요. 대학 교재로도 저는 그 책을 써야 한다고 보거든요. 지금도 저는 그 책을 보고 있고요.

채 ; 백선생님은 이상을 우리 문학 속에 포괄한 반면, 선생님께서는 그때 당시에는 이상을 민족문학 속에 포괄시키기는 어렵다, 어떤 한 흐름으로는 인정을 하지만 민족문학 속에는 포괄시킬 수 없다, 그렇게 말씀하신 것으로 기억하는데요?

임 ; 네, 지금도 그래요. 그리고 또 한 사람을 지적한다면 한용운. 한용운도 저는 위대한 독립운동가이자, 불교 사상가에, 문인, 시인이죠. 소설은 형편없는 거고. 그런데 말이죠, 학문도 우리나라는 스타의식이 너무 많이 있어요. 무슨 말이냐 하면, 연구자들이 유명한 사람은 잡문이나 타작까지도 다 연구 대상으로 삼습니다. 이건 지양해야 돼요. 그걸 과감히 문학사 속에서 제거해 줘야지, 명망이 있다고 수필 하나까지도 전부 무슨 의미 부여를 하는…. 한용운 같은 경우도 시인으로 된 거지, 시 외에 소설 같은 게 무슨 의미가 있어요? 그래서는 안 된단 말이죠. 시민문학이나 민족문학의 관점에서 볼 경우에는 만해는 민족문학이라기보다는 우리 대중시라고 할까, 애송받는 시라고 할까. 김소월하고는 확실히 다르거든요. 형식이나, 시의 형식과 내용을 떼 놓고 생각할 수 없는데, 만해의 시는 같은 여성이면서도 김소월의 여성, 시적 주체, 서정적 추체가 김소월은 여성이면서도 읽으면 바로 우리 어머닙니다. 이게 참 우리 어머니구나, 이런 게 느껴지잖아요. 바로 조국일 수도 있다, 민족일 수도 있다, 여러 가지 상징과 중의법도 되고 이미지의 환치도 되는데, 만해의 경우는 너무 표현의 기교가 승해 가지고 서정적인 주체가 마치 여염집 여자가 아닌 기녀처럼 느껴지는 그런 게 없어요? (웃음) 제가 좀 지나친건가? 여염집 여자이기에는 너무 방정을 떠는 그런 스타일, 논어 식으로 말하자면 너무 교언영색이 많이 드러나 있는, 그래서 이게 우리 민족이 가지고 있는 그 전통, 고려가요부터, 향가, 시조, 가사, 이런데 비하면 너무 교언영색이 심하다, 그렇기 때문에 과대평가 해서는 안된다고 봐요. 이육사나, 민족시로 따진다면 전 오히려 김소월이나 이용악이나 이런 시인들이 정통이 되어야 되지 않느냐, 너무 큰 봉우리를 잡아 놓으면 문학사의 평가 기준에서 어떻게 해야 되느냐, 그런 생각이 들었어요.

채 ; 사실, 백철 선생의 정의나 분류는 상당히 정확한 편이죠.

임 ; 비교적 정확해요. 거기에서 출발해야 된다고 봐요. 그리고 저는 조연현 선생의 문학사도 중요하다고 봅니다. 거기도 보면 이기영을 복자처리하고 있지요. 조연현 문학사도 백선생 문학사가 나온 뒤에 쓰여졌기 때문에 그걸 완전히 무시 못하고 중요한 작가를 나름대로는 비판하고 있단 말이에요. 결국은 두 텍스트를 기본으로 해서, 이들은 이렇게 했는데 찾아보니까 조금 미흡하더라, 사실 미흡한 점이 많거든요, 그렇게 딛고 일어서야 하는데 아예 텍스트에서 제외시켜 버리는 풍토는 학문적 진지성이 아니란 말입니다.

채 ; 조연현 선생님에 대해서도 기억나는 일화 있으시면 말씀해 주시죠? 투옥되셨을 때 그렇게 많이 배려를 해 주셨다는데….

임 ; 사실 그랬습니다. 법정에서도 그랬고, 나와서도 그랬고…. 제가 71년에 「한국 문학의 과제

-민족적 리얼리즘에의 길」이란 글을 발표했는데, 일부에서 임아무개의 글을 싣지 말라는 압력이 들어가는 등 시끄러웠습니다. 그런데도 불구하고 1973년부터 연재를 맡았어요, 「한국문학 사상사시론」이라고. 제가 그 사상사 시론을 쓸 때는 일본 여행을 가서 북한 문학사를 다 보고 왔을 때였습니다. 약 한 달 가량을 있었는데, 일 주일 가량을 꼬박 호텔에서 책만 봤어요. 그때는 삼엄할 때죠. 겁이 나서…. 그 당시 일본 서점에는 마르크스, 레닌, 중국 조선 코너 등이 쭉 있었는데, 가서 보니까 겁이 나서 책을 못 보겠어요. 누가 감시하는 것 같은 때였거든요. 그런데 아는 사람을 통해 북한 원전, 사실주의 발생 논쟁, 그때 나온 문학사 등을 싹 다 봤어요. 72년 1월이었습니다. 그때 아마 우리 나라에선 거의 관심이 없었을 겁니다. 그후 귀국해서 일본말로 된 강재언 등의 역사책은 일본 서점으로 주문해서 공급을 받아 보고, 그래서 제가 쓴 게 「한국 문학사상사 시론」이라는 글이었죠. 저로서는 굉장히 중요시해서 썼는데, 우리 나라에서 별로 주목을 못 받았어요. 그런데 주목한 사람이 누구냐, 옛날에 남로당 했던, 좌익운동을 했다가 전향한 사람들이에요. 그 분들이 그 책을 보고 조연현 선생한테 전화를 해서 이게 무슨 글인데 실었냐? 그래서 연재 중단을 당했어요. 뒤의 것을 일본 『한양』지에 실어 버렸어요. 나중엔 그것도 문제가 됐지만은…. 그런데도 조선생은 한번도 자기 제자들이 어려움에 있을 때 외면하지는 않았어요. 참 미덕이었어요.

남정현, 이호철, 최인훈, 박용숙과의 만남

채 ; 다시 이야기의 출발점으로 돌아가죠. 등단 직후 문단 상황 이야기를 하다가 백철, 조연현 선생님 이야기로 나아갔는데요.

임 ; 예. 그렇게 등단을 했고, 그 다음에 문단에 나와서는, 어차피 자기 좋아하는 작가를 찾아가기 마련이지요. 남정현 선생이 제일 좋더라고요. 그때는 남선생과 최인훈, 박용숙 이 세 사람이 삼총사였던 시절입니다. 매일 만나요. 광화문 '월계다방'이라는 데서…. 그러면 저는 남선생한테 찾아가서, 최인훈 선생도 물론 학창시절에 인사를 드려서 알고 있었고, 박용숙 선생은 우리 중앙대학교 선배고…, 거기 드나들면서 견문을 많이 넓혔습니다. 남선생이 가졌던 책을 많이 빌려봤죠. 그건 주로 일본책이었어요. 남선생이나 박선생 집에는 그 당시 나왔던 진보적인 일본책들은 아마 거의 다 있었어요. 그래서 상당한 도움을 받았어요. 제가 수시로 집에 드나들면서 책을 빌려 보고… 일본어는 초등학교 교사로 있을 때 독학을 했어요. 뭔가, 이걸 안 하면 책을 못 보겠다 해서 해놨던 건데 대학 와서 책을 읽을 수 있게 된 거지요.

당시 일본책을 통해서 북한의 실상을 비교적 먼저 알게 되었어요. 정전회담 때부터 북한을 드나들었던 서방 기자들 등에 대해 우린 까맣게 몰랐죠. 그런데 그런 내용들이 일본말로 다 나와 있는 거예요. 바체트의『다시 조선에서』라든가 이런 게…. 그런 바탕에서 1969년『상황』이 나올 때쯤에는 자신이랄까, 나름대로 어떤 신념을 가지고 문학을 해야 되겠다 하는 정도가 된 거지요.

채 ; 남정현 선생님 말씀을 하셨는데, 조금 더 여쭤보고 싶은 것이 있습니다. 1965년에 남정현 선생의 '필화사건'(「분지」필화사건)이 있었잖아요? 그런데, 「분지」에서 형상화된 외세에 대한 어떤 인식이랄까, 민족 주체성에 대한 자각이랄까, 이런 점은 그 당대로서는 거의 최고라고 보아도 무리가 아닌 듯하거든요. 그 이면에 어떤 배경이 있었는지 궁금하네요. 일본을 통해서 받아들인 부분도 많은가요?

임 ; 예. 그렇긴 한데…. 지금

제가 『대한 매일』에 「변혁으로서의 문학과 역사」라는 걸 일주일에 한번씩 연재를 하고 있거든요. 거기서 「분지」에 대해서 지난 달엔가 썼어요. 거기에도 못 쓴 얘기가 있어요.

남선생의 생각은 그때나 지금이나 똑같습니다. 제국주의적 인식에서 우리나라를 보고 있습니다. 말하자면 분단이나 우리 나라 집권세력이 어떻고, 민주화가 어떻다 떠들어 봤자 아무 의미도 없다는 거죠. 미국의 입장에서 민주화를 시켜야 자기들 장사가 잘 되니까 시키는 거지… 만약 민주화시켜서 자기네들 장사가 안 되면 도로 군부독재로 갈 수 있는 거고… 자기들 맘이지, 우리가 해봤자 민주화가 안 된다는 그런 인식, 즉 기본적으로 제국주의, 고전적인 제국주의 이론을 그대로 가지고 있는 거죠, 저도 어떤 면에서는 공감해요.

어쨌든 「분지」를 쓰는 데서 제일 기본이 뭐냐하면 외세 인식 문제였고, 이런 뜻에서 평론가들이 분지를 가장 오해하고 있는 대목도 그 부분이죠. 즉 주인공인 홍만수가 스피드 부인을 강간한 걸로 보고 있단 말이죠. 그렇죠? 그러나 강간을 안 했다는 거예요. 강간을 했으면 강간죄가 해당이 되잖아요? 다른 나라 부인이지만 강간했으니까 너는 죽어 마땅하다고 볼 수 있죠.

채 ; 네, 사실 「분지」에서 명확하게 말하고 있는 것은 아니죠. 그저 배꼽에 태극기를 꽂았다고 되어 있죠. 하지만 강간으로 읽힐 수도 있는 것 아닌가요. 남선생님이 가지고 있던 생각은 어떤 것이었는지요.

임 ; 예, 그런데 남선생이 말하고 싶은 건 뭐냐 하면 '강간도 안 했는데 왜 죽이느냐?'이거야… 다만 참 아름다운 육체다, 풍만하고 정말로 스피드 상사가 그렇게 말하고, 내 동생이 정말 투정받을 만하다, 탄복했을 뿐이지, 강간은 안 했다는 거야… 그러니까 미국이 홍만수를 죽일 이유가 없는 거지요. 당신 이쁘다

하는 데 왜 죽이느냐? 이거죠. 이게 말하자면 제국주의 본 모습이라는 거지요.

그게 우연히 나온 작품은 아니지요. 80년대에 이런 얘길 많이 들었어요. 임 아무개는 70년대에는 뭔가를 했지만은 사회과학 이론을 전혀 모르고… 그런 얘기 많이 하는데… 남정현 소설에도 그런 게 보입니까? 생각해 보세요. 그때 어떤 말을 할 수 있겠어요? '진보당' '진보당' 그랬어요. 진보당, 당 이름을 그리 하고 싶었겠어요? 진보당, 진보당…, 결국 죽었잖아요. '민중'이란 말도 못썼잖아요? 사회 과학적으로 '민중'이란 말은 그렇지 않아요. 우리가 쓸 때는 '인민대중'의 준말로 '민중'이지, '인민'이란 말을 못쓰니까 '민중'이란 말을 썼죠. 간단한 건데, 그걸 사회과학적으로 민중이 뭐뭐… 저도 그걸 글로 쓰긴 썼지만 쓰면서도 얼마나 우스웠겠어요. 그러니까 그 당시에 제가 보기에는 우리나라 작가들이 사회과학을 완전히 마스터한 사람들이 그래도 따진다

면 윗 세대로 올라가면 선우휘나 이호철, 이병주, 남정현, 최인훈, 박용숙 이런 정도 같아요. 그 외는 사회과학을 몰랐습니다. 그냥 소설가지요. 그런 분들은 이미 그때 나왔던 일본책들을 통해 그걸 다 알고 있었단 말이죠. 다 알고 다방에서 온갖 논의를 다 했습니다. 심지어는 인민공사 돌아가는 얘기까지 다하고…. 하지만 글로는 그렇게 걸러져서 나간 거지요.

예를 들면, 이호철 선생, 이호철론을 쓰면서 제가 그런 얘기를 했어요, 이호철 선생이 운동권 주인공이나 그런 소설은 안 썼어요. 그럼·이호철 선생이 아주 보수적이냐? 천만에요. 그 분야에 대해서는 제일 잘 압니다. 이론서를 다 봤어요. 모택동 이론까지 다 본 작가지요. 근데 그걸 그냥 녹힌 겁니다. 녹혀서 그냥 그대로 형상화시킨 거죠. 이런 사실들은 지금 문학 연구를 하는 데 참고가 되어야 할겁니다.

채 ; 그런데 그 부분이야 사실

읽기 힘든 것 아닙니까? 물론 아주 예민한 독자라면 읽어낼 수도 있겠지만, 대부분의 일반 독자는 읽어내기 어려운 것도 사실이지요. 그러면 그런 의도나 내용, 혹은 배면에 깔린 사상을 텍스트 속에서 읽어내기보다는 주변의 증언이나 상황, 이런 것들로부터 추측을 할 수밖에 없을 텐데요. 그러면 해석에서의 오류를 범할 수도 있는 것 아닌가요?

임 ; 범해질 수 있죠. 그런데도 불구하고 이를테면 연구방법론에서 이호철 선생의 『소시민』이다, 그러면 그 당시 지금까지 나온 모든 평론들을 보면 거의가 그 당시 우리나라 소시민이지요. 그런데 이미 이호철 선생은 고리키의 '소시민'까지를 두루 다 섭렵해서 한 거란 말이예요. 그럼 이걸 사회과학적으로 보는 시각이 완전히 달라져야겠지요. 그런 뜻에서 하는 얘긴데, 남선생 같은 경우도 마찬가지예요. 「분지」 하나만이 아니라 그 이외에도 그 당시 한 문화 현상에 대한 풍자

거든요. 사실은 식민 문화체제에 대한 정면 도전이라고 봐야겠죠. 그건 개화기 때도 마찬가지예요. 예를 들면 유길준의 『서유견문』이 역사학자들이 '입헌군주제'다, 그렇게 말하지 않습니까? 그런데 저는 그렇게 안 봐요. 이게 참 굉장히 논란을 불러일으킬 수도 있는데, 왜냐하면 만약에 유길준이 『서유견문』을 쓰면서 민주주의제를 얘기했으면 어떻게 됐겠어요? 그건 사형입니다. 그러면 자기 머리 속에 자유민주주의 체제가 있다고 하면 그걸 쓰겠습니까? 못 쓰지요? 그러면 자기의 이상을 가장 잘 나타내는 방법이 입헌군주, 이걸 옹호하지 않았느냐? 얼마나 좋아요? 말하자면 역사학과 문학의 차이가 그런 게 아니냐 싶어요.

채 ; 결국은 작품의 올바른 해석을 위해서는 발표 당시의 상황을 고려하지 않으면 안되고, 또 할 수 있는 말과 없는 말을 생각하지 않으면 안된다는 말씀이신데요. 저도 그러한 인식은 매우

◀ 『문학의 시대는 갔는가』

중요하다고 생각합니다. 지금 우리에게는 그런 부분에 대한 연구는 조금 부족한 것 같습니다. 그때문에 어려움도 많고요. 그러니까 어쩔 수 없이 작품 그 자체만을 놓고 해석하는 경향이 있지요. 그러다 보니 연구자의 시각, 그리고 연구자가 처해 있는 역사적 상태를 그대로 작품 해석에 적용하는 오류를 범하기도 하는 듯합니다. 그때의 상황이라든가 그때의 가능한 말, 이런 것들에 대한 어떤 사회사적인 연구가 지금 잘 안 되어 있는 것 같거든요. 선생님이 '민중'이라는 말에 대해서도 언급하셨죠? 사실 인민

이라는 말은 6·25이후에는 쓰지를 못했죠. 언어, 좁게 말한다면 어휘에 실려 있는 역사성이라고 해야겠죠. 이러한 부분들은 아주 꼼꼼한 사회사적인 연구가 축적되어 있어야만 알 수 있는 거죠. 저희는 사실 알기가 매우 어려운 부분이라고 할 수 있어요. 그렇다고 해서 그렇게 많은 자료가 남아 있는 것도 아니고요. 이렇게 선생님들을 모시고 대담을 하고 그때 이야기를 듣고 많이 여쭤보고 하는 것도 이렇게 빠져 있는 부분들을 되짚어 보는 좋은 방법이라고 생각합니다.

문인간첩단사건과 임헌영

채 : 이제 조금 더 앞쪽으로 나아가죠. 선생님께서 처음 감옥에 가신 것이 '문인간첩단 사건' 때문인 것으로 알고 있는데요. 선생님께서 억울하고 고초를 당했다고 들었는데, 그 실체를 좀 말씀해 주시죠.

임 ; 그 사건이 제 일생을 참 불행하게, 이모양 이꼴로 만든 건 데… 참, 어이 없는 일이기도 하고, 어떻게 보면 그 당시 70년대적인 상황으로 보면 명료한데….

저는 남북한 어디를 지지한다기보다는 어쨌든 양쪽으로부터 다 피해 받을 가능성이 있다는 피해의식 때문에 잘 안 나설 각오로 사는 사람이예요. 왜냐하면 우리 집안은 엄연히 남한 쪽에 의해서 희생된 집안이지만 그렇다고 북쪽에서 알아주는 집안도 아니에요. 왜 그러냐 하면은 '보도연맹'에 가입된 것으로 날조되

어 죽었단 말입니다. 북한에서 볼 때는 '보도연맹'은 변절자, 그러니까 북한이라고 제가 뭐 제대로 환영받을 집안도 아니에요. 남한에서는 어떻게 생각하느냐, 남한에서는 자기들 입맛에 안 맞으면 다 북한에 동조한 걸로 보거든요. 사실 우리 입장에서 보면 지리산 빨치산 같은 신세야…. 제가 『동아일보』에 「나의 길 나의 삶」을 쓸 때 그랬었어요, 저의 꿈은 플레하노프 같은 사람이 되는 거였다고요.

플레하노프는 아시다시피 러시아의 마르크스 1세랩니다. 우리나라로 치면 리영희와 박현채와 백낙청을 합친 것 같은…. 그런데 우리나라는 따로따로 있잖아요? 정치는 리영희, 경제는 박현채, 문화운동에 백낙청이 있는데, 그는 다 합쳤어요. 정치 경제 사회 문화 역사 철학 할 것 없이. 말하자면 마르크스 이후 최대의 사상가죠. 러시아의 마르크스주의자들은 그의 책을 읽고 다녔거든요. 제가 뭐 혁명하거나 그런 능력은 없는 사람이고 그런

데 나름대로 그런 엉뚱한 생각을 했죠.

저는 그 사람 평론이 제일 좋았어요. 그 박학다식함…. 그리고 비평이 참 재미가 있어요. 일본판을 읽고 너무 반해 제 목적이 플레하노프처럼…. 그래서 흉내도 내고 뭐 그랬는데, 70년대 들어와서 유신 하에서 혼란스러워지니까, '아, 일 나겠구나' 그래서 제 개인적으로는 중학교 때부터 써오던 일기장 다 태워버렸어요.

바로 그 10월 17일을 저는 잊을 수 없어요. 중대 발표가 있다는 예고가 있어서 아침부터 여러 군데 수소문 했지요. 하지만 아무도 예측을 못하고 다만 공산권에 대한 뭐가 아닐까 짐작했죠. 마침 7·4 선언 뒤라 그렇게 생각했는데 전혀 뜻밖이었어요. 10월 17일 5시에 지금 국회의원 김상현 씨 승용차 안에서 방송을 듣고 있는데, - 그 때 김상현씨는 국정감사 하다가 중단하고 다 올라오라고 해서 올라왔었죠.- 아, 뭐 국가비상사태니 모든 정치 활동을 중단하고 국회 해산이라는 거예요. 그러니까 김상현 의원이 "어, 국회의원도 아니네. 뱃지를 떼어야지." 하며 얼른 떼던 모습이 선합니다. 그리곤 "이거 심상치 않으니까 빨리 피하자." 그러더라구요. 그래서 돈을 만들어 가지고 해인사로 범우사 윤형두 사장과 함께 피신 여행을 갔어요. 한 열흘 지나면 윤곽이 드러나니까, 일단 해인사 가서 한 열흘 끌자… 그런 계획이었지요. 그런데 점점 더 심해지고 서울 와서도 한 달 가량을 하숙집에 있었어요. 그런데 1973년 말 개헌 서명하라는 제의가 들어왔어요. "나 못하겠다. 개헌되거나 말거나 못 하겠다." 그랬더니 부득부득 하라네…. 하도 졸라서 "아 이구, 난 안 하니까 정 필요하면 맘대로 하라."고 그랬더니 이름을 넣어버렸어요. 근데 딱 발표가 된거죠. 아마 문인들은 제 속 사정 모르고 비겁하다고 그랬을 거예요. 문학인 개헌 성명 직후인 1월 8일에 긴급조치가 선포되었고, 그래서 서명했던 사람들을 하나하나 다 찾아다니면서 전부 경위서를 쓰라는 거예요. 바로 그 무렵에 이호철 선생이 연행되어 조사받는다고 소문이 났고, 어느 날 동생이 집에 오지 마라, 그래서 피신 다니다 다시 들어갔죠. 결국 첫 발단은 시국하고 관계없이 이호철 선생이 일본 방문 중에 사석에서 한 얘기가 밀고당해 조사하는 과정에서 일본 갔다온 사람 한 둘이 아니다, 이래서 결국 다섯 사람이 남았는데 개헌 서명을 한 사람이 이호철, 저 둘이었습니다. 둘이는 간첩이고 나머지는 다 반공법 위반으로 기소당했지요. 발단은 그런 식이었는데, 결국은 시국사건하고 관련지어져 고생을 했지요.

채 ; 감옥에는 얼마나 계셨어요? 그리 오래 있지는 않은 것으로 알고 있는데, 금방 나오셨습니까?

임 ; 1심에서 나왔습니다. 1심에서 한 다섯 달 있었죠. 당시는 '인권'이란 단어도 없을 때여서

참 고생했습니다. 집행유예로 나오기는 했지만, 참 억울했어요. 대학 강단에서도 쫓겨나 야인이 되었죠.

야인이 된 뒤에 모 출판사에서 '한국문학대계'를 기획했는데, 그때 새로운 시각으로 뭘 할 수 없느냐는 생각에 매달렸습니다. 우리나라 문학전집을 보면 1권 이광수…, 하는 식으로 나가죠. 그래서 이 틀 좀 바꾸자 싶어 1권에 개화기 소설을 넣었어요. 1권 신채호, 하면 좋았는데 너무 혁명적이어서 개화기를 1권에 넣고, 2권에 이광수, 권말 부록으로 『문학논쟁집』과 『민족의 소리』를 냈는데, 그때 자료 다 찾고, 생존해 있는 원로들을 다 찾아다녔어요. 김동리, 서정주부터 김팔봉, 이헌구까지 계파를 초월해서 싹 다 집어 넣었습니다.

김팔봉 선생도 그때 계속 뵈었는데 기록을 남기고 싶어요. 처음 찾아갔을 때, "제가 평론을 공부하고 있는 임헌영입니다." 하니까 "임헌영?" 하며 눈물을 글썽거렸어요, 첫 인사가 그러더

라구요. 연세가 들면 후배들 이름도 모르거든요. 제 이름 아는 게 우선 괜히 좋더라구요. 그리고 선생은 제가 고생한 것에 대해서 진심으로 안됐어 하는 것이었어요. 제가 그때 30대였으니까 젊었죠. "선생님 그때 하신 거 후회 안 하십니까?" 하니까, "왜 후회해, 젊을 때나 하는 거지…" 하시더라고요. 제 앞에서라고 그렇게 말씀하셨다고는 생각하지 않아요. 그리고 가장 결정적으로 이분이 참 안됐다고 생각했던 점이, 나중에 양주동 선생하고 한 자리에 좌담을 붙였는데, 양주동 선생이 그러더라구요, "팔봉, 지금 생각하면 어때? 그때 그랬던 게 너무 지나친 행동이고, 뭐 아름답고 이런 게 진짜 예술 아니야?" 그러니까 팔봉 선생이 자긴 "그때 한 예술이 옳았다"고, "지금 생각해도 난 옳았고 그 뒤에 한 번도 난 생각을 바꿔본 적이 없다."는 거예요. 참 모순된 걸 느꼈어요. "그럼 그때 전향한 건 뭐야 정말 생각이 바뀐 거 아냐? 하겠지만 난 겁나서, 살라고 한

거지…." 그러니까 양주동 선생이, "아, 김팔봉 대단해, 난 그리 못하겠어, 난 생각이 많이 변했는데, 아, 김팔봉 존경해." 그랬습니다. 그 장면을 직접 봤다구요. 그 뒤에도 제가 그런 걸 여러 번 반복해 이야기했지만. 자기 청년 시절에 했던 걸 변형시키지 않고 그대로 내려오면서 뭔가 그래도 문학이 가지고 있는 사명, 그걸 계속 주장 해왔다고 답했어요.

그런데 인민군 왔을 때, 당한 거 있잖아요? 그 얘기가 젤 곤혹스러운 대목이에요. 인민군이 와서 고생한 거 가지고 사석에서는 욕을 안 해요. 60년대에는 거의 10년 동안을 6.25 때마다 그걸 가지고 선전했잖습니까? 실지로 여러 정황으로 볼 때 만약에 북한에서도 팔봉을 죽이려고 했다면 죽였을 것이라는 추측도 있어. 착오가 있을 수 없잖아요? 확인 사살까지 했는데. 안하고 그냥 둬버린 거예요. 안 죽은 걸 알고 둬버린 거예요. 북한이 살려줬으니 그럼 잘 한 거냐, 뭐

그런 걸 따지고 싶진 않고, 어쨌거나 팔봉 개인으로 볼 때는 그때 상황을 보면 인민재판을 안 받을 수도 없었고, 인민재판에서 사형을 안 당할 수도 없는 지경이었으니까 그 사람 팔자로 볼 수 있죠.

채 ; 그러나 그렇다고 해서 있었던 사실이 없어질 수 있는 것은 아니지 않겠어요? .

임 ; 예.

채 ; 아까, 이호철 선생이 일본에서 누구를 만났다는 것은 『한양』지를 염두에 두신 말씀인가요? 당시 많은 분들이 『한양』지에 글을 쓰셨고 또 왕래를 했잖습니까? 선생님도 많은 글을 쓴 걸로 알고 있는데요, 단순히 지면을 얻은 것인지 아니면 장일우 씨와 학문적인 교류가 있었던 건지도 궁금하군요.

임 ; 아마 장일우를 만난 사람은 없을 겁니다. 그것은 야사에 속하는 부분으로 뭔지는 알 수 없는데, 그때 『한양』지는 발행인이 구상 선생님과 막역한, 구상 선생님하고 제일 가까웠지요. 그래서 한국지부 보급소를 구선생이 맡을 정도로 가까운 그런 사이였지요. 그랬는데 정부에서 조건이 뭐냐면, 5.16 군사정권 비판만은 하지 말아라, 그러면 정식 보급허가 내 주겠다, 그렇게 제안했는데, 저쪽에서 그렇게까지 못하겠다고 하며 계속 비판했지요. 하지만 그때 잡지는 국내에 다 들어왔어요. 당시 『한양』지를 우리 나라에서 안 본 지식인은 없었습니다. 국회도서관, 대학도서관, 참 보급을 잘 했어요. 대학에서 도서관 사서들이 일부러 빼서 폐기처분 안했으면 다 있을 겁니다. 저도 그때 국회도서관에 가서 보고 그랬는데, 그 편집장은 경상도 남해 출신이고 발행인은 원산 출신이었습니다. 그 당시로서는 그게 일본에서는 진보적인 세력에 속하는 지식인들이 만든다고 소문이 나 있었어요. 그러니까 마음대로 문인들이 가서 만나고, 그때는 또 일본에 아는 사람도 드물 땝니다. 정치인부터 글줄이나 쓰는 사람들은 다 글을 썼어요. 그런데도 전혀 위협을 느끼지는 않았어요. 논조 같은 걸 보면 너무 맘에 드는 거야. 참 앞서 갔다는 생각이 들어요. 그러다가 사건이 터지고 책이 못 들어오게 되고, 못 들어오게 된 뒤에는 훨씬 책이 잘 나갔다고 그래요. 지금은 다 없어지고 말았죠.

리얼리즘과 민족적 리얼리즘

채 ; 예, 그럼 이제 선생님의 리얼리즘론으로 이야기를 넘기죠. 선생님께서는 민족적 리얼리즘이라는 말을 사용하신 것으로 알고 있습니다. 민족적 리얼리즘이라는 술어는 어떻게 보면 명료해 보이지만 또 어떻게 보면 명료하지 못한 부분도 있어 보이는데요. 게다가 선생님이 조금 전에 말씀하신대로 어떤 말, 개념을 사용하는 데에는 당시의 상황이라든가 조건이 작용하고 있다고 하겠죠. 선생님이 민족적 리얼리즘이라는 말을 쓰신 것은 어떤 이유에서이시죠?

임 ; 제가 71년에 「한국문학의 과제」의 부제로 '민족적 리얼리즘'이라는 말을 썼다고 했었죠. 사실 민족적 리얼리즘이라는 말은 정비되지 않은 술어였어요. 그 당시까지 본 리얼리즘론은 1930년대 창작방법론과 리얼리즘론, 루카치의 리얼리즘론, 그리고 그 외에 일본에서 나온 러시아, 중국 등의 이론들이 거의 다였지요. 그런데 준비를 하다 보니까 루카치의 리얼리즘론은 우리 나라와는 뭔가 궁합이 안 맞다는 생각이 들었어요. 지금도 생각이 같아요. 루카치는 자기 집이 부자고, 아버지는 은행장급이죠. 게다가 고도의 교양, 르네상스 이후 특히 산업혁명 이후의 교양과 각종 해박한 지식을 바탕으로 하고 있어요. 이런 세련된 미학적 감각으로 보면 프로문학과 부르주아 문학은 상대가 안된다고 볼 수 있어요. 그러한 기준에서 루카치는 세계 일류 작가로 괴테, 발자크를 꼽는 거죠. 그런데 발자크에 대해 엥겔스가 한 말, "정치적으로는 왕당파에 속하는데도 불구하고…"라는 그 말을 가지고 해석이 많잖아요? 저는 단순하게 생각해요. 독일어는 모르니 일본어나 우리말로 해석해 보건대, 혁명을 지향하는 정치가인 엥겔스 입장에서 볼 때, 그 사람이 왕당파라도 좋은 말 할 때 있잖아요. 다만 이거 부르주아 사회, 자본주의 사회의 모습을 비판적으로 볼 수도 있고, 자본주의가 이럴 때 추악한 거구나, 아, 이렇게 추악하니까 나도 이렇게 추악해야겠구나, 이렇게 볼 수도 있잖아요. 관점에 따라서는 말예요. 그런 시각에서의 긍정이라고 봅니다.

채 ; 엥겔스의 발자크론에 대한 흥미 있는 해석이네요. 저는 그렇게까지는 생각해 본 적은 없는데요.

임 ; 단도직입적으로 말하면, 루카치의 리얼리즘론은 지나치게 세련된 서구의 리얼리즘론이라고 생각해요. 예를 들면 우리 나라 카프의 성과가 뭐였느냐고 물을 때, 그 배경에는 세계문학이라는 기준을 상정하고 있죠. 하지만 반대로 비카프 진영에 대해서도 그 기준으로 내세울 만한 작품이 무엇이냐고 되물으면 사실 수준이 비슷해요. 우리 나라 수준에서의 사회주의 문학, 우리 나라 수준에서의 리얼리즘 이론을 내야 하거든요. 그런데 지금 젊은 사람들은 흔히 "루카치 이론에 의하면 이런 한계가 있다." 이렇게 말하죠. 루카치의 소설 이론의 틀을 가진 평론을 보면 그럴 듯하죠. 그러나 우리 나라 독자 대중과 과연 맞을까? 우리 나라 현실과 맞을까 하는 생각이 들어요. 우리 나라 문학이라는 건 우리 나라 독자와 우리 문학의 축적이거든요. 러시아는 19세기의 전통이라는 토양에서 거기에 맞는 훌륭한 프롤레타리아 작품이 나올 수 있는 것이고, 독일은 독일이라는 토양 위에서 브레히트를 낼 수 있는 거죠. 우리나라는 이광수, 김동인 위에서 나온 것이니까 그거밖에 안나오는 거다, 그렇게 봐야죠. 비카프 문학을 평가할 때는 우리 나라 기준에서 보고, 카프를 평가할 때는 세계 문학 기준에서 보는 거예요.

이렇게 봐서는 참 어렵다고 생각했어요. 작가들한테 계속 비판은 하지만, 평론을 쓸 때에는 우리 입장에선 좋다좋다 해야죠. 북한의 문학사 스타일은 우리랑 틀리지 않습니까? 좋은 점은 좋다 하고 한계점은 얘기 안해버리고. 그게 좋다는 건 아니지만 일정한 단계에서는 장점을 내세우는 것이 현장 비평의 역할이자 정책이에요. 시인이나 소설가는 쓰고 싶은 것만 쓰지만 평론가는 경우에 따라서 작품이 마음에 들지 않더라도 필요하다면 칭찬해 줘야 하죠. 그게 평론가의 운명입니다. 이렇기 때문에 난 리얼리즘론을 쓰면서 '민족주의'라는 말을 붙였어요. 곧 한국적 문학

현실에 맞는 이론이란 의미와 형식에서는 민족, 내용에서는 혁명적 리얼리즘이란 생각을 결합시킨 것입니다. 이 술어는 먼저 홍효민 선생 평론에서 나오고, 그 다음에는 8.15직후 『동아일보』 사설에 나왔어요. 그 혼란 속에서 누가 썼는지는 모르지만, 우리 문화 예술 정책은 '민족적인 리얼리즘'밖에 없다고 썼죠.『동아일보』가 우파고 보수주의적이지만 당시 보수주의자들이 너무 민족현실을 외면하니까 좌파의 생각과 절충해서 만들어 낸 것이 그 용어 아닌가 생각이 들어요. 당시, 이 용어를 현실의식이 있던 작가들과 시민들이 다 받아들여 가지고 밀고 나가자, 이런 생각이었죠 그러나 당시 상황은 극좌와 극우만 목소리가 높을 뿐 양심적인 민족의식은 설 자리가 없었습니다..

채 ; 그러니까 '민족적 리얼리즘'이라는 용어에서 '민족적'이라는 관형사를 일종의 전략적인 차원에서 붙였다고 말씀하시는 거

죠. 그렇다면 지금 같은 경우에도 여전히 리얼리즘론은 유효하다고 생각하십니까?

임 ; 네, 유효하다고 생각합니다. 하지만 지금은 민족적이라는 말은 떼고, 그냥 리얼리즘이라고 하는 것이 좋겠네요.

채 ; 리얼리즘은 리얼리즘인데, 지금은 그냥 리얼리즘으로 하는 것이 좋다고 한다면 그것은 어떤 이유에서지요?

임 ; 그때 제 생각으로는, 민족문학론은 걸음마 단계이기 때문에 이론도 정립해야 했고, 그 속에 농민문학과 노동자 문학을 함께 담아내야 했고, 예술 사상이나 형상화에서 리얼리즘론을 결부시켜야 하는데, 이걸 한꺼번에 다 결부시키다 보면, 한쪽에서는 우리 과제는 민족문학이다, 다른 한쪽에는 우리 과제는 리얼리즘 문학이다 하면 혼란도 오고 이상할 것 같아서 그걸 다 합쳐버리자 한 거죠. 민족문학과 리얼리즘 두 가지가 그냥 같은 뿌리에서 같은 지향점을 가진 지표가 되지 않을까 생각했거든요. 그런데 지금은 민족문학은 나름대로 이론적인 정립이 되어 있고, 또 민족문학을 안 내세워도 리얼리즘을 하다보면 그 안에 민족문학이 다 포함되는 게 아닌가 생각해요. 리얼리즘 일반론에 가까운 정도로만 해서 그 예술철학을 그대로 유지하면 되지 않을까 생각해요.

채 ; 70년대 초와 90년대 사이에 본질적인 차이가 있는가 없는가는 사실 엄밀히 따져 봐야 할 일이지요. 어떤 관점에서 보는가에 따라서 달라질 테니까요. 어쨌건 상황에서는 차이가 있다는 말씀이신 듯합니다. 그런 의미에서 본다면 민족적이라는 말을 뺀다는 것 자체도 일종의 전략적인 선택인가요?

임 ; 전 일관성 있게 참여 문학이 민족문학으로 되고, 이게 농민문학으로 승화하고 그 다음에는 리얼리즘, 그 다음에 노동자, 그 다음에 민중문학 그렇게 등장했다고 보고 있어요. 그 중간 어느 이론도 정립시키지 못한 단계에서 결국은 리얼리즘 안에 모두 포함되는 게 아니냐, 포함시켜야 하지 않느냐는 생각이 들어요. 전 지금도 민족문학을 주장하는 쪽인데, 민족문학이 90년대면 90년대, 2000년대는 2000년대에 걸맞는 이론을 다시 개괄해야 한다고 봐요. 그러나 그걸 민족문학이라고 하기보다는 일반론으로 확장시켜 나가는 것이 창작에도 도움이 되고 독자들에게도 도움이 되는 게 아닐까요?

조금 더 깊이 얘기해볼까요. 북한의 이론에서는 내용에서는 리얼리즘, 형식에서는 민족예술 아닙니까? 합치면 결국 민족적 리얼리즘이 되거든요. 북한의 이론이 옳으냐, 북한이 하는 그대로 해야 하느냐는 문제는 복잡하죠. 그러나 그 당시 한국에 나왔던 이론만으로 볼 때 가능한 방식은 민족문학과 리얼리즘을 결합시키는 방식밖에 없었어요. 그

리고 이런 이론을 자꾸 캐나가면 민족의 동질성 회복에 가 닿지 않을까 그런 생각도 했지요. 또 제가 말을 해 놓으면, 북한 이론과 이쪽 이론이 비교 연구되어 조금 더 발전을 하지 않을까 했는데, 엉뚱하게도 저를 좌파 이론으로 몰아버렸죠. 그러니까 후배들도 그 이론을 피해 버리고. 그리고 민족문학 이론은 민족문학 이론대로, 리얼리즘 이론은 리얼리즘 이론대로 발전해나갔어요. 지금은 그게 학문적으로 연구되고 있죠. 사실 저는 학문을 원한 게 아니었거든요.

문학이나 문학 평론을 하는 사람은 적어도 세계사와 세계 학문의 흐름과 국가론, 민족론 이런 걸 총망라해야 한다고 봐요, 문학이론이 절대 우연히 나오지는 않습니다. 다 그 세계의 흐름 속에서 자기 민족의 이익, 국가 이데올로기의 직접 간접적인 영향 아래에서 나오는 거거든요. 이를테면 비교문학에서 프랑스와 미국이 어떻게 다릅니까? 프랑스 비교문학은 엄격한 영향 관계를

따진다면, 미국 비교문학은 단순 비교예요. 미국 비교문학이 단순 비교일 수밖에 없는 이유는 100년밖에 안 되는 미국 문학 전통에서 프랑스식 비교문학 이론을 적용하면 남을 게 없지요. 이러니까 나온 게 뭐냐면 비교문학 개념 수정이예요. 이보다 더 국가 이익에 봉사하는 게 어딨겠어요? 저는 대학원에서 첫시간에 항상 이런 얘기를 해요. 문학론 연구 자세는 어때야 하느냐? 왜 문학을 연구해야 하느냐를 묻지요.

영국에서는 20년대 영문학이 격상됩니다. 영국이 기울어져 가는 국세를 만회하는 것은 자기 문화밖에 없었고, 그러기 위해서는 똑똑한 학생들을 길러서 세계적으로 영문학을 퍼뜨려야 했지요. 캠브리지 대학이 실시했던 보통 문학사(文學士)보다 더 어려운 과정을 거쳐야 하는 우수한 트라이포스(tripos)제를 실시한 이유는 종교적 기능의 쇠퇴로 문학이 그 자리를 메꾸어야 한다는 것이었습니다. 이 사실은 곧 기독교적 복음주의를 신학이 아닌 문학이 담당해야 한다는 논리이며, 이는 세계 복음화와도 통합니다. 그런 이유로 나온 것이 F.R.리비스가 말한 새로운 영국식 비평이론이에요. 미국도 마찬가지죠. 남부에서 나온 신비평은 국내적으로는 북부의 지배 체제에 대한 남부의 저항이고, 국제적으로 보면 미국문화의 국제적인 지배를 꾀하는 것이거든요. 그리고 자기들 끼리만으로는 안 되니까 프랑스의 데리다 같은 사람 대우 잘 해주면서 불러오거든요. 해체주의라는 게 결국은 미국식 이데올로기이고, 문학에서 내셔널리즘이라는 뇌관을 제거하는 장치란 말입니다. 이렇게 지식인들이 자기 국가 이익에 부합하는 연구방법론을 개발한 거죠. 맞아떨어진 거 아닙니까. 그러니까 국가에서는 지원해주고….

문학연구방법론을 너무 정치적으로 접근한다고 비난할지 모르지만 저는 그렇게 봅니다. 한국에서도 60년대의 미국처럼 '비평'이 '문학이론'으로 바뀐 게 80년대입니다. '비평'이 운동지향적이라면 '이론'은 연구지향적이거든요. 저는 80년대 우리 문학연구이론을 성과로 보면서도 근본적으로는 변혁운동에서 멀어지는 결과를 낳았다고 봅니다. 서구 제국주의 방법론의 승리지요. 즉 좌파도 제국주의식 좌파란 말입니다.

민족문학의 개념

채 ; 결국 문학연구방법론이라는 것이, 정치 좀더 나아가서는 구체적인 삶의 양식, 역학 관계 등과 밀접하게 연관되어 있다는 말씀이신데요. 90년대 새로운 문학연구방법을 모색하는 연구자들, 사실 그들에게만 한정된 이야기는 아니겠지만, 여하간 연구자들에게는 깊이 숙고하지 않으면 안될 문제라고 생각합니다.

아무런 관형사도 갖지 않은 리얼리즘이 현재 상황에서는 좀더 유효할 수 있겠다는 게 선생님의 생각이신데, 그렇다면 '민족문학'의 개념이 논의되지 않을 수 없겠네요. '민족적 리얼리즘'이라는 것이 민족문학의 이념과 리얼리즘이라는 방법론 혹은 정신을 결합시킨 것이었다면 말이죠. 선생님께서는 '민족문학'의 입장을 견지하시면서, 1978년경에 민중이라는 개념을 농민 또는 노동자라고 구체화하셨는데요. 그 때 선생님의 생각은 어떤 것이었나요? 또 '농민문학'도 일반적으로 받아들여지고 있는 개념과는 다른 개념으로 사용하시는 것 같던데요?

임 ; 70년대 중반쯤으로 기억하는데, 제가 「민족문학 개념 정립을 위하여」라는 글을 썼어요. 당시에는 계속 민족문학, 민족주의문학, 국민문학 같은 용어가 혼동되어 쓰이고 있었어요. 그런데 제가 보기에는 분명히 다른 것이었거든요. 그래서 어떻게 이념적인 문제를 피해가면서 명확하게 규정하는 방법이 없을까 고민했어요. 지금 보면 상식이지요.

하지만 그때는 잘못 건드리면 마르크스주의자로 몰렸어요. 사실 그 글을 쓸 때 저는 이미 스탈린의 민족문제에 관한 글을 다 본 때였어요. 엄격히 말하자면 스탈린이나 사회주의적인 관점에서 보면 우리 나라 남북한은 딴 민족입니다. 왜냐하면 사회주의 이론에서 민족을 규정할 때 네 가지 요소를 드는데, 그 가운데 '경제 공동체론'이 있거든요. 단순히 옛날에 핏줄이 같았다는 것으로 같은 민족이라고 할 수는 없습니다. 핏줄이 같은 게 한 둘입니까, 인류 역사상 인종별로 따지면…. 정치체제 다르지, 경제가 다르죠, 우리가 생산한 거 우리가 다 먹지 북한에 안 주잖아요? 같은 나라에 딴 솥밥을 먹는 거야. 그럼 민족이 안되죠. 그러나 민족해방론의 입장에서 보면 우리는 같은 민족이거든요. 그걸 어떻게 문학에다 적용시키느냐, 고민을 하다가 민족문학이라는 명칭에 대하여서 썼지요. 이제 1920년대의 민족문학파는 민족문학이라고 불러선 안 된다, 엄격히 '국민문학'이라고 해야 한다, 그게 제 주장이었어요. 저는 지금도 그렇게 봐요. national literature라는 용어가 동양에 번역돼 들어올 때, 중국에서는 민족문학이라고 번역합니다. 그 당시 중국은 엄격히 민족 해방투쟁 문학이라고 말을 해요. 반면에 일본은 국민문학이라고 번역해요. 30년대 일본은 다른 민족을 자기 국민으로 지배해야 할 상황이잖아요? 식민 종주국으로서 말예요. 그런데 민족이라는 단어 자체가 이미 상당히 투쟁적이잖아요? 일본이 의식했는지 모르지만 국민문학이라고, 일본에서 나온 연구사 사전 찾아보면 다 국민문학이라고 해요. 그런데 우리 나라는 두 술어를 다 썼잖아요, 실제로. 저는 우리에게는 민족문학이라는 술어가 적합하다고 보았어요. 20년대의 민족문학파는, 사실은 비민족문학파이기에 국민문학이라고 불러야 하는 거죠. 그리고 민족주의는 부르주아 민족주의잖아요. 제가 말하는 민족문학은 민족주의 문학이 아니라 민족해방문학이라는 의미로 사용한 거죠. 이 점은 모든 사람들이 인정했어요. 그 뒤부터 모두 술어를 통일했죠, 민족문학이라고요.

그러고 나서 '농민문학'이 나왔어요. 농민문학에 대한 제 의견은 그래요. 그때 농민문학을 주장한 사람들이 대개 뭐라고 썼느냐 하면, 우리 나라 국민의 8-9할이 농민이다, 따라서 다수의 농민을 외면할 수 없다, 이렇게 썼어요. 제가 말한 농민문학은 그게 아니죠. 농민문학은 숫자로 말하는 것이 아니다, 질로 말하는 것입니다. 모든 문학 예술은 농민을 지향한다고 보는 입장입니다. 공산사회의 기본 형태가 농촌이지 도시가 아니에요. 도시는 다만 산업화 관리를 위해서 만들어진 것이고, 많은 인간이 모이니까 도시가 돼버린 거죠. 그러나 도시에 사는 사람들의 기본적인 꿈은 뭡니까? 농촌이잖아요. 인간 공동체적인 그런 농민적인 정서잖아요? 그게 인류의 꿈이고 그 꿈을 나타내는 게 문학이다, 이러기 때문에 농민문학이라는 건 철학적·미학적으로 보면 원천적으로는 국민의 정서, 소박한 인간의 휴머니즘, 이 영원한 이상으로서의 농민 공동 사회, 그걸 지향하는 것이에요. 농민 숫자가 아무리 적어져도, 아무리 달나라 가도 그 꿈, 이게 농민문학의 기본입니다. 저는 지금도 그렇게 주장해요. 자크 아딸리가 말하는 도시적 유목민 속에서도 정착을 꿈꾸는 인류의 이상, 그게 농민문학의 본질입니다.

채 ; 하지만 농민문학이라는 말을 그런 뜻으로 사용한다면 오해를 불러 일으킬 여지는 없을까요? 오해라기보다는 혼란을 일으킬 수 있을 듯한데요. 그런 의미라면 다른 명칭으로 바꾸어 사용할 수도 있지 않을까 생각합니다. 80년대 초에 다른 맥락에서 쓰이기는 했지만, '공동체 문학'이라는 용어가 오히려 더 적절한 용어가 아닐까요?

임 ; 공동체라는 말이 사용되고 있다는 것을 안 것은 1980년대 중반이었어요. '문인간첩단 사건'으로 들어갔다 나와, 대학에도 설 수 없어 재야지식인으로 살았죠. 그 동안 많은 책을 썼지요. 한편으로는 먹고살기 위해서였고, 다른 한편으로는 일종의 사명감 때문이었지요. 그러면서 뒤로 몰래 한 게 바로 '남민전'(南民戰)이었어요. '남민전 사건'으로 갔다 나온게 80년대 중반이예요. 나와 보니 공동체라는 말이 쓰이고 있었어요. 그런데 저는 공동체라는 말이 잘 먹혀 들어가지 않겠구나 생각했어요. 그리고 예전과 같은 의미에서의 농민문학이라는 말도 안 먹혀 들어가죠. 그래서 오히려 그걸 합쳐서 리얼리즘으로 넣고, 주제나 소재별로 분류할 때는 농민문학이라고 해서 그 중요성을 강조하려 했었던 거예요. 저는 지금 젊은 세대들이 이론적으로 농민문학 개념을 확장해주었으면 좋겠어요. 사실 저는 그걸 이론적으로 못했거든요, 주장만 그렇게 했지.

분단문학과 민족동질성

채 ; '남민전' 이야기가 나왔는데, 중요한 이야기이기는 하지만 조금 뒤에 다시 이야기하기로 하고요, 계속 이야기를 이어나가지요. 민족문학 개념과 밀접하게 관련되어 있는 개념이 '분단문학'이라는 개념일 터인데요, 선생님께서 분단 문학과 관련하여 책을 내신 적도 있고요. 그런데 선생님께서는 '분단문학'에 일종의 계보랄까 아니면 어떤 발전의 방향을 설정하고 있는 듯이 보입니다. 다른 비평가들과는 달리 분단문학의 폭을 매우 넓게 잡고 있는 듯도 하고요. 선생님 생각을 독자를 위해서 조금 간명하게 정리를 해 주시면 좋겠습니다.

임 ; '분단문제'를 제가 제일 강조했었지요. 사실 분단 때문에 민족 동질성과 통일 지향성과 같은 이야기가 나오고, 결국 '민족'이 들어갈 수밖에 없는 거였지요. 그래서 자연스럽게 외세의 문제와 연결됩니다. 외세란 바로 제국주의지요. 제가 분단문학 이야기를 시작할 때에는 외세라는 말을 상당히 조심스럽게 써야 했어요. 외세란 제국주의란 술어를 못 쓸 때의 우회적 표현입니다. 이와 관련해서 핵심적인 문제는 제국주의를 벗어난, 곧 일본이나 미국을 벗어난 문화 정책이 우리나라에 있느냐인데, 저는 없다고 봐요. 문화정책을 독자적으로 바로 세울 수 있는 이데올로기를 가진 정치 지도층이 있다면 그건 대단하죠. 신뢰할 만한 정권이라고 말할 수 있어요.

저는 분단문학의 과제는 바로 '민족 동질성 회복'이라고 주장했어요. 민족 동질성 회복이라는 말을 사용한 것은 아마 제가 처음일 거예요. 처음 분단문학은 6·25를 다룬 것으로만 봤지요. 저는 그걸 8·15부터 앞으로 통일될 때까지를 다 분단문학이라고 불러야 한다고 개념을 수정했습니다. 그러기 위해서는 50년대 문학을 제껴 놓지 말고 포용해야 한다고 생각해요. 예컨대 서기원의 작품이 대표적이죠. 서기원은 살벌한 시대에 탈영병을 주인공으로 내세워서 그 탈영병이 사창가에서 놀게 하죠(「이 성숙한 밤의 포옹」).

60년대로 넘어오면 최인훈의 『광장』이 있어요. 이 작품의 위대성은 남북한을 등거리에서 비판했다는 것입니다. 그 이전까지는 북한만 비판했지 남한은 비판 못했는데, 그냥 남북한 등거리에서 똑같이 비판을 해버린 것이죠. 이 작품을 놓고 민족적 허무주의라고들 얘기하는데 저는 이렇게 봐요. 『광장』이 동구권 붕괴 이후에 결국엔 또 재평가 받는 게 아니냐. 『광장』의 이명준이 어떻게 할 수 있겠어요? 그냥 죽어 버렸거나 다시 북한으로 가버렸거나, 사실 그렇게 끝낼 수도 있거든요. 다시 북한 갔으면 책이 못나왔겠죠. 최인훈도 지금 못 살았을 거고. 그러나 어쨌거나 중립국으로 가다가 죽게 했죠. 바로 그 점 때문에 민족적 허무주의자라는 비판도 받았는데, 그 사람이 뒤에 어떻게 하느냐가 문제죠. 그 당시의 최인훈 선생은 대단히 훌륭한 업적을 남겼다고 봐요. 『광장』과 그 뒤에 나온 『회색인』에 나타난 최인훈 선생의 사상은 상해 임시정부를 우리나라 정통으로 보는 사상이었어요. 그렇기 때문에 전 최인훈 선생을 분단문학의 한 반열에 올려야 한다고 봐요.

그 다음에 박경리 여사의 『시장과 전장』이 있죠. 이건 처음으로 공산주의자에게 피가 흐르게 한 작품이에요. 최인훈 선생보다 한 걸음 더 나아간 거죠. 이제 공산주의자도 인간이 된 거예요. 이 점은 대단히 중요해요. 그 뒤에 나오는 작가가 김원일이에요. 사실 박경리까지가 모든 공산주의자는 지식인이었어요. 공산주의는 지식인만이 하는 것처럼 해왔는데, 김원일에 와서 처음으로 백정도 공산주의자가 되는 거죠. 『노을』에 등장하는 인물 중 최고의 지식인이라고 해야 초등학교 선생이에요. 말하자면 '이즘'이라는 것이 삶에서 나오는 것이라는 사실을 처음으로 증명한 거죠.

이즘이라는 것이 이론이 아니라 삶의 현장에서 터득된 것이다, 그렇기 때문에 인텔리만 이데올로기를 가지는 것이 아니라 글자를 몰라도 이데올로기를 가질 수 있다, 이건 매우 소중한 점이죠. 그 뒤부터는 분단 문학이 역사를 바로 보려는 작업이 되는데, 이병주의 『지리산』, 조정래의 『태백산맥』, 그리고 권운상의 『녹슬은 해방구』까지 이어지는 거죠. 이병주 선생에 대해 비판이 많은데, 저는 상당히 긍정하는 편이거든요. 『지리산』 같은 작품은 이승만 정치 노선을 합리화하는 소설이라고 보고, 『녹슬은 해방구』는 북로당을 바로 지지하는 거죠. 그리고 『태백산맥』은 그 중간이에요. 우리 나라 진보적인 민족주의 의식을 분단 문학에다 집어넣은 것이 『태백산맥』이죠. 이렇게 하면 일목요연하게 분류가 되죠. 이 세 작품이 대치되는데, 셋 다 그 정도만 쓰면 되는 거 아닌가요?

『창작과 비평』과 리얼리즘

채 ; 분단문학을 정리하는 말씀을 들으니 앞서 말한 선생님의 리얼리즘관이 훨씬 더 선명해지네요. 비평가의 자세도 그렇고요. 이쯤에서 『창비』, 구체적으로는 백낙청 선생님과의 같은 점과 다른 점을 짚어 봐야 할 것 같습니다. 분단문학에 대한 강조라는 점에서는 그리 큰 차이가 없어 보이지만 구체적으로는 많은 차이가 발견되거든요. 특히 작품 해석에서는 더욱 그런 것 같습니다. 리얼리즘관도 그렇고요. 선생님께서는 『창비』쪽의 견해에 대해서는 어떻게 생각하시는지요. 관점의 차이가 분명히 있기는 하지요?

임 ; 저는 근본적으로는 『창비』를 지지한다고 할까, 호응한다고 할까 그런 입장이기 때문에 큰 차이는 없어요. 저는 백낙청 선생의 '분단체제론'을 인정해요. 또 가장 높이 사는 부분이죠. 저도 분단체제라는 말을 잘 쓰죠. 어쩌면 그 용어는 제가 먼저 썼을지도 몰라요. 백선생의 민족문학론도 일반적으로는, 이론적으로 수긍하는 편이에요. 서구 미국학자들이 주장하는 민족주의론과 유럽학자들의 민족주의론을 잘 융합해서 백 선생 나름대로 주장한 민족문학론, 시민 문학론에서 민족 문학론으로 전개된 민족 문학의 현 단계, 이런 걸 저는 받아들이는 쪽이거든요. 그런 면에서는 별 차이가 없다고 봐요. 지금도 그래요. 많은 사람들이 민족문학론을 떠나려고 하는데, 백선생은 지금도 하고 있거든요. 난 너무 기분 좋고 받들고 싶어요. 민족 문학을 하는 사람이 너무 없기 때문에 너무 든든해요. 하지만 차이점은 있죠. 첫째는 백선생이 시민문학론을 내세웠을 때 저는 민족문학론을 해야 한다고 했어요. 우리나라는 식민지이기 때문에 시민은 없다, 식민지에서는 민족해방투쟁이 있을 뿐인데 무슨 시민을 찾느냐 하는 거죠. 또 시민 문학론을 인정한다고 하더라도, 이상이나 한용운을 우리 문학의 거봉으로 파악하는 데는 반대예요. 다음으로

형성新書 2

創造와變革

任軒永 評論集

◀ 『창조와 변혁』

는 백선생의 민족 문학론과 그 속에서 거론되는 작가나 시인 사이의 괴리를 들 수 있어요. 특히 90년대 들어와서는 더 그렇죠. 이제 바라볼 거라곤 『실천문학』과 『창비』밖에 없단 말이에요. 이럴 때 저는 오히려 두 잡지가 희생을 각오하고, 단행본은 장사를 하더라도, 잡지는 문학사의 흐름을 짚어주고 평가해 주면서 옛날에 했던 전위로서의 역할을 해 주기를 바라요. 그런데 90년대 들어와서 좀 중심이 흔들리는 것 같아요. 백 선생이 평가하는 작품들, 또는 『창비』에 실리는 작품들은 제가 보기에는 백선생

의 이론과 괴리가 된단 말이죠.

한 가지 더 말하죠. 『창비』가 나오면서 제일 먼저 연재한 것이 아르놀트 하우저의 「문학과 예술의 사회사」였어요. 전 그 책이 참 마음에 안 들거든요. 그게 프랑크푸르트 학파 아닙니까? 프랑크푸르트 학파라는 게 신좌익이다, 대체로 그렇게 보고 있죠? 그런데 『문학과 지성』이 말이죠, 사회에 관심을 가지지 않았다가 긴급조치 이후 프랑크푸르트 학파를 내세웠잖아요? 그러면 독일 프랑크푸르트 학파가 내세우는 작품이 뭐냐? 『문지』가 내세우는 작품은 또 뭐냐? 이게 맞아집니

까? 그런데 프랑크푸르트 학파를 딱 잡으니까, 그걸로 『문지』가 큰 영향력을 행사하게 된 거죠. 그러니까 『창비』의 상당한 독자를 『문지』에 뺏긴 거죠. 그런데 『문지』가 프랑크푸르트 학파를 내세우면서 실제로 시나 소설에서 그런 쪽의 작품을 보급해 줬느냐? 물론 윤흥길이나 조세희 같은 좋은 작가들이 몇몇 있죠. 그러나 『문지』는 전반적으로 역시 많은 문제가 있다고 봐요. 80년대 정치적 지향성에서 말이죠.

그런데, 『창비』에서 아르놀트 하우저 얘기를 하는 거예요. 저는 우리 나라에는 신좌익이 안 맞다고 봐요. 우리 나라에 맞는 것은 정통 마르크스주의죠. 마르크스, 레닌, 엥겔스, 모택동, 카스트로, 호지명. 사실 스탈린도 있지만, 마르크스 엥겔스 미학에 레닌주의 그 다음에 스탈린을 넣으면 너무 반발이 심해요. 저는 사실 개인적으로는 스탈린에서 긍정적인 요소도 있다고 보는데. 제 개인적으로는 호지명을 제일 좋아해요. 티토나 카스트로까지

도 넣을 수 있는 그 미학, 그것이 우리 나라에는 더 적합하다고 생각해요. 제가 보기에는 뉴 레프트를 하자는 얘기는 어떤 면에서는 미국의 입장을 세워주는 거에요.

하우저뿐만 아니라 80년대에 루카치가 존경받는 것도 못마땅해요. 루카치 이론도 우리가 다 배워야 하지만 오히려 중국 이론이나 쿠바나 이런 이론이 괜찮아요. 우리하고 차원이 다르지요. 그런데 백선생이 말하면 일단 함부로 넘길 건 아니니 주시해야 하고, 저 같은 사람은 솔직히 말하면 따라갈 수가 없는 거죠. 이론으로나 미학관으로 따라갈 수는 없지만, 그렇다고 저 같은 사람은 가만히 있어야 하느냐, 그렇진 않은 거죠. 못 따라 가는 대로 제 이론을 말하는 거죠.

채 ; 백선생의 이론이 다소 서구 중심주의가 아니냐, 민족적 특수성이라는 바탕에 근거해서, 이론을 개발하는 데 미흡한 것이 아닌가 하는 생각이신가요?

임 ; 꼭 그렇진 않을 거예요. 백선생 논문을 보니까, 저는 참 백선생다운 접근이라는 생각이 들면서도 저하고는 표현 방법이 또 달라요. 말하자면 한국을 미국의 식민지로만 보는 관점이나 한국은 이미 독립국가라는 생각을 넘어서는, 백선생 나름의 표현 방법이 있죠. 그런 걸 저는 달리 말하는 거죠. 고전적 식민지 개념으로 보면 지금 우리는 식민지가 아니죠. 19세기 개념으로 봐도 아니고, 20세기 전반부 2차 대전 이전까지의 개념으로 봐도 아니에요. 신식민주의 개념으로 보면 우리 나라는 식민지일 수도 있죠. 식민지 개념의 변천에 따라서 달라지는 거예요. 그렇기 때문에 꼭 그런 식으로 복잡미묘하게 표현해야 하느냐는 것이죠. 저는 식민지 개념의 차이가 변했고 현대식으로 말하자면 현대식 식민지라고도 할 수 있다고 보고, 그렇다면 거기에서 민족문학 방법론이 나와야 한다고 보는 거예요. 저는 소박하게 그렇게 말하는 것이에요. 백선생

과는 표현 방법에서 미묘한 차이가 있는 거죠. 인식은 백선생이 잘못되지는 않았거든요. 하지만 그 차이 때문에 백선생은 민족문학의 범위를 훨씬 넓게 보죠. 또 그 때문에 『창비』에 실리는 작품과 『창비』의 기본 자세 사이에 갈등이 있는 것 같기도 해요.

'남민전'과 70년대 사회 운동

채 ; 이제, 아까 나왔던 '남민전' 이야기를 들었으면 합니다. 이 부분에 대해서는 제가 과문한 탓인지 별로 이야기를 들은 바가 없네요. 예전에 선생님과 함께 공부할 때에도 들은 적이 없거든요. 그 때 어떤 생각으로 '남민전'에 참여하셨는지요. 또 문학인, 비평가로서 혁명조직이라고 말할 수 있는 '남민전'에 참여하려면 정치와 문학─조금 낡은 이분법이기는 하지만─ 사이의 관계에 대해서도 조금 말씀을 덧붙여 주시죠.

임 ; 1974년에 제가 '문인간첩
단사건'을 겪고 나오니까 암담했
어요. 지식인들이나 운동권에 있
던 사람들이 1979년 10.26 사건
에 대해 '당연히 그럴 줄 알았다'
고 흔히 말하는데, 사실은 79년
10.26을 아무도 예언을 못 했어
요, 76, 77, 78년 이때는요… (한
숨), 우리보다 선배 세대들을 만
나서 하소연하면, 박대통령 수명
이 다할 때를 기다릴 수밖에 없
다, 그 이전엔 도저히 안 된다고
말했어요. 76년에 3.1구국선언을
하니까 바로 구속되었고, 연금되
고 그런 상황이었지요. 그 이후
에는 평안하고 조용했어요. 제가
산 증인이예요. 삶에 찌들었던
노동자 외엔 모두 다 가만 있었
어요.

채 ; 78년, 79년도 2년간에 데
모가 전혀 없었습니까?

임 ; 독재 체제가 굳어졌다고
나 할까, 겉으론 조용했죠. '동아
투위'를 비롯한 해직 기자들을
중심으로 출판 문화 운동만 일어

났을 뿐이죠. '한길사'가 대표적
인 예죠. 출판문화운동은 우리
문학과 밀접한 관계가 있습니다.
해직기자들 덕분에 민족문학 발
전이 아마 10년은 앞당겨졌을 겁
니다. 출판운동은 2, 30년 앞당겨
졌고요. 그 이전처럼 보수적인
출판사만 있었으면 민족문학 이
렇게 발전하지 못했을 거예요.
우리는 고맙게 생각해야 해요.
출판사가 그만큼 중요하거든….

그런 상황에서 '남민전'이 지
하에서 만들어졌죠. 민주화 운동
도 이제는 지하로밖엔 갈 수 없
다, 이걸 보여준 게 '남민전'이거
든요. 첫 발단은 '민주주의 하자'
였어요. 당시는 그 말 자체가 긴
급조치에다가 국보법 위반일 때
니까, 그것 자체가 지하조직이
돼야 한다는 거였죠. 참 비참했
죠. 개인적으로 보자면 사실 저
만큼 울분에 차 있던 사람이 몇
안됩니다. 드물어요. 목마른 놈이
우물 판다고, 제가 제일 답답하
니까 남민전에 주저 없이 들어갔
죠. 그러다 결국 79년에 검거되
어 83년도에 나오니까 문학 풍토

가 완전히 바뀌어져 있었어요.

그런데 어떻게 바뀌어졌냐 하면, 마르크시즘이 한 50% 해방되어버린 거예요. 공공연하게 책을 봐도 되었죠. 영미 일본 책 복사해서 다 보고 있었죠. 저는 너무 놀랐어요. 처음에는 제 생애 이런 시절도 있는가 싶더라구요. 그런 반면에 저는 눈치만 보고 살아온 생리 구조가 있어 이래도 되는가 하는 생각도 들더라구요. 그리고 북한문학과 이론에 대한 관심이 높아져 있었는데, 이게 72년에 제가 일본 가서 몰래 봤던 것과는 너무 차이가 나요. 72년에 봤을 때는 북한의 주체사상 이전 60년대까지이죠. 이론적으로는 70년대 전반까지고요. 72년도에 볼 때는 너무 좋아요. 그런데 80년대에 나와서 보니까 상당히 주저하게 만들더라구요. 그대로 찬성만 하기에는 주저하게 만들고, 나 자신을 자꾸 반성하게 만들고…. 그래서 조심스럽게 접근을 하면서도 다른 한편 이런 생각이 들었어요. 문학을 인류의 고귀한 유산으로 보는 방법과 문

학도 하나의 시대적인 산물로 필요에 의해서 상품처럼 만들어냈다가 다 쓰면 폐기 처분한다는 식으로 보는 방법이 있는데, 후자도 유용한 면이 있겠다 하는 생각을 했죠. 무슨 뜻이냐 하면 민족해방 이데올로기의 관점을 가지고 있다면 그런 문학도 한 시대에 유용할 수 있겠다고 생각한 거죠. 그래서 상당히 정리하기 힘들어 곤혹스러워 하면서도, 북한문학을 굉장히 열심히 찾아다니면서 보았어요. 그때는 북한문학을 공부하는 사람이 적었으니까 출판사에서 자료만 구하면 저한테 갖고 왔어요. 제가 못 쓰고 다른 사람한테 쓰라고 하기도 했지만요.

다만 아쉬운 점은 그때 소위 민중적 민족문학, 노동자 해방문학, 또 그냥 민족문학, 이렇게 나뉘어 있었던 것이지요. 저는 힘도 없고 징역 살고 나와서 문단에 발판도 없고 그야말로 제 몸만 하나 강연하고 글쓰고 해서 먹고 살 때죠. 이게 아니다, 그 이론으로 싸울 때가 아니다 싶었

어요. 저한테 제일 잘해 준 사람이 채광석씨였어요. 그 다음에 자연스럽게 『녹두꽃』, 주사파 평론가들과 만나게 되었지요. 80년대 평론가들에게 많은 애착과 애정을 가지고 있었어요. 그 또래들이 흩어지지 않도록 해야겠다고 생각하고 노력도 많이 했어요. 이론적으로 자기들끼리는 골이 파일 정도의 논쟁은 없잖아요? 발전을 위한 우정어린 충고와 논쟁은 했지만은 깊은 골은 없었거든요. 그러나 결국 그게 나누어짐으로써 계승이 안되고 자기 자신에 지쳐버리고 만 거죠. 그 세 파가 합쳤다면 잡지 하나가 살았을 거예요. 그래봐요. 민족문학이 궤도에 올랐지 않겠어요. 각자가 자기들의 지지기반이 있었죠. 제 입장에서 보면 저게 하나가 되면 잡지도 살고 문학운동도 살고 그럴 텐데 했죠. 그런데 지식인의 한계이기도 하고, 우리 나라의 한계이기도 하지만, 결국 세월의 흐름과 함께, 그 흐름도 유파도 잡지도, 80년대에 다 불과 몇 년 하다가 스러져 버렸지 않습니까?

80년대 문학을 비판한다면 작품 비평에 앞서서 비평가에 대해 비판해야 해요. 그런데 반성도 자기들끼리 한 게 90년댑니다. 열정적인 평론가들은 현장을 떠나버리고 말예요. 그게 참 서운하고 지금도 아쉬워요. 그게 90년대 문학을 노쇠화시키고 조로하게 만드는, 해체주의가 급속하게 퍼지게 한 하나의 원인이라고 생각해요. 세월이 변했는데 우리는 왜 안 변하느냐, 우리도 변해야 한다, 이렇게 말하는 거죠. 그런데 세월이 변했습니까? 변하는 기준이 도대체 뭡니까? 국민 소득 높아지고, 대통령이 누가 되고, 이게 세월이 변한 게 아니거든요. 기본적인 역사적 입장에서 봐야죠. 지금 후배 세대들이 문학 연구를 한다면 80년대 비평가들의 업적과 과오를 잘 대차 대조해서 새로운 문학운동을 해야 한다고 생각합니다.

채 ; 선생님 말씀에 따른다면 80년대에 각기 다른 문학 이념을 갖고 결국은 운동도 따로 해나갔던 것이 90년대 문학이 노쇠화된 원인이라는 말씀인데요. 그런데 그 세 가지 흐름을 아우를 수 있는 연합 형태의 조직 혹은 공동전선을 형성하기 위해서는 그것을 가능하게 하는 조직이 있어야 하지 않았을까요?

임 ; 필요했다고 생각해요. 그런데 그 역할을 아무도 못했거나 방조한 거죠. 이 대목에서는 작가회의의 기능을 재삼 거론해야 됩니다. 지금도 마찬가집니다.

채 ; 지금은 어떤지요? 지금으로서는 이렇다 할 문학 운동도 없는 상태인데 여전히 그런 조직, 혹은 그런 조직을 만들기 위한 운동 같은 것이 필요한지요. 너무 늦은 것은 아닐까요?

임 ; 필요하다고 봐요. 늦지 않았어요. 또 늦었더라도 지금이라도 필요해요. 최근에 김명인 씨 같은 분이 그래도 80년대를 떠날 수 없다고 말하는 것을 듣고 너무 반가웠어요. 이런 사람들이 다시 한둘씩 더 돌아와야 해요. 이를 계기로 다른 분들도 다시 비평 정신을 가지게 되었으면 좋겠어요. 앞으로 어떻게 될지는 모르죠. 운동이 될지 안 될지…. 하지만 어렵기 때문에 또 될 수도 있어요. 안 하면 기존의 문학 판도에 자기가 편입될 수밖에 없기 때문이죠. 저는 가능하다고 보는데, 어쨌거나 희망을 가지고 싶어요, 그런 문학 운동이 다시 일어날 것이라는 희망 말이에요.

채 ; 카프에 대한 비판과도 관련된 얘긴데, 선생님께서 사석에서 20-30년대 카프의 한계를 말씀하시면서 '당' 문제를 말씀하셨거든요. 카프의 한계와 실패는 '당'과 연결되지 않았기 때문이라고요. 사실 저는 '남민전'도 이와 연관해서 보아야 한다고 생각하거든요. 물론 '남민전'이 문학 운동단체는 아니고, 그것까지 요구할 수 있는지는 잘 모르겠지만. 이에 대해서 조금 구체적으로 말씀을 해 주시죠.

임 ; 원칙으로 말하면요, 문학 예술이란 '당'과는 관계가 없다는 것이 정설이 되어버렸지요. 문학은 정치에 예속되어선 안 된다는 거죠. 그런데 문학운동론의 시각에서 볼 때는 다른 사회운동과 굉장히 밀접한 관계가 있어요. 그것이 정치 조직이건 사회운동 단체이건 말예요. 전 그걸 굉장히 중요하다고 봐요. 다른 나라 문학단체는 말할 것도 없고, 카프는 신간회와 굉장히 밀접하잖아요? 왜냐하면 운동이기 때문이죠. 그것이 어떤 사회 단체든, 운동 단체든, 민족 해방 조직이든 그것을 문학의 예속화로 보면 안 돼요. 예속화가 아니라 연대와 협조지요. 말하자면 이데올로기의 공동 창조자이자, 작품 보급의 직접적인 기여자가 된단 말입니다. 바로 독자가 되잖아요, 그 단체가. 개인주의적인 문학을 하는 사람에게는 없어도 그만이지만 운동지향성이라면 굉장히 중요하죠. 80년대도 사실 마찬가지지 않습니까? 잡지마다 지지 단체가 있고, 학생 운동과 연관이 되었잖아요. 이러기 때문에 중요한데, 일본이나 우리 나라 같은 경우는 당하고 관계가 없었어요. 김팔봉의 한계는 당에 들어가지 않았던 거예요. 만일 당에 들어갔으면 더 잘 썼을 것이라고 봐요. 이건 제 편견인지 모르지만, 결국 김팔봉은 당에 대한 확신이 없었던 거예요. 만약에 김팔봉이 당원으로서 자기가 함께 토론할 수 있는 자격이 있었으면 내용 형식 논쟁에서 김팔봉이 이길 수도 있어요. 신념이 강해지는 거죠. 또 애초에 그런 글을 쓰지도 않았을 거예요. 제 이야기가 자칫 오해를 불러 일으킬 수도 있는데, 결국 제가 말하고자 하는 바는, 이데올로기의 공동 창조라는 점이예요. 문학이 모든 것의 위에 있다는 일종의 예술지상주의를 배격하자는 거죠. 사실 정치가가 보면 문학은 하찮은 장난이요, 관념적인 유희일 수도 있습니다. 아무리 리얼리스트일지라도 보수주의적인 금뱃지가 보면 우스운 거예요. 현실과 비교하면 어린애 장난이죠. 그랬을 때 이데올로기의 공동 창조자로서가 아니라면 문학은 발전할 수 없는 거죠. 고리키 한 사람이 그렇게 위대했느냐 하면 아니죠. 끊임없이 레닌과 대화해나갔기 때문에 가능한 거죠. 지금 카프 연구하는 사람들이 다 지적하잖아요. 서울 청년회파 일부, 그게 카프 주류가 돼버렸고 당 핵심과 견줄 만한 그런 게 없었잖아요. 그러니 어디서 이론을 빌어오느냐 하면 외국에서 빌어오는 거죠. 외국 책 먼저 본 사람이 제일 선두주자예요. 일본 문인에는 러시아 체험자가 있었는데, 그들의 책을 보고 번안해서 평론 쓰면 우리 나라 일인자가 돼버린 거예요. 그 밑에는 직접 제자도 없고, 직접 비밀 문서 본 사람도 없어요. 어림짐작으로 했던 거죠. 그러고 보면 머리 좋았죠, 짐작해서 다 썼으니까. 지금 대차대조표를 작성해 보면 차이가 나잖아요. 저는 그게 아쉬운 거죠. 쉽게 말하면 문학은 다른 모든 학문과 함께 가야해요, 역사학, 정치학, 경제학, 이 모두 함께 이데올로기를 공동 창조하고, 사회 운동단체, 정당, 하찮은 조직운동까지 함께 할 때 문학 이데올로기도 함께 가고, 일체감이 생기고, 문화보급도 되고 출판도 되는 거죠. 2차 대전 직후 일본의 신일본문학회는 엄청난 조직이었어요. 그런데 결국 공산당으로부터 이탈하거든요. 공산당의 부당함 때문에. 나와서 사회당으로 가죠. 그때도 힘이 막 강했어요. 그런데 사회당 정책에도 동조하지 못해서 하나 하나 다 탈퇴했어요. 지금 일본 가서 예순 넘은 문인 만나면 그때 탈퇴한 사람들입니다. 그거 보면서 난 우리 나라 80년대를 생각했어요. 우리가 늙어서 저리 안 되려면 지금 뭘 해야 하느냐 하고요. 그 사람들 얼마나 우리 나라 문학을 부러워하는지 모릅니다. 좋은 토양에서 왜 문학운동을 그렇게밖에 못 하느냐고 말하죠. 그런 의미에서 '당'을 말한 거예요.

채 ; 그러면 남민전에 참여한 것도 그런 생각의 연장선상에 있는 것이었겠죠?

임 ; 큰 기대를 가지고 그랬던 것은 아니었던 것 같아요. 그런데 독일의 경우를 보면 예술가들이 공공연하게 정당을 지지하잖아요. 그에 비해 우리 나라는 마치 그렇게 하면 처녀성을 버린 것처럼 본다는 거죠. 바로 그런 생각을 깨야돼요. 정당의 하수인이 되는 건 문제가 있지만, 그런 의식은 깨어야 하죠. 앙드레 지드가 「소비에트 기행」을 쓰고 탈당할 때는 다 세계적인 양심이라고 하고, 공산당 지지할 때는 뭐 우스운 작가라고 하고, 우리 나라도 박정희 좋아하는 문인은 괜찮고, 아닌 문인은 정치문학이고, 그게 말이 되나요? 안되죠.

채 ; 그러면 남민전은 문학 운동과는 어떤 구체적인 관계를 맺고 있었나요? 아니면 선생님 개인으로서 관계를 맺었던 것이었나요?

임 ; 남민전 같은 운동 단체라는 것은 이데올로기 창조를 위해서 모든 분야와의 협조가 다 필요한 거예요. 남민전에 관련된 에피소드 가운데 김남주에 관한 것이 있죠. 이건 80년대와 관련된 얘깁니다. 김남주가 70년대 후반에 나왔잖아요. 그때 젊은 시인들이 말하기를 김남주는 민족 해방 의식은 있는데 노동자를 무시한다고 했어요. 노동자에 대한 연대감이 약하다는 거죠. 저는 그것을 보고 너무 슬펐어요. 김남주가 민족 해방 의식에서 제일 앞서가는 사람이라면, 그리고 그것이 필요하다면 그걸 사주면 돼요. 노동 해방 문학을 아주 잘 하는 사람이 있으면, 박노해 처럼 말이죠, 그러면 그걸 사주면 돼요. 같이 하면 되는 거죠. 그런데 자기보다 앞선 시인을 그렇게 씹어야만 제가 올라가나? (웃음) 평론가들이 밤새 시인을 씹고 제가 내세우는 작가를 세워야 하는가요? 그러지 않거든요. 또 김남주가 노동자 의식이 없었던 것도 아닙니다. 한국 문학운동은, 아니 다른 사회운동, 학생운동도 마찬가지로 역사적 전통을 도외시하고 급부상한 몇몇 영웅이 절대적 영향력을 행사한 데서 엄청난 시행착오를 가져왔습니다. 잡지 하나 내면 마치 자기들이 그 때부터 씨를 뿌린 것처럼 생각하잖아요. 사실은 그 전부터 씨가 다 있었던 거예요. 카프도 그 하나의 씨고, 해방후의 문학운동도 그렇죠. 학생 운동도 그래서 많은 좌절을 겪은 겁니다. 일제 때부터 운동했던 대선배들한테 가서 자문을 구했다면 절대 과격해지지 않고 발전할 수 있는데, 그러지 않으니 과격해지고 비현실적이 된 게 아니겠어요.

새로운 시대와 카프 문학의 재평가

채 ; 이제, 많은 시간도 지났고 했으니, 평소 연구자로서 선생님께 듣고 싶었던 이야기를 여쭙겠습니다. 연구자의 입장에서 보면 가장 문제되는 부분이 카프에 대한 평가가 아닐까 합니다. 제가 대학원에서 처음 연구의 대상으로 삼고 공부했던 것도 카프이고요. 카프를 우리 문학의 주류로 인정하고 옹호하더라도 카프가 갖고 있는 한계를 바르게 인식하는 것이 중요하다고 생각합니다. 역사적 제한에 따른 한계라고 할 수도 있고, 또 카프에 참가했던 사람들의 한계일 수도 있겠지요. 80년대에 카프 문학에 대한 새로운 평가가 많이 나온 것은 사실이죠. 하지만 한편으로는 유행과 같은 양상을 띠기도 했었어요. 그렇게 본다면 80년대 카프 문학 연구 성과도 비판되어야 할 부분이 있겠지요. 선생님께서는 소위 '새로운 밀레니엄'의 시대에 카프가 어떠한 의미를 가질 수 있다고 생각하시는지요?

임 ; 상당한 문인들이 새로운 밀레니엄이 오면 많은 것이 달라질 것이라고 생각하는데, 저는 그렇게 보지 않아요. 민족 문제 해결의 방식을 놓고 많은 논의들이 있었지만 결국 '민족해방론'과 '근대화론' 두 이론의 싸움이었다고 볼 수 있어요. 이렇게 봤을 때 두 문제가 다 해결 안 된 상태이거든요. 독일의 통일을 주도한 기민당이 우리 나라에 오면 혁신 정당이 된단 말예요. 독일과 우리 나라는 같은 20세기에 지구상에 존재한 한 나라이면서도 우리는 마르크스가 존재했던 시대보다도 더 참담한 시대에 살았거든요. 지금도 변하지 않았어요. 분단된 원인이나 분단 뒤에 대처하는 방법이나, 통일 방법이나 지금 남북한 대치상황이나 이런 여러 가지 상황을 볼 때 독일과는 비교하기 미안할 정도지요. 지식인들이 이런 걸 착각을 해가지고 오늘의 독일이나 미국과 우리가 같은 자유주의 사회로 생각한단 말예요. 그리고 민족 문제의 현실을 진단하는거나 역사나 남북한 시각이나 통일에 접근해 가는 자세를 선진국하고 똑같은 입장에서 가지려고 하는 거죠. 학자들은 현실을 무시하고 높은 위치에서 서구적인 관점에서 보는 거예요. 문학자들도 마찬가지지요. 문학이라는 게 운동 시대는 끝났다, 이게 해체주의자

들이 주장하고 싶은 거잖아요? 사실은 리얼리즘 같은 건 아직 체제내적으로 한번도 편입되지 못했던 이론이기에 운동을 안 하면 안됩니다. 사회주의 국가 체제의 붕괴 이후에 세계 전체가 다 해체주의로 나가기 때문에 미학이 그 이데올로기에 저항하기가 참 어려워요. 하지만 다른 나라 문인들 만나면 이렇게 얘기해요. "21세기의 문학 르네상스는 한국이다, 한국이 최고다, 일본 아쿠다와 상 그게 소설이냐, 우리 나라는 그보다 훨씬 좋은 소설이 많다."고. 실제로 일본의 많은 문인들이 우리 나라를 부러워하고 우리 나라 소설 좋아해요. 그게 다 지금의 지적 조류 속에서는 소수 의견이지만, 그 소수 의견이 바람직한 문학을 지켜야 한다고 봅니다. 너무 어거지인가요? 하지만 저는 그렇게 보기 때문에 21세기가 되면 확 달라진다 그렇게는 안 봐요. 또 그리 안될 겁니다.

저는 카프가 많은 한계를 가지고 있다고 생각해요. 하지만 그

카프를 정당하게 선보일 기회가 한번도 없었죠. 해금을 했다지만 대학 교재에는 들어가 있지 않고 또 들어가 있더라도 구색을 맞추는 정도지요. 현재 카프에 대한 비판은 거의 다 옳아요. 그렇기 때문에 카프에 대한 비판은 수용해야 하고 또 새 시대에 맞게 비판을 해야 하죠. 하지만 카프에 대한 비판을 동시대 문학에 대한 비판과 비교하면 이건 상당히 눈총과 편견에 가까운 비판이에요. 비판과 함께 카프가 이룩한 업적이 반드시 제대로 평가되어야 해요. 카프 연구자들도 업적은 이야기 안하고 비판만 해버려요. 카프는 대단한 단쳅니다. 세계 문학사에서도 그렇지요. 이 카프의 업적과 8.15이후와 60, 70년대, 80년대 민족문학과 리얼리즘을 연결시켜야 합니다. 민족 문학론이 한국 전쟁 이전까지는 빼버리고 70년대에 자신들이 처음인 것처럼 말하는데, 사실 카프의 이론에 입각해서 맥락을 이어줘야 합니다. 80년대 이론도 마찬가지로 승격되어야 하죠. 지금

은 평가와 비판에만 초점이 있지 계승에는 초점을 두지 않죠. 80년대 문학에 계승할 만한 점이 없냐 하면 그렇지 않아요. 80년대 상당수 작가들, 심지어는 중도파에 해당되는 임철우, 이창동 같은 작가까지도 상당한 업적을 남겼거든요. 이렇게 본다면 80년대는 순수 문학쪽에서의 업적은 거의 없어요. 작품 목록을 가지고 하나씩 보면 실제로 업적이 빈약해요. 80년대 문학을 싸잡아 비판하는 것은 마치 카프 문학을 일방적으로 매장하는 것과 똑 같은 것이지요. 90년대도 마찬가지죠. 어찌보면 더 치열합니다. 하지만 민족 문학 자체가 안이해지고 왜소해진 것은 사실이예요. 사실 저는 90년대 작가들에게 묻고 싶어요. 과연 이게 문학인가 말예요. 또 문학 연구하는 사람들에게도 이것이 좋다고 하는 글을 써야 하는가 묻고 싶어요.

과거 문학의 재평가와 관련해서 저는 이육사를 주목해요. 80년대 문학 운동에서 이육사를 별볼일 없는 시인으로 본 경우도

있는데, 이게 80년대 문학운동의 한계가 아닌가 해요. 이육사는 어떤 면에서는 카프보다 더 위대해요. 카프는 식민지 사회의 민족 문제를 정치 경제 사회적으로 진단해서 그걸 해명하였지만, 이육사는 식민지 시대의 우리 민족의 영혼 자체를 치유한 사람이야. 이육사가 더 위대하죠, 어떤 면에서는. 왜냐, 이육사 같은 시를 좋아하는 사람이 친일할 수 있습니까? 없죠. 시만 가지고 보자구요. "겨울은 강철로 된 무지갠가보다", 그런 시를 좋아하는 사람이 친일파가 될 수 있어요? 도저히 될 수 없어요. 훨씬 차원이 높은 거예요. 말하자면 마야코프스키와 푸쉬킨의 차이에요. 그걸 인식하지 못한 것이 80년대 우리 문학 이론이 가졌던 한계죠. 또 이육사가 어떤 사람이예요? 지하운동을 한 사람이잖아요. 카프는 문학 운동만 했지만 이육사는 실지로 민족 운동에 뛰어들어 투쟁을 하면서 그런 시를 쓴 거예요. 위대한 사람이죠. 세계문학사적으로 그런 사람은 드

물어요.

90년대 문학에 대한 평가

채 ; 민족문학론과 카프에 대한 재평가를 말하면서 자연스럽게 90년대 문학에 대한 소설에 대한 평가로 넘어가네요. 이제 시간도 많이 흘렀는데 90년대 문학에 대한 평가를 마지막으로 이 자리를 정리하였으면 합니다.

임 ; 90년대 소설의 특징은 몇 가지가 있죠. 첫째는 서사 구조를 허물었어요. 서사 구조가 있긴 있죠. 하지만 우리가 보통 소설이라고 말할 때 떠올리는 재래식 서사구조는 허물어졌어요. 해체주의자들은 발전이라고 하는데, 저는 발전이 아니라고 봐요. 서사 구조가 없으면 왜 문학이 있습니까? 저는 이런 현상이 오래 못 간다고 봐요. 신경숙 소설의 강점이 뭘까요? 신경숙은 90년대적 감수성을 개발해서 성공한 겁니다. 사실 80년대 우리가

외면했고 방기했던, 어떤 면에서는 천대하고 학대했던 문장의 아름다움을 신경숙은 되찾은 거죠. 그게 독자들에게 먹혀 들어갔어요. 신경숙의 문장은 미문에다, 사춘기 소녀적인 감상이 하나도 유치하지 않게 들어가 있잖아요. 50이 넘은 남자의 가슴에도 꽃이 피게 해주는 게 신경숙 소설의 위대한 힘이거든요. 그 대신에 뭐가 있느냐. 그 아름다운 산 속에서 속세를 보는 간격이랄까, 그런 게 느껴져요. 예컨대 『외딴 방』을 읽어보면 서사 구조를 잡기에는 너무 미문이예요. 리얼리즘과 90년대적 감각을 적절하게 엮으면 되는데, 신경숙 나름의 고차원의 아름다움을 그대로 간직하고 있기 때문에, 『외딴 방』은 서사구조와 문체가 서로 용납하기 어려워요. 어떤 평론가들은 그걸 잘 융합시켜서 성공했다고 하지만, 그 서사구조에 애착을 가진 독자들이 볼 때는 굉장히 곤혹스러운 거죠. 『외딴 방』에 나오는 노동자들이 진짜 노동자냐 하는 문제도 있지만, 그 문제를 덮어두더라도 신경숙의 소설에서는 서사 구조가 무력해지는 거예요. 그게 신경숙 소설의 약점이죠.

그런데 은희경에 의해서 서사 구조가 살아나요. 은희경이 왜 베스트셀러가 되느냐? 은희경은 신경숙이 아름다운 표현으로 독자들을 사로잡았다면, 은희경은 서사 구조를 살린 거죠. 은희경 소설은 아무리 단편이라도 서사 구조가 있어요. 신경숙보다 훨씬 뚜렷하지요. 그러니까 신경숙에 심취됐던 사람들이 은희경을 보면 그 서사 구조가 새로운 거예요. 은희경은 서사구조를 풀어가는 데 문장을 어떻게 쓰느냐. 은희경은 신경숙과는 달리 감각적인 문장으로 써요. 신경숙은 아름답고 서정적이고 정서적으로 쓰는데, 은희경은 생활 속에서 피부로 느끼는 감각으로 써요. 이게 은희경과 신경숙의 차이죠. 제가 보기에는 서사 구조가 결국 그래도 살아난다고 봐요. 그러면 은희경이나 신경숙보다 더 뒤에 나오는 작가들의 작품에서 서사

구조가 죽어가는 것은 무슨 이유냐. 이건 제가 보기에는 독자의 한계 때문이예요. 이런 소설들은 30대 이상의 독자를 정복하지 못합니다. 은희경 이후의 작가들, 김영하나 배수아는 30대 이후의 독자를 설득하기에 굉장히 어려움이 있겠구나 하는 생각이 들어요. 김영하는 서사구조가 살아나요. 신경숙과 은희경의 결합, 서사 구조와 감각적인 것, 정서적인 면과 아름다움을 조금씩 다 가지고 있어요. 그러면 신경숙에서 은희경을 거쳐 김영하로 넘어오는 과정이 설명이 되죠.

어쨌거나 세 사람에게서 느껴지는 공통점은 개인의 붕괴예요. 지금까지는 가족의 붕괴였거든요. 그 원인이 일제 때는 식민지였고, 해방 전후에서 6.25까지는 전쟁과 사회 혼란이었고, 그 이후는 가난이 가족을 붕괴시키죠. 60년대 중반 이후, 중산층이 형성된 이후, 70년대 중반까지는 애정이 원인이 돼요. 대개 아버지가 첩 두는 게 가족 붕괴의 원인이죠. 그런데 그 뒤가 중요해요. 윤대녕에 오면 가족 붕괴는 원인을 몰라요. 윤대녕 소설의 가족을 보면 다 붕괴되었지 않습니까. 다 어머니가 도망갔는데, 아버지가 어머니를 찾다 못 찾는 거야. 그 아들도 여자가 도망갔는데 찾다가 못 찾고. 왜 헤어졌느냐? 사랑한다는 말도 없고 안 한다는 말도 없어요. 성격인가 운명인가, 알 수 없어요. 이게 말하자면 개인의 붕괴라고 할 수 있는 거죠. 이미 가정은 한 개체의 형성에서 중요하지 않아요. 신경숙도 『외딴 방』까지는 가족이 있지만, 대개 가족의식이 약해요. 은희경에게도 가족 개념이 없어요. 어머니에 대한, 아버지에 대한 애착, 이런 거 약하죠? 가족적 연대감이 느껴지지가 않아요. 배수아는 말할 것도 없어요. 그런데 윤대녕까지 오면 이미 가족의 해체를 지나서 이미 개인의 해체예요. 아버지가 나오긴 하지만, 이미 나를 찾기 위한 수단으로 아버지 어머니가 동원되는 거지, 그게 아버지 어머니의 어떤 가족의 연대라던가 가족의 붕괴,

이런 건 아니란 말이에요.

개인의 붕괴까지 왔을 때 소설에서의 서사 구조라는 게 뭐냐? 여기서 지금까지의 서사 구조 개념과 달라지는 거죠. 이제는 개인이 붕괴되는 과정이 서사 구조가 돼요. 남은 것은 윤리적인 타락밖엔 없어요. 그러니까 만나면 2시간만에 여관에 가고, 이렇게 되는 거죠. 그럼 이게 얼마나 갈까. 저는 단언할 수 있어요. 우선 독자들이 없어져요, 그런 소설은. 독서가 가진 기본이 뭐냐, 흥미와 정보거든요. 간접체험, 이게 소설 보는 이유 아닙니까? 지금 소설은 그걸 못 해주는 거예요. 누가 읽겠어요? 일본도 지금 순수소설이 급격히 줄어들어요. 소설 안 봐도 제가 더 잘 아는데 뭐하러 소설 봐. 결국은 정보를 주는 대중소설이 팔린다는 말이지요. 지금 우리 나라 대중소설은 수준급이에요. 드라마 봐요, 사회 돌아가는 걸 바로 보여 주잖아요? 소설은 지금 그걸 못해요. 작가들이 점점 왜소화되는 거예요. 독자가 떨어지면 책을 안 내려 할거고, 그러면 반성하겠죠. 그러니까 그렇게 장사가 안 된 뒤에 반성하지 말고, 지금 반성하라 이거예요. 지금 젊은 평론가들이 계속 그런 소설을 80년대 후반부터 부추겨왔잖아요. 결국 자기 문학의 무덤을 자기가 판 거예요. 어떤 사람들은 본격문학은 갔다고 해요. 본격문학이 자기 기능을 못해서 간 거예요. 그렇기 때문에 저는 리얼리즘을 해야 한다고 말하는 거예요.

이야기를 다시 돌리면, 90년대 비평가들이 젊은 세대 것만 초점을 맞춰서 봐요. 그러니까 어떤 현상이 나타나느냐 하면 선배 작가들은 주목을 하지 않는 거죠. 제가 보기에는 최인훈, 이호철, 최일남 같은 작가들이 정말 훌륭한 작가고 문학상을 받아야 한다고 봐요. 그런데 어디 주목합니까? 특정한 유파에 속해 있지도 않지, 잡지를 가지고 있는 것도 아니지, 사람은 점잖지, 평론가한테 술도 안 사주지. 그러니 소설 내놓는다고 누가 주목하나요. 최일남 소설 실패작 봤어요? 그런데 문단에서는 가버렸다 그러는 거죠. 그럼 이게 과연 올바른 비평윤리냐? 아니죠. 저는 소설 연구하는 젊은 평론가들이 공정하게 해야한다고 봐요.

채 ; 본격적으로는 아니지만 그래도 문학 비평가라는 명칭을 달고 있는 저에게는 마지막 말씀이 상당히 아픔으로 다가오네요. 명심하도록 하겠습니다. 지금 이 시대가 혼돈의 시대인 것만은 사실인 듯합니다. 그 혼돈이 얼마만큼 물적 토대를 갖고 있는지는 우리가 좀더 검토해보아야 할 것 같습니다. 질적인 변화인지 아니면 겉보기만의 변화인지 말이죠. 또 비록 혼돈의 시대라고 하더라도, 아니 혼돈의 시대이기 때문에 문학가의 임무가 더욱 막중하다고 할 수도 있습니다. 언제나 문학이 했던 역할이 해답을 제출하는 것이 아니라 모색이었다는 점에서 말입니다.

오늘 선생님과 함께 한 시간 매우 유익하고 즐거웠습니다. 주로 선생님이 이야기하시기는 하셨지만요. 그리고 이렇게 오랜 시간을 내주신 데 대해 감사드립니다. 선생님께서 지금 평론가협회 부회장을 맡고 계시고, 또 계간지 『한국문학평론』의 주간을 맡고 계시는데요, 이 모색의 시기에 계속 좋은 글을 써 주시기를 바랍니다. 감사합니다. 세미

일반논문

나도향의 『어머니』 연구

박헌호

1. 문제제기

나도향은 생전에, 단편을 제외하고는 2편의 장편과 한 편의 중편 (「청춘」)을 남겼을 뿐이다. 첫 장편인 『환희』는 그에게 '천재작가'라는 칭호를 듣게 만든 출세작이다. 오늘날의 관점에서 보면 이런 칭호는 오히려 그의 문학에 대한 정당한 평가를 방해하는 걸림돌 역할을 한 것이지만, 아무튼 『환희』는 그 이후 나도향 문학의 특성을 규정하는 표지가 되고 말았다. 그 결과 『환희』는 나도향을 논하는 자리라면 문학사든지 작가론이든지 주요하게 다루어지고 있다.

이에 반해 그의 두 번째이자 마지막 장편인[1] 『어머니』는 철저하게 외면 당해온 작품이다. 필자의 확인에 따르면 이 작품은 한 번도 연구된 바가 없다.[2] 『환희』에 견주어 결코 손색이 없는 작품의 질을

성균관대학교 강사, 주요논문으로는 「이태준 문학의 소설사적 위상」, 「한국근대 단편양식과 김동인」 외 다수.

1) 도향 사후에 발굴되어 1940년 12월 <문장>지에 발표된 「미정고 장편」이 더 있다. 그러나 이 작품은 발단 단계에서 그치고 말아 장편으로서, 혹은 작품으로서 분석의 대상이 되기에 어려움이 있다. 마지막 발표작품인 「화염에 쌓인 원한」도 중편이상의 구조를 지니고 있으나 역시 완성되지 못한 작품이다.

2) 필자는 현재까지 알려진 주요 문학사와 소설사 - 예컨대 백철, 조연현, 김윤식·김현, 김우종, 조동일, 정한숙, 이재선, 김재용외 3인, 김윤식·정호웅, 임헌영, 윤병로 - 를 살펴보았지만 이 작품에 대한 언급을 찾아볼 수 없었다.

고려할 때, 이 작품이 연구자들에게 거의 읽혀지지 않았던 것은 아닌가 하는 의심이 들 정도이다.3) 이는 나도향의 문학사적 위상을 고려할 때 기이한 일이며, 그의 작품 수가 몇 안 된다는 사실을 고려할 때 더욱 이상한 일이다.

『어머니』가 이렇듯 연구 대상에서 제외되었던 가장 주요한 이유는 자료상의 문제였던 것으로 보인다. 작품이 연재되었던 <시대일보>가 희귀자료인 까닭에 연구자들이 작품을 접해보지 못했으며, 작품의 존재 여부도 확신하지 못했을 것이다. 이 작품은 권영민 교수가 편찬한 『한국 근대 문인 대사전』의 작가 작품목록에도 빠져 있고 단지 단행본 이름으로만 올라 있다. 모든 문학사에서도 거론되지 않고 있는데, 나도향의 작품목록을 구체적으로 예시한 경우에도 그러하다.

『어머니』는 유남옥 등이 편찬한 『나도향전집』(상·하권, 집문당, 1988)에 의해 비로소 널리 알려지게 되었다. 그런데 전집 출간 이후에도 연구되지 않았는데, 이는 아마도 80년대 후반 이후 나도향이 연구대상으로서의 매력을 갖지 못했다는 사실과 관련이 깊을 것이다. 그렇더라도 우리 근대문학 연구가 주요 작가의 작품들에 대한 실증적 연구에서도 미흡한 점이 많다는 사실은 분명하다.4) 이 작품은 이

또한 널리 알려진 대부분의 논문을 살펴보았지만, 이 작품에 대한 언급을 찾지 못했다. 완전히 검증한 뒤에 다시 확정하겠다.

3) 심한 경우 조동일은 『한국문학통사』에서 나도향이 『환희』이후 신문소설을 쓰지 않았다고 한다. 『어머니』는 신문 연재 소설이다.

4) 나도향의 <미정고 장편>을 발굴, 게재했던 『문장』, 1940년 12월호 37면에는 이 단행본에 대한 광고가 게재되어 있다. 또한 이태준의 「도향 생각 몇 가지」, 『현대평론』1927, 8.에도 『어머니』의 존재가 지적되어 있다. 그럼에도 잘 알려지지 않았던 이유는 평소 도향과 돈독한 관계를 지녔고, 도향의 사후에도 추도문을 여러 차례 기고했던 월탄 박종화의 회고가 결정적인 영향을 미쳤던 것으로 판단된다. 특히 그는 훗날 연구자들에게 긴요한 자료로 평가받는 「오호, 도향」, 「도향나빈소전」(『신민』, 1926. 9), 「나도향십주기추억편편」(『신동아』, 1935, 9) 등의 글에서 이 작품에 대한 언급을 하고 있지 않다. 월탄은 훗날 『어머니』가 <박문서관>에서 단행본으로 출간될 때, 서문을 쓴 바 있지만, 그 이전에는 이 작품의 존재를 몰랐던 듯하다. (이 글에서 월탄은 『어머니』에 대해 "열세 해만에 유고가 하

미 1939년 <박문서관>에서 단행본으로 출판된 바 있으며, 같은 출판사('박문출판사'로 改名)에서 해방 후 1954년에 재판한 바 있다. 나도향이 초창기 근대 문학 연구에 있어 빠트릴 수 없는 작가이며, 『어머니』가 『환희』에 견줄만한 가치를 지닌 작품이라는 사실을 고려할 때, 이미 두 차례에 걸쳐 단행본이 출간되었음에도 불구하고 그 동안 전혀 연구되지 않았다는 것은 납득하기 어렵다.

서지적 측면에서도 많은 문제가 있어 보인다. 말했듯이 『나도향전집』은 이 작품을 널리 알린 공로가 있다. 그 하권의 '나도향 연보'에 따르면 『어머니』는 <시대일보>에 1925년 1월~4월 연재된 것으로 나와 있다. 신문 연재 소설이면서 연재개시 일자와 종료 날짜가 나와 있지 않은 것이다. 이것은 전집 편찬자가 단행본을 텍스트로 하면서 신문연재본을 확인하지 않았다는(못했다는) 사실을 말해준다.[5]

필자가 확인한 바에 따르면 『어머니』는 1925년 1월 5일 연재를 시작하여 동년 5월 10일 경 연재를 마감하였다. 끝난 날짜를 5월 10일 '경'이라고 말한 이유는 다음과 같다. 현재 <시대일보>는 종로도서관에만 일부 소장되어 있다.[6] 확인 결과 연재 개시 일자는 1925년 1월 5일자로 확인 가능했지만 1월 28일 (연재 20회분) 이후 신문은 결락되어 있다. 그 이후 신문은 4월 24일(84회)자와 4월 30일(90회)자만 있으며, 5월 12일자부터 다시 이어지고 있다. 5월 12일자 신문에는 새로운 소설이 연재 2회분으로 게재되어 있다. 최소한 5월 11일자부터는 새로운 소설이 연재되고 있는 것이다. 단행본에 의거하여 90회분 이후 남은 내용의 분량과 신문 연재 한 회분의 평균 양을 비교, 추산해보니 약 11회분이었다. 이는 다음 소설의 연재 개시 일자와 맞

나 들어왔다"고 표현하고 있다)

5) 가장 최근에 간행된 윤홍로 저, 『나도향』(건국대학교 출판부, 1997)의 '작품연보'에서도 '장편 『어머니』 <시대일보> 연재 시작'이란 표현만 있을 뿐, 구체적인 일자는 명시하지 않고 있다.

6) 정진석, 『한국언론사』, 나남, 1990, 421면.

아 떨어졌다. 따라서 『어머니』는 5월 10일에 연재를 끝낸 것으로 추산해도 무리가 없겠다.

『어머니』는 『환희』에 버금가는 중요성을 지닌 작품이다. 이것은 작품 발표 시기를 살펴봐도 확인할 수 있다. 『어머니』가 발표된 1925년 1월은 「여이발사」(1923년 9월) 계열의 작품들과 「벙어리 삼룡이」(1925년 7월) 계열의 작품들이 창작되던 시기의 중간에 속한다. 익히 알려진 바대로 前者의 계열(「행랑자식」(23. 10), 「자기를 찾기 전」(24. 3))은 나도향의 작품이 사실주의적 경향으로 변모하기 시작했다는 증거로 채택되는 작품들이며, 後者는 그의 대표작(「물레방아」(25. 9), 「뽕」(25. 12))들이다. 말하자면 『어머니』는 습작기가 끝나면서, 이른바 사실주의적 경향으로 작품이 변모하는 시기와 그의 대표작이 산출되는 시기의 중간에 위치하고 있다. 이로부터 우리는 이 작품이 나도향의 변모과정에 대해 중요한 시사점을 던져줄 수 있으며, 또한 이 작품 이후에 집중되어 있는 대표작들의 창작 원동력을 짐작할 수 있게 하는 작품이란 사실을 추측할 수 있다.

필자는 이미 자유로운 형식으로 이 작품에 대한 단상을 발표한 바 있다.[7] 그러나 단상의 형식으로는 이 작품이 지닌 문제성을 충분히 밝힐 수 없었다. 작품 전체에 대한 면밀한 독서를 통해 그 의미를 전면적으로 밝힐 필요가 있다. 이 글은 단상에서의 논의를 정리, 보완하고 작품의 성격을 보다 분명하게 드러내는 것을 소임으로 삼았다. 이를 통해 나도향의 현실인식이 변모하는 계기와 방식을 따져볼 수 있을 것이다. 특히 이 작품의 핵심인, 주체 내부에 잠복한 전통적 인식 체계의 문제를 모성과 근대성의 관계양상을 중심으로 살펴보도록 하겠다.

---

7) 박헌호, 「삶에 부딪쳐 파열한 근대적 욕망 ─ 나도향, 그리고 그의 『어머니』」, 『민족문학사연구』12호, 민족문학사연구소, 1998. 8.

2. 현실인식 변모의 계기와 방식

①작품의 경개를 보이면 다음과 같다.

동경 유학생 출신인 이춘우는 유학 시절의 친구 박창하의 집에서 어릴 적 소꿉친구였던 안영숙과 재회한다. 그녀는 현재 전라도 부자 김철수의 첩으로 딸 청아를 낳고 어머니와 함께 살고 있다. 춘우는 영숙이 첩으로 사는 모습을 보며 환멸을 느끼며, 영숙 역시 자신의 처지에 대해 새삼 불만을 느낀다. 영숙의 편지를 계기로 점차 서로의 사랑을 확인하게 되면서, 영숙은 철수와 춘우 사이에서 갈등을 느낀다. 춘우는 아버지와 계모 그리고 어린 남동생(인우)과 같이 사는데, 어머니의 부재는 집안에 문제를 일으키는 근본문제가 되고 있다. 아버지는 방탕과 낭비를 일삼고, 어린 인우는 모정에 목말라 있는 것이다. 결국 아버지와의 갈등으로 춘우는 집을 나오고, 영숙도 철수와 헤어져 춘우와 동거하기에 이른다. 철수는 청아를 영숙 어머니에게 맡긴 채 복수를 다짐한다. 두 사람의 행복도 잠시, 청아가 병에 걸려 위태로운 것을 계기로 영숙은 어머니로서의 위치와 연인으로서의 위치 사이에서 갈등에 빠진다. 철수는 아이를 양보할 수 없다고 주장하며, 춘우는 영숙을 위해서는 자신이 포기해야 한다는 사실을 깨닫고 기생과 거짓사랑에 빠진 척하며 영숙을 돌려보내기 위해 노력한다. 작품은 영숙이 비통함 속에 철수에게 돌아가는 것으로 끝나고 있다.

작품의 경개만을 살펴보면 『어머니』는 진부한 통속소설로 보인다. 삼각관계를 기본뼈대로 진행된다는 점이 그렇고, 언뜻 보아 '돈과 사랑'이라는, 통속소설의 고전적인 갈등구조가 잔존하는 것으로 보이는 점도 그렇다. 실제로 나도향은 작품을 끝내는 자리에 "이 소설은 시작할 때부터 신문소설로 예정하고 쓴 것"[8]이라 밝히고 있거니와, 이

---

8) 나도향, 『어머니』, 박문출판사, 1954, 424면, (텍스트는 박문출판사 1954년 간행본을 저본으로 삼았다. 이하 이 책에서 인용한 경우에는 별도의 표시를 하지 않고 면수만 표시하기로 한다)

는 연재 직전 신문사 측에서 발표한 연재예고의 글에서도 확인된다.

　…그 뒤를 이어 도향 라빈(稻香 羅彬)씨의 창작소설 『어머니』를
연재하게 되었습니다. 도향이라면 다시 소개할 것 없이 우리 문단
의 명성(明星)인 것은 세상이 다 아는 일이외다. 다정다한 한 가운
데 맥맥한 애조(哀調)를 띄우며 비단에 수놓는 모양으로 어여쁘고
도 아름다운 사랑을 그림같이 떠오르게 하는 그 붓끝은 보는 이를
간지르고 어리우고 뒤흔들고야 말 것이외다. 더구나 <u>이 소설은 신</u>
<u>문소설로 많은 자신 밑에 계획된</u> 것이니 묘사의 혼란함과 마련의
교묘한 것은 어데까지 재미가 깨 쏟아지듯 하는 동시에 보는 이를
울렸다 웃겼다 한 회를 읽고 두 회를 기다리는 동안이 그야말로
일일이 삼추(一日三秋) 같은 것이외다.9)

"신문소설로 많은 자신 밑에 계획된 것"이란 표현은 이 작품의 초
점이 보다 대중적인 것에 있음을 암시하는 말이라 하겠다. 이를 증명
하듯 작품은 허술한 우연이 반복된다든지, 인과관계가 명확하지 않
은 채 비약을 감행한다든지 하는 문제들을 노정하고 있다. 작품의 핵
심인 춘우와 영숙의 사랑이 내적 필연을 결여하고 있으며, 철수의 성
격과 기능이 뚜렷하지 않고, 춘우의 직업과 동생 인우의 세부가 불명
확하다든지 하는 문제들을 예로써 지적할 수 있다. 하지만 자세히 살
펴보면 이러한 문제는 그 자체로 작품의 의도를 선명하게 해주는 역
할을 한다. 어설픈 구성이 오히려 작가의 의도를 반영하고 있다는 말
이다.

②우선 영숙과 춘우의 사랑이 내적 필연을 갖고 있지 못하다는 사
실을 살펴보자. 춘우와 영숙은 어린 시절 같은 동네의 이웃에 살았던
소꿉동무였다.

---

9) 연재예고, 『시대일보』, 1925, 1, 1. (밑줄은 인용자)

…그가 소학교 삼 년 급에 다닐 때 영숙은 같은 학교 여자부 이
학년에 다니었었다. …<중략>… 춘우는 어느 때던가 외조모가 오시
었다가 춘우와 영숙이가 방 안에서 노는 것을 보시고 덕스러운 얼
굴에 웃음을 띠시고, 가만히 춘우 곁으로 오시더니, 춘우의 귀에다
대시고 「너 영숙이에게 장가가련」 하시던 말이 생각나고 그 말을
듣고는, 웬일인지 온 전신에 피가 끓는 것도 같고, 모두 한꺼번에
식어 버리는 것 같기도 하고, 얼굴이 술취한 사람같이 화끈화끈하
여지며, 부끄러워서 그대로 할머니 무릎 아래 아무 말 없이 어리광
처럼 뒹굴던 생각이 난다.(9~10면)

이 정도의 아이적 추억을, 자식과 가정을 버리는 일탈로 이어지는
불륜의 근본 동인으로 설정하는 것은 설득력을 갖기 어렵다. 더군다
나 무려 12년이나[10] 시간이 지난 시점에 동경 유학을 다녀온 장성한
청년과, 아이를 둔 가정주부의 처지에서 만나 그렇게 쉽게 운명을 건
불륜에 빠질 만큼 각별한 의미를 지녔다고 보기도 어렵다. 사랑을 시
작하는 계기도 자신의 처지를 하소연하는 영숙의 편지 한 장으로 비
롯되고 있는 형편이다. 이러한 사정은 춘우의 입을 통해서도 토로되
고 있는데, "다만 옛날에 함께 학교를 다니었다는 박약한 조건으로써
사랑한다는 것은 알 수 없는 일"(114면)이라고 고백하고 있는 것이
다. 이는 사랑을 핵심 축으로 전개될 수밖에 없는 작품의 구조로 보
아 납득하기 어려운 일이다.

그렇다면 왜 이런 현상을 초래한 것일까? 우리는 시야를 좀더 확
대할 필요가 있다. 사랑의 내적 필연이 취약하다는 사실이 이 작품의
구조적 결함인지, 아니면 다른 의미를 지닌 것인지를 판별해야 한다.

___

10) 두 사람은 어린 시절 헤어진 뒤 12년만에 만나는 것으로 되어 있다. 같은 책,
62면.

「어떻게 변하였을까? 지금 자기가 얼마나 만족을 가지고 있고 어떠한 인생관을 가지고 살아갈가」

하다가, 갑작이 상을 찌푸리고 고개를 흔들며,

「내가 미친 사람이지, 인생관이 다 무엇이냐, 그에게 허영과 또는 음일(淫逸)을 만족하게 하는 데 제일 무기(武器)인 돈이 자기를 지배할 뿐이다. 우리 인생이 모두 그런 것 같이 자기가 돈을 쓰는 것이 아니라, 돈이 자기를 부리는 것이다. 그에게 무슨 진실이 있고 정의감(正義感)이 있고 뜻이 있고 기운이 있으랴. 취생, 몽사, 타락의 저 밑에서 가는 생명이 꼼지락거릴 뿐이겠지?」(14~15면)

첩으로 전락한 영숙을 처음 만난 뒤 춘우가 독백하는 부분이다. 이것은 사랑을 빼앗긴 자의 질투와 푸념으로 읽혀지기 곤란하다. 여기에는 사랑보다는 '인생관'의 존재유무가, 나아가 삶의 태도와 방식에 대한 판단의 자세가 선명하게 도사리고 있기 때문이다. 인용문에 나타나듯이, 그가 현실을 쏘아보는 프리즘은 근대적 주체성이요, 속물화된 근대에 대한 저항감이다. 춘우는 부잣집의 첩으로 살아가는 영숙을 보면서, 돈이 지배하는 현실과 그에 부응하는 몰인격적 인간들의 태도를 비판한다. 그는 '돈'과 '허영'과 '취생몽사'라는 말로 대변되는 삶에, '인생관'과 '자기만족'과 '진실', '정의감'의 개념을 맞세우고 있다. 이는 속물화된 근대에 젖어 사는 수동적 삶에 대한 저항이자 주체성에 대한 옹호이다. 영숙의 생각 역시 이로부터 크게 벗어나지 않는다.

그러나, 영숙의 생각 속에서 뾰로통하게 싹이 돋아 올라온 그 무슨 자각(自覺)은 오늘에 와서 과거의 모든 것을 부인해 버리고서, 새로운 길을 밟아 나가겠다는 것, 자기도 남이 차지한 도덕상 권리 의무와 또는 법률상 권리 의무를 남과 똑같이 차지하여 가지겠다는 뜨거운 욕망이 그 무슨 반동적 충동에서 일어난 까닭이다. 자기는 남의 첩이다. 자기의 남편이 자기에게 부어 주는 모든 조건이 아무리 완미하다 하더라도, 여기 와서는 사람으로써 참지 못할 치욕이 있다는 것이 피상적으로 인생을 관찰한 현대 여성의 부르짖

는 소리다.(146면)

영숙의 사랑은 '그 무슨 반동적 충동'이다. 그러나 그 충동은 '근대적 자아의 각성'이라는 뇌관에 의해 점화된 것이다. 곧 배우자의 선택이 돈과 성욕의 교환이 아닌, 자아의 주체적인 선택이어야 한다는 각성의 표현이다. 그러기에 그녀는 훗날 춘우에게 사랑을 호소하면서 "나의 몸의 주인은 있어도 나의 영(靈)의 주인은 없"(85면)다고 고백한다. 영숙에게 있어 사랑은 영(靈)의 주인을 찾아가는 과정, 즉 주체의 자각에 다름 아니다. '과거의 모든 것을 부인해 버리고서, 새로운 길을 밟아나가겠다'는 것이야말로, '조건'에 얽매이지 않고 운명을 스스로 개척하려는 주체성의 선언에 해당한다고 하겠다.

사정이 이러하다면, 우리는 『어머니』가 고전적 통속소설의 갈등구조로부터 한발 비켜서 있는 작품이란 사실을 간파할 수 있다. 이 작품의 삼각관계는 철수로 대변되는 비인격적 삶과 춘우로 대변되는 주체적 삶 사이의 갈등을 상징한다. 영숙에게 있어 '철수'의 세계는 물질적인 안락이 보장되는 대신에, 사랑이 부재하며, 첩 제도로 집약되는 비인간적인 제도가 지배하는 공간이다. 이에 반해 '춘우'의 세계는 인간으로서의 소박한, 그러나 보편적인 권리를 향유할 수 있는 주체성의 공간이다. 따라서 영숙이 철수를 버리고 춘우를 선택하는 것은, 각성한 자아의 주체 선언이라는 의미를 지니며, '첩 제도'로 대변되는 반인간적 사회구조에 대한 저항을 의미한다.

이런 관점에서 보자면 일차적으로 『어머니』는 각성한 근대적 자아가 봉착하게 되는 억압적 현실의 국면들을 드러내는 데 초점을 맞춘 작품이라고 평가할 수 있겠다. 영숙이 춘우를 선택하는 순간, 즉 자아의 주체적 탄생을 선언한 순간, 현실은 유·무형의 압박을 가해 오며, 결국 주인공들이 현실의 압력에 밀려 패퇴하는 과정이 이 작품의 내용이라고 할 수 있는 것이다.

③이때 가장 강력한 방해자는 작품의 구조상 남편인 철수여야 한다. 그런데 이 부분에 이르러 작품은 또 다른 특이함을 보여주고 있다. '돈'의 상징, 혹은 반인간적 제도의 기득권자여야 할 철수의 형상이 모호하다는 것이다. 철수는 호색한도 아니며, 돈을 기반으로 거드름을 피는 속물도 아니다. 그는 다른 사람들이 자신의 마음보다는 자신의 재산을 사랑하는 것을 잘 알고 있으며, 두 여자를 거느리고 사는 삶에 대해서도 양심의 가책을 받고 있는 남자다. 그는 자식들을 볼 때마다 부끄러움을 느낄 만큼의 양심은 지니고 있는 사람이다.

> 내가 첫째로 당신에게 나의 사랑의 전부를 주지 못하는 것이 나에게는 더 말할 수 없이 죄악이오. 내가 나 한 몸뚱이로서 여러 여자를 데리고 산다는 것이 절대로 죄 아니라고 생각하지 않는 것이 아니오, 내가 내 몸에서 난 자식들을 볼 적마다 도리어 부끄러움을 느낄 때가 많소. 그러나 사랑은 언제든지 하나인 것이오. 결코 둘이 아니오. 오늘에 나는 형식적으로 두 여자를 데리고 살지만, 나의 참사랑이 가는 곳은 한 군데밖에 없는 것이오. 당신은 남의 첩된 것을 언제든지 불만족으로 생각하고 비관까지 하나 봅디다만, 사랑이라는 것은 이 세상의 모든 형식을 초월한 것이오, 무엇이든지 좋소. 어떠한 지위도 좋을 것이오.(106~107면)

현실적으로 철수는 분명 돈이라는 막강한 힘을 가진 자이며, 첩제도를 묵인하는 사회적 관습의 기득권자이다. 영숙이 그를 버리자 "너의 사랑이 나의 돈에 지나, 나의 돈이 너희들 결심에 지나, 나는 어디까지든지 해 볼 터이다"(194면)고 다짐하는 부분에서 이것이 극명하게 드러난다. 하지만 인용문에서 보듯이 그는 영숙을 사랑하고 있으며, 그녀가 첩의 지위로 괴로워한다는 사실에 같이 괴로워하고 있다. 작품 전체에서 철수가 영숙을 성적 노리개로 간주하고 있다는 근거는 발견되지 않는다. 그 때문인가, 철수는 자신을 버린 영숙에게 복수를 다짐하지만, 구체적인 행동은 하나도 벌이지 않고 있다. 부자로 설정된 그가 휘두를 수 있는 무기는 돈이겠지만, 작품은 그에게 그런 무대를 마련해주지 않고 있다. 그는 단 한가지, 모든 아버지의 공통된 권리라고 할 수 있는 '친권'을 주장하며, 계부(繼父)에게 자신의 자식을 맡길 수 없다고 주장할 뿐이다.

철수로 상징되어야 마땅할 돈의 문제, 곧 생활의 문제는 오히려 영숙의 어머니를 통해 드러나고 있다. 그녀는 딸 영숙을 속여 강제로 철수와 결혼케 한 장본인이며, 그 때문에 영숙에게 "자기를 돈에 팔아 그것으로 먹고 입고 지내고 또 자기를 사람답게 살지 못하게"(88면)한다는 원망을 듣는 사람이다. 영숙의 어머니는 삶의 물질적 충족에 몸을 맡긴 사람이며, 생활이라는 이름으로 각성한 자아를 억압하는 현실의 메타포이다. 그녀가 가진 최고의 관심사는 철수의 재산이며, 생활의 안정이고, 돈이다. 때문에 영숙이 철수와의 결별을 선언하자, 그녀는 딸의 편을 들기는커녕 철수를 도와 영숙이 현실과의 싸움에서 무너지게 만드는 데에 수단과 방법을 가리지 않고 적극 관여한다.

이러한 설정은 낯선 것이다. 역시 삼각관계를 통해 작품을 전개시키고 있는 『환희』에서 혜숙의 아버지 '이상국'이나 '백우영'이 여전히 속물적 물신주의의 상징으로 남아 있음[11]에 반해, 『어머니』의 경우 돈의 문제는 존재(영숙의 어머니)하되 본질적 문제가 되지는 않고 있다. 이를 어떻게 해석할 것인가? 그것은 작가가 '돈'의 문제성과 현실적 힘을 충분히 숙지하고는 있으나, 그것보다 '첩 제도' 또는 '친권'으로 집약되는 관습적 제도와 이를 가능케 하는 전통적 인식체계 자체를 문제로 삼고 있음을 의미한다. 물론 이러한 구조의 배면에는 돈으로 상징되는 생활의 논리가 강력하게 깔려 있다. 철수가 영숙을 첩으로 거느릴 수 있는 근본적인 동인은 돈이었던 것이다. 그러나 작

---

11) 『환희』의 삼각관계가 지닌 의미에 대해서는 진정석, 「나도향의 『환희』연구」, 『한국학보』76호, 1994, 가을, 일지사, 2장 참조.

품 속에서 철수가 승리할 수 있게 만드는 궁극적인 힘은 돈이 아니라, 자식에 대한 그의 권리, 곧 친권이다. 친권이란 가부장제를 기반으로 하는 전통적 인식체계의 소산이며, 그것이 제도로서 현현된 것이다. 이것 때문에 철수는 자신의 무기인 돈을 사용하지 않고도, 또 복수를 다짐하지만 별다른 행동을 실행하지 않고도, 영숙과 춘우의 사랑을 패퇴시킬 수 있었던 것이다.

그러기에 철수는 천박하게 그려지지 않는다. 그의 감정과 반응방식은 작품 전개의 결정적인 변수가 되지 않는다. 그는 영숙이 다시 돌아왔을 때 아무 말 없이 받아들인다. 영숙은 "철수를 따라 철수의 고향으로 돌아갔다. 모든 것이 옛날과 도루 마찬가지가 되"(423면)어 버린 것이다. 남편이라면 당연히 가질 법한 추궁과 질투의 장면이 생략되어 있다. 철수는 질투하는 존재이기보다는 아버지로서 존재하는 것이다.[12]

여기에 이르면 우리는 작가 나도향의 현실인식이 상당한 깊이에 도달했다는 사실을 깨달을 수 있다. 도향은 문제의 설정을, '속물화된 개인의 문제'로 국한시키지 않는다. 그는 문제를 개인으로부터 제도 전체, 나아가 전통적 인식체계 전체로 확대하는 비상을 감행하고 있다. 나도향은 친권으로 상징되는 우리 사회의 보편적인 질서의식과 가치체계를 질문하고 있는 것이다. 철수를 속물적 인간으로 그릴 경우에 적대적 현실은 그만큼 분명한 형상을 얻는 대신에, 독자의 시야를 차단하는 역할을 할 수 있다. 문제를 개인화 하면 그러한 개인

---

12) 관점을 달리 하면, 철수 역시 제도의 희생자라는 측면이 존재한다. 영숙에 대한 철수의 정황으로 보아 그의 첫 결혼은 가족의 강요에 의한 구식결혼이었을 가능성이 높으며, 영숙은 그러한 상황에 대한 탈출구 역할을 했을 가능성이 높기 때문이다. 당시 이러한 결혼형태로 말미암아 부득이하게 '첩'을 둘 수밖에 없었던 청년들이 많았던 현실을 고려할 때 객관성을 얻을 수 있는 판단이다. '구식 부인'과 '신여성 첩'을 동시에 둔 남자의 고백으로, 한○봉, 「딱한 일 큰일 날 문제」, 『별건곤』, 1929, 12월호. 참조. 또한 김진송, 『서울에 딴스홀을 허하라』, 현실문화연구, 1999, 5장, 참조.

을 탄생시킨 사회 전반에 대한 시각을 얻지 못할 수도 있기 때문이다.

이를 방지하기 위해 도향은 다중적 장치를 통해 복잡한 현실을 드러낸다. 먼저 영숙의 어머니를 통해 현실 속에서 강력하게 살아 있는 생활의 문제, 돈의 문제를 제시하는 한편으로 철수의 형상을 통해 제도로서 현현된 현실의 문제를 제시하고 있다. 개인으로서는 변화시킬 수 없는 보편적인 인식체계를 묻고 있는 것이다. 마지막으로 도향은 제도의 탄생과 변화, 왜곡을 본질적 차원에서 규정하는 '역사의 진전방향'을 묻는 것으로 나아간다.

④ '역사의 진전방향'은 작품 속에서 사건의 중개자이자 해설자 역할을 맡고 있는 박창하의 입을 통해 제시된다.

> 세상에 사랑은 있지. 그것은 부인하지 못하지. 그렇지만, 현대에 생존한 모든 인류가 사랑을 할 수 없을만치 병적(病的)으로 되어 버리었다는 말일세. 지금에 이 세상을 깨뜨려 부수기 전에는 결코 사람들이 사랑을 하지 못하지, 현대 사람들은 너무 참지 못할 고민과 비애를 지내왔네. 너무 약아졌네. 너무 의심이 많으이. 너무 자기를 위하게 되었네. 그렇지, 하늘에 비행기가 나르고, 땅으로 기차가 달음질하고, 물속으로 잠항정이 다니고, 우리가 열흘에 다니던 길을 편안히 앉아서 하루 안에 간다는 것이 반드시 생활 조건(生活條件)이 아닐 것일세.(98면)

박창하의 입을 통해, 도향은 '생활조건의 변화로서의 근대'가 인간의 정신과 사랑에 미치는 영향에 대해 언급한다. 창하의 말대로 '근대'란 '반드시 생활조건'의 문제에 그치는 것이 아니다. 비행기와 기차로 상징되는 문명의 전변(轉變)은, 일차적으로는 생활조건의 변화를 초래하지만 궁극적으로는 삶의 형태와 樣式을 변화시킨다. 생활의 편리는 삶을 대하는 기본방식에 영향을 미치며 가치관도 변화시킨다. 물신숭배와 이기주의, 소외와 같은 문제들은 근대적 생활'조건' 이 인간'정신'에 각인해 놓은 삶의 양식이다.13) 날카로운 도향의 눈 은 생활조건으로서의 근대로부터 인간정신의 변화로서의 근대를 포 착하는 데까지 나아가고 있는 것이다.

초기작에서부터 도향은 남녀간의 사랑(욕망)을 집중적으로 탐구해 왔고 그것을 근대적 자아의 각성과 연관시켜 생각해왔다. 그런데 사 랑의 실현을 위해 줄달음질쳐 오면서, 도향은 그것을 불가능케 하는 현실의 여러 원인들을 발견하기에 이른 것이다. 하여 그는 '지금 이 세상을 깨트려 부수기 전에는 결코 사람들이 사랑을 하지 못하'리란 판단에 도달한다. 그것은 곧 사랑에 적대적인 근대적 현실의 발견이 며, 사랑을 통해 발현되는 주체성을 억압하는 식민지 현실의 발견이 다.

> 인류의 역사가 맨 처음에 지금에 이런 방향으로 흐르지 않고, 저 다른 방향으로 흘렀을 것 같으면 혹시 사랑이 제일 세력이 있고, 모든 것을 해결하는 무엇이 되었을는지 모르지마는, 우리 인류의 역사가 지금 이 방향으로 진전해 나가는 이상, 우리에게 태양이 없 으면 살 수 없는 것처럼 돈이 없으면 못사는 것일세. 못 살 뿐만 아니라, 모든 것이 그것으로 시작해서 그것으로 끝나는 것일세. 지 금이라도 <u>지금 이 방향으로 흐르는 인류의 역사를 다른 방향으로 틀어 놓는 위대한 힘</u>이 있어 한 번에 방향을 변해 놓는다 하면 모 르거니와, 아직까지는 그 무서운 세력, 돈의 힘을 모든 것을 가지 고도 이기지 못할 것일세.(56면, 밑줄은 인용자)

마침내 도향은 '인류의 역사를 다른 방향으로 틀어 놓는 위대한 힘'의 존재를 상상하기에 이른다. '지금 이 방향'이 자본주의로서의

---

13) 예컨대 파리의 거리와 뉴욕의 고속도로를 통해 모더니티의 개념을 추적한 마 샬 버먼의 『현대성의 경험』(윤호병·이만식 역, 현대미학사, 1994)과, 근대인 들의 삶을 조직하고 통제하는 조건으로서 근대적인 시간과 공간, 기계에 대 한 연구를 강조한 이진경, 『근대적 시·공간의 탄생』(푸른숲, 1997) 등이 참 조가 될 것이다.

근대화를 의미하는 것이라면, 도향은 '돈'을 지고의 가치로 놓는 자본주의적 근대화가 사랑의 가장 큰 적이라고 판단하고 있는 것이다. 그는 근대적 자아의 주체적 욕망으로서의 사랑으로부터 출발하여, 그 사랑(욕망)을 통해, 역사에 이른 것이다. 그에게 남은 희망은 '지금 이 방향으로 흐르는 인류의 역사를 다른 방향으로 틀어놓는 위대한 힘'을 만나는 일이며, '지금에 이 세상을 깨뜨려 부수'는 일이다. 창하의 입을 통해 가정법으로 토해지는 변화에의 열망은, 도향의 뒤를 이어 등장하는 새로운 문학 경향의 전개를 암시해준다.14)

덧붙일 것은, 사랑에 대한 동경을 최고의 가치로 삼는 도향 특유의 낭만주의적 경향이 이 작품에도 면면히 살아 있다는 사실이다.15) 돈에 대비되는 가치는 사랑이며, 사랑이 제일 세력이 된다면 모든 것을 해결할 수도 있으리라는 가정을 상정하고 있는 것이다. 도향은 현실 속에서 그러한 사랑이 불가능할 것이란 사실도 분명히 인식하고 있다. 그러나 도향은 춘우와 영숙의 사랑이 비극적으로 끝나도록 예정해 놓고도, 창하의 입을 통해 "기적이 보고 싶"(99면)다고 기원하기도 하는 것이다. 현실에 대한 냉철한 판단과 낭만적 열정이 서로를 배제하면서도 기묘하게 동거하고 있는 것, 그것이 나도향이 『어머니』에서 보여준 세계이다.

---

14) 나도향을 '신경향파' 문학의 鼻祖로 가장 먼저 파악한 것은 임화였다. 후기 대표작들에서 보여지는 빈곤층에의 접근과 살인·방화형 결말 등은 신경향파적 경향의 선취로 볼 수 있다.
15) 나도향의 문학경향이 낭만주의로부터 출발하여 사실주의로 변해갔다는 것은 백철 이래의 정통적인 해석법이다. 그러나 필자는 후기 작품에도 낭만적 경향이 면면히 살아 있으며, 이에 대한 정당한 해석과 평가 없이는 나도향 문학의 전반적 특성을 밝히기 어려울 것이라고 판단한다. 추후에 별도의 글을 통해 논의하기로 한다.

3. 근대성과 모성성의 관계양상

①앞에서 살펴보았듯이 춘우와 영숙의 사랑이 이루어지지 못한 까닭은 경제적 곤란이나 남편의 방해가 아니었다. 문제의 핵심은 자식에 대한 어머니의 사랑, 곧 모성의 문제로 집약된다. 작품은 이를 위해 초반부터 치밀한 준비를 해오고 있다. 예컨대 춘우의 가정이 겪는 모든 혼란과 파탄의 원인은 어머니의 부재로부터 비롯된다.

> 오늘 이렇게 자기 집을 영락시킨 원인은 자기 어머니의 죽음이
> 었다. 자기 어머니가 돌아가자, 자기 아버지는 다시 안해를 얻지
> 않는다고 맹세까지 하였다.…그러더니…성욕을 가진 그로서 여자와
> 조금도 관계하지 않을 수가 없었다. 그래서, 그는 다시 방탕계에
> 발을 들여놓게 되더니 그때부터는 돈을 물 쓰듯 하기 시작하였
> 다.(118면)

어머니의 부재는 아버지에게 성욕의 문제를 초래했으며, 이는 방탕과 재산 탕진으로 이어질 뿐만 아니라 정신적 황폐함을 야기한 원인이 되었다. 계모를 얻은 뒤에도 아버지의 약해진 마음은 다시 일어설 줄 모르며, 빚더미에 허덕이면서도 사치를 일삼고, 어린 동생(인우)을 학대하기도 한다. 이러한 상황 속에서 춘우는 어머니의 존재가 얼마나 중요한가를 거듭 되새기고 있다.

무분별한 아버지와 냉담한 계모 밑에서 외로움에 떠는 동생 인우를 설정해 놓은 것도 역시 결말의 설득력을 높이기 위한 증거로 작용한다. 하지만 의도가 지나친 나머지 세부의 혼선과 오류를 낳고 있다. 예컨대 인우의 나이가 불명확하다. 처음 영숙 어머니와 춘우가 대면하는 장면에서 영숙 어머니는 옛날의 기억을 화제로 떠올리며 일일이 식구들의 근황을 물어본다. 여기에 등장하는 사람은 이미 신랑과 함께 동경에 유학간 누나와 그들을 보살펴준 외할머니뿐이다. 시골에 살았을 때, 이미 춘우의 어머니가 돌아가신 상태에서 엄마도

없이 어린 누나와 춘우가 얼마나 애틋하게 정을 나누었는지 영숙 어머니도 분명하게 기억하고 있는 것이다. 그런데 12년이 지나 만난 시점에, 외로움에 찌들어 춘우를 '언니'라 부르며 따르고, 콧물을 흘리며 '창가'를 가르쳐 달라고 조르는 어린 동생이 존재하는 것이다.

이러한 오류는 당연히, '사랑과 모성' 중에서 춘우가 모성을 선택하게 된 까닭을 설명하기 위한 의도에서 비롯된다. 도향은 어머니의 부재가 가족 구성원 전체의 운명에 얼마나 깊은 상처를 남겨 놓는가를 보이고자 했으며, 특히 그 상처가 어린아이에게는 치명적인 것임을 강조하고자 했다. 춘우에게 인우는 영숙에게 딸 청아와 같은 의미 (모성/부성, 보호본능)를 환기시켜 주는 존재이다. 춘우는 인우를 통해 아이에게 어머니가 얼마나 중요한 존재인지를 새삼 확인하면서, 영숙과 헤어질 결심을 굳히고 있다.

> 그는 인우의 경우를 다시 청아와 영숙에게 갖다 대보았다. 옛날에 어머니가 자기와 자기 동생에게 하시던 것을 생각하여 보고 영숙이 청아에게 할 것을 생각하여 보았다. 자기 어머니는 자기에게 한 것이 반드시 그렇게 해야 할 일이 되어서 그렇게 한 일도 아니겠고, 자기가 어머니에게 사랑을 반드시 받을 만한 무엇이 있어서 받은 것도 아니다.(371면)

영숙의 경우는 더 말할 나위가 없다. 그는 철수를 미워하며 그의 돈에 굴복하지 않을 자신도 있지만, 어린 딸에게는 무한한 죄책감을 느끼게 된다. 철수는 아버지의 권리를 내세워 청아를 영숙에게 맡기지 않으며, 만나는 것도 허락하지 않는다. 그런 청아가 앓아 눕자, 사랑은 순식간에 그 허약한 토대를 드러내고 만다.

> 눈물이 나오더니, 한숨이 나온다. 그러더니, 다시 눈물이 비오듯한다. 이에 영숙은 또다시 결심을 하였다. 모든 것을 단결에 결단하고 튀어나가리라. 모든 것을 잊으리라, 그리고 새로운 생활을 하

여 보리라고.

그러나 영숙의 몸은 무거운 무엇이 눌르는 듯 하였다. 그것은 산도 아니요, 집도 아니요, 돈도 아니라 석 자밖에 되지 않는 청아이다.

청아야말로 두 사람 사랑의 결정이냐, 그렇지 않으면 죄악의 씨냐, 또 그렇지 않으면 업원이냐, 그것은 어떻게 된지를 영숙은 모른다. 그것을 알려고 할 것도 없다. 그러나 자기 남편은 버릴 수가 있으나, 청아는 차마 버릴 수가 없는데, 어찌하랴? 보이지도 않고 만질 수도 없는 무슨 힘이 두 가련한 인생을 꼭꼭 동여매 놓았다.(184~185면)

이 작품의 출발은 불륜이었다. 그러나 그것을 판단하는 기준이 '첩'이라는 반인간적 제도이기에 불륜은 순수한 사랑의 다른 이름이 되었다. 여주인공 영숙이 춘우를 선택할 것인가, 철수(청아)를 선택할 것인가 하는 문제는, 바로 근대적인 자아로 거듭난 주체가 자신의 운명을 스스로 개척할 것인가 아니면 왜곡된 현실의 논리를 추종할 것인가 하는 문제로 주어졌던 것이다. 영숙은 춘우를 통해 자신의 운명을 스스로 선택할 계기를 잡았다. 철수와의 이별은 자아의 주체성을 천명하는 일에 해당한다. 그런데 한 번 획득된 주체성이 돈이나 권력에 의해 무너지는 것이 아니라 '자식'에 의해 주체 내부에서 붕괴된다는 것, 여기에 문제의 심각성이 존재한다.

②주지하듯이 여성에 관한 담론은 근대성 논의의 핵심적인 지표이다. 근대성의 핵심을 억압과 미몽으로부터의 해방이며 주체적인 자아의 탄생으로 규정할 때, 그러한 해방의 가장 역동적인 측면을 보여주는 것이 바로 여성이다. 그 이전의 여성은 억압과 미몽의 한복판에 존재했으며, 주체성은 떠올릴 수도 없는 존재였던 까닭이다. 근대만큼 여성이 사회적 초점으로 부각하고, 여성의 변화가 시대의 변화를 예증하는 경우로 통용됐던 시기는 없었다.[16] 따라서 여성에 대한 담

론의 특성과 변모양상은, 한 사회가 근대성을 수용하고 자기화 하는 방식을 살펴볼 수 있는 중요한 영역이다.

특히 모성(성)의 문제는 페미니즘이 발달한 서구의 경우에도 운동의 측면에서나 이론의 측면에서 아직도 쉽사리 합의를 보지 못하고 있는 개념이다.[17] 모성의 무시간성과 억압성에 대한 비판적 논의가 있는가 하면, 모성을 여성의 대안적인 이상으로 격상시켜 여성이 살아가면서 느끼는 부정적 현상들을 외면하는 경향도 있다. 모성이 여성의 인간해방과 사회적 자아 실현의 가장 큰 걸림돌이라는 지적이 타당한 한편으로, 그것이 모든 사회와 시간의 차이를 뛰어넘는 인간적인 가치의 원형을 담지하고 있다는 평가도 타당하다. 그러나 중요한 것은 모성의 거부냐 수용이냐 하는 이분법을 뛰어넘는 일일 것이다. 그러기 위해서는 모성을 특정 현상에 대한 단일한 원인으로 고찰하는 인과론적 태도, 혹은 주관적 기준에 단계별 변화를 대비시키는 방식이 아니라, 그것이 현상하는 과정과 방식 및 결과를 복합적으로 고찰하는 자세가 필요할 것이다.[18]

이러한 자세를 『어머니』에 적용한다면, 우리는 '애정과 모성'을 대비시킨 이 작품의 구조가 지니는 의미를 다양한 방식으로 읽을 수 있다. 먼저 모성의 강조를 가부장제, 혹은 가족주의 이데올로기의 반영으로 파악하는 시각이 존재할 수 있다. 이 경우 『어머니』는 근대적 각성에 도달한 주체 내부에 잠복한 전통적 인식체계의 문제를 파헤친 작품으로 평가할 수 있다.

이때 작품의 초점은 춘우에 맞춰진다. 작품 초엽부터 모성을 강조하고, 마지막에서도 떠나지 않으려는 영숙을 돌려보내는 주체는 춘

---

16) 김진송, 『서울에 딴스홀을 허하라』, 현실문화연구, 1999, 202면.
17) '모성'에 관한 서구의 논의는 이연정, 「여성의 시각에서 본 '모성론'」, 한국여성연구회 편, 『여성과 사회』 제6호, 창작과비평사, 1995. 참조. 같은 책의 백영경, 「여성의 눈으로 다시 묻는 '이행'의 의미」도 참고가 된다.
18) 이연정, 같은 책, 162~167면, 참조.

우이다. 서술자의 무게중심을 살펴보아도 이 점을 확인할 수 있는데, 이 작품은 전지적 작가시점으로 전개되고 있다. 그러나 영숙이 철수와 춘우 사이에서 갈등을 느낄 때에는 영숙에게 무게중심이 놓여 있다가, 정작 핵심적인 갈등 부분에서는 춘우의 내면이 중심에 서고 있다. '애정과 모성' 사이의 갈등이라면 당연히 어머니의 애끓는 마음이 중심에 서는 것이 상식적이다. 그럼에도 이를 다루는 부분에서는 춘우의 내면이 압도적이다. 이를 앞에서 설명한, 결말의 설득력을 높이기 위한 사전 설정들과 연결시켜 해석하면, 작품의 초점이 춘우에게 있다는 사실을 짐작할 수 있다.

그렇다면 왜 영숙이 아니고 춘우인가? 그것은 인물이 담지하고 있는 근대성의 수위와 연결하여 생각할 수 있다. '반동적 충동'에 의해 춘우를 선택한 영숙보다는 동경 유학을 다녀온 춘우가 보다 근대적인 인물임에 틀림없다. 그렇다면 보다 근대적인 인간에 의해 모성의 강조가 이루어지고 있다는 것, 그 역설 속에 이 작품의 핵심이 존재한다고 보아야 한다.

> 어머니의 사랑은 절대(絶對)다. 상대(相對)가 아니다. 언제인가 춘우가 창하와 함께 처음으로 영숙을 찾아 갔을 때 …<중략>…오늘에 다시 세상을 구해 낼 자는 또 우리의 어머니가 되리라고 한 일이 있었다. 그때 춘우와 창하는 무심한 가운데 그 말을 하였지마는, 오늘 춘우가 생각하매, 그때 그 말이 자기에게 무슨 암시를 준 것 같았다.(234~235면)

> 우리 시조 때부터 몇만 년을 통하여 내려왔고, 또 우리의 자손에게 몇만 년을 이어서 내려갈 절대의 문제를 눈앞에 놓고 그것을 내다볼 때, 우리의 팔이나 손이나 몸으로는 어떻게 할 수 없는 진리가 하나 있다. 그 자식이 있으면 그 어버이가 있는 것은 정한 이치니 이것을 어떠한 자가 있어 그렇지 않게 만들 수는 도저히 없을 것이다.(284면)

위의 인용문은 춘우가 고민하는 부분을 몇몇 뽑아본 것이다. 여기에도 잘 나타나듯이 춘우는 모성의 절대성과, 어떠한 합리적 사유도 무화시키는 그 용해성을 전면적으로 수용하고 있다. 말하자면 근대성을 선취한 주체가, 그리하여 사회의 반봉건성(半封建性), 혹은 반근대성(反近代性)에 저항하던 주체가, 그 자신의 내부에 잠복해 있는 전통적인 인식체계에 의해 스스로 붕괴하고 있는 것이다. 이곳에 근대적 자아로의 각성을 촉구하던 춘우의 모습은 없다. 선취한 근대성은 모성의 절대성을 넘지 못하고 스스로 패퇴당하고 만다.

이에 기반하여 우리는 『어머니』가 당대 일반적인 문학경향과 어깨를 달리한다는 판단에 도달할 수 있다. 왜냐하면 그것은, 일방적인 근대화의 담론이 횡행하던 당대에서, 배워 온 이론을 되풀이하기에 급급했던 당대의 현실에서, 도향은 '인식의 논리'와 '생활의 논리'가 맞부딪치는 현장을 생생하게 재현해내고 있기 때문이다. 이론적으로 배워온 근대성이 생생한 삶의 현장 속에서 재편, 왜곡되는 과정에 처음으로 눈을 돌렸기 때문이다.

식민지 현실에서 유학 등을 통해 근대를 접한 사람들에게 근대화란 당위였다. 그들은 근대적 학문과 생활 경험을 통해 습득된 근대적 사유체계를 당연히 자신의 '인식의 논리'로 받아들인다. 그들의 가치판단과 지향점은 그러한 인식의 논리에 근거하고 있는 것이다. 그러나 식민지 조국은 근대에 도달하지 못한 사회이다. 그곳에는 마땅히 봉건적이라 불러야 할 또 다른 논리 — 이론적 헤게모니는 상실했으나 강력한 힘으로 여전히 개인의 생활을 지배하는 — '생활의 논리'가 지배한다. 근대성을 선취한 이들은 처음에는 자신의 인식의 논리를 현실화시키려는 투쟁을 전개하지만, 대부분 조선적·식민지적 낙후성 앞에 좌절을 경험하게 된다. 이 과정에서 인식의 논리는 생활의 논리와 화학적 반응을 가질 수밖에 없다. 반응의 결과 현실의 진면목을 통찰하고 이를 현실개변의 전략적 문제로 승화시키는 사람도 있지만, 대다수는 반응의 결과가 곧 타협이 되기도 한다. 자신의 생활의 이해관계에 따라 근대의 논리와 전통의 논리가 혼효되는 것이다.

'여성해방'의 경우는 이러한 타협과 혼효의 양상을 적나라하게 보여준다. 남성들은 근대적 교육을 받았더라도 근대적 가치관과 봉건적 가치관을 공유하기 십상이다. 봉건적 가치관이 남성들에게 피해를 야기하는 경우는 적기 때문이다. 그들은 자유연애와 여성해방을 논의하는 한편으로 집에 와서는 적당히 가부장적 삶을 향유하는 방식이 가능했다. 그러나 여성들은 달랐다. "신식교육을 받은 여성들은 봉건적 가치관을 지니고 있었을지라도 그것과 완전히 결별하지 않으면 수용할 수 없었던 새로운 세계를 보았던 것이다."19) 개인의 주체성 선언이 여성에게 더더욱 급진적인 방식을 요구했던 것은 이런 까닭이다.

그러나 봉건적인 생활의 논리가 지배적인 현실에서 이러한 급진성은 부메랑이 되어 여성에게 돌아오게 된다. 여성해방의 이념이 내적 질서를 획득하기도 전에 성적 방종의 보호막으로 전락한다든지(염상섭, 「제야」), 이른바 좌익계 여성들의 성적 무분별이 화제가 되는 현실에서, 여성해방 담론 전체에 대한 사회의 적개심은 커질 수밖에 없는 것이다. 여성해방운동의 급진성이 사회의 적개심을 낳고 적개심이 급진성을 낳는 악순환 속에서 여성해방은 실종되며, 한때 여성해방을 부르짖던 남자들도 봉건적 논리로 회귀하고 말았던 것이다.20)

이런 점에서 나도향의 『어머니』는, 자아의 주체성이라는 인식의 논리가, 친권과 모성의 절대성으로 대변되는 생활의 논리 속으로 용

---

19) 김진송, 앞의 책, 204~205면.
20) 이것의 전형으로 김동인을 들 수 있다. 그는 데뷔작 「약한 자의 슬픔」에서 주인공 '강 엘리자베트'를 통해 여성의 자각과 주체화를 다룬 바 있다. 그러나 그는 훗날 『김연실전』을 통해 신여성의 부정적 측면을 전면화하고, 나아가 '여성에겐 영혼이 없다'고 단언하기에 이른다.

해되는 과정을 통해 주체 내부에 잠복한 전통적 인식체계의 문제를 전면화한 작품이라고 평가할 수 있다. 그 귀결이 근대적 주체성의 패퇴였을망정, 도향의 깊이와 날카로움은 평가되어 마땅하다. 사회의 반봉건성 혹은 속물성에서 문제의 근원을 주로 찾았던 다른 작가들과는 달리, 도향은 주체 내부에 도사리고 있는, 마치 춘우의 머리 속에서 그를 압도하고 있는 '어머니로서의 책임감'과 같은 전통적 규범의 힘을 발견한다. 또한 그 힘이 외부에만 존재하는 것이 아니라 이미 온전히 주체의 것임을, 주체의 세포 깊숙이까지 내면화된 가치임을 깨닫는다. 근대성은 계몽하려는 자의 내부에서 이미 흔들리고 있었던 것이다. 그는 자신 속에 도사리고 있는 적을 보았으며, 그 적의 힘을 꿰뚫어 볼 안목을 가졌다. 적 앞에서의 자발적인 무장해제가 오히려 적의 실체를 제대로 살필 수 있는 계기를 주었던 것이다.

③모성의 강조를 이와는 조금 다른 각도에서 살펴볼 수도 있다. 그것은 한국 근대소설사의 지평에서 모성이 지녔던 함의를 따져보는 방식이다. 모성과 근대성의 관계양상을 사상사적, 미학적 차원으로 끌어올려 의미를 따져보는 것이다. 이 경우 모성은 원시적이고 반이성적인 것의 상징임과 동시에 소설 텍스트가 지닌 혼돈과 이성의 퇴행을 용인하는, 미학적 결함을 가진 정신사적 근원으로 간주되기도 한다.[21] 또는 역사적 현실의 혼돈을 치유하는 상상적 주체이자, 가장 폭력적으로 세계 자본주의의 주변화를 강요하는 근대의 도정과 길항해온 민족 심성의 발현으로 이해할 수도 있다.[22] 모성을 근대성과

21) 이러한 견해는 샤머니즘 문제와 결부하여 김현과 김윤식, 김주연에 의해 지속적으로 개진되어왔다.
　　김윤식, 「우리문학의 샤머니즘적 체질 비판」, 『김윤식선집』2권, 솔, 1995.
　　김 현, 「생활과 신비」, 『문학과유토피아』, 문학과지성사, 1991.
　　김주연, 「한국문학예술의 토대」, 김병익 외 공편, 『오늘의 한국지성, 그 흐름을 읽는다』, 문학과지성사, 1996
22) 유임하, 「모성의 근대성」, 국어국문학회, 『국어국문학』124집, 1999, 5. 참조.

관련하여 논의할 경우, 이상의 두 견해는 나름의 근거를 가지고 팽팽하게 맞서고 있는 상태이다.

근대소설사의 지평 위에 놓고 보면 분명 『어머니』는 「사랑손님과 어머니」나 「무녀도」, 그리고 윤흥길의 『장마』까지 관통하는 계보의 시조로 읽힐 수 있다. 사회 현실의 근본적 문제에 해당하는 작품 내 갈등을, 모성을 통해, 그 모성의 인본주의적 힘과 원시적 위엄을 통해 해결하려 했다는 점에서 그러하다. 모성을 한국 근대소설에 미학적 결함을 초래한 정신사적 근원으로 파악하는 전자(前者)의 견해를 의지할 경우, 『어머니』는 근대적 사유를 선취한 지식인이 모성의 절대성을 자발적으로 수용함으로써, 이후 한국 소설사가 근대성과 정면 대결을 벌이기보다는 비이성적 공간으로 내적 투항하는 계기를 만들어 준 작품으로 규정할 수 있다. 후자(後者)의 견해를 빌리자면, 『어머니』는 도구적 합리성과 수량적 가치 개념을 절대시하는 근대적 현실에 대항하여 주체의 보존을 모색한 작품으로 평가할 수 있다.

이처럼 상반된 두 견해는 근대에 대한 계몽주의와 낭만주의의 접근방식과 유사한 구조를 지니고 있다. 계몽주의적 세계관은 사회가 이성적이고 자율적인 개인으로 구성되어 있다는 가정(假定)을 공유하며, 일반적으로 말해 모든 것을 일률적으로 균일화하는 도구적 논리를 숭상하면서, 그 초점을 제도나 사회적 위계질서와 같은 공적(公的) 체제에 두는 경향이 있다. 앞에서 거론한 전자(前者)의 견해는 이성적 개인을 전제하고 공적 체제에서의 논의를 중요시한다는 점에서 계몽주의적 세계관과 유사한 측면을 지니고 있다. 그러나 계몽주의는 근대적 삶 속에서도 여전히 중요한 위치를 차지하는 종교, 인종, 지역, 성별, 성욕 등 '비합리적인 정체성'의 의미를 평가절하하는 경향이 있다. 공적인 세계의 합리적 성격에만 초점을 맞추는 것은, 근

이외에도 김현자 외, 『한국여성시학』(깊은샘, 1997)도 비슷한 입장을 보여준다.

대적인 사회 경험의 형성에서 '비합리성'의 표상들이 중심에 서 있다는 사실을 간과하는 것이다.

이에 반해 낭만주의적 세계관은 근대가 초래한 파편화와 불연속성에 저항하며, 감정적 혹은 육체적 완전성과 자족성에 대한 동경을 공유하고 있다. 이는 근대성을 뛰어넘는 영역에 대한 동경으로 나타나며, 그 영역 안에서 여성의 형상은 특권적인 위치를 차지한다. 후자(後者)의 견해는 근대에 대한 저항감을 기반으로 모성을 특권화한다는 점에서 낭만주의적 세계관과 유사한 사유구조를 지니고 있다고 하겠다. 그러나 낭만주의적 입장은 '여성'이 근대화 과정에 의해 왜곡될 수밖에 없다는 사실을 간과하고 있다. 모성, 나아가 여성을 '전체성과 완전함의 지표'로 간주하는 낭만주의적 사유는, 그러한 전체성과 완전함이 어쩔 수 없이 사회적 성격을 갖고 있다는 사실을 깨닫지 못하고 있다.[23)]

실상 여성(모성), 성욕 등은 사적(私的) 혹은 가족적 영역에만 국한되었던 것이 아니라, 사회의 근대화에 따른 합리화, 상품화 과정과 밀접하게 관련되어 있다. 몇몇 예를 들어보자. 개항 이래 여성의 교육이 강조되면서도 교육의 조건과 결과에 대해서는 냉담했던 현실이 여성의 반봉건화(半封建化)와 급진적 여성해방운동 모두에 밀접한 관련이 있다든지, 서구 영화의 수입 등을 통해 확산됐던 미인의 기준 변화와 애정 표현 방식의 변모가 여성의 의식에 심각한 영향을 미쳤으며, 기생과 빠걸이 담당했던 여흥문화(餘興文化, 살롱문화)가 대중문화 나아가 여성 자신에게 끼쳤던 영향, 옷과 화장품 등의 유행과 백화점, 아동용품, 문화상품의 소비에서 여성이 주체로 등극했던 현실과 그렇게 여성이 소비주체로 부각됨으로서 야기한 여러 사회적 현상들은 이를 확연히 보여준다. 다시 말해서 여성(모성)성의 영역도

---

23) 계몽주의와 낭만주의와 관련된 논의는 리타 펠스키, 『근대성과 페미니즘』, (김영찬·심진경 역, 거름, 1998.)의 1, 2장 참조.

사회의 근대화에 따라 다양한 변화양상을 보여주었다. 이런 사실들을 고려하면 여성의 본질이 정적이며 변화하지 않는다고 보는 관점에 동의하기 어렵다.

따라서 모성을 반근대의 상징으로 보거나 대안적 주체로 긍정하려는 논의는 모두 환원론적 위험에 빠질 우려가 높다고 할 수 있다. 두 견해는 자기 나름대로 모성을 어떤 불변하는 본질로 환원하려는 태도를 공유하고 있기 때문이다. 그러나 "모성성이 자아에 대한 여러 가지 변화하는 담론과 이데올로기의 영향을 받지 않는 자율적인 친밀함의 성소(聖所)도 아니요, 여성의 정체성의 본질이나 종착점도 아니"24)라는 주장은 경청할 필요가 있다. 따라서 이러한 문제를 극복하기 위해서는 대상의 역사성에 보다 주목해야 한다. 앞에서 서술했듯이 모성이 현상하는 과정과 방식 및 결과를 복합적으로 고찰하려는 자세가 필요한 것이다.

이러한 관점에 따르면, 나도향의 『어머니』는 근대성이 '조선화(주체화)'되는 과정에 중요한 의의를 가지는 작품으로 평가할 수 있다. 그 초점은 '거리감'으로 모아질 수 있는데, 이는 주체 스스로가 근대성의 내부에만 침잠할 수 없다는 자각에서 비롯되며, 양립할 수 없는 두 가치를 모두 수용해야 하는 딜레마적 상황에 대한 자각에서 비롯된다. 다시 말해서 도향은 근대적 합리성과 그것만으로는 설명할 수 없는 비합리적 가치의 영역 사이에 놓인 심연을 확인한 것이며, 그러한 심연을 모두 끌어안아야 하는 현실적 진실과 그같은 포용은 합리성을 갖기 어렵다는 논리적 모순 사이의 간극을 자각했던 것이다.25) 결국, 수많은 파행과 굴절로 점철되는 한국 근대화 과정의 양상을 모성이라는 극한적 가치영역을 통해 제시했다는 점에서, 『어머니』는 한국 근대문학사의 특수성에 대한 징후적 가치를 갖는다고 할 수 있

---

24) 리타 펠스키, 같은 책, 99면.
25) 이태준, 김동리, 서정주와 같은 작가들에게서 발견되는 전통과 근대의 혼효는 이점과 관계깊으리란 것이 필자의 판단이다.

다.

4. 맺음말

모성은 여전히 이론의 손길을 허락하지 않는 미지의 영토인 것처럼 보인다. 아니 차라리 모성은, 이론을 초라하게 만들며, 논리에 기반한 분석의 성과를 조롱하는 듯이 보인다. 모성에 대한 과학적 연구가 축적되면 될수록, 이를 더욱 신비화하려는 경향이 끊이지 않는 것도 이 때문이리라. 작금의 상황이 이러할진대, 1925년 식민지 조선에서, 나약한 심성의 24살 청년 나도향에게 모성에 대한 과학적 분석을 기대하는 것은 어려울 듯싶다. 하지만 우리는 유치한 듯싶은 작품의 한 자락에서 유치함이 선사하는 솔직함의 미덕을 본다. 그 미덕이 전해주는 깊이와 날카로움으로 인해 당대의 현실과 정신적 풍모들이 알몸으로 드러나는 진풍경을 목도한다.

나도향은『어머니』를 통해 주체 내부에 잠복한 전통적 인식체계의 문제를 제시했다. 그는 이론적으로 선취한 근대성이 현실과 부딪치면서 어떠한 변화를 겪는지를 예시하고 있는 것이다. 대부분의 작가들이 억압적 현실과의 싸움에 진력하는 동안, 그는 자신의 내부에 숨겨진 적의 모습을 발견해냈다. 이를 통해서 그는 인식의 논리와 생활의 논리의 분열 속에서, 그것들이 각각 어떻게 굴절, 변화하는지를 드러내고 있다. 근대성으로 무장된 인식의 논리는 생활의 논리와 타협하게 되며, 생활의 논리는 이미 현실 속에서 왜곡된 인식의 논리에 의해 재구조화 된다. 이러한 과정의 순환에 의해 형성될 한국적 근대의 모습이, 이 작품에서는 모성이라는 절대적 영역과의 싸움을 통해 징후적으로 제시되고 있는 것이다.

우리는『어머니』에서 제기하고 있는 문제가 21세기를 바라보는 오늘날의 한국에서도 여전히 유효한 문제임을 알고 있다. 한국적 가족주의, 혹은 천륜이라는 개념에 의해 천명되는 가치들은 여전히 여성의 주체적 각성이나 사회적 자아 실현을 억압하는 기제로 작동하고 있는 것이다. 작품 속의 영숙이 토로하고 있는 것처럼 '남편은 버릴 수 있으나 자식을 버릴 수는 없다'는 말은 분명 한국 어머니의 위대함을 천명하는 것이자, 남성에 의해 저질러진 역사의 상처들을 치유하고 다독거리며 무너진 가정을 혼자의 힘으로 이끌어오게 만든 원동력이기도 했다.26)

그러나 '천륜'의 광채 속에는 수많은 한국 여성들의 피와 눈물이 배어 있다. 자식이라는 절대절명의 이름 앞에 대부분의 여성들은 인생을 차압당하고, 자아의 각성을 포기했다. 정확히 말하면 한국 사회는 각성된 '여성' 자아에게는 폭력적인 반응을 나타냈다. 그러면서 반인륜적인 남편에게 시달릴지라도 여성들은 인륜적인 선택을 하도록 강요받아왔다. 지금까지도 반인륜적 행위와 여성의 주체 선언을 혼동하면서 여성에게만 결과가 뻔한 선택을 강요해왔다. 그 뒤안에는 자아의 근대적 각성을 저해하는 사회와 제도의 몰골이 자리잡고 있음에도 불구하고, 우리 사회는 지금껏 이를 개인의 윤리적 문제로, 혹은 가정 내적 문제로만 치부해왔다.

주목해야 할 것은 성적(性的) 편가르기에 의한 여성담론의 권력화가 아니라, 이러한 현실의 근원을 탐색하는 일이며, 여기에 미친 전통과 근대의 변증법적 관계를 탐색하는 일이다. 본고가 나도향의 『어머니』를 한국 근대문학사의 특수성에 대한 징후적 가치로 평가한 것은 이 때문이다.

또한 『어머니』는 흔히 낭만주의적 경향으로부터 사실주의적 경향으로 변모되었다고 평가받는, 나도향 작품세계의 변모과정을 해명할

---

26) 근대의 진행에 따른 여성(모성)의 역할 변화와 그 의미들에 대해서는 김영희, 「근대체험과 여성」, 『창작과비평』89호, 1995, 가을호와 정진성, 「여성억압기제의 전통과 근대」, 이리나 글루셴꼬, 「서구 페미니즘과 우리」, 『창작과비평』94호, 1996,겨울호 등을 참조할 수 있다.

수 있는 작품이기도 하다. 그 동안 이러한 변모의 원인과 과정에 대한 탐색이 분분했던 바, 본고에 의하면 나도향은 습작기 이래의 중심 화두였던 사랑(성욕)의 문제를 통해[27] 현실과 대면하였다. 자아를 형성하는 핵심요소인 사랑(성욕)의 문제를 통해 나도향은 근대적 주체성과 그 주체성을 억압하는 사회현실을 대면했던 것이다. 그는 이 작품을 통해 문제를 속물적 개인으로 국한시키지 않는 사유의 깊이를 보여줬고, 관습적 제도와 전통적 인식체계의 문제를 드러냈으며, 마침내 역사의 진전방향을 변혁시킬 것을 꿈꾸는 데까지 이르렀다. 이는 신경향파의 탄생으로 현실화되는 한국 근대소설사의 전개과정과 그 발전의 원동력을 암시하는 선견으로 평가할 수 있다.

끝으로 신문소설의 통속화 경향과 관련된 문제를 제기하고자 한다. 『환희』(1922.11.21~1923.3.21)와 『어머니』(1925.1.5~1925.5.10)에서 보여지는 두드러진 차이는 신문소설의 통속성에 대한 작가의 자의식이다. 『환희』의 경우에는 존재하지 않는 통속성에 대한 자의식이 『어머니』에서는 두드러지게 보이는 것이다. 이것이 의례적인 언급이 아니라면, 불과 3년이 안 되는 시간을 두고 이러한 인식의 변화가 있다는 것은 문제적이다. 특히 추후에 신문소설 = 통속소설이라는 생각이 공공연히 정식화된 현실을 고려할 때, 이러한 인식의 변화에 미친 여러 요인들을 점검해 볼 필요가 있다. 본고에서는 미처 다루지 못했으나, 나도향에 관한 여타의 쟁점과 더불어 다음의 논의를 기대해 본다. **새미**

---

27) 나도향의 습작기 이래의 중심 화두가 사랑, 성욕이었는가의 여부는 검증이 필요한 사안일 것이다. 필자의 판단의 정당성은 추후 별도의 작가론을 통해 논의하도록 하겠다.

1940년대 친일문학의 논리와 아시아주의

강용운

1. 서 론

　1941년 태평양 전쟁을 전후로 동아시아는 일본을 중심으로 체제개편기로 접어든다. 만주사변(1931)을 시작으로 중일전쟁(1937)을 거쳐 태평양 전쟁으로 확산된 일본의 제국주의는 내적으로는 천황제 파시즘을 강화하고 외부적으로는 아시아를 상대로 식민지를 확대한다. 그러나 30년대 세계공황은 제국주의 국가들 간의 식민지 쟁탈을 더욱 격화시키며 끝내는 제국주의 국가들 간에 무력 충돌을 야기한다. 결국 1·2차 양차 세계대전은 식민지 약탈을 경제의 기반으로 삼는 서구 제국주의 국가들의 필연적 귀결이다. 아시아의 후발 제국주의 국가 일본은 치열한 식민지 경쟁과 아시아의 식민지 방위를 목적으로 체제 개편을 서두르게 된다. 이러한 개편은 천황제의 강화로 구체화된다. 그러나 여기서 문제가 되는 것은 메이지 유신이래 '탈아입구(脫亞入歐)'를 외치며 서양의 근대를 맹목적으로 추종하던 일본이 왜 이 시기에 '근대의 초극'을 외치며 전근대적인 신화적·주술적 세계관인 천황제로 나아간 것일까 대한 의문이다.

　일본이 천황제를 강화하고 유포하는 데 동원한 이데올로기가 '아

고려대 강사, 주요 논문으로 「〈날개〉를 통해본 주체와 욕망의 문제」 등이 있음.

시아주의(동양학)' 또는 '근대초극'논이다. 일본 제국주의 물적 토대였던 식민지 조선은 이러한 이데올로기 공세에 전면적으로 노출되는데, 이 접점에서 1940년대 친일문학의 논리가 만들어진다. 그러나 우리 문학사에서 친일의 논리는 애국 계몽기로 거슬러 올라간다. 우리는 애국 계몽기에 친일의 논리가 내재화되고 논리화되는 것을 목격하는 데 그것은 우리의 '근대' 쟁취를 일본을 통해 암시 받고 고무되었기 때문인지 모른다. 개항이후 근 반세기 동안 조선은 근대의 쟁취와 근대의 철폐를 외치는 극과 극에서 친일문학이 내재화되고 논리화된다. 우리는 이 극점과 극점에서 식민지 지식인의 쓸쓸한 내면 풍경을 엿보게 된다.

이 글은 먼저 아시아주의의 대두 배경과 내용을 검토하고 그것이 식민지 한국에 어떻게 귀착되는 지 살펴볼 것이다. 그것은 이 시기 친일의 논리가 윤리적 판단의 문제로만 볼 수 없는 심각한 문제를 내포하고 있기 때문이다. 또한 이 문제는 문제의 영속성과 현재성을 가지고 있다. 지금 여기 20세기의 끝자락에서 무슨 일이 일어나고 있는가? 열악한 아시아의 자본을 묶어 서구 자본에 대항해 보려는 '엔 블럭'의 모색, 아시아의 경제난 이후 '아시아적 가치'에 대한 논쟁. "한반도 안에서 보이는 쉼없는 전향과 이데올로기의 부정, 그리고 실체도 모호한 민족주의 또는 국가주의로의 귀향 움직임"[2] 등. 지금 90년대 후반 동아시아의 모습은 구한말 및 일제말의 모습과 엇비슷하게 맞물려 있다. 다음으로 이 글의 분석 대상은 최재서와 김남천의 소설 「경영」과 「맥」이다. 경성 제국대학 영문과 출신으로 조선인 최초로 제국대학 영문학 강사였던 식민지 시대의 대표적 지식인 최재서. 「경영」과 「맥」을 통해 천황제 파시즘의 논리인 '동양문화사론'과 '신체제론'에 의문을 제기한 김남천. 이 두 사람을 통해 일제말 식민

2) 이건제, 「김남천 소설을 통해 본 일제말 '전향'과 근대성의 문제」, 『어문논집』 37, 고려대 국어국문학연구회, 1998.

지 지식인의 내적 갈등을 검토하고자 한다.

2. 아시아주의의 대두 배경과 그 내용

근대 일본의 국민적 체험으로부터 생긴 대외관의 큰 특징은 '낡은 모욕적·양이적인 서양관'의 극복과 더불어 '구태의연한 근린 아시아 국가들로부터 일본을 구별하려는 자의식'으로 설명할 수 있다.3) 메이지 초기 일본의 문명 개화 운동은 서양 문명의 우월성을 인정하고 일본 사회를 서구화하는 것이 자국의 독립을 유지하는 유일한 방책이라 생각했다. 그러나 맹목적인 서양추수는 제국주의가 팽창하면서 반서양의 입장을 드러내게 된다. 태평양 전쟁을 전후로 이러한 생각은 절정을 이루게 되는데, 이를 집약한 말이 '근대의 초극'이다. 1942년 일군의 지식인과 작가들이 교토에서 근대의 한계를 극복한다는 주제하에 좌담회를 개최하면서 유행한 이 말은 결국 문화적 반근대주의를 정치적 반서양주의로 전환시키며 일본 제국주의의 전쟁 확대를 옹호하는 이데올로기로 사용된다.

이 좌담회4)에서 논의되었던 주요 쟁점은 '근대'의 의미를 일본의 입장에서 어떻게 볼 것인가와 일본이 수행하고 있는 태평양전쟁에 어떻게 협력할 것인가의 논의로 집약된다. 참석자들은 대체로 현대의 서구문명(근대)을 위기로 보는데 동의한다. 메이지 유신(1868)으로 위로부터의 개혁에 성공한 일본은 근대국가의 외형을 만들어 가며 서구문명의 이식에 열을 올려 문명개화에 성공한다. 이러한 성공은 동아시아의 여러 나라의 형편과 견주어 보면 매우 특이한 상황이었다. 19세기 아시아는 유럽제국주의 국가들의 식민지 쟁탈로 인해 기

---

3) 강상중, 『오리엔탈리즘을 넘어서』, 이경덕·임성모 역, 이산, 1997, 87쪽.
4) '근대의 초극' 좌담회에 관한 일차적 자료는 長谷川泉 편, 『近代文學論爭辭典』, 소화37년, 270-278쪽. 이경훈 역, 「근대의 초극 좌담회」, 『다시 읽는 역사문학』, 한국문학연구회, 평민사, 1995.를 참조하였다.

존의 동아시아의 체제(흔히 '중화주의'라 말할 수 있겠다)가 해체되고 아시아는 서구 제국주의 국가들의 식민지로 전락하는 비운을 맞게 된다. 중국은 아편전쟁(1840) 이후로 서구 열강의 반식민지 상태로 전락하였고 인도는 영국에 점령되었다. 일본은 미국과의 불평등 조약(1854)으로 문호를 개방했으며, 조선은 병인양요(1866), 신미양요(1871) 등의 위협에 끊임없이 시달렸다. 이러한 서세동점(西世東占)의 위기에서 일본은 위로부터의 개혁에 성공하여 직접적인 서구의 지배를 모면할 수 있었다. 일본은 문호개방 이후 근 100년만에 후발 제국주의 국가로 눈부신 팽창을 하게 된다. 청일전쟁(1894)의 승리, 러일전쟁(1904), 한일합방(1910), 만주사변(1931), 중일전쟁(1937), 獨・伊・日 3국동맹(1940), 일본의 진주만 기습(1941) 등의 주변국에 대한 침략과 팽창은 확대일로에 접어든다. 일본의 이러한 팽창은 아시아의 패권주의로 과거에 중국이 동아시아에서 누렸던 특권을 재현하고자 하는 강한 열망을 내포하고 있다. 또한 2차세계대전과 맞물린 세계체제의 개편 기에 유럽의 변방이었던 나치독일의 눈부신 성장은 일본을 고무시키기에 충분하였다. 게르만적인 지방성이 세계체제에 주류로 등장한 것과 근대문명의 이식에 급급한 일본이 아시아를 벗어나 자본주의 대국인 미국과 겨룬다는 사실은 세계체제의 새로운 전개이다. 이러한 세계체제의 변화는 서구 근대화의 이식에 골몰한 일본의 역사전개에 의문을 제기한다. 지금까지 세계체제 구축의 중심 축은 자본주의와 맑스주의였다면 현재의 상황은 이러한 중심 축이 무너져 내리는 상황이기 때문에 현대를 서구문명의 위기로 진단한다. 따라서 일본이 답습하고 따라잡고자 했던 근대문명은 현단계에서는 역사성과 유용성을 상실한 것으로 보고 근대를 뛰어넘는 일본적인 새로운 문명관을 정립해야 한다고 주장한다. 이들이 주장하는 문제의식은 '근대'가 아시아 사회에 이식되는 과정에는 강제적 측면이 강했으며, 유럽외 지역에 세워진 근대적 사회는 아무런 내재적・역사적 필

연성 없이 타인의 것을 이식한 것에 불과하다는 것이다. 이러한 본질
적인 이질성과 이식과정의 문제점이 일본의 근대화를 무용화거나 일
본 사회 발전에 장애 요소로 나타난다는 것이다. 이들은 일본이 메이
지 이후에 서양 문명을 받아들여서 근대화했다는 점은 인정하지만
그 수입 방법이 표면에 그쳤다는 것이다. 기술을 도입하는 데서도 만
들어진 것을 도입하고, 기술을 만들어내는 과학의 정신이라는 것을
습득하지 못했다는 것이다. 다시 말해 당시 서양문명의 이입이라는
것은 그 근본에 있어 기계의 수입 및 그것을 운전하는 기술의 습득
에 지나지 않았다는 것이다. 따라서 이러한 근대문명은 서양 공포의
풍조 때문에 수입된 외국의 문학 및 사상은 과대한 유통가치를 받았
고, 그 때문에 일본의 토양에 뿌리를 내릴 여유가 없었다는 것, 그리
고 문명개화 풍조의 본질인 이 같은 안이한 정신의 습벽이야말로 서
구문화 이입이 일본인의 정신에 미친 최대의 해악이며 일본적 근대
의 슬픈 정체라는 것이다. 일본은 근대에의 전환점에 있어서, 유럽에
대해 열등의식을 가졌고, 그래서 맹렬히 유럽에 좇아가기 시작했다.
스스로가 유럽이 되는 것, 보다 잘 유럽화하는 것이 탈각의 길이라고
여겼다는 것이다. 이러한 주체성의 결여는 곧 일본이 일본일 것을 방
기했다는 것이다. 구체적으로 일본 문화의 우수성을 계승 발전시키
는 것을 포기했다는 것이다. 따라서 이러한 상황을 초극할 수 있어야
하는 데 이는 단순히 서양문화를 배척하는 것으로 병폐의 근본을 해
결할 수 없다고 보며 "싸워야할 몸 속의 적"으로 분명히 의식하는
것이 초극의 제일보이며,5) 태평양전쟁이 그 기회라는 것이다.

　이 좌담회의 귀결은 결국 천황제 옹호와 대동아공영권으로 집약된
다. 앞서 살펴본 것처럼 중일전쟁이 태평양 전쟁으로 확산되는 1941
년을 전후하여 제기된 이 논쟁은 　아시아에 대한 제국주의적 침략
전쟁인 동시에 미·영에 대한 반제국주의적 저항 전쟁이었던 '태평

---

5) 이경훈, 앞의 책, 295쪽.

양 전쟁의 이중 성격'에 기초하는 모순성이 게재되어 있다. 이 논의
는 일본의 민족주의가 아시아로부터 이반하고 일본 지식인의 지성이
민중으로부터 격리된 일본적 근대의 특수성에 대한 반성의 일면이
있음을 인정할 수 있겠다. 이미 파탄의 징후가 역력한 서구적 근대
및 그를 추종한 일본적 근대의 초극을 선언하고, 새로운 사상 원리에
입각한 동아 협력체 또는 세계 신질서를 모색하고자 했던 논리의 자
가 생산적 측면이 존재한다. 그러나 이러한 의도에도 불구하고 결국
에는 아시아에 대한 일본 제국주의의 지배를 미화함으로써 '성전(聖
戰)'의 이데올로기로 떨어질 수밖에 없었음을 엄밀히 비판해야 한
다.6) 결국 '근대 초극'으로 표현되는 일본의 아시아주의는 일본 민족
주의의 제국주의적 자기현시의 측면이 너무 강하게 나타난다.

일본의 반서양주의는 서양 근대문명에 대한 대타의식으로 일본 전
통의 옹호와 일본정신(大和魂)의 발견으로 나타난다. 이들은 문명과
기계에 통어(統御)되지 않는 생(生)의 발견, 이것이 '근대의 초극'이
라고 한다. 따라서 '근대의 초극'이라는 것은 '혼의 개회(改悔)' 문제
라고 주장한다. 동양과 서양을 통틀어 신과 혼이 재발견되지 않으면
안 되고 이를 통해 비로소 근대의 위기를 벗어날 수 있다는 것이다.
결국 신과 혼의 발견은, 살아 있는 신 천황과 신도(神道)를 믿고 따
르는 것이며 팔굉일우(八宏은 우주, 一宇는 한 가족) 정신을 실현하
는 것으로 나타난다. 태평양전쟁은 팔굉일우의 정신을 실현하는 장
으로서의 일본의 도전이며 동양의 서양극복이라는 성전(聖戰)의 기회
라는 주장이다. 여기에서 전시에 크게 주목을 끈 교토(京都)제대 문
학부 철학과 조교수 다카야마 이와오(高山岩男)의 「일본의 과제와 세
계사」(1943)를 한 구절 인용해 보자.

---

6) 최원식, 「탈냉전 시대와 동아사아적 시각의 모색」, 『동아시아, 문제와 시각』,
  문학과지성사, 1997. 100-101쪽.

대동아전쟁은 세계 질서의 전환전(轉換戰)이다. 그것은 근대 세계 내부의 한 전쟁이 아니라, 근대 세계에서 초출(超出)하려는 획기적인 전쟁이다. ....전환전을 담당하고 있는 우리 일본을 중핵으로 하여 동아 제 민족이 저마다 자기 분에 맞는 자리를 얻어 자발적으로 협력하는 그런 질서다. 이 질서의 이상을 우리 나라는 팔굉일우의 정신이라고 부른다. ..... 7)

위의 인용문도 마찬가지로 태평양전쟁을 세계사의 새로운 전환점으로 보며, 미·영에 대한 반제국주의적 저항 전쟁이라 미화한다. 또한 태평양전쟁은 서양 제국주의적 침략에 대해 민족과 아시아를 방위하는 아시아 신체제의 새로운 맹주 일본의 아시아 방위전략이라는 것이다. 이 전쟁은 서양과 동양의 문명 충돌현상이며, 이미 파탄의 징후가 역력한 서구적 근대 및 그를 추종한 일본적 근대의 초극을 선언하고, 새로운 사상 원리에 입각한 동아 협력체 또는 세계 신질서의 모색이라는 것이다. 그러나 앞에서 살펴본 것처럼 일본의 대외관에서 비롯된 아시아주의는 처음에는 일본 근대화의 모순을 해결하는 방법의 모색과 태평양전쟁의 이중적 성격에 대한 일본의 입장을 정리하는 입장에서 출발했지만 결국에는 천황제 파시즘과 일본의 아시아 침략을 미화하는 '성전(聖戰)'의 이데올로기로 전락했음을 알 수 있다.

3. 아시아주의와 친일문학의 논리

위에서 '근대의 초극'으로 집약되는 아시아주의의 대체적인 윤곽을 살펴보았다. 우리가 '근대의 초극'논에 주목하는 이유는 이러한 논의가 1940년대 우리의 친일문학에 하나의 논점을 제공하기 때문이

---

7) 와카쓰키 야스오, 『일본 군국주의를 벗긴다』 (원제는 『일본의 전쟁책임』), 김광식 역, 화산문화, 1996, 139쪽.

다. 일본의 정세에 민감할 수밖에 없는 식민지 한국의 풍토에서 유행병처럼 번졌던 일본의 '근대 초극'논은 식민지 지식인에게 유형 무형의 압력으로 존재했다고 볼 수 있다. 무서운 기세로 아시아를 점령해 가는 일본 제국주의 힘과 서구 제국주의 국가에 당당히 맞서는 일본의 기세는 식민지 조선의 앞날에 대한 객관적인 판단을 불가능하게 했으며, 가뜩이나 왜소한 지식인의 지적 토대를 흔들어 놓았다. 따라서 40년대 친일문학을 어떻게 볼 것인가는 이 아시아주의의 망령을 검토하지 않고서는 여전히 피상적인 수준으로 떨어질 수밖에 없다. 전향이라는 자기부인과 아시아주의라는 유사논리의 획득과정이 신체제에 의해 강요된 측면이 있지만 '서양의 타자'로서의 동양이라는 세계사적 대응과도 관계가 있다. 당시에 일본이 제창한 아시아주의는 19세기 후반기에 서양의 본격적인 동점에 의하여 동아시아 국제 질서가 급격히 재편되고 그 지역 국가들이 새로운 현실을 당면하는 과정에서 전통적인 중화 질서를 대신한 새로운 대외관의 하나로 형성된 측면이 있기 때문이다. 아시아주의가 가장 활발히 논의되고 사회적 영향력도 컸던 일본의 경우, 그것은 동아시아 국제 사회를 일본을 중심으로 재편하려는 일본 제국주의의 주요한 논리적 근거이다.[8] 이러한 이론의 분식은 내선일체와 동조동근론, 징병제를 통한 일본과의 동일시를 통해 '일본의 타자'로서의 조선이 아닌 '아시아의 주체'로서 조선이라는 주체의 전이를 시도하는 일종의 존재의 초월로 나타난다. 그러므로 이러한 논리의 분식과 과장이 빚어내는 40년대 친일문학은 개인적 덕성이나 당위적 규범으로 단순하게 양단하는 것은 바람직한 태도가 아니다.

일제말의 친일논자들은 거의 모두 서양 및 서양문화를 비판하고 있다. 이는 '근대의 초극'에서 보이는 서양 문화에 대한 문제의식과

---

8) 함동주, 「전후 일본 지식인의 아시아주의론」, 『동아시아, 문제와 시각』, 앞의 책, 194쪽.

상통하고 있다. 여기에서는 본격적인 친일문학의 전단계인 전향의 문제를 일별하고 대표적인 친일논객인 최재서의 글을 검토하고자 한다. 전향의 문제는 세계관의 문제와 밀접한 관련을 맺고 있기 때문이다. 먼저 대표적인 전향소설인 김남천의 「경영」과 「맥(麥)」을 살펴보기로 한다.

우리가 문제 삼고자 하는 것은 「경영」과 「맥」에 나타난 오시형의 세계관과 전향의 논리이다. 김남천은 이 작품들을 통해 천황제 파시즘의 논리인 '동양학'으로 경사하는 오시형을 비판하고 있다. 이는 그가 문화적 반근대주의를 정치적 반서양주의로 전환시키는 아시아주의의 문제점을 간파했기 때문인지 모른다. 이러한 김남천의 입장은 최무경과 이관형의 통해 나타난다.9) 그러나 이 글은 오시형의 전향의 논리에 대한 문제점을 살피는 것으로 만족한다. 오시형은 작가가 비판했지만 분명 40년대 지식인의 한 전형을 이루고 있는 인물이다. 그것은 이 시기 전향이 속출하고 신문과 지면이 온통 '신체제론'과 '동양문화사론'으로 점철된 데서 알 수 있다.

「맥」의 등장 인물들은 모두 새로운 전환을 모색하는 인물들이다. 오시형은 자신이 견지했던 이념을 포기하고 새로 전개되는 신체제에 편입하려하고, 최무경은 그런 오시형을 바라보며 회의와 새로운 출발을 모색하며, 이관형은 부패한 일상을 청산하려는 도중에 서있는 사람들이다. 「맥」의 갈등은 오시형이 출감한 후 최무경에게 돌아가

---

9) 이 점에 주목하여 「경영」과 「맥」을 분석하고 있는 글이 이건제의 앞의 논문이다. 이건제는 작중 인물들을 분석하면서 오시형은 이성이나 논리의 지배를 피한 뒤 본능의 충족을 위해 쫓기는 성질을 갖고 있으며, 최무경은 점차 이성의 세계를 지향하면서 끊임없이 도덕률을 만들려고 하고, 이관형은 그 사이에서 어느 한 쪽에 만족하지 못하고 동시에 이 둘을 아우르려고 한다고 지적한다. 이러한 분열을 보여주는 이관형이야말로 가장 작가의 현실을 닮은 인물이라 평가한다. 따라서 작가와 가장 가까운 인물인 이관형은 오시형이라는 현실을 간직한 채 최무경이라는 이상을 만들어 간다고 지적한다. 이러한 분석에 동의한다면 이 작품의 주조를 이루고 있는 최무경의 '회의'와 이관형의 '피로'의 정체를 이해할 수 있을 것이다.

지 않고 친일파요 유력인사인 아버지에게 돌아가는데 있다. 여기에서 작가 김남천이 문제 삼고자 했던 것은 친일파요, 자본가인 아버지와 그 극점에 서 있던 좌익 사상가인 아들이 어떻게 화해할 수 있는가이다. 작가는 최무경을 통해 이를 문제 삼고자 한다. 그것은 오시형이 자신에게 돌아오지 않고 아버지에게 가버린 이유를 알고 싶은 것으로 나타난다. 이 이유를 알기 위해 오시형이 2년 수감생활 동안 고민했다던 동양학(아시아 주의)에 대해 알고자 한다. 오시형의 말을 빌리면 그의 전향이론은 경제학에서 철학으로의 전향이요, 일원사관으로부터 다원사관으로 경사이다. 그 결과 학문상으로 도달한 것이 동양학이다. 시시각각으로 변하는 세계사의 전환에 대처해서 하나의 동양인으로 자각하는 것, 이것이 동양학이라고 오시형은 말한다. 여기에서 오시형이 설명한 '동양학'은 서양 근대 문명에 대한 대타 개념으로 떠오른 말임을 쉽게 알 수 있다. 오시형의 입장에서 보면 '탈아입구'로 지칭되는 맹목적 서양추수는 이제는 회의의 대상이며 극복해야할 대상이다. 이에 반해 오시형과 다른 전환기의 지식인의 고민과 회의를 보여주는 것이 이관형이다. 이관형의 타락과 허무는 쟁취해야할 '근대'가 무너지는 것을 목격하는데 있다. 이관형은 무너진 '근대'의 꿈을 오시형처럼 다른 것으로 대체하지 못하고 일상의 권태와 퇴폐로 소멸해 간다.

　　개화가 있은 지 가령 칠십년이라고 합시다. 이때부터 구라파의 근대를 수입해 왔다고 쳐도 실상은 구라파의 정신은 그때에 벌써 노쇠해서 위기를 부르짖고 있던 때입니다. 우리들은 새롭고 청신하다고 받아들여 온 것이 본토에서는 이미 낡아서 자기네들의 정신에 의심을 품고 진보라는 개념 자체에 회의를 품어오든 시대입니다. 그러니까 우리는 남의 고장의 노후하고 낡아빠진 문명과 문화를 새롭고 청신하게 맞어들인 것입니다. 구라파가 결단이 났다고 우리들이 눈을 부실 때엔 벌써 이미 시일이 늦었습니다. 받아들인 문명과 문화는 소화도 하지 못하고 있는데 벌써 구라파 정신은 갈

턱까지 가서 두 차례나 커다란 전쟁을 경험하고 있습니다. 나 같은
사람이 영국 문학을 하였으나 조곰씩 조곰씩 깊은 이해를 가져 볼
려고 노력하면 노력할사록 나는 어떻게도 할 수 없는 그들의 답답
한 정신 세계에 자꾸만 부드치게 됩니다.

－ (김남천의 「맥」, 1941.2.)

이관형의 고민은 앞에서 살펴본 '근대의 초극'을 주장한 일본 논자
들과 상통하고 있다. 일본의 논자들이 19세기 서세동점의 강퍅한 시
기에 강제로 이입된 '근대'에 문제를 삼듯이 비슷한 처지를 감당했던
조선도 이에 대한 문제 제기는 유효한 것이었다. 이는 일본의 아시아
주의가 일본 제국주의의 아시아 지배를 확대하는 과정에서 아시아의
공동체성과 서양과의 이해 대립을 강조하는 이데올로기적 공세이지
만 서양 제국주의의 직접적 피해자인 아시아의 입장에서는 서양의
대타의식으로 작용하는 그럴듯한 명분을 제공한다는 점은 간과할 수
없다. 따라서 이런 논리구조의 확장은 기존의 서구 중심의 세계체제
이를 '일원사관'에 의한 지배구조로 보고 서양을 벗어난 '다원사관'
을 주장하게 된다. 여기에 김남천이 오시형을 전면적으로 거부하지
못하는 이유가 있고, 이 소설이 내포하는 문제의 심각성이 있다. 이
점에 관해 오시형의 변명을 들어보자.

"피고가 학문상으로 도달하였다는 새로운 관념에 대해서 간명히
대답해 라".
재판장은 온후한 얼굴에 미소를 그리고 질문을 던진다. 서류위에
법복 입은 두 손을 올려 놓고 그는 오시형이를 내려다보고 있다.
"구라파 사람들은 역사에 대한 하나의 신념을 가지고 있다고 생
각합니다. 그들은 역사란 마치 흐르는 물이나 혹은 계단이 진 사다
리와 같은 물건이라고 믿고 있습니다. 맨 앞에서 전진하고 있는 것
은 구라파 민족들이오, 그 중턱에서 구라파 민족들이 지나간 과정
을 뒤쫓아 따라가고 있는 것은 아세아의 모든 민족들이오, 맨 뒤에
서 쫓아오고 있는 것은 미개인의 민족들이라는 사상이 그것입니다.

고대에서 중세로 근대로 현대로 한줄기의 물처럼 역사는 흐르고 있다 합니다. 그러니까 설령 그들이 가졌던 구라파 정신이 통일성을 잃고 붕괴하여도 새로운 현대의 세계사를 구상할 수 있고 또 구상하는 민족들은 자기들이라고 생각하고 있습니다. 이것이 역사에 있어서의 말하자면 일원사관일까 합니다. 그러나 이러한 생각에서 떠나서 우리의 손으로 다원사관의 세계사로 이루어지는 날 역사에 대한 이같은 미망은 깨어지리라고 봅니다. 역사적 현실은 이러한 것을 눈앞에 보여 주고 있습니다."

"그러면 피고의 그러한 생각으로 현재 진행되고 있는 전쟁과 세계사적 동향은 어떻게 포착할 수 있다고 생각하는가?"

피고는 말을 끊고 숨을 돌리듯 하고는 다시 이야기의 머리를 잠간 돌려 보듯 하였다.

"저의 사상적 경로를 보면 '딜타이'의 인간주의에서 '하이덱겔'로 옮아갔다는 느낌이 듭니다. '하이덱겔'이 일종의 인간의 검토로부터 '헛틀레리즘'의 예찬에 이른 것은 퍽 깊은 감명을 주었습니다. 철학이 놓여진 현재의 주위의 상황으로부터 새로운 문제를 집어올린다는 것은 최근의 우리 철학계의 하나의 동향이라고 봅니다. '와쯔지(和邊)' 박사의 풍토 사관적 관찰이나 '다나베(田邊)' 박사의 저술이 역시 국가, 민족, 국민의 문제를 토구하여 이에 많은 시사를 보이고 있습니다. 제가 과거의 사상을 청산하고 새로운 질서 건설에 의기를 느낀 것은 대충 이상과 같은 학문상 경로로써 이루어졌습니다".

— (김남천의 「맥」)

오시형의 전향논리는 서구중심의 일원사관 이제 역사적 종언을 고했다는 것이다. 두 차례의 세계대전이 그 예이며 더 이상 서구의 제국주의와 패권주의를 수용할 수 없다는 것이다. 이의 대안으로 아시아주의의 새로운 정신으로 세계체제에 참여해야 한다는 것이다. 이는 아시아의 근대화가 주체성이 결여된, 강제된 노예의식 하에 진행되었다는 문제 의식과 역으로 주인이 되면 노예의 신분에서 자유로울 것이라는 논리로 발전한다. 그 수사와 포장이 다원사관이다. 자주성이 결여된 근대화에 대한 극복으로 아시아적인 것, 일본적인 것,

즉 '풍토사관'의 주체성의 고양을 그 해결 방법으로 제시한다. 결국 이러한 논리의 귀착점은 아시아의 연대, 이를 대동아공영권으로 부른다. 풍토사관=아시아주의로 표현되는 동양적 세계관의 정립으로 일본을 맹주로 아시아 민족이 단결하여 서구의 위협을 극복해야 한다는 일본 제국주의 전쟁 선전과 궤를 같이 한다. 따라서 점증하는 파시즘의 압력과 욱일승천(旭日昇天)하는 일본의 기세에 눌린 식민지 지식인의 자기 변명과 전향의 논리를 우리는 오시형을 통해 그 정신의 허약성을 들여다 볼 수 있다.

이러한 논리는 최재서에 의해 더욱 정교하게 포장된다. 경성 제국대학 영문과 출신으로 조선인 최초로 제국대학 영문학 강사였던 식민지 시대의 대표적인 지식인의 내면 풍경을 드려다 봄으로써 40년대 조선의 지적 동향과 자기 모순을 점검해 보기로 하자. 최재서가 당대의 대표적 지식인이었다는 사실은 부동의 것이다. 30년대 천박한 서양문학의 이해로 문단의 헤게모니를 장악하려 했던 해외문학파에 대한 비판에서 출발했던 최재서의 문단 활동은 시사하는 바가 크다. 우선 논의를 좁혀서 최재서가 어떻게 제국주의 일본의 신화에 굴복하게 되었는가를 살펴보기로 하자. 이른바 전향이라는 자기부인과 유사논리의 획득의 과정이 상황적 압력에 대한 돌발적인 것이었는가와 그 자신이 추구해온 일련의 지적활동과 구도 속에서 이미 그 잠재적 가능성이 들어있는 가를 살피는 일이다. 이러한 관점에서 그의 비평활동에 정서적 기조로서 언제나 동반하였던 위기의식의 성격을 규명하는 것이 중요하다. 최재서는 「전형기의 문학이론」(『인문평론』, 1941. 2월), 「문학정신의 전환」(『인문평론』, 1941. 4월) 등의 글을 통해 당대를 문화의 위기 시대라 지적한다. 그는 문화의 위기를 가져온 이유를 크게 개인주의와 코스모폴리탄즘. 합리주의라 규정하고 이를 비판한다.10) 이 세 항목은 '서구적 근대'를 지칭하는 말이기도 하다.

---

10) 이러한 비판은 최재서가 '서양의 근대'를 비판하고 일본적 가치를 옹호하는

個人主義的 營利追求가 宗敎的 道德的制約이나 國家的調整의 손을 버서나서 無制限하게追求될때 거기에는 企業家들새의 自由競爭. 民族間의 自由競爭, 自由貿易, 無制限生産의 增加를보게되고 또 이러한 機構를 高度로 運用하기 위하여 有利한企業에 대한 多數한 匿名投資家의 參加와 資本所有者와 純投機의活動이 開始된다. 資本이 이와같이 國家를떠나서 自由롭게流動할때 그것은 國家自體의 破滅을 招來할지도모르는 經濟的 恐慌의 危險을 恒常內包하게 된다. 合理主義의 謫者로서 發達한 近代資本主義가 드디여 合理主義的經理로선 統制할수없는데까지 强大하여졌다는데서 現代의 危機를 본다.

　　經濟의 自律化가 以上과같이 드디여 國民經濟를 解消하는 地點에까지 이르고야 만다면 文化의 自律化도 급기야는 國民的羈絆을 버서나서 國際的인 橫斷的結合을 맺는데까지 이르고만다. 學問은 다만 學問을위하여 硏究된다면 그것은 國民的生活과 聯結하기보다는 抽象的인 國際性과 聯結하기쉽다. 또한 藝術이 다만 藝術을위하여 추구된다면 그것은 國境을넘어서 抽象的인 人間性과 聯結하기쉽다.

　　　　　　　　　　　　　　　　　　　　— (최재서, 「전형기의 문학이론」)

　　최재서는 서구 근대정신으로서의 개인주의와 합리주의는 봉건성을 타개하고 자본주의를 발전시켰지만, 이제 그러한 개인주의와 합리주의는 역사적 소명을 다하고 파산했다고 진단한다. 개인주의의 난만한 번성은 문화의 타락을 가져오고, 개인의 끝없는 이익추구는 개인간의 갈등뿐만 아니라 국제적 경제공황을 야기한다고 보았다. 봉건적 질곡을 해체하고 근대화를 가능하게 했던 개성이 이제 창끝을 역

─────────────────

데 동원한 일관된 논리이다. 최재서의 「국민문학의 요건」(『국민문학』, 1941.11. 창간호), 「문학자와 세계관의 문제」(『국민문학』, 1942, 10.) 등에 나타난 논리의 구사 방식은, 먼저 개인주의와 코스모폴리탄리즘이라는 서양 근대정신의 붕괴와 파산을 나치의 '파리 함락'에서 역사적·구체적 증거로 제시하고 그 대안으로 정치우위의 문화로서 '국민문학'을 제시하는 것으로 일관되게 나타난다.

으로 돌려 근대화와 인간의 자유로운 발달을 방해하는 억압이 되어 버렸다는 것이다. 현대의 개성은 생명력을 잃은 병적 개성, 반항적인 개성만 난무할 뿐, 이제 역사를 이끌어 가는 추동력을 상실했다는 것이다. 결국 최재서에 있어 개인주의는 민족과 국가공동체를 해체하는 위험신호이며, 개인주의에 기반한 코스모폴리탄적 문학은 '추상적 국제성'과 '추상적 인간성'을 만들어낼 뿐 현존하는 문화의 위기에는 전혀 도움이 되지 않는다고 본다. 따라서 이의 극복 방법으로 제시하는 것이 '새로운 조화와 통일 위에 건설되는 국민문학'이다. 최재서는 개인주의와 합리주의 속에서 탄생한 경제와 문화의 위기는 합리주의로선 처리할 수 없다고 보고 새로운 국가적 계획과 통제하에서 새로운 국민갱생의 길을 밟아야 한다고 주장한다. 최재서는 문화가치의 절대성, 문화활동의 자율성이라는 것은 합리주의적 진리 그 자체와 마찬가지로 결코 영원불변한 것이 아니며 역사적 법칙에 의하여 변동된다는 것을 깨달아한다고 주장한다. 이러한 인식은 최재서가 자신이 살았던 당대를 과도기의 위기라 생각한데서 비롯된다. 그는 1930년대를 전후한 세계체제의 분열과 식민지 조선의 사회·문화적 혼란을 국부적이거나 지역적인 과도기가 아니라 세계 인류가 생활의 근저로부터 동요받고 있는 시기라 보았다. 이러한 위기의식은 '서구 합리주의의 붕괴', '세계 신질서의 수립', '팔굉일우', '황도선양(皇道宣揚)' 등 엄청난 이념적 장식과 현실적인 압제력을 행사하였던 일본 제국주의 신화에 굴복한 심리적 기제로 작동한다.[11] 그렇다면 국가적 이상으로서의 갱생의 길이 최재서에게 어떻게 분식되고 작동하는지 살펴보기로 하자.

그러면 國家는 무슨힘으로써 文化에다 이러한 統一力을 줄수가 있느냐? 그것은 國家理想 以外에있을수없다, 國民全體에 目標와 標

---

11) 김흥규, 「최재서 연구」, 『문학과 역사적 인간』, 창작과 비평사, 1980.

準을 줄만한 高遠한理想이없이는 國民文化는 發展은커녕 維持도못
된다. 어떤 커다란 國家理想이있어서 그것이 風習 道德 制度 法律
學問 藝術속에 각기 客觀化되고 具體化될때 비로서 國民文化는 成
立된다. 元來로 文化란 價値體系(그것은 理想을 內面的으로 일컸는
말이다)의 制度化에 不外한 일이다. 아직까지 個人的인 혹은 外來
的인 價値體系를 信奉하여오던 國民에게 國家的인價値體系를 주자
는것이 오날 諸國家의 當面한 緊急한 課題일 것이다.

　우리自身으로 눈을도리킨다면 우리는 傳統의집을 떠나 남의집
터전에서 오래彷徨하였다. 歐米流의生活을 지극히 表面的으로 模倣
하는것으로서 文化生活을 自處하였다. 또 이러한 文化의 低俗化에
內心 輕蔑을 느끼는 사람도 마음의故鄕을 所謂 「고스모포리탄적
大氣」 속에다 두고 발부칠곳이 없어 헤매여왔다.
　　　　　　　　— (최재서, 「전형기의 문학이론」)

　위의 글에서 최재서는 크게 두 가지 문제를 제시한다. 하나는 과
도기의 위기에서는 문화의 우위보다는 정치적 우위를 깨닫고 국민문
화의 제일 요건인 국민의 단결과 통일을 이루어내는 것과, 서양이 아
닌 우리의 입장에서 세계를 바라보아야 한다는 것이다. 그것은 아버
지 천황에 대한 직역봉공과 동양적 전통의 수립으로 구체화한다. 결
국 최재서에 의하면 모든 '가치의 발생의 장(場)'인 천황에 의해 국
토와 국민, 국가와 가족의 관계를 새로 바라보게 하는 '일본적 세계
관'이 국가와 국민을 단결시키고 세계의 위기를 극복하는 방법이다.
이것이 추악한 제국주의 전쟁인 양차 세계대전으로 파괴와 절망으로
치닫는 세계사의 위기에서 최재서가 찾아낸 '세계 신질서의 수립'의
방법이며, '근대'의 극복이다. 또한 19세기 노예적 굴종을 강제 받았
던 동양의 서양에 대한 응전이다. 여기에 이르면 일본의 교토학파의
논자들과 어떤 차별성이 있는지 의심스럽다. 최재서는 전통의 문제
에 있어서 한발 더 나아가 조선은 내세울만한 전통이 없기 때문에
일본적 교양, 일본의 고전으로부터 찾아야한다고 주장한다.12) 자신이

12) 최재서, 「조선문학의 현단계」(『국민문학』, 1942.8), 「받들어 모시는 문학」(『국

속한 세계의 문화근거를 완전히 거부할 때 남는 가능성은 두 가지이다. 하나는 의존할 만한 아무런 전통도 없다는 의식을 철저하게 극한까지 밀고 나아가는 문화적 허무주의며, 다른 하나는 이상적 가치를 부여할 만하다고 생각되는 다른 문화의 영역으로 달려가는 것이다.13) 그러나 이와 같은 위기감의 국제주의는 당면한 식민지 현실적 모순과 가치혼란을 서구사회의 그것과 동일시함으로써 자본주의 팽창과 대내외적 갈등과정에서 나타난 서구 지식인의 고민을 식민지 조선의 현실에서 살고 있는 자신의 것으로 받아들이는 착각을 범하고 있다. 결국 최재서가 제시하는 '근대'의 위기를 극복하는 방법은 퇴락하여 가는 서구문화의 산물인 개인주의적 방황에서 벗어나 '전체'에의 지향을 가져야 한다는 것으로 나타난다. 이때 '전체'란 다름 아닌 제국주의 일본이 모든 것의 위에 존재하는 것으로 이념화한 '국가'이며, 이에 충실하기 위해서는 개인주의에 대한 집착을 버리고 '국민의식'에 철저하여야 한다는 것으로 집약된다.

이와 같은 최재서의 논리를 다시 정리해 보면 첫째, 현존하는 현대의 위기는 '서구적 근대'가 이미 역사적 의미를 상실한데서 비롯된 것이며, 그 위기의 극복은 개인주의와 합리주의에 관한 전면적 재고에서 가능하다는 것. 둘째 이를 극복한 것이 천황으로 대표되는 '일본적 세계관'이라는 것. 셋째 서양에 대한 동양의 자각, 이는 동양적 전통의 발견으로 요약된다. 이와 같은 최재서의 논리를 일종의 '근대의 초극' 논리로 볼 때 몇 가지 심각한 모순을 느끼게 된다. 만일 식민지 조선에 '근대의 초극'이라는 것이 있을 수 있다 하더라도, 대동아공영권적인 유사논리(類似論理)로 치장하여 서구와의 대결로 나아간다는 것은 불가능하기 때문이다. 최소한의 근대적 자질인 국민국가로서 주권을 갖지 못한 식민지 상태에서 초극할 '근대'는 없기 때

　민문학』, 1944.4)
13) 김흥규, 앞의 책, 339쪽.

문이다. 근대의 초극보다는 근대의 쟁취가 더 화급한 문제이기 때문이다. 한발 양보해서 식민지 조선도 개항이래 누적되고 지체된 근대 문명의 이식의 역사를 극복해야할 측면이 분명 있지만 그 해결 방법으로 일본의 힘을 빌린다는 것은 불가능하기 때문이다. 여기에 아시아주의의 한계와 문제점이 있다. '일본의 타자'로서의 조선이 아닌, 일본과의 동일시를 통한 '동양의 주체'로서의 서양에 대한 대결은 주인의 전쟁에 맹목적으로 복무하는 노예의 심리상태를 반영하는 것 이상은 벗어나지 않는다. 더 나아가 아시아의 방위를 목적으로 한다는 일본의 태평양 전쟁과 '서양의 대타의식'으로서의 '동양의 발견'은 식민지 조선과 만주 등으로 대표되는 일본 자신의 제국주의를 해결하지 않고는 있을 수 없다. 결국 최재서를 비롯한 일제말기 지식인들의 근대 및 서양에 대한 문제의식은 친일문학의 논리를 이론화하기 위한 한 형식으로서의 서양에 대한 문제의식이었다고 볼 수밖에 없다는 점14)을 지적하고 싶다. 이 시기 식민지 조선에 있어 광범하게 유포되었던 아시아주의는 친일을 합리화하고 분식하는 이론적 도구였을 뿐 우리의 근대를 문제삼는 주체적인 고민은 아니다. 제국주의 일본이 '세계 신질서의 수립', '팔굉일우', '동조동근'이라는 아시아주의의 거대한 추상을 들이밀면서 다른 한편으로는 파시즘의 폭력으로 회유·위협하였을 때, 돌연 자신의 논리를 파기하고 이에 굴복하여 간 것은 뿌리없는 지식인의 무력감과 좌절을 전형적으로 보여준다. 그것은 최재서 개인의 패배에 그치지 않고 근대 한국의 역사적 격변기에 살았던 거의 모든 식민지 지식인의 역사적 상처로 기록될 것이다.

---

14) 이경훈, 앞의 책.

4. 결 론

지식인은 자기 존재의 정당성에 대해 끊임없이 묻고 회의하는 존재이다. 특히 이러한 특성은 시대의 격변기나 과도기에 더욱 빛을 발한다. 1940년대 전후는 세계체제의 격변기였으며 일본 파시즘의 폭력이 모든 것을 압살할 때였다. 질식할 것 같은 강압적 분위기와 전향을 강요하는 사회적 압력에 대응할 수 있는 방법은 무엇이었을까? 하나는 지식인의 역할을 포기하고 현실을 떠나 은둔하는 일이고, 또하나는 주어진 현실에 적극 대응하여 자기 삶의 논리를 생산하는 일이다. 1940년대 친일문학의 논리는 외부적인 폭력에 강요된 바가 크지만 한편으로는 지식인의 생존을 위한 자기 증식의 측면도 존재한다. 이러한 측면을 보여주는 대표적 사례가 최재서이다. 최재서를 비롯한 일군의 식민지 지식인들은 일본제국주의 이데올로기 공세였던 아시아주의를 받아들여 식민지인의 열등한 위치를 초극하려 했다. 이들은 1940년대 체제 전환기에 식민지 본국 일본과 자기를 동일시함으로써 친일의 논리를 개발하고자 했다. 다시 말해 친일을 위한 명분과 논리가 필요했는데 이를 뒷받침한 것이 일본의 아시아주의다. 이들은 서양을 반대하고 아시아를 방위한다는 아시아주의의 화려한 수사 뒤에 자신을 숨기고, 식민지 조선의 특수한 상황을 외면하였다. 자기 논리의 정당성과 증식을 위해 삶의 진실을 은폐하고 무화시킨 곳에 1940년대 친일문학이 놓인다. **새미**

여자 살해와 부조리한 페미니즘
— 박상륭의『죽음의 한 연구』론

임금복

1. 청년기의 남권 상상력과 영혼 폭행

한국에서 남성으로 태어난 경우 그 생래적 운명은 육체적·사회적·관념적으로 여성보다 나은 1인자 논리로 잠재적 이데올로기를 요구받는다. 그러한 사회 속에 형성된 한국남성의 피가 흐르는 내면성은 고뇌하는 강력한 자아로 서기를 요청받는다. 이러한 요구에 발맞추어 한국 기득권의 남성위주의 사회, 그 논리를 내면화하는 어머니나 여성의 실존 조건에서 여성은 2인자로 서기를 요구받는다. 그러한 존재 조건에서 청년기의 한 남성이 남권을 형성하기 위해 걸림돌이 되는 여성들의 영혼을 살해하거나, 남성을 위한 여성의 대속의 강요, 모든 여성의 일상의 삶 속에 남성심리를 부각시키기 위해 여성영혼의 열등성 등을 조장한다. 그러면서 신화나 경전 속에 재생산되는 이데올로기적 속성의 연장선상에서 이상적 여성상·모성상의 논리로까지 남성이데올로기를 반복 강화시킨다. 남성중심의 사회 속에서 살해되는 여성, 또 초월적으로 이상화시킨 여성, 그 상극적 모순을 남성 상상력으로 펼쳐놓은 그 세계를 해부해 보자.

명지대 강사, 저서로『박상륭 소설 연구』가 있음.

박상륭의 청년기 의식세계가 잘 표명된『죽음의 한 연구』(1975)는 두 주인공(제1 주인공 33세 돌 중 남성과 제2 주인공 28세 촛불 중 남성)의 실제적 삶에서 극도로 청년기의 남성 우월성이 부각되고 있다. 돌중과 관련된 여성은 유년기의 어머니 창녀, 俗界·僧界 경계에서 만나는 제1 아내 위치의 창녀, 제2의 여자로 설정한 읍장의 손녀 딸이 있는데, 창녀의 요절 후 여성관념에 대한 사유하는 사내의 시선은 돌중이 상극적 관념의 소유자이며 부조리한 페미니스트임을 드러낸다. 또한 촛불중은 10년전 18세경 조혼한 남성으로서 결혼 후 신방에 친구를 대신 들여보낸 후에 두 남녀를 살해하고 羑里로 떠돌아와서 속계·승계를 왕래하는 속세적 관리인으로, 정상적 윤리의식이 결여된 부도덕한 남성 스님이다. 사회윤리학적 읽기 시선에 의하면 이 인물은 범죄 전력이 있는 자가 또다른 범죄자에게 죄형을 가한다는 비약적 모순이 펼쳐지고 있다. 또 남성의 질투 심리를 강하게 부각시켜 돌중에 대한 창녀의 편애 심리에 자극받고 간접적이지만 창녀에게 육체적 죽음을 부과하는 인물로 여자 살해의 대표적 주자, 남성 권력 우월자로 설정되어 있다.

남성 생명력을 1인자로 세우기 위한 대속체로 그려진 여성 생명력이 억압되고 2인자로 정의된 그 이면성을 밝히기 위해서는 33세 박상륭의 남성작가적 자아와 작가의 분신인 異名同人의 상극적 남성 고해 돌중과 권력 촛불중이 연합되어 있는 과정을 인식하고 해명해야만 한다. 이 측면에서 비교적 성격이 뚜렷한 자아가 '육체적 남성의 자아', '젊음의 색적 남성적 자아', '한국 사회 가부장적 요소의 내면화된 자아', '고뇌하는 사유의 宇宙的 男性 자아', '질투 속성의 성 자아', '부도덕한 자아', '1인자 인식 논리의 자아', '상상속에 가능한 모성 꿈꾸기 성변환하는 상상의 남녀추니적 자아'인데, 이 모든 것이 33세 남성작가 박상륭의 의식세계다. 그러한 의식은 여성의식을 육체적 여성, 색적 여성, 한국사회의 가부장적 요소가 내면화된 여성,

부정적 심리의 여성, 2인자 논리의 여성으로 설정하였기에, 그의 실제적 반페미니즘과 관념적 부조리한 페미니즘적 요소를 이 글에서 밝혀보고자 한다.

2. 異名同人 상극적 남성의 여성 살해와 부정적 여성 심리학

작가 박상륭의 의식 세계가 작품 속에 펼쳐진 여성 중에 실제계 측면에서 부딪치는 인물은 부정적 여성상으로 드러내고 있다. 그들은 유리 지역의 여성 '20세 가량 창녀 계집', 읍 지역의 여성 '20세 가량 손녀딸'과 '18세 가량 거지 소녀'로서 실제인물로 감각을 느끼게 하는 여성들이다. 또 추상적 사유의 대상에 해당되는 여성은 혈루병자 아내, 과거 유년기의 어머니, 읍의 매춘부 사회의 대표 母主 등이다. 이 때 여성은 육체적 여성, 사회적 여성, 색적 여성에 한정되어 나타나며 한결같이 여성이 부정화되는 극단으로 표출되고 있다.

이 부분은 유리 지역과 읍내 지역을 모두 돌아다니는 경계선상의 인물 젊은 30대 남성 '돌중'과 유리의 20대 남성 관리승인 '촛불중'이라는 異名同人[1] 속성의 남성에 의해 펼쳐진다. 그 외에 사유하는 스님, 공부하는 스님, 남성 스님, 색근 스님이 종합된 '카멜레온적 인식 방법의 두뇌인'[2]과 팔만잡근의 번뇌를 밝혀 여성이 대상화된 모습을 여성 육체어의 물화 이미지와 비천한 육체성 심리, 부정적 여성의 주체적 색녀성, 여성·모성 인식의 극단적 아이러니, 출세동반녀의 2인자 논리의 심리, 부정적 여성의 심리학 등 여성관련 의식은 총체적으로 부정화되어 나타난다.

---

1) 졸 고, "三界的 인식의 패러다임과 宇宙的 상상력"-박상륭의 『죽음의 한 연구』론 3, 제 2회 전국학술발표대회 발표논문, 한국현대문예비평학회, 1999. 6. 5.

2) 졸 고, "살불살조의 구도 패러다임", 『한국문예비평연구』제3집, 한국현대문예비평학회, 1998. 12, 299쪽.

1) 여성 육체어의 물화 이미지와 비천한 육체성 심리

박상륭의 실제 여성과 관련된 비유어를 살펴보면 암컷과 여성의 물화 이미지로 나타나며, 또 하나 대상으로서의 역할과 비천한 육체적 심리로 그려진다. 이때 관찰하는 자는 남성의 내면의식이 '육체적 자기' 특히 사내의 무의식화된 구조가 내면화되어 암시적으로 나타난다. 이 때 시선은 육체적 異名同人 남성의 비유 관찰 심리로 그려지고 있다.

먼저 작가는 소설 대목에서 여성을 물화 이미지로 드러내고 있다. "그리고 이번엔 외눈중을 향해, 돌중으로 말씀 올리면, 비록 계집 같은 쉬운 물건을 두고라도 그 혈을 짚어야겠다고 하다 보면, (하략)" (상, 61³⁾)이라는 대목과 "계집이라는 재료를 깎고, 다듬고, 고르는 거 장이기를 '바라지 않으면 안 된다."(하, 304-5)라는 대목에서 박상륭의 작가 의식이 돌중의 관찰 심리와 사유 심리가 결합되어 있는 것이 보인다. 즉 여성을 계집의 이름으로 물건화 또는 재료화시켜서 인간 소외 현상의 극단적 대비를 표현하고 있다. 박상륭이 실제적 세계 속에 드러낸 이와 같은 사유방식은 그밖에도 소설 곳곳에서 눈에 띄는데, 여성 육체어인 '월경대와 거적문', '젖꼭지와 물높이'에 대비되어 나타난다. 또 암컷류의 물화성으로 드러낸 '암톨과 수도부의 대가리', '계집과 물건', '이우는 달과 계집'으로, 암놈에 있어서는 '암코양이꼴과 계집', '암노루와 계집', '암뱀과 얼굴', '계집과 시든 국화꽃', '갈보년과 상점들'의 대비법도 나타난다.

이러한 비유법을 통해서 박상륭은 여성을 사물화 현상으로 특히 의물화 현상인 암컷에 대한 폄시 심리로 드러낸다. 이는 남성 역할이 남성 육체와 남성 관찰 심리의 분별적 자아가 육체적 남성에 갇혀있는 관찰 심리임을 알 수 있다. 즉 스스로 동물화한 자의식이 밤고양이, 숫사자로 드러나는가 하면, 사물 비유법으로 몸의 개체 현상인

---

3) 박상륭, 『죽음의 한 연구』상 · 하(서울 : 문학과 지성사, 1997).

대가리, 외눈중, 광분 심리로 자신을 방사한다는 육체어법으로 쓰고 있는 것에서 반증된다.

다음으로 작가는 여성을 비천한 육체성 심리로 그리고 있다.

박상륭의 여성의 실제 육체와 관련된 심리는 다음과 같은 소설 대목에서 잘 드러나고 있다. "경도의 시작이어서 더러운 내 계집은, 그래 허긴 진육(眞肉)이란 더러운 것이다, (하략)"(상, 225)에서 돌중의 계집의 육체 읽기에 대한 한 시선으로, "그러니 받아두십지, 화대입습지.-그런데 촛불중이 내 귓속의 어디에서 속삭이고 있었다. (중략) 어머니의 젖퉁이에서 나던 침냄새를 풍겼다. (중략) 그것은 '해웃값'의 맛이었었다."(상, 232)에서는 돌중과 촛불중의 동성매춘 관계 심리로, "그렇지 않아보셔요, (중략), 저 무섭고도 수치스러우며, 절망적인 저 첫 경도의 비참함 때문에 난 죽었을 것이에요."(하, 302)에서는 읍장 손녀딸의 여성생리 현상에 대한 육체심리를 토로하였다. 즉 두 여성, 창녀와 손녀딸의 여성 생리 현상을 비천성으로, 남성이 동성과 관계한 화대를 보며 유년기 창녀 어머니의 화대 행위후 몸에 밴 비천한 침냄새로 비유하고 있다. 그 밖에도 소설 대목에서 육체의 비천성 심리를 '갈보년의 냄새 썩어 죽기와 근이 서는 것', '갈보 냄새와 정액 공출', '유방의 젖꼭지와 배꼽' 등 性解剖學的 용어인 여성 비천어로 육체 심리를 드러내고 있다. 이 부분은 창녀 수도부, 창녀 어머니, 읍장 손녀딸이 해당되는데 그들의 육체와 관련지은 어법이다.

이렇게 여성을 비천한 육체성 심리로 드러낼 때, 상대자 남성은 남편, 사내, 매춘남성에 해당되며, 남근, 정액, 배꼽이란 해체적 '몸언어' 또는 '性肉體語'가 드러난다. 특히 이러한 측면은 남성 지배가 시작된 뒤로 어머니의 성적 특질을 모성에서 분리시켜 왔고, 어머니의 육체적 과정 즉 생리, 출산, 젖분비 등은 불경한 것으로 생각되어지게 한 것[4]에 비롯되듯이, 남성육체로 하여금 모성이 아닌 여성 육체

─────────────

4) 섀리 엘 서러, 『어머니의 신화』, 박미경 옮김(서울 : 까치, 1995), 27쪽.

를 지배하는 심리로 표출하고 있으며, 특히 여성의 성을 비천한 심리어로 드러내고 있는 것이다.

2) 부정적 여성의 주체적 색녀성 심리

박상륭은 실제적 여성의 경우, 그의 팔만번뇌 잡근 중 사내적 한속성을 부각시켜서, 여성을 계집적 속성의 물체로 그리고 있다. 그리고 돌중 남성과 촛불중 남성의 두 사람이 합작된 남성 심리, 특히, 사내의 성생명력의 입장에서 여성을 읽고 있다. 그 실제 대상은 수도부 창녀, 읍장의 손녀딸, 거지 소녀이고, 추상적 관계 여성은 양극모순 성향인 혈루병자 아내, 돌아가신 과거의 어머니, 매매춘 사회의 대표격인 母主로 나누어 살펴볼 수 있다.

먼저 주체적 색녀성은 창녀의 질투 심리와 육체 보시 심리로 나타나고 있다.

이 부분은 돌중 남성과 창녀, 매매춘자 남성인 촛불중과 돌중 두 남성을 상대하는 수도부 창녀에 대해 작가는 異名同人의 수컷 모순심리를 통해 그리고 있다. "헌디 위짠다고, 옴지랄을 히어도 고렇게 헌다요이? 글매 제 지집도 아닌 제집헌티 대놓고서나, 글씨 고것이 무신 지랄이끄라우이?"(상, 47)는 창녀의 질투 심리로 돌중이 다른 계집 관계에 보냈던 시선을 그리면서, 돌중 사내의 계집에 대한 애착심리까지 덧붙여 주체적 색녀성이 그려지고 있다. 이에 비해 "이 수도부와 더불어서입지, 색념 근절을 대개 끝내던 참이니 말입지, 좀 좌정하시지."(상, 114)에서는 촛불중이 色 관계로 色念 근절 끊기 방식인 以色治色法으로 창녀를 얘기하며, "(전략) 글쎄 팔사(八邪)의 화현(化現)이 계집이란대서 말입지, (중략), 우선 비구에게 몸으로 보시하는 것을 그 첫째 선행으로 삼는다고 하고입지, (하략)"(상, 117-8)에서는 창녀들은 수컷 비구에 대해 '몸보시'를 해야 한다는 견해로 정신이 결여된 육체만의 여성 비하가 펼쳐지고 있다.

이와 덧붙여 여기에서 촛불중과 돌중 두 남성이 한 여자에 대해 집착하는 모순 심리가 잘 나타나 있다. 즉 한 창녀와 두 남성의 각각 모순적 관계와 방법을 색성의 해결로 그려내고 있다. 결국 두 남성의 남성성은 사내의 성생명력의 모순적 극대성의 표출로 드러난다.

다음으로 읍장 손녀딸의 남아 선호 사상과 도구적 여성화가 표현되어 있다.

> ① 난 이 뱃속에서 당신의 씨가 자라기 바래요. <u>아들이었으면 싶어요.</u> / "(전략). <u>정말 난 당신의 애를 가졌으면 하고 자꾸만 바란답니다. 쌍둥이였으면 더욱 좋겠어요. 당신과 십년만 같이 살 수 있다면 말이죠, 하나씩 하나씩, 다섯을 낳겠지만 말예요.</u>" (하, 284/ 301)(밑줄-필자)
> ② <u>여자란 그리고 다만 성교를 위해서 남자를 사랑하는 것이라고까지</u> 정의하는데, (중략), 그것은 몸과 마음을 다해서 연구해볼 가치를 갖는다는 것이다. (하, 303)
> ③ 그런데 계집으로서는, 매회 작은 절정을 한두 차례씩 더 겪었으므로, 그녀가 달한 절정의 횟수는 아무리 줄잡아도 오륙십 번은 될 것이었다. (중략) <u>죽어가는 계집이,</u> 그 죽어가는 온갖 정성으로 하여, 무섭게 수축하면서, 무섭게 흡입해간다는 것은, 그리하여 <u>사내에게 광희를 준다는 것은 죽은 계집으로부터</u> 경험하여 나는 알고는 있는 것이다. (하, 307-8)

위의 대목들은 손녀딸의 남아선호 심리와 연구하는 스님의 여성 색성의 대상화로 투영된 부분이다. 먼저 ①은 읍장의 손녀딸 스스로 표출한 아들 출산증, 다산 여인의 꿈으로 펼쳐지고 있어 한국사회에 편만하는 남성 심리를 아들 선호 사상으로 투영시키고 있다. 이 의식은 손녀딸의 아버지에게도 동일하게 드러난다. "(전략) 아버진 아들 얻기를 희망하시다, 아마 그 여자분께 정이 들었나봐요."(하, 181)에서 그녀의 아버지 판관까지 남아선호 사상을 갖고 있어 두 부녀를 통해 한국 사회의 남아선호 사상을 드러내고 있다.

또 하나 ②는 남성이 바라다본 여자의 의미는 성교의 대상인 암컷이자 계집, 사내의 광희의 대상일 뿐이라는 것이다. 특히 이 부분은 색성 연구가로서 사적 영역을 연구하는 스님으로 여성을 색성 공부 대상으로 개체화, 분리화시켜 사물적 여성, 대상적 여성, 연구 주제적 여성으로 분화시키고 있다. ③은 여성의 성적인 절정의 횟수 부분의 대상화 심리로 탄트라에서 모든 자연적 본능의 충족을 긍정, 남성적 존재와 존재가 변화하는 신비스런 결혼은 성적 결합으로 상징되어 있을 뿐만 아니라 실제로 섹스는 수행의 중심이 된다5)와 상통하게 설정하고 있다. 박상륭은 남녀 탄트라에서 이상적인 성교의 자아, 초월적인 성교의 자아의 삶을 스스로 우주적 자아로 설정하고 순전히 여성은 대상화하거나 소외시키는 상황으로 만들어 버린다. 이는 남성의 성적 쾌락의 주체성을 인정6)하면서 여성 성의 최정점을 탄트라 행법 성교의 상대자 여성으로 관찰적 대상화하여 드러내고 있는 것이다.

위의 경우 읍장 손녀딸은 다른 하층 여성 인물에 비해 상층 여성 인물의 모습을 지녔다. 그럼에도 이 여성을 통해서는 한국 사회의 내면화된 가부장제 논리와 남성의 색성 대상자로 그리고 있어 이 여성에게는 한국 사회의 가부장 내면화 심리를, 남성 탄트라 주체자 심리에서는 여성을 2인자로 대상화시켜 보여주는 작가의식이 보일 뿐이다.

박상륭은 또한 여성의 성과 색성에 대한 심리를 부정적 여성 네 명을 통해 색녀 심리, 암컷 심리, 어머니 저주 심리, 여성의 부정적 성관장 심리로 그리고 있다.

먼저 거지 소녀가 11세부터 남성과 관련된 색녀 심리, 매춘 심리가 그려지고 있다. 이 대목은 색골 스님들과 관계한 심리로 그리고 있다.

---

5) 아지트 무케르지/松長有慶, 『탄트라』, 김구산 옮김(서울 : 동문선, 1990), 8쪽.
6) 안니 르끌렉, 『이제 여성도 말하기 시작한다』, 정을미 옮김(부산 : 열음사, 1990), 203쪽.

즉 돌중과 길스님, 기타 떠도는 스님과 관계를 맺는 어린 계집의 부정적 색성의 삶의 모습들이다. "난 스님들과도 여러 번 자본걸요. 길스님이라고 부르는 어떤 늙은 스님은, 저의 단골일 정도예요. 어쨌든 스님이 진짜로 스님이시긴 하세요?"(하, 105)에서 나오듯 돌중을 포함한 일반 남자 스님들에 대한 색녀 심리가 나타난 부분이다. 이 부분은 모든 떠도는 남성들의 색골 심리를 대리로 표출한 대목이다. 거지 소녀 역시 부정적 여성의 주체적 색녀성으로 그려지고 있다.

그리고 추상적 관계 여성의 부정성을 특히 남자에게 거부당하는 혈루병자 아내, 사내 아들로 빙의시키는 과거 홀어머니에 대한 심리, 매매춘사회의 대표주자 母主로 나누어 설정하고 있다. 먼저 혈루병자 아내에 대해서는 "그 자체로서는 풍더분했으나, 어쩔 수 없이 황폐에 당해야 했던 저 계집은, 그래서 서러이 울면서도, 그는 차라리 잘 죽었다고 말하고 있었다."(상, 31)에서 보이듯이 풍요한 계집의 황폐한 극단성을 그리고 있다. 즉 여자와 남업의 대적성을 통해 남업이란 남성 애착 심리를 그려내 늙은 혈루병자와 그 아내를 통하여 부정적 모순성을 남성 병자의 계집 거부 심리로 그리고 있다.

또 유년기 시절의 어머니 다시 읽기와 유년기 삶에 성인 사내 심리 憑依 하기를 통해 보여준다. "그러면 나는 어머니를 빼앗아가는 모든 아버지들에 대한 형언할 수 없는 질투와 증오 같은 것으로, 비질비질 울며 바다로 달려내려가서는, 그 고요한 물 속에 나를 파묻어 놓는 것이었다. (중략) 그래서는 눈물을 떨어뜨리며 어머니를 저주하고 있노라면, 나도 모른 새, 저 어린 잠지가 불어나서, 물 속에 잠겨 앉은 아이는 아이가 아니라, 그것은 하나의 돌출한 남근, 하나의 더러운 아버지로 느껴지는 것이었다."(상, 85)에서 보이듯이 유년기 시절 어머니와 소년의 관계에서, 남성들을 관계하는 어머니 창녀에 대해서 남성들을 질투하고, 어머니를 증오하는 심리를 자극하고 스스로 하나의 남근이 되기 위한, 아버지가 되기 위한 심리를 표출한다.

보통 원초적 어머니는 영원한 연인이면서 다시는 찾을 수 없는 대타자[7]이며, 아이가 자신을 살해하지 않기 위해 모성적 육체가 살해되어야만 한다. 그래서 크리스테바 역시 殺母는 우리의 생명의 필수조건이며, 아이가 모성적 육체를 떠나는 것은 필수적[8]이라고 말하고 있는데, 일반 남성들과 어머니와의 관계 속에서 아들 자신이 죽여지는 것에 대해 스스로 어른의 남근 되기로, 生男的 상상력이 그려지고 있다. 그러면서 어린 소년은 남근을 소유하고 있다는 자신감을 강화함으로써 증오, 갈망, 선망, 그리고 열등감 등의 감정들을 보상받는 가부장의 시작[9]의 반영이면서 유년기 삶에 끼어든 성인 사내 심리 憑依하기로 다시 殺母化시킨다.

또 매춘부 사회 대표 주자 母主는 같은 여성인 젊은 여성을 병들게 하기로 나타내고 있다. "다른 아들은 애를 배갖고 쫙기났다고도 허고라우, 벵이 걸려 더 못씨게 됐다고도 허고라우, 머 서방 따라 도망갔다고도 허요. 모도 보고잡제라우. 우리는 정해놓고 무신 알약을 묵소이. 모주가 주는디라우, 묵으면 벵이 안 걸린단게 부지런히 묵제라우. 경도 때만 안 묵는디, 살다 봉개요, 전에는 앙 그랬는디 요 메칠 급째기 그래라우, 읍내가 싫고라우, 수도부가 싫어라우."(상, 230)에서 보이듯이 여성들 창녀의 일거수 일투족을 관찰 관장하는 母主 여성은 여성들의 생리, 임신을 관장하기, 여성들을 복종시키기 등으로 그리고 있다. 이 모주는 여성집단촌의 대표자로서 여성을 병들게 하기, 여성을 조로하게 하기, 여성을 살해 하기로 부정적 생명의 관장 심리로 표출하고 있다.

이상과 같이 박상륭은 다섯 명의 부정적 속성의 여성을 창녀, 거지, 혈루병자의 처, 죽은 어머니, 매춘부 사회 대표 모주로 등장시켜

---

7) 라깡과 현대정신분석학회 편, 『우리시대의 욕망 읽기』(서울 : 문예출판사, 1999), 72쪽.
8) 켈리 올리버, 『크리스테바 읽기』, 박재열 옮김(대구 : 시와반시사, 1997), 101쪽.
9) 『어머니의 신화』, 73쪽.

여성상을 극대의 질투 심리, 색녀 심리, 암컷 심리, 어머니 저주 심리, 여성의 부정적 성관장 심리로 펼치고 있다. 그 대적된 남성 들은 돌중 남성, 촛불중 남성, 떠도는 남성, 병자 남성, 매춘부를 샀던 부정적 색성의 남성들로 그리고 있다.

상충적 여성으로 보이는 한 명, 읍장의 손녀딸은 가부장제 이데올로기가 내면화된 여성으로 그리고 있어 작가의식에 투영된 한국 사회의 가부장제 내면화 의식과 남성성의 우월주의를 암시적으로 드러내고 있다.

3) 여성·모성 인식의 극단적 아이러니 심리

박상륭은 정신 육체가 이분화된 남성 심리를 통해 여성·모성 존재의 극단적 아이러니를 그리고 있다. 修道婦와 娼女의 아이러니, 아름다운 어머니와 추악한 어머니로 아이러니를 더욱 극단화 시키고 있다.

이 부분은 창녀 여성의 존재 인식의 극단성과 어머니 여성의 존재 인식의 극단성으로 한국 남성의 고착병이 들어있는 대목으로 보여주고 있다. "나라우 나도 중은 중인디, 똥갈보구만이라우. 우리를 수도부(修道婦)라고 허요이. 저그 저 누런 깃발이 있는 집에서 다른 수도부들하고 살제라우."(상, 50)라는 대목은 정신적 수도부와 육신적 갈보로 그리고 있다. 또 "그러나 풍요가 끝나고, 더 이상 생산할 수도 아름다울 수도 없을 때, 어머니는 죽는 것이 아마도 좋다. 늙고, 허리 굽은데다, 더러운 노쇠의 냄새나 풍기며, 매사에 간섭만 많은, 번데기 같은 어머니는 아들에게 있어서, 모든 추악함의 여성적인 덩이로밖에는 보여지지 않는다. 그것은 이미 어머니는 아닌 것이다. (중략) 여자에게 있어서의 아름다움과 풍요함은 자기의 남편 때문이 아니라, 자기의 아들 때문에 영원히 지켜지지 않으면 안 된다."(상, 260)에서는 아름다운 정신의 어머니와 늙은 육체의 어머니로 그리고 있다. 정신

성과 창녀성이 관련되는 악한 섹스와 모성이라는 대비된 인식은 여신 종교가 소멸된 이래 남성이 여성들을 모든 영역에서 성모 마리아 아니면 매춘부로 찢어놓기 시작했을 때부터 융화되지 못해 왔[10]으며 여성을 娼女와 聖女의 극단적 이미지로 분열시켜 놓았다.

특히 여인의 양극성을 육체적 창녀와 정신적 수도부의 아이러니로, 어머니의 풍요성과 추악성의 이미지로 분리시켜 드러내고 있고, 가부장 사회에 세뇌된 모성과 여성인식으로 가부장의 아이러니가 드러나고 있다.

4) 出世同伴女, 2인자 논리의 여성 심리

박상륭은 정보 공급의 수혜자인 남성 심리로 여성을 出世同伴女 2인자 논리로 그리고 있다. 이때 여성을 간접적으로 주체화시켜 드러내고 있는데 그 내용은 정보의 전달자, 재능의 보유자 등으로 나오고 있다. 그러나 그들의 능력은 1인자 논리 돌중에게 읍내 사회와 읍의 정보에 대해, 저승에 대해 미리 알려주는 제2의 역할로 그려진다.

> ① "거그는 기양 바빠라우. 모도 돈 벌라고 그란다요이. <u>돈 있으면 절해라우, 없으면 춤 뱉아라우.</u> 모도 눈이 뻘그래라우. 애핀쟁이, 술쟁이, 똥갈보, 노름쟁이, 걱다가시나 합치각고, 머릿병쟁이가 참 많아라우. 글씨, <u>가난시러먼 머리가 아프대라우.</u> 그람선 괴회당(교회당) 귀신헌티 탓을 돌리요이. (중략) <u>읍내는 머리 아푼 데여라우.</u>" (상, 242-3)
>
> ② 요렇게나 정신이 말짱함선, 벨랑시럽게도 맴이 펭 하시려요, 글씨 나는 쪼꿈 전에도 <u>내가 죽어서라우, 저싱 갔던 꿈을 꿨구만이라우.</u> 내가 지금 살았잉게, 고걸 꿈이라고 히어야 겄지만이라우, 고 건 참말 겉었어요. <u>거느는 여그보당 더 아늑험선이라우, 좋와라우.</u> (하, 211)

---

10) 『어머니의 신화』, 19쪽.

이 부분에서 돌중 남성은 먼저 경험한 창녀 계집으로부터 읍내 체험, 저승 체험을 듣는 대목이다. 즉, 지식 2인자의 인식을 공급받는 남성을 그리며, 논리 1인자를 남성으로 설정, 여성은 2인자로 머무르게 그리고 있다. 1인자인 예술가, 학자, 정치가인 남성에게 주어진 천재라는 개념은 엄청난 것이어서 흡혈귀처럼 다른 사람을 빨아먹은 것을 필연적으로 전제하고 있으면서, 천재적 작품이란 엄청난 노력의 합산으로만 생각해 볼 수 있는 것이다. 이렇게 천재는 눈에 보이는 예술가의 작품과 여성의 내조 작업이 합쳐져서 이룩된 것이다. 여성의 희생이 모든 문화 생산의 필수적 전제를 이룬다. 남성에게 충성했던 出世同伴女[11])에게 나아갈 길은 여성은 어머니, 아내가 되는 것만이 지상 최대의 관건이었다. 소설에서 "내가 요렇게 믹이줌선 생각헌개, 내가 참말로 각씨 각고라우, 오매(어머니)도 싫옹구만이라우."(상, 241)에서도 정보를 주었던 창녀 여성은 아내나 어머니만의 삶이 되는 것이 전부였고, 또 "장로와 그의 손녀는 말입지, 그 계집의 시선은 뼈를 녹힙지, (중략) 장차는 소승을 위해 그 재능이 주어진 것을 알게 되겠습지,"(하, 248)에서는 손녀딸의 가야금 솜씨도 남자를 위해서만 소용된다. 즉 여성은 어머니, 아내 되기가 제일 중요한 삶이라는 현모양처 이데올로기와 여성의 재능 역시 1인자 남성을 위해서 2인자로 만족해야 하는 당위성을 그릴 뿐이다.

이와 같이 박상륭의 작가의식은 남성을 1인자 논리로 펼치며, 여성은 정보 수혜자와 남성을 위한 出世同伴女로서 2인자로 규정지어 주체적 1인자에서 제외시키고 있을 뿐이다.

---

11) 잉에 슈테판, 『재능있는 여자의 운명』, 이영희 옮김(서울 : 전원, 1991), 291쪽.

5) 부정적 여성의 심리학-강간 심리, 암컷화 심리, 희생 심리, 수동 심리, 탐욕 심리

박상륭의 부정적 여성의 심리는 내면화된 한국 가부장 남성 심리를 통해 드러내고 있다. 전통적 사회에서 여성들은 수동적, 인정적, 감정적 성향의 속성이 익숙한 여성의 삶의 반경이었고, 이 소설은 그 면이 두드러지게 드러나고 있다. 대표적인 경우로 강간 대상 심리와 계집의 암컷화 심리가 나타난다.

여성 육체에 대해 남자가 함부로 다루는 강간 심리, 수컷의 난폭성의 대상화로 작가는그리고 있다. "한 수도부가 강간을 당했습지. (중략) 그때 한번 그 사내는, 그 사내가 질투하는 사내를 한번 이겼다고도 생각했습지."(하, 267)에서 보여지듯이 돌중 남성의 계집 수도부를 촛불중 남성이 강간하는 심리로 그리고 있다. 또한, 장로의 손녀딸, 그녀로 명명된 뭇여자, 읍내 계집, 한 수도부, 천애고아에 대한 강간 심리를 그리고 있어 남성을 수컷 화시킨 난폭성을 드러내고 있다.

그리고 계집의 암컷화 심리로는 "제길헐, 그 중놈이 있었으면, 대체 어떻게 그 계집을 간했는지, (중략) 결국 우리는 서로 방향은 다른 데에서라도 같은 방법에 의해서 그 계집을 죽이려는데 공모했을지도 모른다. 우리는 똑같이 그 계집의 피에 굶주려왔던 것이다. (중략) 그것은 순전히 그 계집의 편애 탓이었었다."(하, 242)에서 보여지듯이 작가는 돌중 남성, 촛불중 남성의 암컷 계집 죽이기 심리를 드러내면서 여성을 생물체로서의 암컷으로 격하시키고 있다. 이외에도 음부 자궁을 물상화하고, 여성을 암컷이란 극단화 논리가 잘 그려지고 있다.

그밖에도 부정적 여성의 사회화 심리는 희생으로서의 여성 심리로 "(전략) 애비 눈 띄우겠다고 시악씨 하나 빠져 죽은 바다 밑에서는, 늙은 애비 눈 뜨고 앉아 딸내미 무덤 풀을 깎아주고 있더라지."(상,

18)라든지 "(전략) 그러지 전에 그러나 여보, 나로부터 최후의 방울까지 피를 뽑아가셔요, 생명을 뽑아가셔요, 혼을 뽑아가셔요."(하, 309-10)에서 아비를 위해 딸이 희생해야 하는 심리와 여성이 남편을 위해 희생해야 하는아내 희생으로 여성 대속증을 그리고 있다. 즉 희생의 타자가 여성, 딸, 아내가 되는 것으로 그려지고 있다.

또 수동 성향 여성으로 "제집이란 건 집 지킴선 지다리는 것이겠제라우."(상, 243)와 같이 작품에서는 여성의 수동성 심리를 당위화하고 있다. 또 "그랴요, 나 인제 물괴기나 될라요이, 그래서나 시님이 멋 땜시로 벌받고 있단 것 내가 모도 갚았이면 싶어라우. 불쌍한 낭군, 여부 시님, 나는 안 불쌍허고라우, 히어도 안죽고 욕섬은 많아서라우. 나 워처키든 말려라우, 쪼꿈이라도우, 시님 좀 띄어각고 가고 싶어라우."(하, 212-3)에서 보이듯이 수도부 창녀를 탐욕적 계집 속성으로 나타내고 있어, 여성의 부정적 심리학을 강간 심리, 암컷화 심리, 희생 심리, 수동 성향, 탐욕 심리로 그리고 있다. 더불어 남성은 수컷의 난폭성 심리, 수컷 심리, 1인자 수혜 심리, 능동 심리, 탐욕 심리로 그려 여성성의 본질과 남성성의 본질에서 부정적 측면의 전통적 이분법 논리를 그대로 적용하고 있다.

이상과 같이 박상륭은 異名同人 상극적 남성에 의해 그려진 여성을, 여성 육체어의 물화 이미지와 비천한 육체성 심리, 부정적 여성의 주체적 색녀성, 여성·모성 인식의 극단적 아이러니, 出世同伴女, 2인자 논리의 여성 심리, 부정적 여성의 심리학으로 그리고 있다. 특히 여성의 하층성을 육체성, 색성, 극단성 사유, 부정적 측면을 부각시켜 읽고, 반면에 상층인 여성의 경우에는 2인자 논리로 설정 여성의 열등성을 편만화시키고 정당화시켜 여성 영혼의 폭행을 일삼는 범부중생이라는 남성 생명력의 권력적 속성을 반페미니즘의 대표적 주자로 노출시키고 있다.

3. 아이러니 페미니즘과 상극적 관념

기득권 질서에 대한 저항은 역담론의 형태를 취하여 새로운 지식을 생산하고, 새로운 진리를 말하고 그럼으로써 새로운 권력을 구성한다. 박상륭은 기득권 일반 남성 사회에 대한 역담론을 탈속적 성향으로 그리면서 돌중, 촛불중, 장로 등 수도자의 옷을 입히고, 기득권 여성성의 사회에 대해서는 여성을 암컷의 동물적 성향으로 창녀사회, 창녀, 걸매소부, 창녀인 어머니 등 최하층으로 역전시키는 담론으로 펼치고 있다.

특히 작가 박상륭은 주체철학 1인자라는 논리적 입장에 서서 작가의 논리, 관념 메시아의 논리를 남성어법으로 강력하게 의식 세계에 펼치고 있다. 관념 속에서 만나는 부분적인 이상적인 여성상들은 상극적인 논리의 사유를 통해 드러내었고, 여성 관념을 메시아 논리의 아이러니로 표출하고 있다. 박상륭의 상상 관념계는 亡婦 이후와 자궁적 모성상, 상극적 여성 신화 관념, 성변환된 '男性女'와 '母性父'의 남녀추니적 상상력 등 반페미니즘과 페미니즘으로 밝혀보고자 한다.

1) 亡婦 이후와 자궁적 모성상

박상륭은 수도부 겸 아내역이었던 20대 젊은 여자가 죽자 亡婦歌를 부르는 젊은 홀애비 돌중의 관념심리를 그려낸다. 여기서 죽은 아내를 놓고 부르는 재생 소망의 노래는 작가의 구원에 대한 고뇌를 모성적 사유 의지로 펼치고 있다. "아 나는 반드시 우주적 주재신다운 출생을 가능시키는 태문으로 들리라", 또는 "거대한 사라쌍수 같은 정신을 수용할 자궁으로 들리라"(하략) (하, 237)에서와 같이 박상륭은 젊은 계집이 죽은후에 돌중으로 하여금 재생의 관념 사유를 늘어놓는다. 여성에 대한 두 남성의 질투 심리를 경쟁으로 붙여놓고 여인의 편애 심리를 죽음으로 이끈후, 죽은 자 옆에서 亡婦歌라는 쓸쓸한 아이러니의 화려한 사유를 연속으로 제시한다. 그 사유에서 죽은 여인의 혼령과 말로 대화를 나누면서 훌륭한 자궁 가능성의 찬미, 생명의 실제 잉태소 등 재생적 생명 원리를 그려내기 위해, 생명출산 콤플렉스, 변환한 인식의 자궁 애착 소유 심리로 인해 자궁의 고유성을 인정한다. "허지만 허기는, 이 세계에 있어서의 다만 하나의 실재의 장소는, 여성인 것뿐이기는 하다. 모태에 짐을 실은, 어머니인 것뿐이기는 하다."(하, 310)에서 처럼 남자의 성인식을 자궁선망 관념 방식으로 드러내고 있다.

작가는 훌륭한 어머니라는 개념 문화적으로 만들어 관념적 이상향을 자궁적 모성상으로 설정했을 뿐, 실제 젊은 여성은 죽여버리고 모성 사유를 드러내니 양극이 해체된 기법, 실체와 영혼의 양극 분리라는 내포된 비극성을 통해 제시하고있다.

2) 상극적 질서의 여성 신화 — 처녀상, 여성·모성상, 암컷상

박상륭은 여성 관련 신화를 관념적으로 차용하면서 약육강식과 상극적 질서라는 세상 원리의 담론으로 여성들을 그리고 있다. 첫째, 인도 탄트라에서는 16세 처녀 관념을 동정처녀와 殺男적 상상력으로, 둘째, 서양의 성경에서는 태초의 여성, 하와와 마리아를 동정녀와 부권사회의 낭만적 여성상으로, 셋째 동물계에서 생명 양극 인식과 암컷 우성의 동물성 논리로 드러내고 있다.

첫째, 탄트라에서 16세 처녀 관념을 사유하는 대목이 펼쳐지고 있다. "(전략), 사내 경험해봄이 없는, 열여섯 먹은 계집, 왼발로 사내의 가슴을 딛고, 오른다리는 구부려 발바닥을 쳐들어올린 자세로 춤추는 계집, 오른손에 날이 시퍼런 낫을 들고 휘둘러 사내들의 목을 잘라, 그 목을 왼손에 들고, 골과 피를 빤 뒤, 그 해골을 실에 꿰어 구슬처럼 목에 걸고 있는 계집. 벗고 춤추는 색녀(色女)."(하, 236)로 드러나듯 박상륭이 죽은 여인을 생각하면서 탄트라의 처녀상을 사유하는 대목이다. 탄트라의 여성을 통해 '처녀상'을 그리고 있다. 여신들의 잔인한 측면으로는 힌두교의 칼리로 목과 허리에 희생자들의 해골을 달고 춤을 추었다고 전해지고, 이 참수형은 남신들의 침범에 대한 여신들의 상징적 복수12) 욕구며, 두르가 여신이나 깔리 여신의 머리 없는 형상은 불교의 바즈라요기니, 요게스와리, 방랑하는 고행자, 밀교 수행자들의 강한 영향력 아래 생겨난 것, 그녀들의 동반녀는 잔인한 마녀13)의 영상이다.

박상륭은 꽃다운 나이의 16세 소녀의 순결 생명의 강장력과 함께 부정적 잔인한 마녀의 양면적 속성으로 대비시킨 신화를 차용하여 남성 죽이기 심리인 殺男적 상상력을 그릴 때 차용하고 있다.

둘째, 박상륭은 태초의 여성, 성경 속의 하와와 마리아가 남자를 유혹하는 여성으로서 서양 문화 속의 여성에 접근하였다.

먼저 하와에 대해서는 "저 간교한 뱀이, 최초의 여인을 유혹하는 장면입니다."(중략) "여자가 그 나무를 본즉 먹음직도 하고 보암직도 하고 지혜롭게 할 만큼 탐스럽기도 한 나무인 지라 여자가 그 실과를 따먹고 자기와 함께한 남편에게도 주매 그도 먹은지라."(하, 17)에서 처럼 성경 속의 여성지위를 그대로 답습하여 보여주고 있다. 여기서 보여지는 이브의 신화는 판도라의 신화와 더불어 여자들의 부덕함과 미천함을 정당화하는 근거로 서양인의 정신세계에 굳건한 자리를 차지하고 있다. 또 모권사회로부터 가부장권 시대로 전환하는 시대의 이데올로기가 숨어 있다. 모계사에서 부계사회로 이행되는 과정에서 판도라의 설화는 남자들에게 유용한 이데올로기를 제공, 아담의 갈비뼈에서 만들어져 뱀의 유혹에 빠져 선악과를 따먹고는 아담까지 공범으로 만들어 원죄를 짓게 한 이브나 제우스의 악의에 찬

---

12) 『어머니의 신화』, 71쪽.
13) 안넬리제 외, 『힌두교의 그림언어』, 전재성 역(서울 : 동문선, 1994), 255쪽.

선물을 잔뜩 받아 태어나서 재앙 단지를 연 판도라는 이제 여자라는 이유만으로 악덕의 상징이 되었다.14) 즉 여자들의 특징을 부덕함과 미천함으로 그리고 있다.

다음으로 마리아 관련 신화는 "그래서 우주적 '신비한 암컷(玄牝)'으로서의, '지혜'의 여성명사화로서의, '소피아'나, 세상적 어머니로서의 '마리아'가 등장하게 됩니다만 아무튼 아담의 몸은, 저 조악한 '흙'의 집적이었으며, 그것은 그런 이유로, 장차 파괴될 그 '불완전성'을 병독으로 지니고 있었던 것입니다."(하, 37-8)에서 나타난다. 동정녀 마리아 숭배는 모성과 여성인 어머니에게 폭력을 행사하며 통제를 가한다. 동정녀 숭배가 여성 희생에서처럼 남성의 상징적 폭력을 모성과 어머니에게 돌려서 그 폭력을 수용하고 있다. 동정녀의 유일한 기쁨은 자신만의 자식이 아니라 모든 사람의 자식인 자신의 아들이며, 조용한 슬픔만이 자신의 것이다. 동정녀 숭배는 모계 중심주의와 어머니와의 일차 동일화의 무의식적 욕구가 타협한 것이다.15) 동정녀 마리아는 위대한 여신으로 자비롭고, 신망이 두터우며, 선량감이 넘치는 존재, 아들과 긴밀한 유대 지칠줄 모르는 사랑 곧 그녀의 모성이었다. 성모마리아는 섹스로부터 완전 분리되었고, 성모의 본질은 너무 순수하며 성모의 처녀막은 굳게 닫혀 있기에 도덕적으로 유혹하기 어려운 상대였다.16) 현실로 존재하는 모성이 아니라, 정신적인 모성의 강조로 드러나고 있다. 여신들의 막강함 뒤에는 항상 어두운 이면이 있었다. 생명을 만드는 동시에 그 생명을 앗아가 버리는 것, 여신들은 다산성과 결합되어 있지만, 죽음과 쇠퇴와도 결합되어 있었다. 훌륭한 어머니는 우리의 가정적인 가치관이라는 배경속에서 큰 변화 없이 이어져 왔으며, 새로운 권리에 대한 생각과 감정 속에서도 여전히 순수한 형태를 가지고 활약, 훌륭한 어머니는 우리의 정

---

14) 유재원, 『그리스 신화의 세계』(서울 : 현대문학, 1998), 51-2쪽.
15) 『크리스테바 읽기』, 82쪽.
16) 『어머니의 신화』, 167쪽.

신적 미래의 일부이며, 어머니의 총애를 받는 아들이었던 남성에 의해 모성의 낭만적 개념에 집착한 결과다.

셋째, 박상륭은 동물계 논리인 암컷과 수컷의 원리로 또다른 여성상을 그리고 있다. "거미며 전갈 따위의 암수 관계는, 그것이 다시 어떻게 해석되어져야 좋을지를 모르는데에, 나는 이른 듯했다. 수놈은 자기의 목숨을 해웃값삼아, 암놈의 등에 기를 쓰고 들러붙는데, 그리하여 암놈이 수놈을 수용하기 시작하면, 저 수놈의 해골 속에 암놈의 혀가 박혀 골을 핥고, 수놈의 사지가 절단나는가 하면 똥창자가 흩어지고, 암놈은 천년이나 굶은 듯이 그것들을 움켜먹는다."(상, 187)와 같이 모신의 퇴위와 신들의 남성화 시대, 즉 모신과 남신들의 교체가 역사적인 발전사 속에서 암컷이 수컷을 잡아먹는 습성이 있는 검은이 끼거미처럼 남성 배우자와 성교를 하고 나면 그 남성을 죽이는 여신의 시대가 있었다. 성스러운 결혼의식이라 부르고 성스러운 결혼은 여신의 퇴위와 관련된 수많은 이야기들 속에 나타난다.[17] 여성 생명력의 왕성함과 더불어 암컷의 수컷 먹기 논리로 펼치고 있다.

이상과 같이 박상륭은 탄트라, 성경신화와 동물계 논리의 맥락에 나오는 처녀상, 태초 여성상, 동정녀상, 암컷상을 통해 살남성, 부도덕성, 낭만적 개념성, 동물적 우월성으로 여성신화를 상극적 질서로 대비시키고 있다. 남성의 논리가 실체 속에 상극적 남성으로 대비시킨 것에 비해 여성은 신화 속에 상극적 세계를 차용시켜 드러내었다.

3) 男性女, 母性父의 남녀추니 상상력

박상륭은 성변환 남성, 관념 男性과 관념 女를 조합시킨 '男性女'와 관념 母性과 관념 父를 조합시킨 '母性父'를 통해 여성의 생명창조 원리에 대한 동경심리를 그리고 있다. "(전략), 얼핏얼핏 저 계집이 촛불중의 근을 달고 아편에 취해 누워 있는 것이 보였고, 또 그

---

17) 새리 엘 서러, 『어머니의 신화』, 박미경 옮김(서울 : 까치, 1995), 68쪽.

촛불중이 계집의 젖을 달고 (하략)"(상, 178)에서는 연상 장면으로 창녀 여성과 촛불중의 남근 복합 연상, 또는 촛불중 남성과 계집의 유방이 복합된 사람으로 드러난 대목이다. "(전략) 성전환을 하여, 여성화한다는 것을 밝혔었다. '생명은 남근과 같다'의 관계에서, (중략), 그 형태는 보이지 않는 남근을 싸아안고 있는 요니라는 결론을 이끌어내는 것이다."(상, 253-4)는 추상적 양극 남녀 음양 원리로 다양하게 변화되는 남근성과 요니성의 결합이론이다. "그러나 나는 계집만 같구나, (중략) 그리하여 나는 창녀가 되어, 사내에의 갈망으로 길 모퉁이 서 있음이여, 나는 창녀로구나, (하략)"(하, 271)에서는 자신의 심리적 역할 바꾸기로 여성 심리화 현상이 드러난 대목이다. "(전략) 아직도 어미의 자궁에서 묻혀온 피가 채 마르기도 전부터, 어머니 같던 사내, (하략)"(하, 275)에서는 자신에게 역할이 바뀐 대상의 심리적 위로가 드러난 대목이다. 모두 남녀 결합 이미지 사람이라든가, 추상적 양극인 여성이 복합된 남성 원리로, 자신의 여성 심리화, 모성적 사내 등을 등장시키고 있다.

박상륭은 인식적 남성의 상상적 극대주의를 통해 여성의 여성주의, 즉 모성성의 구원을 원용하고 있다. 상징의 아버지는 어머니와 아버지의 합체로 드러낸다. 상징의 아버지는 어머니의 남근에 대한 욕망과 통일화하거나, 어머니 내의 아버지, 즉 모성적 아버지라 부를 수 있는 것도 내포한다. 상상의 아버지는 잃어버린 모성적 육체에 대한 의미의 전이[18]를 뜻하게 된다. 박상륭은 승화체를 제시한 모성적 육체에 의미를 전이하기 위해 모성적 아버지의 패턴을 수용한다. 여성의 의식을 지배하는 가부장제 이데올로기에서 산출된 여성은 이데올로기 가부장에서 해방되는 것이 중요한데, 남성위주의 사회논리가 여성에 대하여 이름짓기, 철학적 폭력과 일상적 폭력을 드러내며, 폭력의 초기 형태는 사회적 이분법 현상, 이름지어지거나 한 계급의 구

---

18) 『크리스테바 읽기』, 137쪽.

성원으로서 규정되는 일에서 열등 역할의 시작, 주어진 이름의 철학
적 반향은 질서 창출의 이면에 까지 힘의 논리로 확장19)시키고 있다.

이상과 같이 박상륭은 아이러니 페미니즘과 상극적 신화에서, 실
제여성은 살해하고, 최후의 모성상을 사유하여 이상화 시키고, 신화
여성은 관념 속에 상극적 논리로 대비 맥락화시킨다. 또 실제남성은
상상 여성이나 모성을 결탁한 남녀 양성성의 복합화로 그 자신의 생
명력을 생명자족 절대성으로 역진 시킨다. 이중 일면이 페미니즘 요
소로 암시되어 있다. 즉 실제 속에 여성을 살해한 후 관념 속에 이상
적 여성상을 정립시키면서도 남성신화 정립자의 입장에 서서 그 허
구신화의 주체자로서 관념폭력성을 속출시키고 있는 것이다.

4. 패러독스의 남성 靈性, 여성 靈性 구원의 전망 부재

『죽음의 한 연구』는 사회적 삶 속에 반페미니스트 남성적 권력 향
유 우월주의자와 관념적 부조리한 페미니스트 양극으로 해체시켜 보
여주었다. 그것은 페미니즘과 사회윤리학적 읽기에서 한국 사회 속
의 가부장적 권력 구조에서 여성은 능력 면은 사장되며 속성은 남성
의 대상화 암컷으로 드러나고 있는 것으로 아이러니 페미니즘, 남성
본연의 모순적 실존 원리, 이상적 모형은 그럴듯한 여성, 모성론, 양
성론을 펼치지만 실제로는 여성 죽이기 심리로 드러낸다는 양극성으
로 작품 속에 관념을 표출시키고 있다.

박상륭의 남성의식은 실재 속에 부정적 여성성과 함께 남성 심리
로부터 출발하였다. 여성 육체어의 물화 이미지와 비천한 육체성 심
리, 주체적인 색녀성 심리, 여성·모성 인식의 분열적 인식의 아이러
니, 출세동반녀의 2인자 논리, 부정적 여성의 심리학으로 그리고 있

---

19) C. 라마자노글루 외, 『푸코와 페미니즘』, 최영 외 옮김(서울 : 동문선, 1998),
254쪽.

다. 대표적 여성의식은 여자 부정화와 여성 부정 심리로 그리고 있는데 이 때 죽어야 하는 돌중과 살아남아 권력을 좌우하는 촛불중의 결합된 부정적 남성 심리로 드러내며, 그것은 여자 살해 심리와 2인자 여성 논리와 남아 선호 사상으로 나오고 있다. 또 관념 속에 아이러니 여성상은 전통 적으로 돌아간 전통적 모성상을 향수하는 남성 사유의 논리로 펼치고 있다. 새로운 관념을 소설세계에 접맥시키는 탄트라 신화, 남녀추니의 상상력은 새로우나, 작가가 차용한 기존의 신화 경전들이 남성들의 영혼중심으로 결집되어 있어 그 논리를 반복 재확대하면서 남성 영혼의 논리를 우월화시키며, 여성 영혼은 상극성의 한 편을 부정적 관념으로 대비시켜 보여준다. 殺男性, 부도덕성, 동물자연계 원리의 암컷성 차용으로 부각시킨다. 따라서 그것은 亡婦의 아이러니와 자궁적 모성상, 상극적 질서의 여성 신화 관념, 성변환 '男性女', '母性父'의 남녀추니 상상력 등 남성을 통한 암컷상, 처녀상, 모성·여성상, 남녀추니상으로 그려지고 있다. 이는 시대의 한계를 부정하면서도 부정적 여성상은 극명히 드러내었으나 그 대안을 사유하는 주체자 남성으로 하여금 일부분 관념적 여성의 이상형의 가설로 여러 모습을 드러내었다. 그러나 아쉽게도 관념적 작업이기에 아이러니적 시각이 내포되어 있다. 모성상은 한 여인의 죽음후 사유로 이루어진 우주적 모성으로, 여성상은 16세 동정 처녀와 마리아와 이브를 통해 양극성 시각인 순수와 武力의 상징, 남성이 모성을 전복한 남권사회 이후의 모성 설정에 하와와 마리아 신화를 차용했고, 암컷상은 여성의 강성을 우위인 듯 펼치나 동물계의 한 예로서 차용, 동물계 빙의로 드러내고 있고, 남녀추니상은 남성의 여성화 모습으로 관념적 접합이미지를 드러낸 것이다.

박상륭은 실제로든 관념이든 주체설정자 남성 입장에서 상극적 질서의 여성을 대비·해체시킨다. 그래서 박상륭은 자아가 분열된 남성의 상극적 자아를 통해 행동화·관념화하는 과정에서 여성 생명력

역시 실제와 관념을 이분화시키는 모순 속에 관념으로 인물들을 설정하고 있다. 남성은 실제 속에서 우월자로, 관념의 창조자로서도 1인자인 주체자로 설정, 실제여성이나 관념여성이나 모두 상극적으로 분열시켜 해체적 페미니즘의 속성을 강하게 드러내는 여성비극성과 부정성을 실제에서나 관념에서나 세계속에 편만화시킨다. 그런 의미에서 『죽음의 한 연구』는 靈性을 다루는 소설이라는 점에서는 보통의 인간에게 매우 그 의미를 시사하는 바가 크지만, 전통적 여성의 특성을 잠재화시키고 재생산되는 가부장적 이데올로기로 인해 **女性靈魂**에게는 반페미니스트 입장으로 영혼의 폭행을 가한다는 아이러니가 내재되어 새로운 패러다임의 여성 靈性에 이르는 전망을 제시하지 못하였음이 드러났다.

결국 박상륭의 『죽음의 한 연구』는 실제적으로 여성을 살해할 뿐만 아니라, 부정적 여성상을 모두 그려내고 있으며, 관념적 작업으로 부조리하지만 페미니즘으로 작품의 한 부분에 관념적 여성 구현을 소설로 수용했다는 의의를 들 수 있다. 그러나 인류 사회 속에서 부조리한 남성을 통해 여성상과 모성상을 드러내는 과정에서 실제적 반페미니즘과 부분적 페미니즘의 극단적 대비를 드러내어 상극적 모순의 페미니즘 담론이 도출된다. 또한 이 소설에서는 영성 논리의 1인자로 남성을 절대화시키고 여성은 제외, 견제, 살해시키는 영혼의 폭행을 가하는데 영성을 다루면서 영혼을 구원한다는 어법은 역시 부조리함이 가득하다. 한 시대의 한계성인 남성 靈魂의 우월적이며 절대성 논리는 여성 靈魂의 전통적 반복 및 재생산 논리를 답습하며 드러낸 부조리한 인류의 삶보다 더욱 극단적인 '여성 靈魂의 죽음의 한 연구'는 확실히 될 것이다. 그래서 여성 인류에게는 작품에서 보여주고 있는 극단적 모순의 불행한 삶을 통해 역설적 가치를 제시하고 있다 하겠다. 새미

한국 현대시의 지나온 자취, 앞으로의 길
— 한영옥, 『한국 현대시의 의식탐구』

김신정

1.

1999년, 한국의 현대시는 어디에 서 있으며 어디로 가고 있는가. 시적 합일과 화해의 경험보다는 분열과 해체의 경험이 난무한 시대, 전통적 문학의 규범에 대한 예의바른 존중보다 기존문법의 해체와 변형이 오히려 정상적(?) 언어 행위로 받아들여지는 시대에 도대체 시는 무엇이며, 또 어떤 방식으로 존재할 수 있는가. 이러한 물음이 제기된 것은 비단 어제, 오늘의 일이 아니다. '시의 위기', 혹은 '시의 죽음'이라는 자극적 화두를 붙들고 이미 90년대의 많은 시인, 비평가들의 지적 탐구가 진행되어 왔고 그 모색은 지금까지 이루어지고 있다. 그런데 1999년, 한국 시의 존재방식에 대한 탐구는, 지금 여기에서 창조되는 시들의 현상적 분석만으로는 제대로 이루어질 수 없다. 한국의 현대시가 여기서, 이렇게 존재하게 되기까지의 역사적 과정, 그리고 시 장르 자체에 대한 원론적 검토가 함께 진행될 때 비로소 우리 시대 시의 본질과 존재방식에 대한 물음이 온전하게 제기될 수 있을 것이다.

연세대 강사, 논문으로 「정지용 연구」 외 다수.

한국현대시의 의식탐구

한 영 옥

▲ 한영옥, 『한국 현대시의 의식탐구』

한영옥의 『한국 현대시의 의식탐구』는 바로 이 같은 방식으로 현대시의 위상과 징후를 진단하고 있는 책이다. 시란 애초에 무엇이고, 한 시인이 시를 통해 보여주는 세계는 이 시대에 무엇을 할 수 있는가에 대해 추상적 원론에서부터 구체적 분석에 이르기까지 성실한 천착을 보여주고 있다.

이 책의 작업은 먼저 시의 장르적 개념을 검토하는 일에서부터 시작된다. 이 책의 맨 앞자리에 놓여 있는 「서정시, 다시 생각하기」에서 필자는 시와 서정시를 동일한 개념으로 사용하는 것이 타당하다고 보고 있다. 범주 상의 무리를 감수하면서도 '서정시'를 포괄적 개념으로 확대하여 사용하기를 제안하는 것인데, 이러한 시각은 서정, 서사, 극이라는 전통적 삼분법의 장르이론에 대단히 충실한 견해이면서 '서정장르'로서의 시의 장르적 특성에 특별히 주목하겠다는 의도가 밑받침된 것이다. 이 글에서 필자가 주목하는 서정시의 특성은 "주관성", "동일성"의 원리이다. 즉 "나와 세계의 화해"와 "조우"를 통해 궁극적으로 '내 삶에 대한 고양'과 '세계의 구조에 대한 변혁'이 가능하다고 보며, 이러한 과정을 이끌어내는 중요한 측면으로 시적 언어의 기능에 주목한다. 언어의 일반화된 효용, 즉 "지시적 언어가 아닌 사물로서의 언어, 존재로서의 언어"라는 시언어의 특성을 되살려낼 때 서정시의 기본원리 또한 제대로 작동할 수 있다고 보는 것이다.

서정시 개념을 포괄적으로 이해하는 필자의 관점은 '위기'의 시대를 돌파하려는 전략적 태도에서부터 비롯되는 것이다. 현대적 징후에 대해 필자가 제시하는 방법이란 서정장르로서의 시의 기원을 회복하자는 것이다. 필자는 장르의 전통적 특성을 변형시키거나 새롭게 정의내리는 것이 아니라 기원에 충실함으로써 오히려 '현대'에 대응할 수 있다고 본다. 야콥슨의 시성 혹은 시적인 것을 통해 시적 언어의 본질을 해명하는 그가 "시성이란 서정시가 논리적, 합리적 세계를 초월하는 무목적의 목적, 자율성을 추구한다는 지속적 개념과 다시 만나는 현대적 논의일 뿐 결코 새로울 것 없는 개념이다." "후기구조주의의 논리까지 꾸준한 맥락을 제공하는 것이기도 하다"고 서술하고 있는 부분은 개념이 지닌 전통적 의미를 되살림으로써 시의 본래적 기능을 회복하려는 태도를 보여준다.

이처럼 서정시의 개념을 포괄적으로 이해한다는 것은 한편으로 시의 개념적 범주를 협소하게 제한할 가능성을 낳는다. 그럼으로써 또한 현대시의 존재방식을 다양하게 포괄하지 못할 가능성까지 나타나게 되는데, 이러한 한계는 현대시의 징후를 분석하는 구체적 작업을 통해서 극복될 여지를 남겨놓고 있다. 1부의 「포스트모더니즘의 징후」, 「분열된 시대, 분열의 시편들」, 5부의 여성시에 대한 구체적 분석이 바로 그러한 작업들이다. 원론적 검토와 구체적 분석 사이에서 나타나는 이같은 틈새는 무엇을 의미하는가. 시적 전략과 구체적 현실 사이의 삐걱거림. 전략은 현실에서 출발하며 현실에 대응한다. 그런데 현실에 기원을 둔 이론적 전략이 다시 현실에 적용되는 과정에서 나타나는 갈등은 개념, 혹은 전략이 몸을 바꾸어 자기의 존재방식을 찾아가는 과도기적 양상을 보여주고 있는 것이다. "이 시대"와 "이 시대 너머"의 사이, 여기의 "분열"과 "저 너머의 교감" 사이의 틈새를 이론적으로, 그리고 실제 창작을 통해 메꾸어 나가는 작업이 우리에게 필요한 일일 것이다.

2.

이 책에서 필자가 펼쳐나가는 중요한 방식 가운데 하나는 문학사, 혹은 비평계에서 이미 보편화되어 있는 주요 개념들을 이론적으로 검토하고 그에 바탕해 구체적 현상을 분석해나가는 것이다. 이미 살펴본 「서정시, 다시 생각하기」도 그러한 방식으로 쓰여진 글이지만, 1부 '한국 현대시를 위하여'에 묶인 대부분의 글들도 같은 방식으로 서술되고 있다. 즉 '주지성', '상징주의', '모더니즘', '참여시', '포스트모더니즘' 등 지금까지 주요 잣대로 사용되었던 몇 가지 개념들을 중심으로 한국 현대시의 특성을 살피고 있다. 이같은 방식은 문학사 연구에서 마치 굳은 관습처럼 사용되는 개념들을 반성적으로 검토함으로써 한국 현대시문학사, 혹은 개별 시인, 작품의 실체를 규명하려는 의도에서 비롯된 것으로 보인다.

김기림의 『시론』을 검토한 「30년대 한국모더니즘 시론」이 그 대표적인 글이라고 할 수 있는데, 이 글에서 필자는 "서구 모더니즘의 실체와 한국적 모더니즘으로의 변모를 한 자리에서 조망하여 우리 문학의 모더니즘 정체를 파악"하려는 의도를 밝히고 있다. 이같은 의도에서 필자는 서구 모더니즘의 특성을 세계의 복잡성에 대한 인식과 이에 맞물린 문학형식의 개혁으로 압축한 뒤, 서구 모더니즘에 기원을 두었으나 그것과는 다른, "한국문학에 있어서의 모더니즘의 실상"을 파악하려 한다.

개념, 특히 개념의 서구적 의미로부터 구체적 분석으로 넘어가는 이 글의 방식은 개념의 기원에 대한 검토를 통해서, 관습처럼 사용되는 개념을 검토해 볼 수 있는 기회를 갖게 될 뿐 아니라 이론적 추상작업과 역사적 분석작업을 한데 아우를 수 있다는 장점도 지닌다.

실제로 이 글 뿐만 아니라 김수영의 시를 '참여문학'이라는 개념을 통해 분석한 「참여시의 진정성」에서도 '추상'에서 '구체'로 넘어가는 글쓰기 방식의 장점을 보여주고 있다. 그러나 이같은 방식이 지니는 한계 역시 나타난다. 이 책의 1부에서 검토되고 있는 개념은 주로 서구의 문예사조와 관련된 개념들이다. 서구의 문예사조상의 개념을 기본 전제로 둘 경우, 한국 문학의 개별 현상이 지닌 특수성을 규명한다는 의도는 서구라는 기본 전제의 틀 안에서 이루어질 수밖에 없다. 서구로부터의 '유입', 또는 '이입'이라는 관점에서 원본(?)과 다른 약간의 차이만을 밝혀낼 수 있을 뿐이기 때문이다. 실제로 김기림의 『시론』 검토에서 내리고 있는, 한국 문학의 '모더니즘'이라는 개별체 가운데 '이미지즘'과 '신고전주의'가 포함되어 있다는 내용은 원본비교 방식의 폐단을 드러내고 있다.

한국 현대문학이 서구 문학과 밀접한 연관 속에서 전개되었다는 것은 부인할 수 없는 사실이다. 서구문학이란 마치 떼고 싶어도 결코 떼어버릴 수 없는 그림자처럼 우리를 따라다닌다. 서구문학의 망령에서 해방될 수 있는 길은 지금, 어느 누구도 분명하게 제시할 수 없다. 다만 구체적 현상과 추상적 개념 사이의 공간을 끊임없이 오고가는 작업이 그러한 길을 마련해 줄 수 있을 것이다. 그런 점에서, 서구문학을 무조건적으로 '수용'하거나 '몰이해'한 것이 아니라 그것을 '극복'의 대상으로 삼으면서 한국의 현대문학이 전개되었다고 본 필자의 견해는 한국 문학 연구자의 어쩔 수 없는 곤혹감과 동시에 고유의 '길'을 찾아나가는 과정을 보여주고 있다고 생각된다.

3.

이 책의 미덕은 한국의 현대시가 지나온, 그리고 지금 맞닥뜨리고 있는 상황을 고르게 보여주고 있다는 점에 있다. 2, 3, 4, 5부에 묶인 글들은 한국 현대시가 발아하고 본격적으로 성숙한 1930년대에서부터 90년대의 시집과 최근의 여성적 글쓰기에 이르기까지 다양한 작품들에 대한 분석을 행하고 있다. 그 가운데서 무엇보다도 이 책의 미덕은, 시분석의 방법이 되고 있는 현상학적 문학연구방법에 있다고 생각된다. 필자의 설명에 따르면, 현상학적 연구의 목적은 대상에 대한 주체자의 원초적 의식, 순수한 지각을 서술하는 데 있다. 이때 시의 경우, 대상에 대한 원초적 의식 혹은 지각으로서의 서술은 다름 아닌 이미지이며, 따라서 시의 현상학적 접근이란 시의 이미지가 주체자의 의식에 떠오르는 순간, 즉 의식 속의 이미지의 출발과 변화에 주목하는 일이다. 2부 '현대시의 의식현상'이라는 제목 아래 포함되어 있는 정지용에서 박남수에 이르는 시들은 모두 이같은 현상학적 문학연구방법을 통해 분석되고 있다.

보편적 개념에서 출발한 1부의 글들이 대체로 지금까지의 문학사 상식에서 크게 벗어나지 않는 반면, 2부에서는 현상학적 방법을 통해 주요 시인의 시세계를 세밀하면서도 새로운 시각으로 분석하고 있다. 이미지 현상학의 방법을 통해 정지용 시에 나타난 상상력의 질서를 분석한 「정지용의 시, 산정으로 오른 정신」, 김광균 시에서 '대상의 객관화'라는 방법이 지닌 독특한 이중성을 예리하게 분석한 「김광균의 시, 슬픔 안의 객관세계」, 또한 이장희 시에 대한 현상학적 접근을 통해 그의 시에 존재하는 "희구와 절망감을 동시에 포괄하는" 이중적 의식을 간파한 「이장희의 시, 삶을 일으키는 상상력」이 대표적인 보기이다. 특히 개별 작품 분석에 매몰되는 것이 아니라 한 시인의 개별적인 텍스트를 유기적으로 통합하여 작품 전체의 질서와 통일의 체계를 재구성하고 귀납하는 방법은 한 시인의 시세계를 일관된 관점으로 포착할 수 있다는 강점을 지닌다. 또한 한 시인의 작품에서 계속해서 되풀이되는 이미지를 통해 시인의 의식지향을 읽어내는 방법은 작품분석을 쉽사리 형식비평이나 주제비평으로 편향되지 않게 만든다.

이 책의 필자가 1부에서 시도했듯이, 만약 우리가 외국문학과의 어쩔 수 없는 연관 속에서도 한국 현대문학의 독자적 길을 구성해보고 그 특수성을 밝혀보일 수 있다면, 아마도 그같은 작업은 개별 시인과 문학사의 개별 현상에 대한 구체적이고 꼼꼼한 분석을 통해 보완될 수 있을 것이다. 그런 의미에서 이 책의 2부에서 필자가 보여준, 현상학적 방법은 한국 문학사의 흐름 속에 존재하는 개개의 그물코를 드러내는 중요한 작업이 되리라 생각된다.

4.

이 글의 서두에서 우리는 한국 현대시의 '자리'를 물으며 출발했다. 이 시대에 시가 어떻게, 어떤 자리를 마련할 수 있을까. 그렇게 하여 또 앞으로 오는 시대에는 어떤 형태로 존재할 수 있을까. 이러한 물음들에 대해 이 책의 필자는 90년대 새로운 시쓰기로서의 여성적 글쓰기에 주목하면서 방향을 모색하고 있다. 저 옛날 '백수광부의 처'가 부른 「공무도하가」, 향가, 백제요에서부터 90년대 신세대 시인들에 이르기까지 필자가 짚어내는 여성시의 역사는 길게 끊이지 않고 있다.

현대시의 징후 가운데 특히 필자가 여성적 글쓰기에 주목하는 이유는 "세계인식에 대한 투명성, 수렴성, 다원성을 핵심으로 하는 시정신"이 여성적 감수성과 잘 맞물려 있어, '여성성'이 "시의 본질적 특성을 잘 구유하고 있는 시작품에 대한 가치를 부여하는 개념"으로까지 활용될 수 있다고 보기 때문이다. 곧 필자가 이해하는 '여성성'이란 "남녀를 초월하여 인간성이 보유하는 속성"을 기호화한 것을 의미하며, 여성적 글쓰기란 차별화, 지배화된 남성의 언어에 의해 침묵당해 온 타자의 세계를 이끌어내어 비차별적인 모성의 세계로 회귀시키기를 꿈꾸는 것이다. 90년대 신세대 시인들에게서 '타자화된 것'에 대한 관심이 두드러지게 나타나는 것은 여성적 글쓰기가 품고 있는 이같은 욕망으로부터 비롯되는 것이다.

그런데 이 책에서 돋보이는 것은 여성적 글쓰기의 전략뿐만 아니라 여성적 글쓰기를 읽어내는 비평의 전략이기도 하다. 라깡과 크리스테바의 이론을 빌어 인간의 세계를 논리 이전의 무정형의 세계인 '상상계', 언어와 문화로 형성된 보편적 질서의 세계인 '상징계', 의미화 과정의 시원으로서의 '기호계'로 구분하여, 다양한 여성의 시에서 제도화되고 남성중심주의적인 삶의 경직성에 치열하게 대항하는 양상들을 읽어내고 있는 것이다. 이같은 비평방법은 여성이 쓴 시뿐만 아니라 남성 시인이 쓴 시를 대상으로 할 때에도 유용한 전략이 될 수 있을 것으로 보여진다. 억압적 체계에 대항하는 다양한 타자들의 활발한 '반란의 징후', '해체의 징후'를 끌어내고 의미화하는 새로운 방법이 될 수 있을 것이기 때문이다.

20년대의 감각적 시인 이장희에서부터 새로운 반란을 꿈꾸는 세기말의 여성시에 이르기까지, 이 책에서 텍스트로 삼았던 많은 시와 시인들도 이제 곧 한국시의 '오늘'이 아닌 '어제'로 저물어 갈 것이다. 여기서 다시 우리는 한국시가 어디를 향하고 있는가를 묻지 않을 수 없다. 새로운 세기에 펼쳐질 또다른 창조의 노력에 대해 섣부르게 예견할 수는 없지만, 불변성과 고정성을 전제하지 않는 '시적 언어'는 창조적이고 새로운 글쓰기의 방법으로서 그 의미와 기능이 더욱 중요하게 부각되리라 생각된다. 한영옥의 『한국현대시의 의식탐구』는 한국시의 과거와 현재를 성실하게 점검하고 있다는 점에서, 그리고 '시적 언어'의 창조성과 혁명성을 예리하게 간파하고 있다는 점에서 오늘, 우리에게 시사하는 바 크다. **세미**

희곡 연구의 새로운 방법 모색을 위하여
— 민족문학사연구소, 『1950년대 희곡 연구』

이상우

1

1990년대를 한국 희곡 연구의 중흥기(中興期)라고 규정한다면 지나친 언설이 될까. 필자는 이러한 판단이 결코 지나치지 않다고 생각한다. 1930년대에 『조선연극사』(1933)를 쓴 김재철(金在喆), 1960년대에 『한국신극사연구』(1966)를 쓴 이두현(李杜鉉), 그리고 1980년대에 각각 『한국현대희곡사』(1982)와 『한국근대희곡사연구』(1982)를 쓴 유민영(柳敏榮), 서연호(徐淵昊) 등으로 대표되는 한국 희곡 연구자의 계보를 일별할 때, 그 뒤를 잇는 뚜렷한 한 세대의 등장을 우리는 1990년대에 와서 비로소 목격할 수 있기 때문이다. 1990년대에 등장한 새로운 학술세대의 특징은 무엇보다도 학술 활동의 집단성에서 찾을 수 있다.[1] 즉 '한국극예술학회'를 비롯하여 '무천극예술학회'(대

영남대학교 동양어문학부 교수, 저서로 『유치진 연구』와 『홍해성 연극론 전집』 등이 있음.
1) 유민영·서연호 세대와 1990년대의 학술세대 사이에 놓인 연구자로 『한국사실주의희곡연구』(1988)를 쓴 김방옥과 『한국근대극연구』(1994)를 쓴 이미원을 빼놓을 수 없다. 그러나 이들은 앞 세대의 연장선상에 있으면서 그들과 세대적 거리가 크고 뒷 세대와는 구별되면서 연령상 큰 차이가 없어 하나의 독자적인 세대를 형성하였다고 보기 어려운 과도기적 세대이다.

1950년대 희곡 연구

민족문학사 연구소
희 곡 분 과

새미

▲민족문학사연구소, 『1950년대 희곡 연구』

구), '우리극연구회'(부산), '한국드라마학회'(광주) 등이 1990년대에 본격 등장한 새로운 학술 세대이다.[2] 이들은 1990년대에 많은 학술적 성과를 발표하면서 경향 각지에서 희곡 연구의 붐을 일으켰다.

이 새로운 학술세대 가운데 단연 학계의 주목을 끄는 집단으로는 한국극예술학회를 첫 손에 꼽을 수 있다. 1987년에 창립된 한국극예술학회는 1991년부터 매년 꾸준하게 학술지를 발간하여 올 가을로 10번째 논문집을 상자하는데, 이 논문집들 속에는 한국 희곡 연구의 수준을 한 단계 끌어올린 논문들이 다수 포함되어 있다. 회원 각자가 거둔 개인적인 업적은 논외로 치고라도 함세덕의 희곡 <어밀레종>을 비롯해 다수의 연극 자료들을 발굴·소개한 점이라든가, 연구사 목록 또는 연극 기사·희곡 목록의 작성 등 각종 자료를 수집·정리한 점 등은 한국극예술학회의 손꼽히는 업적에 속한다.

민족문학사연구소 희곡분과는 인적 구성으로 보면 한국극예술학회

2) 최근에 '한국연극사학회'(1997)가 만들어져 논문집을 발간하였다. 그러나 그 구성원이 한국극예술학회와 거의 겹치고 극예술학회와 구별되는 뚜렷한 특징을 가지고 있지 않다. 또 대구, 부산, 광주를 중심으로 활동하는 희곡 연구자들이 뜻을 모아 '한국극문학회'(1998)를 창설하였다. 그러나 이 또한 기존의 지역 학회 연합체적 성격을 벗어나지 못하고 있다.

와 거의 중복된다. 한마디로 '그 나물에 그 밥'인 셈이다. 그러나 굳이 구분하자면 구별이 되지 않는 것도 아니다. 한국극예술학회의 가입 시기로 볼 때, 민족문학사연구소 희곡분과 회원들은 대체로 1990년대 초반에 가입한 극예술학회 2기 멤버들이 중추를 이루고 있다는 점이다. 1980년대 후반에 입회한 극예술학회 1기 멤버를 대개 서울대(처음에는 연세대에서 시작)에서 한 달에 한 번씩 모여 세미나를 시작한 초창기 회원들로 보고, 2기 멤버를 서울역 앞 대우학술재단에서 월례 논문발표회를 하던 시기에 가입한 후발 회원들로 구분지을 때, 민족문학사연구소 희곡분과 회원들은 대개 후자에 속한다고 할 수 있다. 이러한 구분은 단순한 편의상의 구분에 지나지 않을 수 있다. 그러나 자세히 들여다 보면 극예술학회의 1기 멤버와 2기 멤버 사이에 미묘한 학문적 특성의 차이를 발견할 수 있다.

꼭 들어맞는 것은 아니지만 일반화시켜 말하자면, 1기 멤버들은 주로 식민지시대의 연극사를 주요 연구 대상으로 삼아 실증적 연구에 치중해 왔고 또 이 분야에서 상당히 주목할 만한 학문적 성과를 집적한 것이 특징이다. 식민지시대의 희곡 자료와 비평 자료를 수집·정리하여 영인본 자료집을 발간하고 또 이를 토대로 근대연극비평사를 연구한 양승국, 희곡 <어밀레종> 등을 비롯해 수종의 근대연극사 자료를 발굴·소개하고 폭넓은 자료를 섭렵하여 유치진의 비평을 연구한 박영정, 식민지시대의 유성기 음반에 수록된 대중극 자료를 정리·소개한 김만수, 연출가 홍해성의 연극론을 정리하여 전집을 펴내고 유치진 희곡의 판본을 연구한 이상우, 한국근대창극사를 정리한 백현미, 그리고 새로운 연구 영역인 해방기와 1950년대의 연극사를 정리한 이석만과 오영미 등이 대표적인 극예술학회 1기 멤버에 해당한다고 볼 수 있다. 이들은 대개 실증적인 연구방법을 바탕으로 1차 자료를 성실히 파헤치며 자신의 연구 영역에서 주목할 만한 연구성과를 일구어냈다. 그 대표적인 성과물들을 소개하면 다음과 같다.

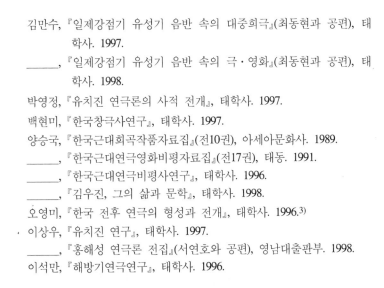

김만수, 『일제강점기 유성기 음반 속의 대중희극』(최동현과 공편), 태
　　학사. 1997.

_____, 『일제강점기 유성기 음반 속의 극·영화』(최동현과 공편), 태
　　학사. 1998.

박영정, 『유치진 연극론의 사적 전개』, 태학사. 1997.

백현미, 『한국창극사연구』, 태학사. 1997.

양승국, 『한국근대희곡작품자료집』(전10권), 아세아문화사. 1989.

_____, 『한국근대연극영화비평자료집』(전17권), 태동. 1991.

_____, 『한국근대연극비평사연구』, 태학사. 1996.

_____, 『김우진, 그의 삶과 문학』, 태학사. 1998.

오영미, 『한국 전후 연극의 형성과 전개』, 태학사. 1996.[3]

이상우, 『유치진 연구』, 태학사. 1997.

_____, 『홍해성 연극론 전집』(서연호와 공편), 영남대출판부. 1998.

이석만, 『해방기연극연구』, 태학사. 1996.

극예술학회 1기 멤버의 연구 성과는 대체로 자료에 대한 깊은 관심과 실증적인 연구 태도에서 비롯된 것이라 할 수 있다.[4] 한국극예술학회가 1990년대에 부상한 새로운 학술세대의 대표주자가 될 수 있었던 것은 자료의 발굴·정리를 중시한 1기 멤버들의 학문적 태도 때문이었다고 말할 수 있다. 이전 세대들 역시 자료에 대해 관심이

_____

3) 그밖의 학술단체 회원들이 거둔 연구성과들로는 다음과 같은 것이 주목된다.
　　김익두, 『한국희곡론』, 신아. 1991.
　　민병욱, 『한국희곡사연표』, 국학자료원. 1994.
　　_____, 『한국연극공연사연표』, 국학자료원. 1997.
　　권순종, 『한국희곡의 지속과 변화』, 중문출판사. 1991.
4) 극예술학회 1기 멤버들과 학문적 성향에 있어 유사성을 지닌 대표적인 2기 멤버로는 김성희와 김재석을 꼽을 수 있다. 김성희는 『한국희곡과 기호학』(집문당, 1993)과 『한국현대희곡연구』(태학사, 1998)를, 김재석은 『일제강점기 사회극연구』(태학사, 1995)와 『한국연극사와 민족극』(태학사, 1998) 등의 주목할 만한 연구 성과를 생산해냈다.

많았고 실증적 태도를 취하지 않은 것은 아니나 관심 영역이 지나치게 넓다보니 놓치고 흘려버린 자료들이 많을 수밖에 없었다. 또 이를 토대로 희곡사와 연극사를 기술하다보니 듬성듬성 그 허점이 노출될 수밖에 없었음은 자명한 일이다. 대개 90년대의 학술세대들은 이들이 저술한 희곡사와 연극사 서적을 통해 한국 희곡론과 연극사를 공부한 세대들이다. 이 새로운 세대들이 이전 세대의 연구 성과를 습용하면서 또 그것을 극복한 점으로는 무엇보다도 희곡사 및 연극사의 불완전한 기술과 불충분한 논의들을 상당부분 보완했다는 점을 들 수 있다. 90년대 학술세대들의 노력에 의해 1990년대의 한국 희곡 연구는 그 이전보다 훨씬 정치하고 두터워졌다고 볼 수 있다.

이러한 점이 가능할 수 있었던 것은 90년대 들어서 희곡연구자의 양적 팽창이 있었던 데 그 원인이 있다. 90년대 들어 몇몇 뛰어난 연구자들의 등장이 눈에 띈 것도 사실이지만 그보다는 희곡 연구의 저변이 넓어지면서 자연스레 희곡 연구의 질적 향상이 가능할 수 있었다고 보는 것이 타당할 것이다. 즉 90년대 들어서 희곡연구에서의 양질전화(量質轉化)가 나타난 것이다.

그러나 90년대 한국 희곡 연구의 가장 큰 문제점은 아직도 실증적 연구의 수준을 크게 뛰어넘지 못하고 있다는 점이다. 한국 근대 문학 연구의 수준이 90년대에 들어 전반적으로 향상되어 근대성(近代性) 담론에 휩쓸려 들어갈 때에 90년대의 희곡 연구자들은 여전히 식민지시대의 자료 발굴과 정리 작업에 몰두하고 있었다. 물론 그것은 아직도 자료의 체계적인 정리가 충분히 완수되지 못한 희곡 연구 분야의 후진성에 원인이 있는 것이기는 하지만 타 장르 분야에서 일어나는 이론적 관심의 추이를 따라붙지 못한 90년대 희곡 연구자들의 불민(不敏)함에도 원인이 있음은 부인하기 어렵다. 이같은 점이 극예술학회 1기 멤버로 대표되는 90년대 학술세대의 가장 큰 한계라고 할 수 있다.

그러나 90년대 학술세대의 일각에서 이러한 한계를 극복하려는 움직임이 나타나고 있었으니 그 대표적인 집단이 바로 '민족문학사연구소 희곡분과' 그룹이다. 앞에서 언급한 바와 같이, 민족문학사연구소 희곡분과는 한국극예술학회의 2기 멤버들이 주축을 이루고 있는 90년대 학술세대의 일원이다. 이들은 대개 위로는 70년대 후반 학번에서 아래로는 80년대 중·후반 학번에 이르는 학계의 소장 학자들로 구성되어 있다. 극예술학회 1기 멤버들과는 연령상으로는 큰 차이가 나지 않지만 평균적으로는 후배 세대에 속한다. 2기 멤버들은 대개 박사학위과정을 수료하거나 박사학위를 받은 지 2년 안팎의 소장 학자들이다. 때문에 1기 멤버의 상당수가 대학에 전임으로 진출한 데 비해 2기 멤버는 대부분 시간강사로 머물고 있다. 그러나 이들의 학문적 강점은 민족문학사 희곡분과라는 공부 모임을 통해 한데 모여 서로 치받으면서 열띠게 공부한 점에 있다. 그러한 과정에서 나온 그들의 첫 노작(勞作)이 바로 『1950년대 희곡 연구』(새미, 1998)이다.

2

민족문학사연구소 희곡분과의 첫 성과물이 1950년대 희곡 연구로 귀결된 데에는 그만한 이유가 있다. 회원들의 관심과 이해가 일치했기 때문인 것으로 보인다. 희곡분과를 주도하는 박명진이 1950년대 희곡론으로 박사학위를 받았을 뿐 아니라 몇몇 회원들(특히 홍창수·김옥란 등)이 이미 몇 해 전부터 각자 1950년대 문학연구 프로젝트에 참여하면서 이 분야에 대해 상당한 관심을 가진 바 있기 때문이다. 민족문학사연구소 희곡분과는 처음에는 해방기의 희곡/연극을 공부하다가 인원 보강이 이루어진 1996년경부터 50년대 희곡/연극을 연구하기 시작했다고 한다. 그 2년여의 연구 결실이 『1950년대 희곡 연구』로 나타난 것이다.

그들이 솔직하게 고백하고 있듯이 사실 1950년대는 "사적으로 낙점될 만한 뛰어난 작품이 존재한다기보다 몇몇 기성 작가와 명멸하는 다수의 군소 작가들로 채워져 있는 그다지 매력적이지 않은 시공간"(1-2)5)이다. 그러나 그럼에도 불구하고 그들의 관심이 이 분야로 쏠린 것은 "그렇다고 해서 50년대가 존재하지 않은 것은 아니며 존재하는 그 나름대로의 정체성을 밝혀 사적인 맥락을 더듬어 재구하는 것이 필요하다는 점"(2) 때문이다. 민족문학사연구소 희곡분과의 성과물 제1호로서 왜 1950년대가 선택되어야 했는지에 대한 이유로서는 지극히 평범한 것이 사실이다. 그러나 연구서의 평가에서 중시해야 할 것은 서문의 선언적 명제가 아니라 그 연구 내용의 성과가 될 것이므로 본문의 세목에 대한 검토가 먼저 필요함은 두말할 나위도 없다.

이 책에는 모두 11편의 논문이 수록되어 있는데, 50년대 희곡 연구의 성과를 일별하는 권두 논문을 포함해 ①장 '계몽성과 근대성', ②장 '모랄과 육체', ③장 '반공과 실존', ④장 '제도와 부정의 담론' 등 모두 4개의 장으로 구성되어 있다. 자세한 목차를 소개하면 다음과 같다.

◇ 권두 논문
  박명진, 「1950년대 희곡의 인식적 지도」
    ① 계몽성과 근대성
  이승희, 「계몽성의 감옥」
  정호순, 「전통적 가치의 옹호와 사실주의극」
  박명진, 「전후 희곡의 주체형식과 근대성」
    ② 모랄과 육체
  김옥란, 「가족 해체의 양상과 전후세대의 현실인식」
  홍창수, 「애정의 반윤리와 신세대 작가의식」

---

5) 이후 『1950년대 희곡 연구』에서 인용하는 경우에 인용한 부분의 끝에 면수만 숫자로 밝히기로 한다.

　권두 논문인 박명진의 「1950년대 희곡의 인식적 지도」는 문화사적
안목에서 50년대 희곡의 위상과 의미를 살핀 총론적 성격의 글이다.
이승희의 「계몽성의 감옥」은 1950년대 유치진의 희곡을 다룬 논문이
다. 논문의 전반부는 50년대의 유치진 희곡에 대한 전반적 검토인 바
이는 기존 논의의 답습에서 크게 벗어나지 않는다. 그러나 이 논문의
독창성은 유치진 희곡의 사실성과 계몽성의 관계를 해명한 후반부에
서 비교적 소상하게 드러난다. 정호순의 「전통적 가치의 옹호와 사실
주의극」은 50년대의 차범석론이다. 차범석이 일관되게 사실주의극을
추구해온 것이 그의 연극관과 깊은 관련을 맺고 있음을 밝힌 논문인
데, 차범석의 사실주의극이 "전통적 가치를 옹호함으로써 현실에 적
극적으로 도전하지 못하고 그 기법의 제한성으로 인해 인간의 내면
적 진실을 탐구하지 못한 한계를 지닌다"(97)고 결론을 맺고 있다.
박명진의 「전후 희곡의 주체형식과 근대성」은 50년대에만 5편의 희
곡을 남긴 임희재에 대한 논문이다. 임희재 희곡을 근대성이라는 관
점에서 분석한 독특한 논문으로서 논의의 폭과 시야가 대단히 넓다
는 점에서 주목을 끈다. 주로 전후 도시의 풍경에 나타나는 근대성의
면모를 정치하게 분석하였는데 아쉬운 점은 근대성 담론에 개별 작
품이 제각각 여기저기로 끌려다닌 것 같은 인상, 그리하여 임희재의
작품세계에 대한 종합적 논의가 충분히 이루어지지 못한 점을 들 수
있다. '계몽성과 근대성'이라는 소주제로 이승희·박명진의 논문은
설득력있게 묶여지지만 정호순의 차범석론은 다소 거리가 있어 보인

다는 점도 ①장이 지닌 문제점이라 할 수 있다.

　김옥란의 「가족 해체의 양상과 전후세대의 현실인식」dms '가족'이라는 개념을 중심으로 50년대 희곡의 특징을 분석한 논문이다. 전후 희곡에 나타나는 억압적인 가부장(家父長)에 대한 도전의식을 전통과 단절하고 미래에 대한 비전을 포기하는 전후세대의 '아버지의 부정'과 '잉태의 부정'이라는 관점에서 해석한 점이 이채롭다. 홍창수의 「애정의 반윤리와 신세대 작가의식」은 전후 애정 소재 희곡의 특징을 분석한 논문인데, 전후에 애정 소재 희곡이 특히 많이 씌어진 원인을 당대의 '연극 공황'과 '할리우드 영화의 범람'에서 찾고 있다. 예술사회학적 관점에서 비교적 설득력있게 논의를 전개하였다. 김옥란의 「자유부인과 육체의 담론」은 50년대 희곡에 자주 등장하는 이른바 '문제 여성'(자유부인)을 페미니즘적 관점에서 분석한 논문이다. 50년대 희곡에서 문제 여성들이 주인공으로 대거 등장한 것은 그들의 부정(不貞)을 단죄함으로써 타락한 사회를 정화하고자 하는 전후 사회의 욕망에서 비롯된 것이라는 흥미로운 주장을 이끌어내고 있다. 이로써 필자는 궁극적으로 전후 희곡에서 여인의 성욕을 악마성으로 규정하여 단죄하는 50년대 성담론의 억압 논리를 읽어낸다.

　홍창수의 「전후의 실존의식」은 논문의 형식을 갖춘 본격 오학영론으로는 최초의 논문이라는 점에서 의의가 있다. '상화'라는 인물을 주인공으로 그린 3부작 가운데 두 편인 <닭의 의미>, <꽃과 십자가>, 그리고 전후세대의 성 모랄과 세대의식을 다룬 <심연의 다리> 등을 분석하면서 오학영 희곡에 나타나는 실존의식에 초점을 맞춰 논의를 전개하고 있다. 김재석의 「반공극의 구조와 존재 의미」는 1950대의 반공극에 대한 논문인데, 주로 반공극의 범주와 미적 토대·이데올로기 그리고 계몽 선전극으로서의 특징에 대해 논급하고 있다. 그러나 다소 평이한 문제의식의 수준에서 논의가 진행된다는 점에서 아쉬움을 준다. 현재원의 「실존주의, 형식 그리고 작가의식」 또한 1950

년대의 오학영을 다룬 논문이다. 최초의 오학영론인 홍창수의 논문에서 미처 다루지 못한 작가의 세계인식 방법에 주목하여 논의를 전개하려 한 시도는 좋았으나 결과적으로는 별다른 성과를 보여주지 못하였다. ③장의 구성에는 썩 문제가 있어 보이는데 우선 '반공'과 '실존'이라는 소주제가 아무런 맥락없이 묶여있다는 점, 그리고 큰 차이를 발견하기 어려운 오학영론이 중복되어 동어반복적인 인상을 준다는 점을 지적할 수 있다.

백로라의 「전후의 연극비평 연구」는 1950년대의 연극비평을 정리한 논문이다. 50년대에 하나의 제도와 인습으로 자리잡은 사실주의 연극과 이에 저항하는 새로운 연극적 시도들을 두 축으로 삼아 서로 길항하면서 전개된 50년대의 연극 담론들을 정리하고 있다. 50년대의 연극비평이 비록 썩 활발하지 못했고 '연극공황'의 타개책을 모색하는 데 치중한 감이 있지만 ④장에서 단한 편의 논문만으로 비평 분야의 검토를 그친 것은 뭔가 미흡하다는 인상을 준다. 책의 말미에 부록으로 50년대 희곡 목록과 연구사 목록을 수록한 것은 책의 자료적 가치를 높여주는 바람직한 일이다. 그러나 기왕이면 50년대 희곡 작품의 목록을 빠짐없이 게재하는 것이 자료적 가치를 높이기 위해서는 더 바람직했을 텐데 굳이 대표 희곡작가의 작품으로 한정한 것은 아쉬움을 주는 부분이다.

이 책을 통독하면서 특히 필자의 관심을 끈 것은 박명진, 김옥란, 이승희의 논문들이다. 이들의 논문에서 확연하게 민족문학사연구소 희곡분과(극예술학회 2기 멤버)의 학문적 개성을 발견할 수 있었기 때문이었다. 오늘날 인문학의 주요 쟁점인 근대성 담론을 통해 우리 근대극을 분석하는 이들의 접근 방식은 이전 세대의 연구자들은 물론이거니와 90년대 학술세대 가운데서도 좀체 시도되지 않았던 참신한 방법이다. 이러한 시도는 일부의 90년대 학술세대가 자료 중심주의와 '실증' 숭배에 빠져 현대 인문학의 이론적 흐름에 민감하게 적응하지 못하고, 마치 신대륙 개척시대의 식민주의자들처럼 새로운 영토에 먼저 깃발을 꽂으려는 듯한 영토 확장주의적 학문 경향을 보인 것에 대해 진지한 성찰을 불러 일으킨다. 현대 인문학의 이론 동향과 방법론에 대한 진중한 탐구와 모색이 성글게나마 나타나는 것 ― 비록 모든 회원들에게 해당되는 것은 아니지만 ― 이 바로 민족문학사연구소 희곡분과가 지닌 학문적 장점인 것이다. 특히 우리 근대 희곡에 근대성 담론을 끌어들여 새로운 작품 해석의 방법을 보여준 박명진, 페미니즘과 육체·섹슈얼리티 등 탈중심주의적 담론을 통해 50년대 희곡의 참신한 해석을 도출해낸 김옥란 등의 시도는 매우 값진 것임에 분명하다고 하겠다.6)

물론 이들의 방법에서 얼마간의 문제점이 보이는 것도 사실이다. 이론과 개념의 무리한 적용, 과잉 해석, 불필요한 인용과 전거의 제시 등이 드문드문 엿보이고 있음은 부인하기 어렵다. 가령, 「전후 희곡의 주체형식과 근대성」에서 임희재의 <복날>이라는 작품을 분석하면서 '장마'가 피난민의 계속적인 생업 활동을 단절시키는 것을 '시간-기계'라는 개념을 끌어들여 설명(112)한다든지, 피난민들이 쥐약 먹은 개를 잡아 먹고 육체적 고통을 겪는 사건에 대해 언급하면서 미셸 푸코의 '생체통제권력'(bio-ponvoir) 개념을 원용한 것(119) 등이 그러한 일례가 될 것이다. 시간―기계는 학교의 시간표나 직장의 근무일지처럼 시간의 분절을 통해 사람들의 활동과 생활 리듬을 통제하려는 자본주의적 질서체계를 설명할 때 사용되는 개념이므로 장마라는 자연 현상이 인간의 활동을 절단(중단)시키는 것에 적용하는 데는 적합치 않아 보인다.7) 그리고 생체통제권력의 개념은 과거에는 군주 권력이 죽음에 대한 권리를 가졌으나 오늘날의 권력은 죽음에 대한 권리 대신에 살아있는 육체에 대한 관리와 삶의 경영에 대한

---

6) 최근에 나온 박명진의 저서 『한국희곡의 이데올로기』(보고사, 1998)는 이러한 시도가 반영된 대표적인 성과물이다.
7) 이진경, 『근대적 시·공간의 탄생』, 푸른숲, 1997. 107-124면 참조.

권리를 행사하고 있다는 의미로 사용된다. 즉, 출생률과 사망률, 수명, 장수, 보건위생, 주거, 이전 등의 문제에 대해 권력이 적극적으로 개입하는 것을 말한다. 따라서 권력은 ·자연스럽게 학교, 병원, 직장 등의 규율제도를 통해 사람들의 몸(육체)과 성(섹슈얼리티)에 대한 자율권을 침해하게 되는 것이다.[8] <복날>에서 피난민 인구 문제가 은연중 박멸당하는 쥐에 비유되는 것은 사실이지만 실제로 시 당국에서 쥐약의 살포로 늘어나는 피난민 인구를 통제하려한 것은 아니다. 그러므로 빈궁한 피난민이 쥐약 먹고 죽은 시장(市長)집 개를 잡아 먹고 죽음을 맞게 되는 사건은 굶주린 거지가 쓰레기통에서 복어알을 주워 먹다가 죽는 임영빈의 <복어알>처럼 빈궁 희곡의 한 전형적 상황일 뿐 생체통제권력의 작동으로 보는 데는 어색한 부분이 있다. 그러나 부분적으로 해석상의 어색함이 노출된다고 해서 이 의욕적 시도가 지닌 의미가 훼손될 수는 없다. 다만 바라고 싶은 것은 이론 적용의 욕망을 조금만 누그러뜨리고 텍스트 자체에 더욱 주목한다면 보다 바람직한 작품 해석이 나오지 않겠는가 하는 점이다.

3

한마디로 『1950년대 희곡 연구』는 우리 희곡 학계에 신선한 자극을 준 의욕적인 저서이다. 그러나 이 저서에 민족문학사연구소 희곡 분과의 자기정체성이 충분히 나타났다고 볼 수는 없을 것 같다. 공동작업의 성과가 잘 드러나지 않기 때문이다. 개별 논문들 사이에 들쑥날쑥하는 질적 편차도 문제지만, 이념과 방법론·문제의식에 대한 개별 연구자의 입장에 서로 차이가 큰 것이 더 큰 문제이다. '민족문학사'의 관점에서 50년대 희곡을 바라보려는 노력도 좀처럼 발견하

---

8) 미셸 푸코, 『성의 역사(1) ; 앎의 의지』(이규현 역), 나남출판사, 1993. 145-151 면 참조.

기 어렵다. 다만 앞서 언급한 몇몇 논문들에서 다소나마 민족문학사연구소 희곡분과의 학문적 특성을 엿볼 수 있었다는 것이 성과라면 성과일 것이다. 오랜 세월 동안 특정한 공부 모임에서 서로 치받으며 공부한 결과 얻어진 공동작업의 소산이라고 하기에는 열띠고 치밀하게 토론한 흔적이 부족해 보인다는 것이 민족문학사연구소 희곡분과가 앞으로 새겨야 할 가장 큰 과제가 될 것이다.

그러나 『1950년대 희곡 연구』는 민족문학사연구소 희곡분과가 처음 내딛 첫걸음에 불과하다. 그 첫걸음으로 기왕의 50년대 희곡에 대한 담론의 깊이를 심화시켰고, 또 그런 점에서 자료 숭배에 빠진 90년대 학술세대들에게 새로운 성찰의 기회를 제공해 주었다. 그것만으로도 이 책의 의미는 크다고 할 수 있다. 민족문학사연구소 희곡분과의 두 번째, 세 번째 발걸음이 자못 기다려지는 것이 필자만의 기대는 아닐 듯싶다. 새미

우주·생명·시를 찾아서
─ 김영석, 『도의 시학』

채진홍

1. 현관에 들어서며

육년 전이든가, 저자를 처음 뵈었을 때 나는 여러 가지 은혜를 입었다. 그 분의 연구실에서였다. 그 때 황송하옵게도 『썩지 않는 슬픔』이라는 당신의 시집을 그 자리에서 받았다. 자연 내가 잘 알지도 못하는 시 이야기가 나올 수밖에 없었고, 그러다 보니 학창시절 수업을 받으면서 마음 속 깊이 존경하게 되었던 다형 선생님 얘기를 꺼내게 되었다. 아 글쎄, 그랬더니 저자께서도 다형 선생님과 각별한 인연을 맺었던 터였다. 다형 선생님의 깊고 또렷한 음성과 저자의 굵직하게 울려 퍼지는 맑은 음성이 한꺼번에 들려오는 순간이 한동안 이어졌다. 외모도 목소리만큼 대조적이었던 지라 한층 선명한 심상이 그려졌다. 뭐 여러 길로 비교할 수도 있지만, 지금 우리의 관심사인 『도의 시학』에서 사용된 어법대로라면, 금(金)과 목(木)의 상생 조화 형국이었다. 흔히들 금과 목은 상극이라 하지만, 『도의 시학』에서는 그러한 상투성이 이미 제쳐진 상태였고, '음양 오행의 시적 형상'

소설가, 배재대 강사, 창작집 및 연구서로 『놀강의 木魚』와 『홍명희의 〈林巨正〉 연구』 등이 있음.

이 '생성 변화의 가동성'이라는 전제에서 이루진다는 판이니, 그러한 심상이 가히 '환원적(還元的) 시간'의 기억을 더듬는 대상으로서 손색이 없는 일이었다.

▲ 김영석, 『도의 시학』

일이 그렇게 벌어진 이상 '원환적(圓環的) 시간' 쪽으로 이야기가 가는 게 그 분과 나의 만남의 한 성격이었다. 그 분은 기어코 똥통 이야기를 꺼내시고야 말았다. 내가 강릉 김씨 후손이라면, 길이 가문의 자랑으로 내세웠을 김시습이 똥통에 빠져 열반했다는 사실을 어찌 그렇게 진지하게 말씀하시는 지, 실로 향기로울 일이었다. 수, 목, 화, 금, 토의 상호 생성 작용이 결국 '무극이태극'으로 수렴되는 형국이었다. 이 자리는 『썩지 않는 슬픔』 이야기가 아니라, 『도의 시학』얘기를 하는 마당이므로 이제 그런 회고담은 그 쯤 해두겠다.

하다보니 얘기가 벌써 난삽해지는 경향이 있는데, 이는 내 투박하기 이를 데 없는 어투가 『도의 시학』의 진중한 어법을 쫓고, 더듬고, 소개하고, 그러다 보면 몇번 따져 보기도 해야만 하는 이 글의 성격 상 어쩔 수 없는 일이니, 내 잘못만은 아닐 것 같다. 하지만, 내가 아는 것이 별로 없다는 사실은 전적으로 내 탓이다. 그래도 저자께서 이 책에 대해 하신 말씀들 중 한 대목이 날 덜 쑥스럽게 한다. 이 책을 읽은 어떤 유명한 교수분을 어디 차부에서 우연히 만났는데, 그

교수분 말씀이 '그 쪽으로 가긴 가야 하는데 난삽하다'라고 했다는 말씀이 그 한 이유를 제공한 셈이다. 나로서는 본격 논의에 앞서 난삽하다는 이유를 생각하게 해 볼 만한 대목이다. 저자는 "이 글은 동양과 서양의 인식 구조 혹은 사유 구조가 서로 다르다는 점에서 입론의 출발점을 찾았다"(389 쪽) 했는데, 책의 전체 내용 면에서 보면, 동서양의 비교라기보다는 고대와 현대의 인식 구조에 대한 비교가 이루어진 터이다. 이는 저자가 『도의 시학』에서 중요하게 전거한 장자의 천하편에서도 뒷받침 된다. "후세의 학자들은 불행히도 천지 자연의 순일한 모습이나 옛 사람들의 전체적인 모습을 보지 못하고 있으니, 천하의 학자들에 의해서 하나의 도가 분열되려 하는 것이다"라는 장자의 지적이 『도의 시학』의 주 논리 궤의 밑거름이 되고 있다. 장자 시대에도 그랬으니, 근세 이후 실제 삶을 추상과 관념이 통제하는 시대에야 더 말해 무엇하랴. 그런 큰 흐름 차원에서는 동서양이 다를 바 없다. 세부 논리의 틀이 다를 뿐이다. 저자가 분석 대상으로 삼은 서양 사상가들, 즉 흄·베르그송·후설·하이데거·퐁티·가다마 등 현대 지식인들도 실은 관념이나 추상을, 그에 관계된 실증 논리들을 거부한 사람들이다. 그렇다고 이들이 플라톤·아리스토텔레스·피타고라스 등 '옛 사람들의 전체적인 모습을 보지 못하고 있'는 점도 사실이 아닌 게 아니다. 그것은 고대에서 현대로 이어지는 인간 삶의 양상과, 그와 연계된 사유 체계의 미분화 흐름상 어쩔 수 없는 일이다. 그 점은 저자가 분석 대상으로 삼은 동양 지식인의 경우도 마찬가지다. 다른 점은 저자가 동양의 경우 공자에서 홍만종까지 이어지는 흐름으로 파악한 반면, 서양의 경우 위 예의 현대 지식인들에 한정했다는 사실이다.

그러므로, 『易經』을 전범으로 삼은 "이 글" 전체의 흐름상 공자·노자·장자·회남자 등 중국 옛 지성들에서 이규보·남효온·이율곡·김만중·홍만종 등 중세 한국 지식인들로 이어진 사상 체계를, 19세기 말

20세기 초 관념적이고 추상적인 형이상학에 대한 거부 경향을 보인 흄·베르그송·후설·하이데거·퐁티·가다마 등의 체계와 비교해서 "동양과 서양의 인식 구조 혹은 사유 구조가 서로 다르다"는 것을 보여준다는 일은 여간 어려운 일이 아니었을 것이다. 서양에서도 플라톤·아리스토텔레스 이전과 동시대 지성들의 생각이 저자가 언급한 위 옛 중국 지성들의 생각과 틀면에서 큰 차이가 없다. 그리고 주자주의가 조선조로 넘어오면서 형이상학의 이념을 지배 계급의 기득권 유지를 위해 형식 윤리화시킨 흐름이나, 서양에서 중세 기독 윤리가 그렇게 된 것, 근세 이후 물질 이념이 그것을 대신한 것은 동서양의 경우가 크게 차이가 나지 않는 것도 사실이다.

이러한 어려움은 동양의 사상체계를 설명하는 작업으로 이어진다. 역시 주역이 어렵긴 어려운 모양이다. 공자, 노자, 장자 등 가져다 붙여야 할 지성들이 너무 많을 수밖에 없는 것이다. 『도의 시학』 전체 문맥에서 보면, 이들의 사상과 분명 일치를 이룰 시정신이 '어떻게' 설명되는가 하는 방법론에 문제 제기를 하게 한다. 저자의 입장이 "도 자체가 예술 정신이요 시 정신이라"(116 쪽)는 명제 위에 서있는 게 확실하다면, 이들의 사상 체계는 어디까지나 '시 정신'을 명징하게 해주는 논거 자료에 그쳐야 될 것이 아닌가 하는 생각이 들었던 터다. 그런데, 그 반대이다. '시 정신'이 이들의 사상이나 그에 관한 자료들에 시달리는 감이 들 정도이다. 그러니, "한국 시는 시간적 인식 구조 위에 중심을 두고 논의되어야 한다"(52 쪽)는 저자의 논의 방향이 『도의 시학』에 숨은 진짜 의도를 이해하는 데 '난삽한' 요소가 된다 할 것이다. 그러나 어쨌든 내용 전체 문맥상 고대와 현대가 비교되었다는 것은 숨은 의도를 밝히려 일에 오히려 좋은 결과를 낳게 한 밑거름이 되었던 터도 틀림없는 사실이다.

이제, 어렵다는 얘기는 그쯤 해두고, 그 진짜 의도, 위 어법대로 말하자면 원환적 시간의 경지를 찾아가기로 한다. '그 쪽으로 가야한다'는, 내가 바라고 바라던 정통 시학에 대한 업적이 나와, 이렇게 무딘 눈으로나마 그 '현묘한 곳'을 더듬어 볼 기회를 맞았으니, 나로서는 가슴 설레는 일이다. 그리고 저자의 우리 고전에 대한 해박한 지식에 고개 숙일 따름이다. 이러쿵 저러쿵 내가 끼어드는 일은 별 의미가 없을 것이다. 다만 저자의 생각을 충실히 읽어낼 수 있을까가 두려울 뿐이다. "여러 가지 의미의 틈을 통해서 의미화 될 수 없는 자신의 모습을 드러"(221 쪽)낸다는 '현관'의 경지에 내가 제대로 들어설 지 의심스럽다. 기왕에 들어선 길, 독자 제현께서는 앞으로 내 실족을 꾸짖어 주시길 바란다.

2. 우주적 인식 구조 위에 서서

『도의 시학』에서 제기된 기본 물음은 "첫째 도는 한국 현대 시 속에서 어떻게 형상화되고 있는가, 둘째 한국 현대 시 속에서 형상화되고 있는 도의 의미를 어떻게 드러낼 것인가, 셋째 한국 시를 어떤 관점에서 어떻게 논의해야 하는가"(12 쪽)이다. 저자는 이 문제들을 풀기 위해 우리의 전통 문학관인 재도문학관(載道文學觀)을 내놓는다. 저자의 눈길은 유불선(儒佛仙) 삼교회통(三教會通)의 결과인 풍류도(風流道)의 세계를 거슬러 앞서 말한대로 『역경』으로 '환원'되어 있는데, 이 길을 더듬는 과정을 통해 재도문학관이 한국 현대시에 어떤 맥락으로 이어지는가를 짚어 본다는 것이다. 그 점은 "방법론 자체가 이미 도의 현시라고 할 수 있으므로 방법론의 체계를 세워 가면서 그 체계가 한국 시의 원리적 측면에서 지닐 수 있는 의의와 관련 양상을 검색해 보고자 하는 것이 이 글의 핵심적 의도"(27 쪽)라는 저자의 의도에 직결되는 터이다.

그 '방법론의 모색'의 한 방법으로 '시간적 인식과 공간적 인식'을 구분해 앞서 제시한 대로 '한국 시는 시간적 인식 구조 위에 중심을 두고 논의되어야 한다' 했는데,『도의 시학』전체 논리 면에서 볼 때, 이러한 시간 개념에는 이미 공간 개념까지 포함된 것으로 판단된다. "한국 문학의 연구에 있어서 서구의 문학 이론을 일방적으로 적용할 수 없다는 주장은 동양과 서양의 전통적인 사고 방식의 차이, 그리고 인식론적인 태도의 차이 등을 명확히 밝혀낼 때 비로소 합당한 설득력을 얻을 수 있다고 본다"(29-31 쪽)라는 저자의 입장을 따르자면, 이 '시간적 인식 구조'는 우주(宇宙)라는 원환적 개념에 다 포함되는 것이다. "宇는 무한한 공간을 뜻하고, 宙는 영원한 시간을 뜻한다"라는 회남자의 생각을 저자가 인용한 것은 '합당한' 일이다. 저자의 생각대로 '吾道一以貫之'나 '格物致知'의 경지가 시간이 도체라는 원리에 있다면, 이는 이미 공간 개념까지 포함한 것이다. 저자의 연구 목적이 이를 뒷받침한다. "이 연구의 목적은 도를 해명하는 동시에 그 도를 통하여 한국 시를 바르게 이해하기 위한 생성 이론의 체계를 세우는 것이고, 그 방법론은 역의 본체론을 통해서 이루어지는 것이므로, 서술의 방향은 태극, 즉 도의 생성을 그 줄기로 삼는다. 그리고 도의 생성을 드러내는 데 있어서는 동양의 전통적인 사물 관찰법이요 서술 방법인 체(體)와 용(用)의 양면적 방법을 택하기로 한다"(73쪽)가 그것이다. 시간과 공간이, 주와 우가 구분된 상태에서 '도의 생성'이 진행될 수 없는 일이다. 그러니까, 저자가 한국 시를 논의하는 데 역설한 시간적 인식 구조는 곧 우주적 인식 구조인 것이다. 이는『도의 시학』에서 뒤에 이어지는 논의에 그대로 적용되는 터다.

3. 마음의 변화 원리와 우주의 변화 원리를 일여적(一如的)으로 보며

저자는 태극의 개념을 "초월적이면서 초월적인 것이 아니고, 무이면서 무가 아니라고"(80 쪽) 파악하고 있다. 저자가 논거로 인용한 『근사록』의 일부를 살피다 보면, 그에 대해 어렴풋이 짐작이 가는 것 같기도 하다. "무극이면서 태극이다. 태극이 움직여 양을 낳는데 움직임이 지극하면 고요해지고 고요해지면 음을 낳는다. 고요함이 지극하면 다시 움직이게 된다. 한 번 움직이고 한 번 고요해짐이 서로 그 뿌리가 되어 음양으로 나뉘고 양의가 세워진다. 양이 변하고 음이 합하여 수·목·화·금·토를 낳는데, 이 오기(五氣)가 순차로 퍼져 네 계절이 돌아가게 된다. 오행은 하나의 음양이고 음양은 하나의 태극이며 태극은 본래 무극이다. 오행이 생길 때에 각기 그 성(性)을 하나씩 가져서 무극의 진(眞)과 이기(二氣) 오행의 정(精)이 묘하게 합하여 응결되면 건도(乾道)는 남성을 이루고 곤도(坤道)는 여성을 이룬다. 두 가지의 기가 서로 교감하여 만물을 낳고 만물이 계속 생성됨으로써 변화가 무궁하게 된다"가 그 부분이다. 태극의 운동 원리가 우주의 변화 원리일 뿐만 아니라 인간의 심성론이라는 점을 염두에 두어야 한다는 것이다. 인간의 마음의 변화 원리와 우주의 변화 원리를 일여적으로 파악하고 있다는 논리이다.

이렇게 볼 때, 역리(易理)에서 유추할 수 있는 시론의 전제는 "글은 도가 드러난 것이고 역은 그 도와 나란히 가는 도의 원리"(96 쪽)이다. 즉, <道=易=文>의 등식이 성립한다는 것이다. 저자는 이러한 도문 일체의 사상이 후대로 내려오면서 점차 이원화되어 도가 내용이나 목적이 되고 글은 단순한 수단으로 변질되고 마는 점을 지적하며, 시의 정서와 사고의 결 속에 스며 있는 심미적인 도의 양상을 파악하기 위해서는 위 등식의 원리로 돌아가야 함을 강조한 터다. 저자가 인용한 남효온의 생각이 그 점을 적확하게 정리해 준다. "천지의 바른 기운을 얻은 것이 사람이요, 한 사람의 몸을 맡아 다스리는 것이 마음이며, 사람의 마음이 밖으로 펴나온 것이 말이요, 사람의 말이 가장 알차고 맑은 것이 시이다"가 그 정리 내용이다. 이를 다시 저자의 말로 바꾸면, "시는 도를 통해서 가장 알차고 맑은 말씀에 이를 수 있고, 가장 알차고 맑은 말씀에 이를 수 있으므로 사람의 마음의 중심에 이르러 감동시킬 수 있으며, 감동시킬 수 있으므로 마침내는 천하의 움직임을 고무할 수 있게 되는 것이다"(109 쪽)이다. 위의 등식이 <천지의 도=사람의 도=마음의 도=말씀의 도=시의 도>라는 일여적인 차원의 등식으로 생성된 것이다.

4. 도와 시정신과 아름다움을 그리워 하며

도와 시정신에 관한 저자의 기본 입장은 앞서 제시한 대로 '도 자체가 예술 정신이요 시정신이라면 도는 또한 반드시 미, 즉 아름다움 자체가 되어야만 할 것이다'에 서있다. 여기에서 저자는 미의 원상(原象)을 도의 순수한 전일성(全一性)에 두고 있다. 이를 <흰 바탕>에 비유하고, 그것을 허정(虛靜)이라 하여 예술적 창조와 체험이 비롯되는 세계로 상정한 터다. 저자는 이 허정의 세계를 "시학 이론의 부동의 출발점이고 시 연구 방법론의 근본적인 바탕"(125 쪽)으로 삼고 있다. 이 세계에서 "도의 초월적 전일성과 내재적 전동성(全同性)이 시 작품에 어떤 양상으로 드러나고 있는지 구체적으로 살펴보는"(125 쪽)일이 가능하다는 것이기 때문이다.

저자는 이러한 도와 시정신과 아름다움에 대한 그리움의 원천을 미래가 아니라, 태초의 시간에 두고 있다. 저자는 이를 '전일성에의 지향'이라 했는데, 그것은 "자아와 세계가 순일하게 통합되어 완전한 전체를 이루었던 태초의 시간, 즉 태극의 전일성을 회복하고자 하는 근원적 갈망을 선험적으로 지니게"(127 쪽) 되기 때문이라는 것이다. 특히 우리 시의 경우 그리움은 "한(恨)의 정서로 굴절되면서 연면히 지속되어 왔다"(128 쪽)는 것이다.

이 태극의 전일성은 바꾸어 생각해도 도와 시정신과 아름다움의 생성력의 원천이다. 저자가 전거로 삼은 도덕경 제4장에서 이를 확인할 수 있다. "도는 빈 그릇이다. 거기에서 얼마든지 퍼내서 사용할 수 있다. 또 언제나 넘치는 일이 없다. 깊고 멀어서 천지 만물의 근원을 이루고 있다"가 그 부분이다. 이렇게 보면 미래와 과거를 구태여 구분할 필요가 없다. 이미 미래와 과거가 맞닿아 있는 순환적 시간의 궤적을 그린다는 것이다. "이렇게 거꾸로 가는 길을 주역 철학에서는 <역반지로(逆反之路)>라고 하는데, 우리는 여기서 주역이 왜 <역(逆)>, <반(反)>, <복(復)>, <래(來)> 등의 관념을 불변의 율칙으로 삼고 있는가 하는 까닭을 알 수 있다"(144 쪽)라는 게 그에 대한 저자의 설명이다.

이러한 그리움이 시에서 '영원한 모성', 즉 본원성과 중심 상징을 '생성'한다는 게 저자의 시를 겨냥한 논지이다. 도의 역설적 양상과 마찬가지로 시에서도 <극소한 거대성>이라는 역설적 개념이 적용된다는 것이다. "시적 상상력 속에서는 지극히 작은 것과 지극히 큰 것은 양가적(兩價的)인 표리의 관계로서 동일한 상징작용을 하게 된다"(167-168 쪽)가 그 점을 말해 준다.

시 고유의 본질인 이러한 역설성을 저자는 '전동성(全同性)의 역설'이라는 개념으로 설정한다. 전동성의 역설이란 "대략 그 원리만을 본다면 초월성즉내재성, 현상즉본체, 상별즉상동(相別卽相同), 시즉종, 유즉무(有卽無), 내외상반(內外相反) 등으로 요약될 수 있을 것이다"(184 쪽)라는 원리가 그 바탕이다. 그래서, "시가 전일성을 지향하는 한 시적 언술의 본질은 전동성의 표현일 수밖에 없고, 시가 전동성을 드러내고자 하는 한 모든 시적 언술은 근본적으로 역설이 될 수밖에 없다"는 것이다. 이는 "인간의 삶이 비극적이면 비극적일수록 원초적 고향이라 할 수 있는 전일성의 세계에 대한 인간의 동경과 갈망은 커지기 마련이다"(191 쪽)라는 삶의 역설 논리와 병행한다. 인간 삶에서 이러한 동경은 곧 허정의 세계에 대한 그리움이라 할 수 있다. 그러니, 시적 표현은 위에서 언급한 본원성의 경지를 '병생'할 수밖에 없고, 그런 만큼 역설 구조에 의존할 수밖에 없다. "전동성의 세계에서는 진실이 곧 미이고, 인생이 곧 예술이 된다"(215 쪽)는 것이다.

그렇다면, 그러한 자기 일체적인 시적 표현의 역설성의 의미는 무엇일까. 저자는 이를 한마디로 '전어적 요해(前言語的 了解)'라 한다. 저자가 깊이 감화를 받은 김시습의 시관에서 추출한 용어이다. "객은 <시는 가히 배울 수 있다>고 말한다. 나는 이에 대답한다. <능히 전할 수는 없노라. 다만 그 묘한 곳(妙處)을 볼 따름이다. 성(聲)과 연(聯)이 있느냐고 묻지 마라. 산은 고요한데 들은 구름이 걷히고, 강은 맑은데 하늘에는 달이 오른다. 이 때 만일 뜻을 얻는다면 나의 시구에선 선(仙)을 찾아라.>"(219 쪽)가 그 시관이다. 저자가 여기에서 문제 삼은 것은 <능히 전할 수 없노라>인데, 이는 "시의 시다운 본질이 언어화 혹은 의미를 거부하는 실재 세계에 대한 요해성을 드러내는 데에 있다고 믿고 있기 때문이"(220 쪽)라 한다. 시의 언어는 의미가 아니라, 무의미를 지향한다는 논리이다. 그런 차원에서 저자는 시의 언어를 "무의미의 바다에 간신히 떠있는 부표와 같다"(221 쪽)라고 한 터다. 이 무의미론에서도 장자의 <근본으로 돌아가자(請循其本)>라는 명제가 시정신의 생성 원리를 뒷받침 한다. "의미는 무의미를 알려주는 표지로서 겨우 존재하고 있"(226 쪽)고, "의미의 빈 틈, 즉 그 깊고 어두운 무의미를 통해서 우리는 현관을 체험한다. 현관에서 실재 세계는 나의 내부에 존재하는 명징한 심상이 된다. 바로 그 체험이 전어적 요해감"(227 쪽)이라는 것이다. 그러므로, 시인은 "의미의 빈 터를 활성화하여 실재 세계와 상상력이 천연의 모습으로 움직이고 숨쉬게 하는 기법"(229 쪽)에 몰입한다. 우리를 "공자가 말하는 묵이식지(默而識之)의 세계로"(237 쪽) 이끈다는 것이다. 그러기 위해 시인은 시 창작 과정에서 술어를 생략하고, 나아가 의미의 해체를 시도한다는 것이 저자의 생각이다. "언어의 존재론적 특성을 대표하는 명사만 남고 술어가 생략되었다는 것은 곧 인간적 기호가 소거되었음을 뜻하는 것이다. 인간의 말, 즉 술어적 언어가 사라지면 명사의 지시성만 남는다. 명사 지향의 화법은 선적(禪的)이다"(240 쪽)가 그 점을 뒷받침한다. 이러한 '인간적 기호의 소거'와 '선적' 차원은 일상 차원에서 '의미의 해체'를 뜻한다. 이렇게 "의미를 해체한다는 것은 바로 현실 혹은 인간적 세계를 해체한다는 뜻이고, 우리 모두가 이미 <인간>이라고 알고 있는 그 인간의 의미와 그것의 가치 체계를 뿌리째 해체한다는 뜻이다."(243 쪽)

그렇게 '뿌리째 해체'한 결과는 우리 일상인에게 도와 시정신과 아름다움에 대한 그리움에서 영원히 헤어날 수 없게 한다. 그것은 단 한 번의 결과로 끝날 수 없는, 영원한 생성의 문제이기 때문이다. 인간의 일상은 '태초의 시간' 이래 그러한 운명에서 벗어나지 못한 것이다. 신이 아닌 우리 인간의 차원에서 그것이 비극이라면 비극이다. 우리에겐 마음놓고 그리워 할 일밖에 더 이상 허락된 바가 없다.

5. 천지의 마음 앞에서 적연부동(寂然不動)하며 생명의 소리를 들으며

의미 체계를 뿌리째 해체한 상태란 저자가 앞에서 제시한 허정의 세계와 무관하지 않을 것이다. 그러한 세계에 이르러 천지의 마음이 열릴 것은 당연한 이치이다. 그렇다고 시를 읽고 쓰는 일에서 언어를 포기할 어떤 특별한 방법이 있는 것도 아니다. 술어를 생략한다느니, 의미를 해체한다느니 따위의 몇몇 방법들이 시도될 수 있다는 것뿐이다. 그러한 방법 자체가 문제가 아니라, 그것들을 통한 본원성의 생성이 문제라는 사실은 앞에서 생각한 대로다. 그래서, "시의 말을 바르게 알아듣기 위해서는 무엇보다 먼저 천지의 마음을 알지 않으면 안된다"(253 쪽)라는 전제가 성립될 수 있다. '천지의 마음을 알자니' 엄청난 일이 아닐 수 없다. 저자의 표현 대로 '귀신의 조화' 차원이 아니면 그런 일은 불가능할 것이다.

저자는 이러한 천지의 마음과 언어와 시의 관계를 『서포만필』에서 끌어내고 있다. "사람의 마음이 입에서 나온 것이 말이고, 말이 절주(節奏)가 있으면 가(歌), 시(詩), 문(文), 부(賦)가 된다. 사방의 말은 비록 같지 않으나 진실로 말을 잘할 줄 아는 자가 각기 그 말로써 절주하면 모두 천지를 감동시키고 귀신과 통할 수 있다"가 그 부분이다. 이에 대한 저자의 해설은 다음과 같다. "김만중은 인간의 말이 절주를 얻으면 시가 되고, 그 절주로 인하여 좋은 시는 천지와 귀신을 감동시킬 수 있다고 말한다. 절주란 결국 음양 운동의 질서 정연한 길, 즉 도에 불과하다. 시가 그 도를 따라서 생성되면 천지의 도와 합일하게 되는 것이므로 천지와 귀신을 감동시킬 수 있는 것은 정한 이치다. 감동이란 어떤 것의 상(象)을 느끼게 되면, 그 상의 움직임과 하나가 되어 마음이 같이 움직이는 것을 뜻하기 때문이다. 그런데 여기서 말하는 귀신이란 무엇인가. 귀신이란 다름 아니라 보이지 않는 음양 이기가 절도있게 움직이는 모습을 이르는 말이다"(258 쪽)라는 터다.

시적 상상력은 이러한 절주와 귀신의 조화이며, 그 상상력과 조화에서 시가 생성된다는 게 저자의 논리이다. "시적 사유는 심상 사고이며, 심상 사고는 상상이고, 상상은 귀신의 조화이며, 귀신의 조화는 음양 이기의 운동이다. 시는 결국 궁극적 생성의 본체인 태극의 작용, 즉 음양 이기의 조화에 의해서 생성된 하나의 생성자에 불과하다. 따라서 시가 어떻게 생성되는지 알기 위해서는 귀신의 조화, 즉 음양 운동의 원리와 그 변화의 양상을 알지 않으면 안 된다"(261 쪽)라는 관계를 설정한 것이다.

저자는 이러한 시의 생성 원리를 음양 오행의 생성 원리에 병행시켜 규명하고 있다. 물론, 그 기저는 천지의 마음에 고개 숙이는 적연부동한 상태에 두고 있다. 그러한 상태에서도 오행은 사계의 절주에 따라 양기가 굴신하며 율려 운동을 하듯 끊임없이 율려를 지속한다는 것이다. 이는 대화작용(對化作用), 변극원리(變極原理), 자화작용(自化作用)에 의해 "천지의 마음의 귀신이 절도있게 움직이는 모습"(272 쪽)을 드러내 주고, "이 귀신의 운동은 사람의 마음이 천변만화를 일으키며 움직이는 모습으로 그대로 이어진다"(272 쪽)는 것이다.

그러니, 시의 생성 원리가 그러한 마음과 일상 의미의 역설적 생성 구조에 서 있을 수밖에 없다. 의미에 의해서 인간은 "자신의 내면에 있는 진정한 현실로부터 추방"(277 쪽)되기 때문이다. 그러한 마음이란 인간의 본성인 바, 율려 운동의 중심인 '토'를 주체로 삼아 인간이 생성되었기 때문에 인간이 바로 그런 천지의 마음이고 소우주라는 것이다. 그런 본성, 즉 소우주의 질서를 회복하고자 하는, 즉 '자신의 내면에 있는 진정한 현실을 되찾고자' 하는 일이 바로 일상 의미를 거부하는 시적 열망이다. 그러므로, 이 시적 열망은 문명, 문화 차원에서 욕망의 의미와는 반대이다. "문화, 문명은 글자 그대로 의미화, 또는 의미의 밝게 드러남을 말하는 것에 불과하다. 다시 말하면 자연과 현실을 의미화하였다는 뜻이다."(286-287 쪽) 문명사회에서 문화란 "불안의 산물"(287 쪽)이다. 그래서, "모든 인간적 재앙은 자아의 의미화 운동으로부터 비롯"(288 쪽)된다는 것이다. 시적 열망은 자아를 한 의미로 고착시키는 게 아니라, 자아를 끊임없이 회복 생성해 천지의 마음으로 향하게 한다. 그 절주의 순간순간은 새로운 생명이 싹트는 자유의 시간이다. 시인은 의미의 고착화 대신 그런 생명의 소리에 귀 기울인다.

그런 생명의 소리는 '음양 오행의 상동 구조(相動構造)'에 따라 다르게 형상화된다는 것이다. 상동 구조란 '음양 오행이 고정되어 있지 않고 끊임없이 생성 변화하면서 불가분리의 상관 구조를 유지하고 있는 유기적인 상관구조 속에서 부단히 생성 변화되는 역동적인 생성 구조를 말한다.'(292 쪽) "목·화는 양으로, 금·수는 음으로 수렴되어 상호 생성하면서 결국 무극이태극으로 수렴된다"(306 쪽)는데, 토가 그 중심 역할을 한다는 것이다. 저자는 그런 토성(土性)의 시적 형상화의 예로 한용운의 시들을 들고 있다. "목은 계절적으로 봄이고 기가 굴신하는 생장 수장(生長收藏), 즉 낳음, 자람, 거둠, 간직함의 네 단계 중 낳음에 해당한다"(315 쪽)는데, 이런 목성(木性)의 시적 형상화는 김소월의 시들에서 이루어진다는 것이다. "화는 계절적으로 여름에 해당하고 기가 굴신하는 낳음, 자람, 거둠, 간직함의 네 단계 중 자람에 해당한다"(325 쪽)는데, 저자는 이런 화성(火性)의 시적 형상화의 예로 서정주의 시들을 들고 있다. "금은 계절로는 가을이고 기가 굴신하는 과정으로 보면 양기를 음형 속으로 거두어들이는 단계다. 그러므로 양기는 내향하여 통일 응축되기 시작하고 생명 의지는 강인한 견인력과 결집된 굳건함을 보여 준다. 금의 외상은 분열, 조락, 갈등, 그리고 악의 힘이 지배하는 반생명적 상황을 암시한다"(333 쪽)는 것이다. 이 금성(金性)의 시적 형상화에 해당하는 시인으로 유치환, 김현승이 분석되고 있다. "수는 계절로 겨울이고 기가 굴신하는 과정으로 보면 양기가 극한점까지 수축 응고되는 단계다. 그러므로 생명력은 음향의 핵심에서 극도로 응축되어 삶과 죽음이 미분된 상태까지 이르게 된다. 그리고 극도로 압축된 그 양기는 때가 되면 반동하여 새로운 생명력으로 용출된다. 양기가 가장 강하게 압축 통일되어 있는 상태가 바로 겨울의 수기다. 겨울은 반생명적인 음기가 가장 맹위를 떨치는 시기이므로 수의 외상은 극도의 분열, 파멸, 죽음, 냉혹함 등을 상징한다"(342 쪽)는 것이다. 이 수성(水性)의 시적 형상화의 전형으로 이육사의 시들이 분석된 터다.

6. 하늘에서 시를 받으며

그렇게 생명의 소리를 듣는 순간이란, 천지의 마음 앞에서 적연부동하던 마음이 어떠한 방향으로든 "일단 감응하여 가는 바가 있"(357쪽)다는 것을 뜻한다. 시인은 이를 "결국 언어로 표현"(357쪽)할 수밖에 없다. 그래서 역반지로의 길을 가야하고, 역설의 구조에 의존할 수밖에 없다는 차원은 앞서 논한 대로이다. 저자는 이 표현의 법을 <뜻>에서 찾고 있다. 『서경』의 "시는 뜻을 말한 것이고 가(歌)는 그 말을 읊조리는 것이고 성(聲)은 그 읊조림에 따르는 것이고 음률은 그 성과 어울리는 것이다"와 『시경』의 "시란 뜻이 가는 바다. 마음속에 있을 때는 뜻이라 하고 말로 나타내면 시가 된다"라는 차원에서 그렇게 하고 있다. <뜻>을 문명 차원의 의미로 굳히는 기법이 아니라 하늘의 마음을 향해 여는 법으로 받아들이고 있다. 물론, 그런 법 차원에서는 뜻도 말로 나타내는 일도 어울리는 것도 가는 일도 일여적으로 수렴된다 할 것이다. 그러니, 시인이 하늘을 향하여 말을 걸고 마음을 여는 일은 시를 쓰는 것이 아니고, 하늘에서 시를 받는 일이다. 그건 문명, 문화에 시달려 온 인간의 마음에 내재한 굳은 의미를 털어냄으로써, 도를 담을 빈그릇으로 만드는 일이기 때문이다. 저자는 이를 "성(性)은 하늘에서 나오고 재(才)는 기에서 나온다"는 『근사록』의 말과, "시가 천득이 아니면 시라고 부를 수가 없다. 천득이 없는 사람은 비록 독자의 마음과 눈을 놀라게 할 수 있더라도 종신토록 글을 쓴 성취가 함통(咸通) 연대의 제자(諸子)의 우맹(優孟)에 지나지 않는다. 비유하면 오색 비단을 잘라서 꽃을 만들면 빛나지 않는 것은 아니지만 생색이 있다고 할 수 없는 것과 같다"라는 홍만종의 『소화시평』의 일부를 인용하여 뒷받침한다. 결국, 저자가 생각한 좋은 시란 "시인이 말하는 것이 아니라 <뜻>이 말하는 것이고, 시인은 다만 그 <뜻>이 말할 수 있는 계기와 매개가 될 뿐이다. 시인은 <뜻>이 움직여서 찾아오기를 기다려야 하고, 그것이 찾아와서 건네는 말을 귀기울여 들어야만 한다"(372 쪽)는 차원에서 절로 생성된 것을 말한다. 그것은 저자가 인용한 이규보의 오언 고시의 한 구대로 "뜻은 본래 하늘에서 얻은 것이라"서이다. 또한, 그것은 공자의 사무사(思無私)의 경지에 이른 상태라는 것이다.

저자는 이렇게 하늘에서 얻은 시를 '모본적(母本的) 시간'이라는 개념으로 유형화한다. 환원적(還元的) 시간, 선조적(線條的) 시간, 원환적(圓環的) 시간 유형이 그것이다. 환원적 시간 유형은 과거지향적 시간으로서 궁극적으로는 전일성을 지향하는 것으로서, 이는 우리 시에서 '님'이나 '고향'으로 형상화되었다 한다. 선조적 시간 유형은 강렬한 금기와 수기가 나타내는 미래 지향적인 것으로서, 이는 이육사의 시들에서 형상화되었다 한다. 원환적 시간 유형은 과거, 미래, 현재가 서로 하나로 포괄되면서 전동성을 드러내는 차원으로서, 이는 한용운의 시들에서 형상화되었다는 것이다.

시는 하늘에서 얻어지는 만큼, 이러한 유형들도 살아있는 생명체로서 끊임없이 상호 생성한다 할 것이다. 우리는 우주와 생명과 시를 일여적으로 볼 수밖에 없다. 세미

원고 표기 원칙

『작가연구』에서 정한 원고의 표기 원칙은 아래와 같습니다. 집필하실 때 표기 원칙에 따라 써 주시기 바랍니다.

1. 단편소설, 논문, 시 제목 : 「　」
2. 책 이름, 단행본, 장편소설 : 『　』
3. 신문, 잡지, 기타 정기간행물 : 『　』
4. 대화는 "　", 강조나 독백은 '　'
5. 한글 표기를 원칙으로 하되, 필요한 경우 한자와 영문은 (　)안에 병기함.
6. 외국인명일 경우에도 한글로 원음을 표기하고 (　)안에 원래의 문자를 병기함.
7. 주(註)는 각주(脚註) 형식을 원칙으로 함. 문헌일 경우는 저자명 서명 출판사 발행년도 면수 등의 순서로, 잡지 또는 정기간행물 일 경우는 필자명 논문제목 잡지명 발행년도 면수 등으로 기재함.
8. 인용문은 부득이한 경우를 제외하고 가능한 한 현대 철자법으로 표기함. 인용문이 외국어일 경우 번역하여 인용하고, 인용한 부분의 원문을 밝힐 필요가 있을 경우에는 각주(脚註)에 병기하는 것을 원칙으로 함.
9. 참고문헌이 외국 자료일 경우 원어 그대로를 표기하는 것을 원칙으로 함.

작가연구

반년간(통권 제 7 · 8호)

발 행 인 김태범
편 집 인 강진호
편집주간 서종택
편집위원 하정일 이상갑 채호석
발 행 소 도서출판 **새 미**
　　　　　서울시 성동구 행당동 28-7번지
　　　　　정우B/D 402호
　　　　　전화 2917-948, 2937-949
　　　　　팩시밀리 2911-628
등록번호 공보사 1883
등 록 일 1997년 2월 17일
인 쇄 인 박유복(삼문인쇄소)
발 행 일 1999년 10월 20일

* 본지는 한국간행물윤리위원회의 도서잡지 윤리강령
  및 잡지윤리 실천요강을 준수한다.

값 10,000원

☆ 도서출판 **새 미**는 국학자료원의 자매회사입니다.

　천리안 · KH058, 하이텔 kuk7949
　http : // www.kookhak.co.kr
　　　　kookhak@yahoo.co.kr

한국 문단 작가 연구 총서 4

초판 1쇄 인쇄일	2015년 1월 2일
초판 1쇄 발행일	2015년 1월 5일

편집인	작가 연구
펴낸이	정구형
총괄	박지연
편집 · 디자인	이솔잎 채지영 김민주
마케팅	정찬용
관리	한미애
인쇄처	은혜사
펴낸곳	**국학자료원**

등록일 2006 11 02 제2007-12호
서울시 강동구 성내동 447-11 현영빌딩 2층
Tel 442-4623 Fax 442-4625
www.kookhak.co.kr
kookhak2001@hanmail.net

ISBN	978-89-279-0042-9 *94800
	978-89-279-0047-4 *94800 [set]
전6권	400,000원

* 저자와의 협의하에 인지는 생략합니다.
잘못된 책은 구입하신 곳에서 교환하여 드립니다.